JN082361

ものごとの本質・真理を求めて

谷野 隆一 エッセイ集

まえがき

私は、今年（2022年＝令和4年）の3月20日で、6周目の寅年の誕生日を迎え、満72歳になりました。今から5年ほど前の2017年（平成29年）6月末日で、勤めていたＮＴＣコンサルタンツ株式会社（太陽コンサルタンツ㈱と日技クラウン㈱の合併分割後の平成20年7月1日以降の社名）を退職して、郷里の静岡県磐田市に戻りました。郷里に住むようになってから現在でも、時どきはＮＴＣコンサルタンツ株式会社の仕事を手伝っています。手伝うのは1ケ月に数日ほどであり、総じて言えば、気が向くままのノンビリとした生活を送っていると思います。

大学を卒業してから44年間も会社勤めをしていたわけですが、振り返ってみると、会社勤めの後半の方で、2006年4月（役職の変更)、2010年4月（定年退職・再雇用)、2012年7月（東北支社への転勤）の3回の転機がありました。

1回目の転機とは、2006年（平成18年）3月末で、執行役員・支社長（当時は、太陽コンサルタンツ西日本支社長、西日本支社の所在地は広島市南区）を退いて、技師長という役職に就いたことです。満56歳になったときでした。ちょうど、娘が大学院の修士過程を卒業して2006年4月から会社に就職することが決まったときであり、これが執行役員・支社長を退いた一つの理由にもなっています。

2回目の転機とは、その後、4年が経過して、2010年（平成22年）3月で満60歳になり、広島支店で定年を迎えたときでした。そのときには、退職後のことをそれほど積極的に考えていなかったので、再雇用というかたちで、それまでと同様に、技師長という職名のままで、仕事の方を続けさせてもらうことにしました。この時点では、漠然と満65歳になる頃までは、この会社に世話になろうと思っていた程度です。

3回目の転機とは、それから2年が経過して、2012年（平成24年）7月1日に東北支社（所在地は仙台市泉区）に転勤になりました。「65歳までは、この会社で」と思っていたので、引き続き技師長という職名で仕事をさせてもらうことにしました。

このように、会社勤務の後半の方で、3回の転機がありましたが、2006年4月の1回目の転機以来、仕事の内容は、ほとんど変わっていなかったように思います。しかし、仕事の内容が変わっていないのに、転機のたびに、「仕事をする（働く）」ということが楽しくなってきたように思います。「強制された労働」というか、「働くことの重圧」というか、そういうものから、解放されてきたからではないかと思います。だからと言って、決して、仕事を適当に、中途半端にやっていたわけではありません。今までと違った方面から考えられるようになって、つまり、ものごとの考え方が自由になってきたのではないかと思います。

私は、20歳前の若い頃から、哲学に興味をもって、かじってきました。といっても、かじるのをサボッタことの方が多かったのですが……。そこでは、「『人間』って何もの？」「『働く』ってどういうこと？」などを追い求めていました。このため、3回の転機のたびに、「本来、人間が『働く』って、こういうことだったのか！」を噛みしめることができたのだと思います。

「通常の考える枠を越えて考えるのは変わった人間」という人は、私には、「真理を認識する努力を放棄しているのではないか」と思います。真理を求めて考えることは、すばらしいことです。間違っている結論かも知れませんが、自分なりに考えて一定の納得がいく結論であれば、これはこれで満足できます。意固地に自分の考えに固執するものではありませんが、「私としての考え」は、常にもっていたいと思います。

このたび、「エッセイ集」を自費で出版することにしました。実をいうと、2010年（平成22年）3月末で、停年を迎えたときに、「技術者の姿勢とものの考え方」というようなテーマで出版しようと考えていました。それまでの自分の技術者のとしての人生を振り返るとともに、若い技術者のために、少しでも伝えることがあるのでは、と思ったからです。そして、社内の教育研修で使用したもの、また、それまでの講演等に使用したものを基にして、1年かけて書き上げました。しかし、内容が薄くて粗雑なものでしたので、出版することをあきらめました。

そうかと言って、出版すること自体をあきらめたわけではなく、もう少し内容を充実させてからと考えるようになっただけです。そんな意味で書いたのが、最初のエッセイの「『結果を予想する』『原因をさぐる』ことの大切さ（2011年＝平成23年5月頃、p12参照）」や「哲学をかじって（2011年6月頃。p24参照）」でした。

それからは、徐々に、一つの特定のテーマで出版するよりも、「エッセイ集」として書きものにしようと、思うようになっていきました。エッセイであれば、気が向いたときに書けるし、自身の自由な時間をそれほど奪われることなく、日常の生活にも負担を掛けないだろうと、勝手に思ったからです。

なぜ、書きものにすることに拘るかというと、ものを書くことが好きであったからだと思います。書くのが上手いか、下手かは別として、話をするのが苦手であったために、その裏返しとして自己を表現したかったのではないでしょうか。以上が、エッセイを書くようになった経過です。

こうしてエッセイを書くようになり、2011年（平成23年）から2021年（令和3年）まで約10年をかけて60作ほどを書きました。人からは、「文章が長すぎるからエッセイではない！」とか、「気軽に読めないからエッセイではない！」などの酷評を受けながらも、書き続けたものです。この内、今回のエッセイ集に収録したのは、製本の関係で3分の2ほどになりました。

収録したエッセイを「哲学」「政治・憲法・社会問題」「雑感」の三つのジャンルに分けました。例えば、「雑感」として分類したもののなかの一部に、社会問題を含んでいたりするので、厳密には区分できてはいませんが、目安にはなるかと思います。

エッセイというと、一般に、その時どきで、思ったこと・感じたことを気軽に書き記した散文のことです。それが、評論文のようになったのは、当初、「技術者の姿勢とものの考え方」というようなテーマで出版しようと思っていたことと関係していたと思います。そのために、気軽に読めない一風変わったエッセイになったかも知れませんが、「平易」をモットーに書き記したつもりです。

一作一作は、完結しているので、どこから読んで頂いても結構です。「腑に落ちたところ」や「こんな考えもあるのか！」など、今までと違った何かを感じて頂ければ、うれしく思います。

ものごとの本質・真理を求めて

谷野隆一エッセイ集

◉…… 目 次 ……◉

Ⅲ 雑 感

I

哲　学

「結果を予想する」「原因をさぐる」ことの大切さ

2011年（平成23年）5月頃記述

はじめに

土木構造物の設計をやっていると、電算機を使って、水理計算や構造計算などの計算をすることがよくあります。これらの計算を行うときには、外れることもありますが、何がしかの結果を推理（予想）します。鉄筋コンクリートの構造計算ですと、「コンクリート部材の厚さはこの位になるだろう」とか、「鉄筋の径とピッチはこの位になるだろう」とか、さらには、「応力度はこの位になるだろう」とかを予想します。出てきた結果をみて、ほぼ予想したとおりになっていれば、納得できます。予想が外れたときには、「何か条件がおかしいのかな？とか、どこかで間違ったのかな？」と考え、納得できる結果を求めて、何がしかの行動を起こします。このようにするのが普通であり、ひいては、これが「計算（設計）ミス」の防止につながっていきます。こうした行動を起こすことを確実にするためには、次の①・②の二つのことを常に頭のなかにもっていることが重要です。後述しますが、実は、この二つのことは、自然的現象、社会的現象、社会的な事件等のあらゆるものごと（物や事）を「考える」ときに必要です。

① 「結果」を推理（予想）する
② 結果に対して「なぜ？」を繰り返して「原因」を推理する（「原因」をさぐる）

「結果を推理（予想）する」ことの大切さ

何がしかの「①『結果』を推理（予想）して」計算をやらないと、出てきたものは、その全てが「答え」になってしまいます。結果を予想しないで、キーボードのキーを叩いて数値を入力し、何がしかの数値が打ち出されることだけを期待していてはダメです。目的が、「数値を打ち出す」ことになっているから、「計算不能」とか、「エラー」とかにならないで、数値が打ち出されれば、目的は達成されています。相当な桁数を間違った数値が打ち出されても、この間違いに気付いてもらえそうもありません。

結果を予想していれば、ハッキリした間違いに気付かなくても、「こんなにも桁が違うなんて、何かおかしい！」と、気付きやすくなります。何かおかしいと気付いてから、次に、「②結果に対して『なぜ？』を繰り返して『原因』を推理する」のです。要するに「なぜ？」を繰り返して考えていくわけです。このようにして考えていけば、そのうちに、間違いの原因に到達するはずであり、「計算（設計）ミス」の防止になります。

前もって「①『結果』を推理（予想）する」ことは、「②結果に対して『なぜ？』を繰り返して『原因』を推理する（原因をさぐる）」ことの契機となります。出てきた結果を鵜呑みにしないで、出てきた結果に対して疑問をもつためにも、まずは、「①『結果』を推理（予想）する」ことが大切です。

「原因を推理する（原因をさぐる）」ことの大切さ
……原因と結果の関係（法則性を掴む）

少し横道にそれますが、本論に入る前に、「なぜ？（Why）」という疑問詞について、説明します。「Why（なぜ？）」は、「疑問詞の５番目の『W』」と呼ばれています。一般的には、「4W1H」とは、「Who（だれが？）、What（なにを？）、When（いつ？）、Where（どこで？）、How（どのようにして？）」のことを指しています。これに、5番目の「W」の「Why（なぜ？）」が加わって「5W1H」になっているから、そのように呼ばれているわけです。そして、５番目の「W」が特別に重要視されているのは、「4W1H」の「W」と違って、基本的な事実の記述を要求している問いではないからです。簡単に言うと、その人の考えを要求している問いだからです。要するに、５番目の「W」は、推理することを要求する問いとなっているのです。

以下に、「4W1H」の疑問詞を使って、事実を記述した例を紹介します。

例 ―「彼女は、昨日、何をしていたか？」という事実を記述する要求に対して

彼女は（Who）、昨日（When）、市内のスーパーマーケットで（Where）、ショッピングカートを使って（How）、買い物をしていた（What）。

この例は、事実のみを記述していますが、さらに、５番目の「W」の「Why（なぜ？）」を加えて、記述することを要求されたとします。

「なぜ、買い物をしていたか？」を記述することを要求されたわけです。「Why（なぜ？）」に対して答えることは、事実を記述することではありません。答えるためには、どうしても「推理する（予想する）」ことが必要になってきます。

この例からも、5番目の「W」は、「4W1H」の「W」と違って、推理することを要求する問いであるということが理解できると思います。実を言うと、自然現象、社会現象、社会的な事件等を見て、これらの背後にあるものごと（物や事）を「考える」ときに必要です。

ここから本論に入ります。私たち人間は、自然的環境（自然界に実在する全てのもの）のなかで生存活動を行い、人間という種（ホモ・サピエンス種）を保存させています。自然的環境は、「物質」によりできており、この物質の法則的な自己運動により、自然界は進化・発展しています。私たちが見ているのは、物質の自己運動としての自然史の過程の一瞬間です。私たちが見ている現実は、つまり、自然的現象（事象）、社会的現象（事象）、社会的な事件等のあらゆるものごと（物や事）は、自然史の一瞬間であるということです。

物質の自己運動として、現実に起こっている「事象」は、法則性をもっています。自然的な事象にしても、社会的な事象にしても、法則性をもっています。ですから、「事象Ａは『必然的に』事象Ｂを引き起こす」となります。ある法則をもって自己運動していますから、「偶然的」ということではなく「必然的」ということです。

一般的にも、先に示したように、ある事象Ａが原因となって事象Ｂを引き起こし、今度は、この事象Ｂが原因となって事象Ｃを引き起こします。そして、次には、この事象Ｃが原因となって事象Ｄを引き起こします。このように、次から次へと進展（変化）していくのが現実の姿です。

事象Ａ（原因）→ 事象Ｂ（結果）
→ 事象Ｂ（原因）→ 事象Ｃ（結果）
事象Ｃ（原因）→ 事象Ｄ（結果）
事象Ｄ（原因）→ 事象Ｅ（結果）

「②結果に対して『なぜ？』を繰り返して『原因』を推理する（『原因』をさぐる）」ことは、ある事象とある事象との因果関係を把握して、その法則性を捉えることにつながります。ここで、代表的な推理法として、「演繹(えんえき)法」と「帰納(きのう)法」を紹介します。

$2H_2$（水素）$+O_2$（酸素）→ $2H_2O$（水）

この化学反応式は、「水素と酸素が化合すると水になる」あるいは「水素が燃えると水になる」ということができます。「なぜ水ができたのだろうか？」を繰り返すと「水素が燃えたからだ」と、その法則性を捉えることができます（これは「演繹法」という論理的推理法）。

・ＡＢＣが存在すると、ａという事象を引き起こす
・ＡＤＥが存在すると、ａという事象を引き起こす
・ＡＦＧが存在すると、ａという事象を引き起こす

「なぜａという事象が起こったのだろうか？」を繰り返して「原因」

を推理する（「原因」をさぐる）と「Aが存在したからだ」と、その法則性を捉えることができます（これは「帰納法」という論理的推理法）。

「法則性を捉える」というと少し難しく感じますが、「ものごとが引き起こされる必然性（本質）を捉える」ということです。現実的に起こるある事象は、必然性（本質）をもっていますが、その必然性（本質）は、その事象の偶然性というもので満ち満ちています。その偶然性を取り払うことが必要です。帰納法の例でいうと「『A』という本質」の存在は、BからGまでの偶然性、あるいは、それ以上の偶然性で覆われていて隠れています。その偶然性を取り払うということです。「なぜ？」を繰り返して「原因」を推理する（「原因」をさぐる）と、偶然的なものの一つひとつが取り払われます。そして、そのうちに「必然性（本質）を捉える」ことができます。

「必然性（本質）を捉える」ことに関して、もう少し説明を加えます。或るものがもっている性質、あるいは、或るものに備わっている性質のことを徴表と言います。これらの徴表の表れている姿が「現象あるいは表象」です。現象・表象の或る側面を抜き離して把握する大脳の作用のことを抽象と言います。その際におのずから他の側面を排除する作用が伴いますが、これを捨象と言います。現象・表象のうちの偶然的なものを捨象していくことが、「必然性（本質）を捉える」ことになります。

「自由」と「必然性」の関係

エンゲルス（ドイツの哲学者、1820 ～ 1895 年）の「反デューリング論」

は、オイゲン・デューリング氏（1833 ～ 1921 年）の理論への反論文で、1878 年に出版されたもの。村田陽一訳「国民文庫」の中で、次のように述べています。

ヘーゲル（ドイツの哲学者、1770 ～ 1831 年）は、自由と必然性の関係をはじめて正しく述べた人である。彼にとっては、自由とは必然性の洞察（ものごとを観察して、その本質や根底にあるものを見抜くこと）である。「必然性が盲目なのは、それが理解されない限りにおいてのみである。」自由は、夢想のうちで自然法則から独立する点にあるのではなく、これらの法則を認識すること、そして、それによって、これらの法則を特定の目的のために、計画的に作用させる可能性を得ることにある。これは、外的自然の法則にも、また、人間そのものの肉体的および精神的存在を規制する法則にも、そのどちらかにも当てはまることである。―― この二部類の法則（外的自然の法則、肉体的および精神的存在を規制する法則）は、せいぜい、われわれの観念のなかでだけ互いに分類できるのであって、現実には分離できないものである。したがって、意志の自由とは、事柄についての知識をもって決定を行う能力（法則性を把握することにより、先を見抜いて決定する能力）をさすものにほかならない。だから、ある特定の問題点についてのある人の判断がより自由であればあるほど、この判断の内容はそれだけ大きな必然性をもって規定されているわけである。他方、無知に基づく不確実さは、異なった、相矛盾する多くの可能な決定のうちから、外見上気ままに選択するように見えても、まさにそのことによって、みずからの不自由を、すなわち、それが支配するはずの当の対象にみずから支配されていることを、証明するのである。だから、自由とは、自然的必然性の認識に基づいて、われわれ自身（人間の意識）ならびに外的自然を支配することである。…… ――

これらのことについて、ノーベル賞を受賞された益川敏英さんは、『科学にときめく』（かもがわ出版）の中で次のように説明しています。私が説明するより重みが違いますので、そのまま引用させていただきます。

「自由といえども法を越えず」などという訳のわからない言葉ではなくて、自由とはどういうものであるかということを、福沢諭吉より100年ぐらい前に、ヘーゲルという人が「必然性の洞察である」と言っています。「自由とは必然性の洞察である」、これだけを聞いて、「あっ、よくわかった」という人は、ぜひ哲学科に行ってください。解説をしないとよくわかりませんよね。例えば、こちらのレバーを押すと100万円出てくる。こちらのレバーを押すと毒ガスが出てくる。さあ、どうする、ということなんです。どちらを押したらどうなるということがわからずにそれを言われたら、どちらを押すかということは、ただ偶然に身を任せるだけですね。どちらを押した時にどうなるかということがわかった時に、例えばこちらを選択するということに、自由というものがあるはずなんです。いろんな方法、選択の道があるけれども、こちらにいったらどうなる、こちらにいったらどういう結果になるということがわかった上で、こちらを選ぶということが自由なんだ、ということをヘーゲルが言ったのです。

そういう意味で言いますと、学問というのは人類に対して、より多くの自由を与えてくれるものです。法則がわかって、「こうすればこうなる、ああすればああなる」という意味で、より多くの自由を人間に与えてくれるものであると言えると思うのです。

人間はだれでも、「こうすれば、こうなるだろう。ああすれば、ああなるだろう」ということを推理（予想）して、行為・行動に備えての意志決定をしています。ここで言う「自由」とは、「言論の自由」「思想及び良心の自由」「信教の自由」などの「自由権的自由」とは違って、どちらを選択するかという「意志決定の自由」のことです。

科学とは、「自然史（社会史も含む）の過程の客観的法則性を諸法則として認識する」ことです。科学の発展は、人類に対して、より多くの自由を与えてくれています。諸法則が解って、必然性を認識することが、より多くの自由を人間に与えてくれることになるのです。これを逆の方から言うと、「人間がより自由になる」とは、より大きな必然性をもつということになります。

動物界から分離したばかりの最初の人間も、自然との関わりで自然とともに生きていましたが、まだ、「こうすれば、こうなる。ああすれば、ああなる」ということを捉えることができません。この点では、他の動物と何ら変わりありませんでした。法則性（力学的運動が熱に転化すること、〈摩擦火〉の発見）が捉えられるようになって、初めて、自由への道が拓(ひら)けました。同時に、動物界から分かれて、人間が誕生しました。人間以外の他の動物は、「結果」を推理（予想）することなど、できません。見たもの、見ているものしか、大脳には描けません。これから起こりそうな事象など、とても大脳には描けません。人間になって初めて、「見えないものを推理する」とか「根底にあるものを見抜く」ことができるようになりました。

「自然力に対する支配力」とは、摩擦火もそうですが、人間自らが自然界に働きかけて食料をつくり出すなどのように、自然界を人間が利用することです。人間以外の動物の食料とは、自然界が生態系の中で、つくり出している動植物のことですから、他の動物に対して、「自然力に対する支配力」という言葉は該当しません。人間が自然力に対する支配力をもつことによって、終局的に動物界から分離したのです。

人間は、「人間意識」をもって、自分がやろうとする意志を決定し、それに基づいて行為・行動をしています。自然に働きかけて、自然を人間に都合の良いように利用しようとすれば、どうしても、この「人間意識」が必要となります。「或ること」をするときに、「見えない結果」を推理（予想）することが、「人間意識」です。推理（予想）することができるのは、人間の大脳の働きです。以上の説明で、「自由」と「必然性」の関係を理解してもらえましたでしょうか？

「対症療法」と「原因療法」

「対症療法」という言葉を広辞苑で調べてみると、次のように示されています（よく「対処療法」と記述されるようですが、正確には「対症療法」）。

患者の症状に対応して行う治療法。高熱には解熱剤、疼痛（とうつう）（うずくような痛みのこと）**には鎮痛剤を用いる類（たぐい）。比喩的に、根本的な解決にはならない当面の方策の意にも使う。**

もう少し説明を加えておきます。治療法には、「原因療法」と「対症療法」というものがあります。「原因療法」とは、病気そのものの原因を取り除く治療法であり、これに対して、「対症療法」とは、熱が出たら解熱剤、痛みに鎮痛剤、咳に咳止めというように病気の不快な症状を和らげる治療法を言います。「対症療法」は、病気そのものの根本的な治療法にはなりません。そのために、比喩的には、「根本的でない当面の解決策」のような意味で使われています。ここで言っている「『脱対症療法的』考え方を身に付ける」とは、「根本的（本質的な）なものの考え方を身に付ける」という意味です。

「熱が出る」「咳が出る」などの症状とは、何かの病気に罹ったために、その病気に起因して外面的に身体に表れた状態のことです。そして、私たちが、「見ること」「感じること」ができるのは、この症状です。症状は感覚的に捉えることができますが、それを引き起こしている病気は、推理しなければ解かりません。

ですから、病気を治す根本的な治療法とは、症状をみて、次にその症状を起こしている病気を推理して、それから、その病気を引き起こしている原因を推理して治療する方法となるわけです。

自然現象や社会現象にしても全く同じです。現実的に起こっている自然的な事象、社会的な事象には必然性があります。現実（現実にあるものや起こっていること）とは、物質の法則的な自己運動の結果として現実に表れた状態のことです。私たちは、この「現実に表れている状態（現象）」を見ています。

自然や社会の現象をそのまま評価したり、それにそのまま手を加えたり、修正したり、現象に基づいた行動を採ったりでは、それらは対症療法と同じです。例えば、ある犯罪行為となる事件が起きたとします。このときに、表面上に現れた犯行に対して、罰を科したとしても根本的な犯行の解決にはなりません。根本的な解決法となると、まずは犯行そのものを見て、次に犯行を起こした原因を推理して、その犯行が起こった必然性を捉えて、そして、それからの解決法となります。「犯行が起こった必然性」というと、何かおかしく感じますが、その犯罪行為を引き起こす原因となる社会的な何かがあるはずです。

人間はよく間違いを引き起こします。間違いを直しても間違いは直りません。間違いを直すことは対症療法です。間違いを引き起こした原因を直さないと再び間違いを引き起こすということです。必ず間違いを引き起こす何かがあるわけではありませんが、間違いを引き起こしやすい何かがあるはずです。

「必然性（本質）を捉える」ことは、「『脱対症療法的』考え方を身に付ける」ことにつながります。ある事象が起こった必然性を捉えることができれば、「対症療法」が根本的な解決法でないことが直ぐに分かるはずです。社会が複雑になっているせいか、どうか分かりませんが、「対症療法的」な解決策（根本的でない当面の解決策）を探る人が多くなってきているように感じます。常に「必然性（本質）を捉える」姿勢をもって、「根本的（本質的な）なものの考え方を身に付けたい」ものです。

おわりに

「法則性を捉える」「必然性（本質）を捉える」「自由とは……」などと、少し難しいことを述べました。しかし、私が言いたいことは、そんなに難しいことではありません。自然現象であろうと社会現象であろうと、実在するすべてのものごと（物や事）のなかに「真理（本質）」は存在しています。「偶然性を取り払いましょう！」「納得がいく結果を得ましょう！」「真理（本質）を捉えましょう！」ということです。そのためにも、**①「結果」を推理（予想）する、②結果に対して「なぜ？」を繰り返して「原因」を推理する（「原因」をさぐる）**、ことが大切であるということです。

哲学をかじって

2011年（平成23年）6月頃記述

はじめに

2009年（平成21年）の夏に、『弁証法とは何か』（高村是懿著、一粒の麦社）という本を買いました。この本は、ヘーゲル（ドイツの哲学者、1770～1831年）の「小論理学」を通じて、弁証法について解説しているものです。そのため、この本に続いて、『(小）論理学』（長谷川宏訳、作品社）を買って勉強するようにしました。

その後、しばらくしてから、もっと詳しく解説している『ヘーゲル「小論理学」を読む１～４』（高村是懿著、一粒の麦社）があることを知って、これも買って勉強するようにしました。それから、半年ほどをかけて（毎日ではなく、気が向いたときに集中して）、これらの本で学んだ結果、ヘーゲルの「小論理学」に書かれていることが何となく分かってきました。

その後、さらにしばらくして、私の退職記念にと、広島の社員の人たちが、『自然哲学』（長谷川宏訳、作品社）と『精神哲学』（長谷川宏訳、作品社）の二冊の本を贈ってくれました（2010年＝平成22年4月頃）。この二冊の本は、10,000円以上もする高価なものです。この二冊の本

(『自然哲学』『精神哲学』)と、先に私が買った『(小)論理学』を合わせた三冊の本は、ヘーゲル哲学の「エンチクロペディー(百科事典)」を構成しているものです。まだまだ、かじっているだけで、これらの理解度は、低いと思っていますが、それ以来、哲学について、いろいろと感じることが多くなっています。このようなことから、エッセイの二作目として、「哲学をかじって」と題して記述することにしました。

ヘーゲルと弁証法

ヘーゲルに魅せられるその一番目は、ヘーゲルが、**「偶然性を取り払って、客観的事物の『真にあるべき姿』を認識することこそ、真理の認識である」**と考えている点です。ヘーゲルは、この「真にあるべき姿」のことを概念としています。一般に唯物論哲学では、真理とは「実在している客観的事物に一致する認識である」としています。実在する客観的事物は、本質的には恒久的、必然的な存在です。しかし、私たちの目につくままでは、個別的、一時的、偶然的な存在です。この個別的、一時的、偶然的なものをそのまま表面的に認識したとしても、真理の名に値しないとヘーゲルは言っております。

二番目は、ヘーゲルが、**「自然にも精神(社会)にも全てに真理が存在する」**と考えている点です。モノを言わない外的自然については、真理は存在しても、人間のかかわる社会などについては、「価値観の多様性」が認められるだけで、真理は存在しないとの考え方が多いと思います。こうしたことが横行すると、「価値観の相違」「見解の相違」を理由に、真理を明らかにしようとする努力(考えること)を怠るような傾向になってしまいます。私には、ヘーゲルは、「社会にも必然性(本質)、法則性があるから、それを捉えるべき」と言っているように思います。

先に述べましたが、「エンチクロペディー」の構成は、「(小) 論理学」「自然哲学」「精神哲学」となっています。「エンチクロペディー」の全体を貫いているものが「対立物の統一」を基本とする弁証法です。ヘーゲルの哲学体系は全体として弁証法的に構成されています。

弁証法は、実質的には、「①対立物の統一」「②否定の否定」「③量から質への転化」という三つの法則に帰着するとされています。また、全てのものは、相対的・一時的には固定し、静止していますが、絶対的・長期的には運動して、進化・発展しているとしています。ですから、弁証法は、全てのものは、三つの法則に従って進化・発展していると捉えています。つまり、全てのものは、「①対立物の一方を『揚棄 (アウフヘーベン)』」、「②否定の否定を繰り返すたびに『揚棄』」、「③『揚棄して』量から質に転化」して、「進化・発展している」と捉えることになります。

全てのものは「何か」と「何か」の対立物の統一体です。この「何か」と「何か」の二つの関係は、同じ次元の「相互に作用し合う関係」となっています。ものごと (物や事) が進化・発展するということは、この「何か」と「何か」が反発、または、引き合いをして (反発する関係を「対立物の闘争」、引き合う関係を「対立物の相互浸透」と呼んでいる)、対立した一方を、または、相互浸透して古くなった一方を揚棄 (アウフヘーベン) するためです。この「揚棄 (アウフヘーベン)」は、ヘーゲルの用語として有名です。「止揚」という言葉を使うこともありますが、要するに、新たな統一体として、高次の段階に進むことです。

哲学をかじって（真理を求めて）

20歳前の若い頃から、チョット哲学に興味をもつようになりました。大学に入学し、「哲学同好会」なるところに入ったのが、私が哲学をかじり始めるスタートでした。そこで、それほど特別に、勉強した記憶はありませんので、恥ずかしい話かも知れません。かじり始めのきっかけは、次のようなことだったと記憶しています。

① 他の人と少し異なることを勉強してみようと思ったこと

② ものごとをもっと本質的な面から捉えたいと思ったこと

③ 自分なりに考えて、常に「私としての考え」をもっていたいと思ったこと

④「『人間』としての生き方」を少し勉強してみようと思ったこと

ここでいう「④『人間』としての生き方」とは、「個人としての『人間』の生き方」ではなく、「『類的人間』（進化の過程である人類としての人間、本来あるべき人間の生き方）」のことです。ヘーゲル流に言えば、「人間として真にあるべき生き方」になるでしょうか。

存在しているのは、「個人としての『人間』」ですから、「個人としての『人間』の生き方」を見ることは大切なことです。「『個』の中に『類』」が存在しているので、**「類的『人間』の生き方」を求めて、そこから、「個人としての『人間』の生き方」**を見ることが、より大切であると思います。

少し長くなりますが、「類的『人間』の生き方（人間として真にあるべき生き方）」について説明します。

人間も含めて全てのものには、二重性があります。人間の二重性とは、「個人としての人間（具体的人間）」と「普遍としての人間（抽象

的人間＝類的人間）」のことです。「個人としての人間」とは、特定される氏名をもった具体的人間であり、一個人のことです。一個人ですから、特定される親から生まれた人間であって、その人特有の性質（個性）をもっています。「類的人間」とは、具体的人間の共通部分を採り出した抽象的人間のことです。人間としての共通項だけをもち、個性をもたない人間のことであり、進化の過程であるホモ・サピエンスとしての人間のことです。全ての人間は、「個人としての人間」と「類的人間」の二重性をもった統一体です。目に見える「個人としての人間」の存在の中に、目には見えない「類的人間（人間の本質）」が存在していることになります。

突然に変なものをもち出しますが、人間が住む「家」にしても同じです。私たちが見ることができる家は、「健康で文化的な最低限度の生活を営むことができる建物」という本質をもちながらも、個別的な「その家」「あの家」です。このように、実在する全てのものは、**「本質をもった個別」**ですが、私たちが見ることができるのは個別の方です。

私たちは、日常的には、目につくままを見ているために、「本質」の方を疎かにしがちになっています。このため、「人間」についても、「類的人間」の方を疎かにしています。「個人としての人間」の中にいる「類的人間」の中に、人間の本質があります。そして、この「類的人間」は、ホモ・サピエンスとしての種の系統を確実に引き継いでいるのです。

ドイツにヘッケル（1834～1919年）という生物学者・哲学者がいました。この学者は、あの有名なイギリスの生物学者であるダーウィン（1809～1882年）の進化論にもとづいて、**「個体発生は、系統発生を繰り返す」**という反復説を提出し、生物の発生に関して、唯物論的一元論の立場から独自の自然哲学を説きました。

「個体発生は、系統発生を繰り返す」という説（法則）を、ホモ・サピエンスを例として説明します。これは、「一人ひとりの個別のホモ・サピエンスが生まれる（個体発生＝個人の誕生）までに、母親の胎内では、30数億年前の地球上での、生命の誕生からホモ・サピエンスとしてのそれまでの（系統発生）の経緯を繰り返している」ということです。

私は、1950年生まれですので、30数億年前から1950年までのホモ・サピエンスとしての系統を引き継いで、母親から誕生しました。私には1981年生まれの娘が一人います。ですから、娘は、30数億年前から1981年までのホモ・サピエンスとしての系統を引き継いで、妻から誕生したことになります。

このように、母親から人間が誕生するたびに、その人間は、それまでのホモ・サピエンスの系統を引き継ぐことになっています。要するに、個人の人間が誕生するときには、「普遍的人間（抽象的人間＝類的人間）」としての質（本質）が、連綿として引き継がれているのです。私は、1950年に誕生しましたが、予定どおりですと、2070年に死がやってきます。ですから、「**『私』という人間は、『谷野隆一』と名づけられて、1950年から2070年までを生きたホモ・サピエンス（人類）**」ということになります。こういう言い方をすれば、全てのものは、「**本質をもって、ここに実在している個別である**」ということが分かると思いますが、如何でしょうか。

私がいう「**類的『人間』の生き方（人間として真にあるべき生き方）**」とは、「**1950年から2070年までを生きるホモ・サピエンスは、どのような生き方をすべきか？**」ということです。そして、ここから、「『谷野隆一』個人としての生き方」を見るのです。

全ての人間は、「個人としての人間」と「類的人間」の二重性をもった統一体です。自分の中にいる「類的人間」に「どのように、生きるべきか？」を相談してみては如何ですか。

「本質をもった個別」の概念図

「◇(1)個別人間と類的人間の関係」「◇(2)人間の成長と生き方」「◇(3)ヘーゲル哲学のエンチクロペディーの構成」「◇(4)技術の捉え方」「◇(5)もの改善の視点（ＶＥ＝バリューエンジニアリング）」の五つの概念図（五つとも私のオリジナル品）とそれの簡単な説明を加えておきました。この五つの概念図は、いずれも、似ていると思いませんか。この五つの概念図で、「ものの見方」「ものの考え方」の基本を示したつもりです。実在する全てのものは、**「本質をもった個別」**です。ですから、「ものの見方」「ものの考え方」の基本は、そのものの本質を探（さぐ）り、そこから、個別を導き出すということです。

◇(1) 個別人間と類的人間の関係

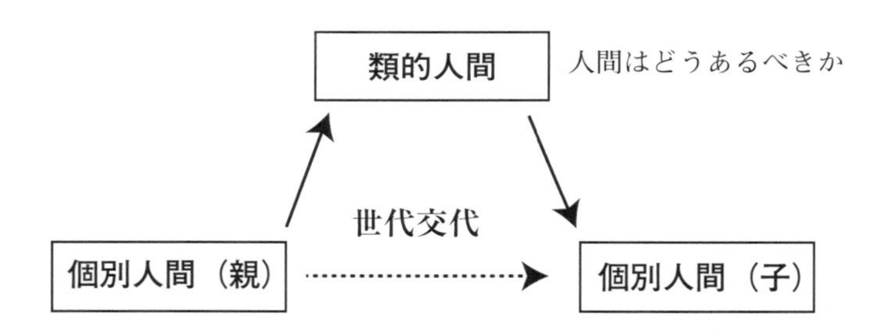

個別人間は、ホモ・サピエンス（＝人類）という系統を引き継ぎながら、次から次へと世代交代を行っています。○○○○と名づけられ

た個別人間は、○○年から○○年までを生きた（生きている）ホモ・サピエンス（人類）の一人です。個別人間は、「働くこと」および「生活すること」を繰り返して、つまり、生きて次世代にバトンを渡しているのです。これが一生物種としての種の保存です。

◇ (2) 人間の成長と生き方

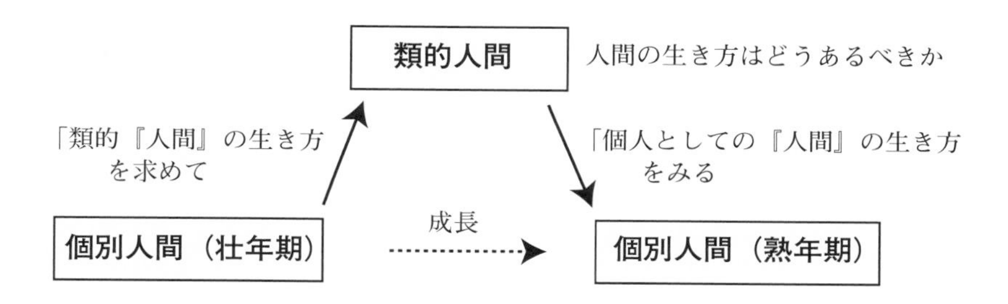

常に「類的『人間』の生き方」を求めて、そこから、「個人としての『人間』の生き方」を見ることが大切です。人間の生き方は、「個人としての『人間』の生き方」であり、それが「類的『人間』の生き方」に、つながっていなければならないとも言えます。

私は、壮年期を過ぎて、既に熟年期に入っています。人間は老年期になっても成長している訳ですから、明日の新しくなる自分を見据えて生きていきたいと思います。まだまだ、学ぶことは多いと思いますが、既に学んだこと、経験したことも多くあります。できるだけ多くのものを次の世代に引き継いでいきます。

◇（3）ヘーゲル哲学のエンチクロペディーの構成

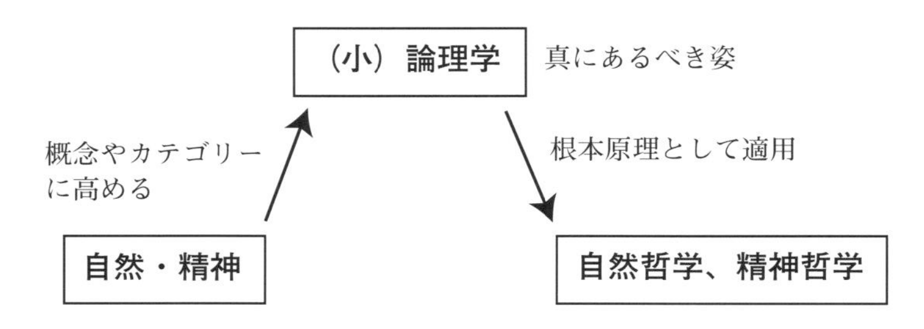

「（小）論理学」は、自然、精神という対象を思考することによって考察し、それを思考の形式として概念やカテゴリーにまで高めたものです。「自然哲学」「精神哲学」は、自然と精神の根本原理としての「（小）論理学」を自然と精神に適用したものです。この概念図は、哲学をチョットかじった私が、勝手に解釈してつくったものです。哲学の専門家の方には「間違いだ」と批判されるかも知れません。

◇（4）技術の捉え方

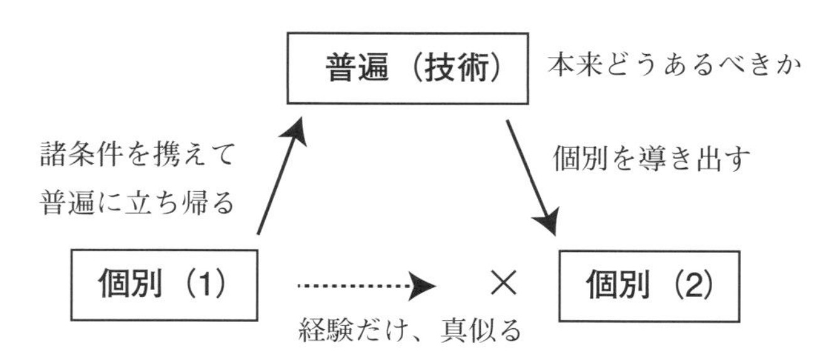

技術とは、社会的生産活動において客観的法則性を意識的に適用することです。技術の目的となると、それは、客観的法則性を意識的に適用して人間社会のために役立つものをつくることです。ここで注意すべきことは、「基準」（「定理」、「自然史の法則」）を適用する場合な

どの「適用条件」です。

与えられた課題に対して、「『過去にこのようにした』、だから、『今回もそのままこれを適用する』」では、技術とは何の関係もありません。過去の経験を生かすことは大切です。それとは別に、「本来どうあるべきか？」を考えて、そこから個別を導き出すことをもっと大切にしてもらいたいと思います。経験だけの知識のない技術者になっては駄目です。そもそも、「知識のない技術者」という概念はありません。少し失礼な言い方ですが、それは、技術者ではなく技能者（熟練工）です。失礼な言い方をしたので、付け加えますと、技能者の中には、技術者がどんなに勉強しても身に付けることができない技能を持っている人も沢山おります。

◇（5）もの改善の視点（ＶＥ＝バリューエンジニアリング）

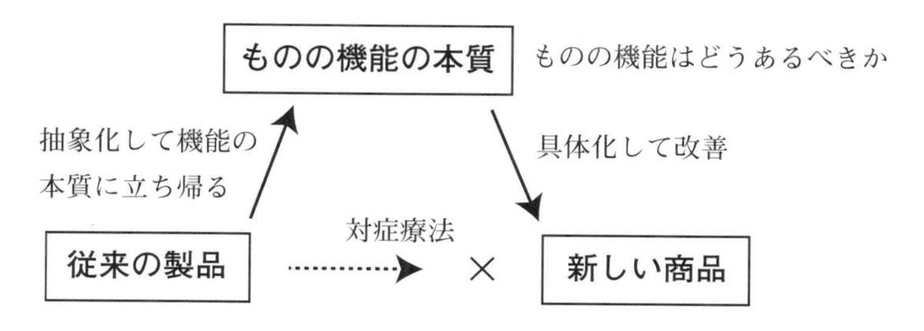

技術者がもたなければならないものの改善（ものづくり）の視点は、「使用者が要求している機能を明確にし、その『機能が発揮できるもの』を抽象的に描き、その後、ものが実際に改善される（つくられる）ように具体化する」ことです。ものがもつ機能を考える場合に、見たものそのものを大脳に像として描くのではなく、見たものの共通点を抽象化して大脳に描くのです。

例えば、「机」でしたら、見ることができた個別的な「その机」「あの机」がもつ機能の共通点を抽象化すれば、「各種事務および作業を行うことができる台」という「机の本質」が大脳に描けます。ここで、ようやく、「『机』とは、このようにあるべきだ」ということが捉えられます。その後、個別的な「その机」「その種の机」「あの机」「あの種の机」の改善点を考えることになります。

見たものそのものを改善していては、対症療法（根本的でない当面の解決法）になってしまいます。「丈夫にはなったけれども、かえって使い難くなった」なんてことにも、なりかねません。

哲学のおもしろさ

「哲学」は、英語では、philosophy（フィロソフィー）と示され、「知を愛する」という意味とされています。日本では、西周（1829～1897年、幕末から明治にかけての啓蒙思想家であり、日本では最初の哲学者とされています）が、西洋哲学を紹介するときに、賢哲（賢人〈かしこい人〉と哲人〈見識が広く思想の豊かな人〉）の明知（すぐれた知恵）を希求する意味で、「希哲学」と訳し、それが「哲学」という訳語に定着しました。現在は、「諸科学の基礎づけをめざし、世界と人生に関する根本原理を研究する学問」とされています。また、「物質の存在と人間の思考に関する学問である」とも言われています。これは、これで納得できますし、ヘーゲルのように「哲学が目指すべきものは真理である」でも納得できます。また、別の人は、別の人で違ったことを言うかも知れませんが、多分、それはそれで納得すると思います。

私にとっての哲学は、それをかじれば、かじるほど、「『ものの見方』と『人間の生き方』に関する学問である」と理解するようになってきました。これを求めて哲学をかじり始めたわけですから、当たり前のことです。

先に記述した本のなかに、「最高類概念を捉えるのが、哲学のおもしろさだ」と書かれているところがありました。30歳代までは、こんなことを言われても、何のことか？理解できなかったと思います。40歳代になって、ようやく何となく理解できるようになってきました。実際に、この本を読んだのは、60歳の頃ですが、読んだときに「ヤッパリ、そこが面白かったのか！」と確信した次第です。

「『一戸建住宅』→『家』→『建物』」の方向（内包〈規定する徴表の総体〉を少なくし、外延〈概念が反映する対象範囲〉を広くする方向）に進むのを、「概括」「上位概念にのぼる」「類概念に進む」などと言います。このように進ませて、最も外延の広いところに到達した概念を最高類概念と言います。

これでも、「最高類概念」を定義しただけで、何のことか解からないだろうと思いますから、もっと、簡単に具体的に言います。「『人間』を見て、人間とはどういう動物なのか？」を考えること、「『犬』を見て、犬とはどういう動物なのか？」を考えること、「『いろいろな家』を見て、家とはどういう機能をもったものなのか？」を考えることです。要するに、ドンドンと「ものの成り立ちに遡って」あるいは「類概念に向かって」考えることによって、目に見えない本質を捉えに行くことを言っているのです。

「或るもの」を見て、「或る事象・現象」を見て、それの「本質とか、大元（最高類概念）」を求めて、トコトンまで突きつめて考えること、こうして考えることが哲学です。日常的に見るものは、具体的・個別的なものですが、これを見たものそのままに留めておくことなく、考えるのを繰り返すこと、本来はこのようにあるべきだと捉えること、これが哲学のおもしろさだということです。

それにしても、「哲学とは何か？」の問いに対して、いろいろな言い方があるものだと思います。このようなことからかも知れませんが、私にとっての哲学も「『ものの見方』と『人間の生き方』に関する学問である」と、自分自身で妙に納得しています。

「哲学」って、本当にオモシロイものだと思います。40歳代の前半の頃だったと思いますが、「概念」「カテゴリー」「蓋然性、必然性」「類と個」「普遍と特殊」「認識論、実践論」「事象、現象、抽象、捨象」などの言葉が、違和感なく自分の中に入ってくるようになり、それからは、なおさらそのように感じるようになってきました。脳ミソを使って、具体・個別の裏にある見えない本質を見に行って、それを概念として勝手に脳に描いて……。勝手に、次々と、抽象化して脳に描いて……。哲学って、何とオモシロイでしょう！

おわりに

私は、他の普通の人と比べると（別に私が普通ではないと言っているわけではありません）、少し多く、哲学の勉強をしてきたと思います。と言っても、「少しかじって、放っておいて、また、少しかじって、また、少し放っておく」の繰り返しでした。これからも、特に、専門的に勉強したいとは思いません。何か苦痛になることがありそうで不安です。卑怯者かも知れませんが、イヤになったら、いつでも放っておけるようにしておきたいのです。そうは言っても、哲学に興味があり、オモシロイから、あまり放っておかないで、死ぬまで、楽しく、一人でかじり続けそうです。私の場合には、哲学を「勉強する」というより、ネズミのように「かじる」という言葉がピッタリです。

技術者って何者？

2011年（平成23年）7月頃記述

はじめに

技術者の役割は、ごく簡単に言うと、多くの人に、役に立つものをつくり出すことです。つくり出す過程において、結構多くの技術者は、無意識のうちに演繹推理（演繹法）や帰納推理（帰納法）を使っています。このエッセイでは、技術者とは何者か、技術者と科学者（研究者）の違いを記述し、そして、意識して演繹法や帰納法を使う大切さを記述します。

技術者って何者？（科学・技術の関係）

人間は、自然的環境（自然界に実在する全てのもの）を自己の目的に役立たせて、生存活動を行っています。自然的環境は、物質によりできており、自己運動を行うことによって発展しています。この物質の自己運動には、それ固有の法則性が存在しています。「科学」とは、「自然史の過程の客観的法則性を諸法則として認識することである」と言うことができます。

物質の自己運動というと、全てが力学的運動のように捉えがちです。しかし、生物が種を保存しながら生存活動を行っているのも物質の自己運動ですし、私たちの体をつくっている細胞が、日々更新されているのも物質の自己運動です。

人間は、生きるために必要な生活物質を生産しています。より多くの生活物質を生産するためには、より多くの自然的環境を取得することが必要になります。動物界から分かれて、人間になるときに、この生活物質を生産する活動は、意識（計画）的な「社会的生産活動」に高められました。「技術」はこの社会的生産活動の中に存在しています。そして、「技術」とは、「社会的生産活動において客観的法則性を意識的に適用することにある」と規定することができます。科学（自然史の過程の客観的法則性）を利用して、自然的環境から多くの生活物質をとり出す（生産する）活動の中に、「技術」が存在しています。

自然的環境から多くの生活物質をとり出す（生産する）ために、「科学」の方からいえば、「自然的環境の仕組み、自然の法則性」を掴まなければならず、そのための研究が必要となります。「技術」の方からいえば、技術を次々と改善させるために、科学の力をかりて、また、今までの技術的な蓄積を利用しての技術開発が必要となります。

このように見ると、科学者と技術者の違いは、ごく簡単には、次のように整理できます。

・科学者（研究者）とは、抽象化された公式をつくる人である。公式は、身近にある事柄の中の法則性に注目し、具体的な属性を切り捨てる（捨象）ことによってつくられる。→ 帰納推理が相対的に多く使用される。

・技術者とは、具体的で役立つものをつくる人である。役立つものは、ある状況のもとで、一般化された公式を、適用することによってつくられる。→ 演繹推理が相対的に多く使用される。

「科学・技術の関係」の概念図

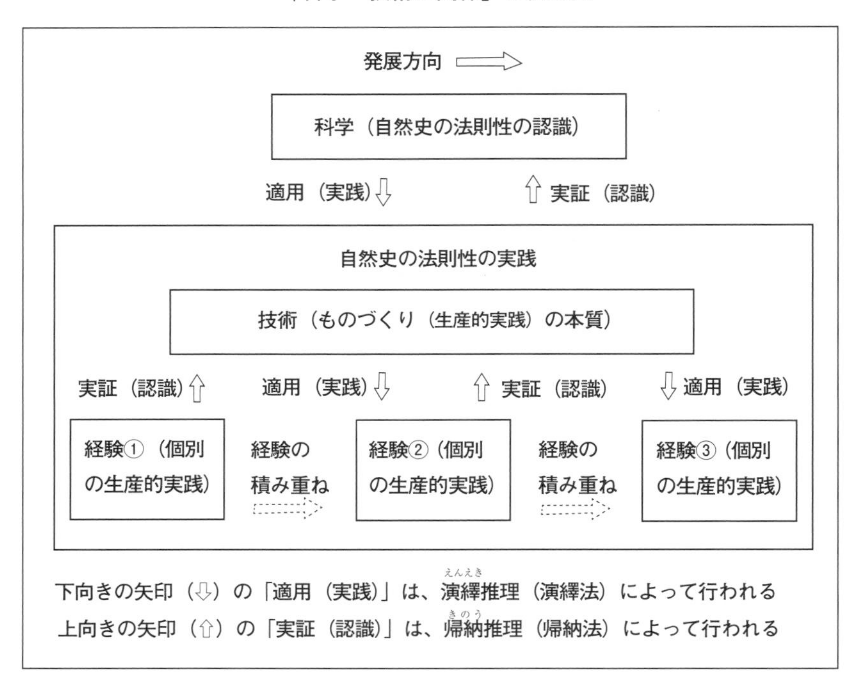

科学・技術の関係は、上の概念図のように整理されます。

単に「ものづくりを行う人」を「技術者」と呼ぶことはできません。「ものづくり」は個別の生産的実践の一つであり、これを繰り返しても、経験を積み重ねているだけです。「経験」とは、『広辞苑』によると、「人間が外界との相互作用の過程を意識化し、自分のものとすること。認識として未だ組織化されていない事実の直接的把握」とされています。「○○をしたことがある」とか、「○○を経験した」と言われる段階です。「○○を見た」「○○を聞いた」も経験のうちです。

認識の段階は、「感性的認識」「悟性的認識」「理性的認識」のように区分されますが、「経験」は、この認識の初期の段階の「感性的認識」

に相当しています。見たもの、聞いたものをそのまま大脳に映し出して、未だそれ以上に進んでいない段階です。「○○をしたことがある」「○○を経験した」だけで、知識として整理する以前の段階ということになります。

自然的環境から生活物質をとり出す（生産する）活動は、生産的実践としての個別の経験です。こうした活動の一つひとつは、生産的実践の個別の経験だということです。したがって、単に「経験を積み重ねている人」も「技術者」と呼ぶことはできません。多くのことを経験すること、経験を積み重ねることは大切なことですから、「経験する」ことを否定するものではありません。しかし、「経験する」ことよりも、もっと大切なことがあります。その辺りのところを記述します。

医術（病気や傷を治すための技術）の場合を例にとると、経験豊富な素人の方が、経験のない医者（専門家）と比べても、遜色がないほどに、有効な手当てをすることがあります。手当ての素早さは、経験のない医者（専門家）よりも、むしろ上になるかも知れません。経験豊富な素人が、実用的に対処できるのは、例えば、身体に、ある特定の症状が生じたときに、ある特定の治療法が効いたという記憶（経験の積み重ね）があれば、同じ症状が現れたときに同じやり方で治すことができる可能性が高いからです。対処の素早さ等からみれば、経験を積むことは、それはそれで大切なことだと思います。

しかし、経験だけを頼りにしたり、一方的に○○基準書等を「適用＝実践＝演繹推理（概念図の下向きの矢印）」して「ものづくり」を行い、それを繰り返しても、その人は「技術者」ではありません。「適用」した結果を整理して、「技術の本質」や「科学」に「立ち帰る」ことができる人が「技術者」になります。

一般的には、この「立ち帰る」ことを「実証＝認識＝帰納推理（概念図の上向きの矢印）」するとしています。少し哲学的になりますが「類本質の認識」のことです。先に示した認識の段階の「悟性的認識」「理性的認識」に相当しています。これができるようになって初めて「技術者」と呼ぶことができます。「類本質の認識」などと、難しい言葉を使用してしまいましたが、簡単に言えば、「適用した結果」を「本来どうあるべきか？」「本来どうあるべきであったか？」という視点から考えて、整理して知識として身に付けておくことです。もっと簡単に言うと、「やったこと」をそのままにしておかないで、それを整理しておくということです。単に「ものづくり」を行うだけでなく、これができる人が「技術者」であるということです。

「やったこと」を整理するといっても、「やった事実それだけ」を時系列的に整理しても駄目です。これでは、ただ単に経験を積み重ねているのと同じことです。ものづくりの一連の体系の中で、「やったこと」が、どのような位置付けとなっているかを整理しないと駄目なのです。そのときに、「本来のあるべき姿」を求めて、帰納推理を使って「比較、分析、総合、抽象化、概括」などの思考を繰り返すことになります。この思考が、「『経験』を『知識』に変換」していることになっているのです。「経験」の積み重ねではなく、「知識」の積み重ねが、「技術（ものづくり〈生産的実践〉の本質）」を理解することにつながり、これができるのが「技術者」なのです。

そして、今度は、次の段階での個別への「適用（下向きの矢印）＝実践＝演繹推理」にあたり、まとめられている「技術の本質」から、その手法を導き出すことができます。先の医術の例では、系統的・普遍的にまとめられた治療法から、個別的・具体的な治療法を導き出すことになります。

このように、「実証（認識）＝帰納推理」と「適用（実践）＝演繹推理」を繰り返して、技術者の技術力は高められます。実は、「科学」「技術」も、これの繰り返しによって進歩・発展してきたのです。

演繹推理（演繹法）と帰納推理（帰納法）

ここから、もう少し詳しく「演繹推理（演繹法）」と「帰納推理（帰納法）」について記述します。

人間のものの考え方（推理〈推論〉の仕方）は、「論理的でなければならない」とされています。推理（推論）は、「概念」→「判断」→「推理（推論）」へと進むことによってなされますが、これらに関しては、「論理学」という学問分野で研究されています。

一般に、推理（推論）とは、既に獲得された知識に基づいて、未知のものを既知のものへと転化させる思考の形式です。既知のものも未知のものも共に、判断の形で表され、既知のものを表す判断を前提といい、未知のものを表す判断を結論と言います。原則として、前提は一つ、または、複数であり、結論は一つに限定されます。推理（推論）は、大きくは、「演繹推理」「帰納推理」の二つに分けられます。この他に、類比推理という推理法もありますが、これは大きく括ると、帰納推理に含まれます。

演繹推理は、普遍的な、一般的な知識から出発して、特殊的な、個別的な知識へと進む推理です。よく知られている三段論法はこの演繹推理です。この推理で得られた結論は、前提が確実な知識であるならば、これもまた確実な知識です。この推理は、一般知識が既に獲得されているときなどに多く用いられます。演繹推理は、さらに、直接推理と間接推理とに分けられます。

設計を行う場合などで、「基準書」に従って作業を進めていくことは、この演繹推理に該当します。「○○設計業務」において、「○○設計業務報告書」をつくっていくのは、この演繹推理によってであり、「基準書」に従って、○○公式を使用して様ざまな計算を行います。

「○○設計業務」を行うことは、「経験（個別の生産的実践）の一つ」です。「○○設計業務」の一つひとつは、「同じようにみえる設計」であっても、「同じ設計」ではありません。個別は、全て異なっています。同じようなものが幾つあっても、個別は個別です。多くの機械類には、同じ形をした沢山の螺子（ねじ）が使われていますが、螺子が幾つあっても、「この螺子」「あの螺子」です。一人ひとりの人間は、人類として誕生した「この人」「あの人」です。「経験（個別の生産的実践）」もそうです。「同じような経験」はあっても、「同じ経験」はありません。全て異なっているものですから、個別の生産的実践に、○○を適用する場合の「適用条件」には、十分な注意を払うことが必要となります。

最近、「プロポーザル方式」で、設計業務が発注されることが多くなっています。「プロポーザル方式」とは、「企画提案」による入札方式のことで、発注者は、複数の者に「企画提案」を募（つの）り、それの優れたものを選定することにしています。ここで、問題にするのは、選定のための評価基準となる「優れた『企画提案書』とは何か？」ということです。

例として、「橋梁の設計」が、「プロポーザル方式」で入札に付された場合を取り上げます。この場合に参加する者は、「『1. ○○』『2. □□』『3. △△』のような設計を行う」との企画提案書を提出することになります。この企画提案書が優れているかどうかは、一言でいうとそれの独創性にあります。

設計するのは、一般的（普遍的）な橋梁ではありません。特定された場所に造ろうとする「個別的（特殊的）な橋梁」を設計するのです。ですから、優れた企画提案書とは、「技術の本質」から「個別」を適用するときの手法が、独創的でなければならないということになります。「普遍（技術の本質）を個別（生産的実践）に適用する」とき、どれだけの独創性が含まれているかということなのです。

「優れた技術」から「独創的で質の高い個別」を創り出すということですから、そのためには、造ろうとする「個別」を理解しなければなりません。どんなに技術力が高くても、造ろうとするその橋梁の背景や特殊的な様ざまな条件が理解され、それが企画提案書に反映されていないと優れたものにはなりません。どんなに高い技術が駆使された内容でも、一般的であっては優れたものにはならないということです。「基準書」「手引き」「技術論文」を書くわけではありませんから。また、一般的な「橋梁の造り方」を書くわけでもありませんから。

特に「企画提案書」に関わるときに感じるので、ここで記述しましたが、実は「○○設計業務報告書」をつくるときも同じことです。「企画提案書」も「○○設計業務報告書」も演繹推理を使ってつくるから同じことになるのです。

今度は、帰納推理について説明します。帰納推理は、特殊的な、個別的な知識から出発して、一般的な、普遍的な知識に到達する推理です。この推理は、得られた結論は、絶対的な確実性をもたない知識であることが多いのですが、日常生活や科学研究の場においては、しばしば用いられます。個別的な実験データから、一般的法則的な知識へ進むのは、この帰納推理によってです。

この帰納推理も前提と結論から成り立っています。ここで、前提となるものは、個別の事実、部分的な事実についての判断であり、結論となるのは、そのものの外延全体についての判断となります。簡単に言うと、前提は個別ですが、結論はその個別の共通部分を示すことになります。個別が多ければ、それだけ結論の確実性は高まります。「標準設計」あるいは「標準設計図」をつくるときなどは、この帰納推理によって行われます。

「技術論文」を書くことがあると思います。「技術論文」は、「企画提案書」や「設計業務報告書」とは異なります。それを寄せ集めても「技術論文」にはなりません。「技術論文」は、先に示した概念図の「適用(実践)＝演繹推理」および「実証（認識）＝帰納推理」が記述されたものでなければなりません。「帰納推理」が入っていないと駄目だということです。

＊「企画提案書」「設計業務報告書」……通常は「演繹推理」を使用

＊「技術論文」……「演繹推理」と「帰納推理」の両方を使用（特に「帰納推理」が入らないと駄目）

最近読んだ本の中に、「演繹推理」「帰納推理」「実践」「経験」等について書かれていたものがあります。世界思想社から出版されている『論理学―思考の法則と科学の方法』という本ですが、大変参考になると思いますので、引用させていただきます。これも哲学の本ですから、チョット難しくスラスラと読めないかも知れません。我慢して読んでみてください。ゆっくりと読んで頂ければ、「演繹推理」「帰納推理」を繰り返して、客観的真理に近づいていく、「認識」の発展過程が理解できると思います。

……人間の行う諸々の実践的諸活動は、すべてのことをあらかじめ知り尽くしたうえで、はじめて行なわれるわけのものではない。人間は、多くの場合、過去の実践的な諸経験から帰納的に得られた知識にもとづいて行動し、この行動の結果に照らして、この行動の導き手となった知識の真理性とその適用限度を不断に検証し、必要とあれば、それをより正しいものへと修正していく。

そして今日、ほとんど疑いの余地のないものとなっている様々な知識のもつ客観的真理性は、歴史的・社会的な広がりをもって行なわれてきた、人類の多種多様な異なった諸条件のもとでの実践的諸経験によって幾重にも検証と修正の手を加えた、実践の一成果としての一面をもっていて、個人のレベルの単なる観察や思考の産物にすぎないものではない。

しかしながら、いかに多くの実践的な検証の手が加えられた一見したところ正しい知識であっても、それが経験をとおして帰納的に得られたものである限り、それはなお、全くの不可疑のものとみることはできない。そして、このことは、演繹推理についても本質的になんら異なるところはないのである。というのは、演繹推理はその過程については絶対の確実性をもったものであるとしても、その前提を構成している諸判断は、もとを正せば、人間がなんらかの先天的な知識をもって生まれてくるものであることを認めえない限りおいて、終局的には、すべて何らかの経験をとおして帰納的に得られたものであるとすれば、その結論もまた、その前提と同じく、絶対の確実性をもつことはできないのである。

したがって、人間のもつあらゆる知識の真理性は、実践に検証されてよりいっそうの確実性をもつようになるとともに、常に絶対のものではなくて、人間がそのもとで知識を獲得し、かつ検証し得た一定の諸条件に制約された、その意味で条件的で一時的なものであり、相対的なものでしかないのである。

とはいえ、このことを過度に強調することは、悪しき懐疑主義に陥ることを意味している。人間のもつ知識は絶対のものではないとしても、人間の思考を介しての理論的諸活動をも含めた、実践的諸活動の積み重ねをとおして、人間はその知識をよりいっそう拡大するとともに、たえず修正し、全体としてより確実なものへと仕上げていくこともまた可能であり、このことは、人間の認識の発展過程をふり返ってみれば、明らかであるということができるのである。

「演繹推理」「帰納推理」「実践」「経験」など、また、「科学」「技術」の発展や人間社会の進歩について、理解して頂けたでしょうか。

おわりに

最後に、私の恩師である田渕俊雄先生が記述されている文章の一部を紹介して終わりにします。この文章は、田渕先生が、「土壌の物理性第 103 号(2006)」の講座の中で、**「古典を読む（我が国の研究）部分流（フィンガー流）の発見とその背景」**と題して記述したものです。私が、ここで特に紹介したいのは、技術的なことでも、専門分野のことでもありません。推理の方法にも多少関係しますが、全てのものごと（物や事）についての考え方のことです。

田渕先生は、部分流（フィンガー流）という偉大な発見をしました。部分流（フィンガー流）というのは、水田の降下浸透における水の流れの一つの現象です。ここに記述されているのは、ゼミ（山崎不二夫先生の研究室でのゼミ）・実験から部分流（フィンガー流）の発見、その後の論文発表に至る背景です。田渕先生が、この背景を記述したのは2006年で、70歳を過ぎたころですが、ゼミ・実験を通して論文を発表されたのは、25歳前後のころだと思います。田渕先生から退官記念に頂いた『回想の学園生活』という本に、「昼間は実験、夕方は安保のデモ、夜は論文書き」との記述がありましたが、まさしく60年安保闘争のころです。

□**紹介文①**

このゼミが私（田渕先生のこと）**を大きく成長させたのは間違いない。多くの優れた論文を歴史的な展開の中でつかむことができた。しかも、この負圧浸透論議は論文を批判的に読み、既存の学説を鵜呑みにしないことの重要性を私に教えてくれた。そして、本来技術者志望であった私を研究者の道に引きずりこんでしまった。**

全てのものごと(物や事、事象)は、生成消滅の過程のなかにあります。相対的・一時的には固定し、静止していますが、絶対的・長期的には運動し、変化しています。

・大切なこと①……全てのものごと（物や事、事象）を捉えるときには、歴史的な展開（運動・変化）のなかで、批判的でなければならない。

□**紹介文②**

実験から新現象が観察されて理論が生まれ、次いでその理論から逆に新事実が予測されて検証される。研究者（田渕先生のこと）**として最高の喜びである。**

私たち技術者は、ある理論をもとにして、あることを少し仮定（工夫）して、実験（生産的実践）をしています（理論の日々の適用）。そのうちに、新現象が観察（発見）されて新しい理論が生まれます（実証の結果を認識し、理論に高める）。ある理論をもとにして生産的実践を行うのは、理論を利用して適用するわけですから、その方法は演繹推理になります。理論や法則をつくり出すためには、個別の生産的実践（実験・データ）から属性を捨象し、本質を抽出する（とり出す）わけですから、その方法は帰納推理になります。

・**大切なこと②**……演繹推理・帰納推理を繰り返すことは、「真理を探究するものの見方・考え方」の基本であり、新しい段階での認識（洞察）を促がす。

ホモ・サピエンスの生存活動って何？　…「働く」ってどういうこと　…「生活する」ってどういうこと

2012年（平成24年）2月頃記述

はじめに

私たち人間（ホモ・サピエンス）は、他の動物と同様に、生命を存続させて子孫をつくり、世代交代を行って生き続けています。こうし

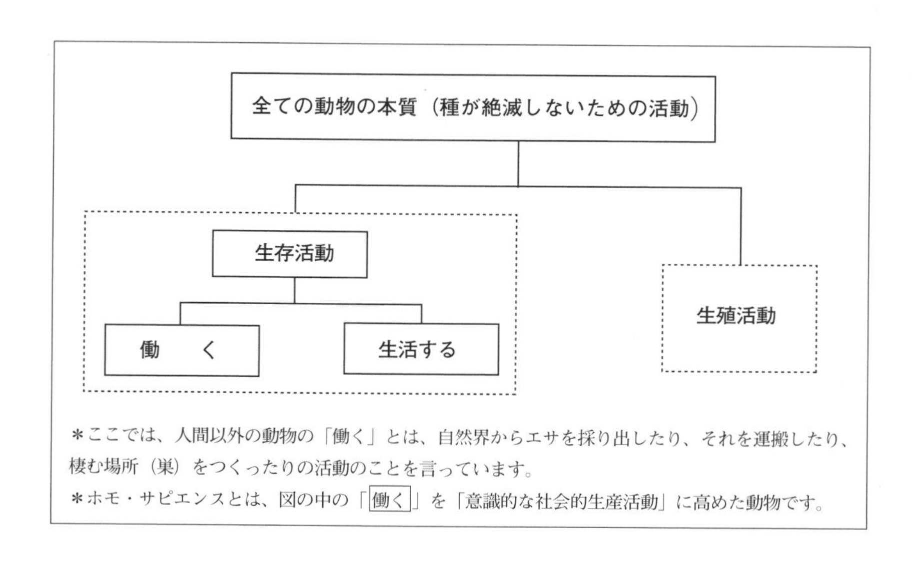

＊ここでは、人間以外の動物の「働く」とは、自然界からエサを採り出したり、それを運搬したり、棲む場所（巣）をつくったりの活動のことを言っています。
＊ホモ・サピエンスとは、図の中の「働く」を「意識的な社会的生産活動」に高めた動物です。

て、その種が絶滅しないように、引き継がれて進化しているわけです。全ての動物がもっている種が絶滅しないための活動には、「生存活動」と「生殖活動」の二つがあります。そして、さらに、この「生存活動」のなかには、「働く」ことと「生活する」ことがあります。

私たちは、無意識のうちに生活をしていて、「何のために働くか？」「なぜ生活するか？」などを考えて、日常を過ごしているわけではありません。このエッセイでは、普段考えていない「働く」ことの意義、「生活する」ことの重要性などについて考えてみます。

生存活動は「働く」ことと「生活する」ことの循環

まずは、最初に、次のことを質問します。

一つ目の質問―「『生活する』ために『働く』」とは、どういうことでしょうか。

二つ目の質問―「『働く』ために『生活する』」とは、どういうことでしょうか。

多くの人には、「『生活する』ために『働く』」については、すぐに理解して頂けます。ところが、「『働く』ために『生活する』」については、容易に理解して頂けません。つまり、「何のために『働く』か？」の質問には、すぐに「『生活する』ために『働く』」と答えてもらえますが、「何のために『生活する』か？」の質問には、容易に答えて頂けないのです。多くの人には、二つ目の質問の意味するところを、なかなか理解してもらうことができません。

このため、急きょ三つ目の質問を加えました。

三つ目の質問―なぜ、二つ目の質問には、容易に答えを出して頂けないでのしょうか。

「働く」ことと「生活する」ことですが、まずは、「生活する」こととは、どういうことかを考えてみましょう。普通の会社員の「日常生活」を例にとってみます。普通の会社員の人は、会社で働いた後、家に帰って、お風呂に入って、夕食をとって、テレビを見たり、本を読んだりして、夜がふけた頃になると寝ます。次の日は朝起きて、歯をみがいて顔を洗って、朝食をとって会社に出勤します。会社が休みともなれば、家族で旅行に出かけたりすることもあるでしょうし、囲碁・将棋やハイキングなどの趣味を満喫することもあるでしょう。はたまた、一日中、家のなかでゴロゴロしていることもあるかも知れません。日常的に、こうしたことをすることを、通常は「生活する」といっています。

これらのことを例にして、「生活する」ことの内容をもう少し深く考えてみます。会社から家に帰るといっても、通勤には、公共交通機関の電車やバスを利用するとか、自家用車を使用するはずです。お風呂に入るといっても、浴槽やお湯がないとお風呂には入れません。体や髪を洗うには、石鹸やシャンプーが必要です。夕食は、炊いたお米があり、野菜や肉などの食材を煮たり焼いたりして加工したものが副食になっているはずです。テレビを見るといっても、テレビがないとダメですし、また、本がないと本を読むことはできません。寝るときには、布団に寝ないと十分な睡眠はとれません。

以上のことから分かるように、私たちは、日常的には、誰かがつくった生活に必要な役立つものを、利用したり、使用したりして生活しています。要するに、私たちの日常生活は、働くことによってつくられた役立つものを、消費することで成り立っているのです。

一方、「働く」こととは、どういうことでしょうか。「○○自動車会社」の社員であれば、多くの人が乗る自動車をつくっています。日常生活に便利なものをつくり出しているわけです。「○○食品加工会社」の社員であれば、多くの人が食べる食品をつくっています。要するに、日常生活に必要なものをつくり出しているわけです。産業・生業（なりわい）には、さまざまな種類（業種・職種）があります。製造業の技術系の社員は、直接的にものづくりを行っていますので、「日常生活に必要なものをつくり出している」ということが、分かりやすく、ピッタリしています。しかし、製造業の事務系の社員もサービス業の社員にしても同じことです。「○○商店」は、会社の形態がどうであってもサービス業に区分されます。製造業のように、直接的にはものをつくり出していませんが、サービスという生活の利便性を提供しています。サービスを提供された人にとっては、生活の役に立つことをしてもらっているわけです。数えればきりがないほどの業種の職業がありますが、ここで、ただ一つ共通していることは、直接的であれ、間接的であれ、生活するために役に立つ「何か」をつくり出していることです。これが、「働く」ということなのです。

ところで、「日曜大工」と呼ばれるようなものは、「生活する」と「働く」のどちらの方に区分すればよいでしょうか。それが、「自発的に」趣味として行うのであれば、「生活する」と捉えればよいと思います。「自発的に」でなければ、「働く」と捉えればよいと思います。なぜなら、現代の社会では、強制された「家事労働」の範疇に入るからです。

家庭で「食事をつくる」などの行為も同様です。知り合いの人に味わってもらおうと、「自主的、自発的」であれば、「生活する」と捉えればよいでしょう。日課や義務的であれば、「働く」と捉えればよいでしょう。

ここまで、「生活する」ことと「働く」ことを説明してきましたので、ここで、簡単に次のように整理しておきます。

＊「生活する」こととは、働いて生産したものを「消費する」ことです。
＊「働く」こととは、生活に必要なものを「生産する（つくり出す）」ことです。

ここで、「働く」ということについて、少し詳しく説明しておきます。「働く」ということは、ホモ・サピエンスが働くということで、意識的な社会的生産活動のことです。意識的な社会的生産活動とは、「役立つものをつくるという目的をもって、みんなで生産する」ことです。ホモ・サピエンスの労働には、「具体的有用労働」と「抽象的人間労働」という二重性があります（「具体的有用労働」と「抽象的人間労働」については、p101、p102、p154 ～ p156参照）。ここで記述している「働く」とは、「（交換）価値」を生み出す「抽象的人間労働」のことを意味しています。「使用価値」を生み出す具体的人間（個別的人間）ではなく、抽象的人間（一般的人間＝類的人間＝人類）の社会的生産活動です。

この「生産（働く）」と「消費（生活する）」の関係をつかむために、ホモ・サピエンスが誕生した10万年程度の昔までさかのぼって、その経過をみます。

□パターンⅠ

ホモ・サピエンスになってから、しばらくの間は、自分の食料は、自分で生産していました。そして、自分で生産したものを自分で消費して生活していました。つまり、以下のような流れであったのです。

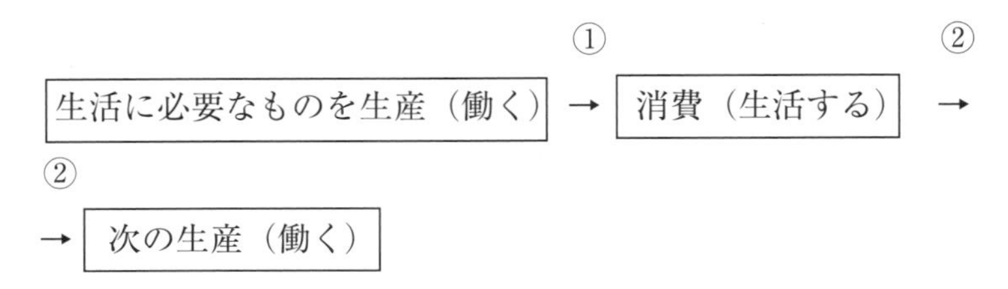

過程①「消費する（生活する）」ために「生活に必要なものを生産する（働く）」
過程②「次の生産を行う（働く）」ために「消費する（生活する）」

□パターンⅡ

社会が進歩して発展してくると、人は自分のものだけではなく、他の人の生活に必要なものまでを生産するようになりました。逆の方からいうと、自分で生産したものだけでは生活できません。そのために、自分で生産したものと、他の人が生産したものを交換して、それを消費して生活するようになりました。次のような流れに変わりました。

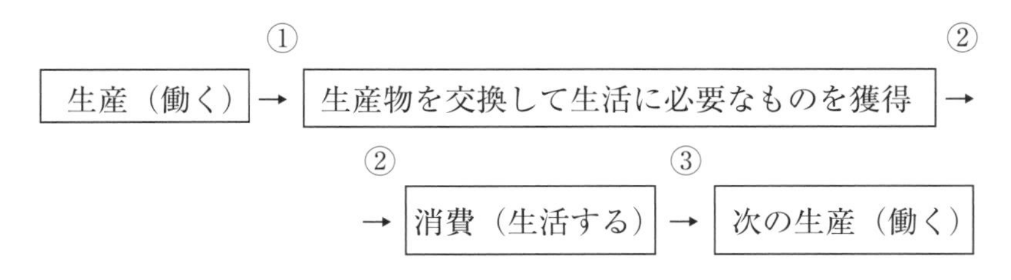

過程①「生産物を交換して生活に必要なものを獲得する」ために「生産する（働く）」
過程②「消費する（生活する）」ために「生産物を交換して生活に

必要なものを獲得する」

過程③「次の生産を行う（働く）」ために「消費する（生活する）」

◇部分パターン

さらに社会が進歩して発展してくると「生産物の交換」を次のように、貨幣が仲立ちをするようになりました。自分で生産したものを他の人に売って、貨幣（お金）に換えて、今度はこのお金で生活に必要なもの買うようになったのです。

自分で生産したもの → 貨幣（お金） →

→ 生活に必要なものを獲得

□**パターンⅢ**

さらに、さらに、社会が進歩・発展し、資本主義の社会になってくると、生産手段を所有する資本家と、労働力を売ることしかできない労働者とが現れます。労働者は生産したものを自分のものにすることができません。このため、労働者は自分の労働力を売ってこれを貨幣（お金）に換えて、このお金で生活に必要なものを買うようになりました。またまた、次のような流れに変わりました。

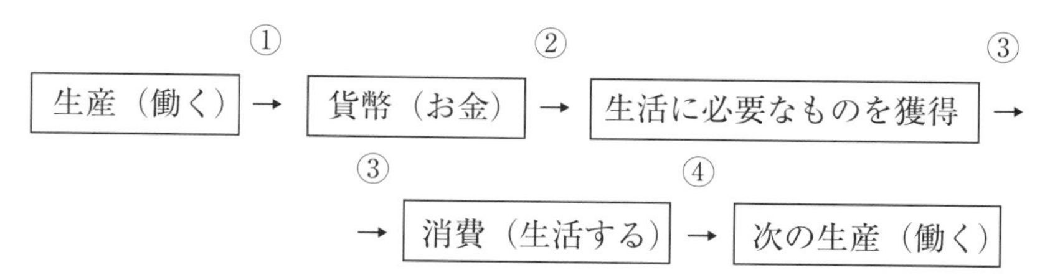

過程①「貨幣（お金）を獲得する」ために「生産する（働く）」
過程②「生活に必要なものを獲得する」ために「貨幣（お金）を消費する」
過程③「消費する（生活する）」ために「生活に必要なものを獲得する」
過程④「次の生産を行う（働く）」ために「消費する（生活する）」

もう一度、三つのパターンをとり出して、並べてみます。

□パターンⅠ

生活に必要なものを生産（働く） → 消費（生活する） → 次の生産（働く）

□パターンⅡ

生産（働く） → 生産物を交換して生活に必要なものを獲得 → 消費（生活する） → 次の生産（働く）

□パターンⅢ

生産（働く） → 貨幣（お金） → 生活に必要なものを獲得 → 消費（生活する） → 次の生産（働く）

よく見て頂ければ、分かると思いますが、三つのパターンの共通しているところをとり出すと、下図のような基本パターンになります。ホモ・サピエンスは、生産する（働く）ことによって生活に必要なものを直接つくり出すか、貨幣を仲立ちさせるなどして、交換することによって生活に必要なものを獲得しています。そして、獲得した生活に必要なものを消費（生活する）しています。これの繰り返しです。ホモ・サピエンスは「働く」ことと「生活する」ことを繰り返して生存活動を行っているのです。すなわち、ホモ・サピエンスの生存活動というのは、「『働く』ことと『生活する』ことの循環」です。

基本パターン

→ 生産（働く） → 消費（生活する） → 次の生産（働く） →

ここが最も重要ですので、もう少し分かりやすく「『働く』ことと『生活する』ことの循環」を説明します。

ホモ・サピエンスは、「働く」ことによって生活に必要なものを生産します。そして、「生活する（生活に必要なものを消費する）」ことによって、「次の生産（働く）」のための体力をつくり出し（生産）ます。そして、また、「つくり出した体力を消費する（働く）」ことによって、次の生活に必要なものを生産します。「働く」と「生活する」の螺旋状の循環が、ホモ・サピエンスの生存活動ということなのです。

今から5万年～20万年前に、アフリカで誕生したホモ・サピエンスは、随分と進化してきましたし、これからも進化していきます。社会も限りなく進歩・発展します。これによって、生産様式や生産関係は変化しますが、どんなに変化しても、本来のホモ・サピエンスの生存活動である「『働く』ことと『生活する』ことの螺旋状の循環」は変化しません。最後に、「生存活動」「働く」「生活する」を次のようにとりまとめて、本項を締めることにします。

＊ 全ての動物がもっている活動は、「生存活動」と「生殖活動」の二つであり、この「生存活動」のなかに、さらに「働く」ことと「生活する」ことの二つがある。

＊ ホモ・サピエンスは、この「働く」を「意識的な社会的生産活動」に高めた動物である。

＊ 自発的に目的意識をもって「働く（生活に必要なものを生産する)」からこそ、「生活する（働く体力を生産する)」こととの関係が、固有の他者となり、螺旋状に循環する。だから、弁証法的には、ホモ・サピエンスの生存活動は、「『働く』ことと『生活する』ことの対立物の統一である」ということができる。

三つの質問の答え

一つ目の質問は、「『生活する』ために『働く』」とは、どういうことでしょうか？でした。要するに、「何のために『働く』か？」ということでした。一つ目の質問の答えは、**「生活に必要なものを生産する（獲得する）ために働く」**です。

二つ目の質問は、「『働く』ために『生活する』」とは、どういうことでしょうか？でした。要するに、「何のために『生活する』か？」ということでした。二つ目の質問の答えは、「**働く体力をつくり出す（生産する）ために、生活に必要なものを消費して生活する**」です。明日の働く体力を身に付けるために生活しているのです。夕食をとって、テレビを見たり、本を読んだり、睡眠をとったりすることにより、明日の働く体力を身に付けているのです。

急きょ掲げた三つ目の質問は、なぜ、二つ目の質問には、容易に答えを出して頂けないでのしょうか？でした。それは、社会が進歩・発展して、「生産物を交換する」とか、「貨幣が（お金）仲立ちをする」などが途中で入り込んできたためです。説明する前に、答えを記載しておきます。

三つ目の質問の答えは、**ホモ・サピエンスの生存活動の基本パターンである「『働く』ことと『生活する』ことの循環」が、隠れてしまって分かり難くなってきたため**です。簡単に言うと、「生活して、働くための体力を生産する」ことが、容易に理解できないようになっているからです。

答えを先に出しましたが、ここから、「なぜ、基本パターンが隠れてしまって分かり難くなってきたか？」を説明します。

ホモ・サピエンスの基本パターンである「『働く』ことと『生活する』ことの循環」をもう一度思い出して下さい。単純にすれば、「『働く』→『生活する』→「『働く』→『生活する』」の循環のことでした。この「『働く』→『生活する』」の過程の中に、「生産物の交換」や「貨幣（お金）の仲立ち」などが入り込んできました。

分かりやすくするために、パターンⅢで説明します。パターンⅢの最初の過程①は、「『生産（働く）』→『貨幣（お金）』」でした。ここの過程①は、「お金を獲得するために働く」であり、働く目的がお金になっています。ここの過程①だけをとり出してみると、働く目的は「お金」になりますが、お金は仲立ちをしているだけです。あくまでも、働く本当の目的は「生活する」ためです。

ホモ・サピエンスのなかには、無尽蔵にお金をもっていて、「『お金』→『生活する』」の一方向だけの過程の「生存活動」を行っている者（モノ）がいます。こうしたモノどもが考えていることは、「金さえあれば働く必要はない。働かないで如何にして多くの金を獲得するか？」ということだけです。

働く本当の目的を見失ったり、無尽蔵にお金をもっているモノにあこがれて、これを目指すようになると、働く目的が「金儲け」になってしまいます。働く目的が「金儲け」になってくると、「生活して、働く体力を生産する」ことが、容易に理解できないようになります。そして、いつまで経っても、「働く」ことに戻れない状況に陥っていきます。つまり、「『働く』ことと『生活する』ことの循環」というホモ・サピエンスの生存活動の基本パターンが見えなくなってきてしまうのです。

全ての動物がもっている種が絶滅しないための活動には、「生存活動」と「生殖活動」の二つがあり、さらに、この「生存活動」のなかには、「生活する」と「働く」ことがあると述べました。ホモ・サピエンスのなかには、無尽蔵にお金をもっていて、「『お金』→『生活する』」の一方向だけの過程の「生存活動」を行っているモノがいると述べました。全ての動物は、「働く」ことと「生活する」ことを繰り返します。したがって、「働く」ことをしないで、「生活する」ことだけをやっているのは、動物ではないことになります。ましてや、ホモ・サピエンスとしては認められません。ですから、「者」ではなく「モノ」なのです。モノどもは「生活する」ことによって生産された「働くための体力」

つまり「自由な肉体的・精神的エネルギー」をどこかに捨てているのです。モッタイナイことです。

「働く」ことの意義

ホモ・サピエンスとは、「働く」「生活する」という「生存活動」のうちの「働く」ことを、意識的な社会的生産活動に高めた動物です。意識的な社会的生産活動とは、「役立つものをつくるという目的をもって、みんなで生産する」ことです。ホモ・サピエンス以外の他の動物は、「目的をもってみんなで生産する」ことはしません。

ホモ・サピエンスは、誰でも個人として生まれてくると、死ぬまで「働く」と「生活する」活動の繰り返しです。もちろん、乳幼児や高齢者の一部の人などのように、自分で「働く」「生活する」活動ができない人もいます。こうした人に対して、社会で支援するというのも、他の動物にはないホモ・サピエンスだけの特徴でもあります。

生まれてから死ぬまで、「働いて生活する」というと、「なにか息苦しくなる」という人もいると思います。ホモ・サピエンスの「働く」「生活する」活動は、だれもがもつその人自身の自由な自己活動であるはずです。だれからも強制されるものではなく、自発的に自由に行う活動です。「働く」活動を強制している現在社会をみているから、「息苦しく」感じるだけです。「働く」ということは、生活に必要なものとか、社会に役立つものを、みんなで生産することだったはずです。本来の目的を見失って、「働く」目的が「金儲け」になっている現在社会をみているから、「息苦しく」感じるのです。働いても、働いても、充分な賃金を受け取ることができない人の方が圧倒的に多いから、「働く」ことが、ますます、「息苦しく」感じられるのです。

ドイツの経済学者であり、哲学者であるカール・マスクス（1818～1883年）は、「経済学・哲学草稿」という草稿を書いております。そのなかで、現在のような社会を**「人間が、自分の労働の生産物から疎外され、自分の生存活動（自由な自己活動）からも疎外される社会」**と言っております。「生産物からの疎外（外的な疎外）」とは、つくり出したものが、自分のものにならないで、そのものから遠ざけられることを言っています。「生存活動からの疎外（内的な疎外）」とは、類的人間（人間性が豊かな人間的な人間）から遠ざけられる（人間性の喪失の）ことを言っています。これらをまとめて、簡単に言うと、現在のような「つくってもその人のものとはならない社会、働くことを自発的なことと感じさせない社会」を「人間性のない社会」であると言っているのです。

「『働く』ことと『生活する』ことの循環」が、隠れてしまって分かり難くなってきていると述べました。これは、本来のホモ・サピエンスの「働く」活動が、だれからも強制されず、自発的に自由に行う活動になっていないからであるとも述べました。この「強制された労働」「疎外された労働」に関して、「経済学・哲学草稿」を参考に、私なりに整理して記述しておきます。

働くことの目的を見失うと、働くことがその人にとっては外的になり、ホモ・サピエンスの本質に属さなくなり、働くことが自分のものではなくなります。働くことを幸福と感じずに、むしろ不幸と感じ、自由な肉体的・精神的エネルギーを発揮するどころか、その肉体・精神を消耗･荒廃させるようになります。そこでは、人間は、働くことを、働いている以外のところで、はじめて自分のものと感じ、働いているときには自分の外にあると感じます。働いていないときに我が家にいるようにくつろいでいるのに、働いているときにはくつろげないのです。ですから、働くことが自発的なものではなく、強いられたものであり、強制労働になります。したがって、働くことは欲求の満足ではなく、働いている以外のところで、欲求を満足させるための手段にすぎなくなります。働くことの外化は、自分自身を犠牲にした働きであり、これでは、働くことが息苦しくなってしまうのも当然のことです。

この結果、人間は、もはや、ただ飲食（生活すること）や生殖活動といった動物的な活動や、せいぜい、住むことや着飾ることしか、自分の自由な活動と感じなくなります。そして、本来の人間的な「働く」活動においては、自分を、単なる動物としか感じなくなります。こうして、動物的なもの（生活することや生殖活動）が人間的なものとなり、人間的なもの（働くこと）が動物的なものとなります。

たしかに、飲食（生活すること）や生殖活動なども、ホモ・サピエンスとしての活動です。しかし、これらの活動だけがとり出されて、「働く」活動などの領域から切り離され、最後の唯一の究極目的にされてしまうようなところでは、人間の「働く」活動が、動物的なものになってしまいます。私は、「経済学・哲学草稿」を読んで、「『働く』目的」を見失わないことと、「『生活する』ことだけが、ホモ・サピエンスの自発的な自由な活動ではない」と捉えることの重要性をあらためて強く感じました。

賃金をもらうために、仕事をすることが「働く」ことではありません。「働く」ということは生活に必要なものとか、社会に役立つものを、みんなで生産することだったはずです。もっと概念の範囲を広くすると、社会ために役立つことを行うことが「働く」ことです。

「働く」ことも「生活する」ことも、ホモ・サピエンスにとっては当然の活動です。生きていくための活動(生存活動)ですから、当然であり、ごく自然であり、むしろ、ホモ・サピエンスにとっては喜びであるはずです。「働く」ことだって、自発的に「役立つものをみんなで生産する」ことですから、本当は苦痛ではなく、喜びであるはずです。

いきなり、「『働く』ことが喜び」になるといっても、そんなに、たやすく理解できないと思います。たやすく理解できないのは、日ごろから、「人間が『働く』ってどういうこと？」などと、考えていないからです。

落ち着いたころ、もう少し時間をかけて、このことを考えてみて下さい。このようにすると、「人間が『働く』ってどういうこと？」や「人間は、なぜ『働く』か？」を必然的に考えるようになります。私たちは、現代社会に生きていて、考えることは、現在の社会の中でのことがベースになっています。「『働く』ってどういうこと？」も、現在の社会で実際に働いている人を見て、あるいは自分が働くことを体験して、その質問の答えを頭の中でつくっています。このように、私たちが日常的に考えていることは、いま住んでいる社会をベースにしています。人が考えることは、その人間が住んでいる社会によって規制されているということです。社会やそれをベースにした意識（「『働く』とはどういうことか？」）を歴史的な変化の過程で捉えることが重要です。

こうした捉え方で、「『働く』ことが喜びになる」ことを、考えてみてはどうでしょうか。先に、「生活する」ことと「働く」ことを説明したところで、「日曜大工」をとり上げました。そこでは、「『自発的に』趣味として行うのであれば、『生活する』と捉え、『自発的に』でなければ、『働く』と捉えればよい」と説明しました。「自発的に『働く』」ということは、「日曜大工」を例にすれば、「趣味で日曜大工をする」ことと同じです。強制的にではなく、自ら進んで「日曜大工をする」ことが、本来の意味での「働く」ことです。

このように、全ての「働く」活動が、強制されたものではなく、自発的に行うようになると、「働く」ことがくつろぎになり、「働く」ことが喜びになってきます。既存の社会という規制を取り払って、自分の家族をはじめ、「全ての人の『生活する』ことが保障された社会」を頭に思い浮かべてみて下さい。そんな社会を何となく想像できてきませんか。「生活する」ことが保障されていれば、「働く」ことを自発的に行うようになるでしょう。

おわりに

私は、2006年（平成18年）3月末で、執行役員・支社長（当時は、太陽コンサルタンツ西日本支社長）を退いて、技師長という役職に就くことになりました。満56歳になったときでした。ちょうど、娘が大学院の修士過程を卒業して2006年4月から会社に就職することが決まったときであり、これが執行役員・支社長を退いた一つの理由にもなっています。

その後、4年が経過して、2010年3月末で60歳になり、ＮＴＣコンサルタンツ株式会社で定年を迎えました。仕事の方は、技師長という役職のままで、続けさせてもらっています。このような二回の転機がありましたが、2006年4月の一回目の転機以来、仕事の内容は、ほとんど変わっていないように思います。しかし、仕事の内容が変わっていないのに、転機のたびに、「働く」ということが楽しくなってきたように思います。

今から振り返ってみると、「強制された労働」というか、「働くことの重圧」というか、そういうものから、解放されてきたからではないかと思います。だからと言って、決して、仕事を適当に、中途半端にやっているわけではありません。今までと違った方面から考えられるようになって、つまり、ものごとの考え方が自由になってきたのではないかと思います。私は、20歳前の若い頃から、哲学というものをかじってきました。といっても、かじるのをサボッタことの方が多かったのですが。そこで、「『働く』ってどういうこと？」「『人間』って何者？」などを追い求めてきました。ですから、この転機のたびに、「本来、ホモ・サピエンスが『働く』って、こういうことだったのか！」を噛みしめることができたのだと思います。

私には、いずれ、あと数年で会社を完全にやめるときがきます。どのような世の中になっても、どのような地域に行っても、社会があれば、社会のために役立つことを行う「何か」は、あるはずです。それを求めて、それに関わって、自分の人生を全うしたいと思います。

人間の寿命と人間らしい生き方

2013年（平成25年）2月頃記述

はじめに

2012年（平成24年）12月に、「早足で歩く運動……歩測の訓練」の題名のエッセイを書きました（P.413参照）。その中で、「人生50年と言われている時代に、伊能忠敬（いのうただたか）は、50歳を過ぎてから、江戸に出て、測量・天文観測などを勉強し、そして、56歳になった1800年から全国の測量を行うようになった」ことを述べました。伊能忠敬の人生をみて、それがキッカケとなって、普段思っていた「人間の寿命」や「人間の生き方」のことを、まとめてみようと考えました。それがこれです。

このエッセイは、「◇生物の進化」「◇生物の寿命」「◇人間の寿命」「◇人間らしい生き方」という四つの項目から成り立っています。

生物の進化

ホモ・サピエンスは、種を存続させようとして、寿命を延ばしてきました。ホモ・サピエンスとは、今から約5万年～20万年前に誕生した「霊長（目）―ヒト（科）―ホモ（属）―サピエンス（種）」のことです。ホモ・サピエンスになりたての頃の平均寿命は15歳程度でしたが、それが今では、80歳を超えるまでになっています（2010年のデータでは、日本人男女の平均寿命は82.9歳）。こうして寿命を延ばしてきたことは、ホモ・サピエンスという種としてみれば進化です。

寿命が長い動物ほど、性成熟年齢（子どもを産むことができる年齢）が高く、産子数（1回に産む子どもの数）が少ないのが一般的です。ホモ・サピエンスの場合は1回に産む子どもの数は通常1人です。また、13～14歳にならないと子どもは産めません。妊娠期間はおおよそ10ヶ月です。ホモ・サピエンスは強い存在ですので、子どもが少数でも生き残ることができました。ですから、ホモ・サピエンスは、進化の過程で、「少産」「長命」の道を選び、それに伴って、寿命を延ばしたのです。

ホモ・サピエンスのように、全ての動物種が、寿命を延ばしたわけではありません。反対に、マウスのように、寿命を短くしてきた種もいます。寿命を短くしたことも退化ではなく、その種にとっては進化です。ホモ・サピエンスは、自分を基準として自分勝手に考えるので、自分と反対方向に進んだものを退化と捉えがちです。しかし、どちらの方向に進んでも、その種にとっては進化なのです。

中生代（2億5,000万年前～6,500万年前）には、「うさぎ」「ねずみ」のような体形であった哺乳類は、恐竜に隠れて、地上で生活していました。そして、恐竜が絶滅した後、樹上で生活するようになりました。樹上生活を送るようになると、地上生活と違って、臭いの情報は役に立たなくなります。そこで嗅覚を退化させました。樹上生活では、枝までの距離を測ることができるように、距離感を判断する能力が必要になります。枝までの距離を測り間違えば、空振りして墜落死してしまうからです。そこで、樹上生活を送るようになった哺乳類は、立体的にものを見ることができるように、両眼が顔の前方に並んで位置し、退化した鼻を挟む形となりました。「うさぎ」や「ねずみ」のように、両眼が側方に位置し、とがった鼻をもった顔から、嗅覚を退化させて鼻を引き込ませ、現代で見るような平らな霊長類の顔になったわけです。これが、動物（界）―脊椎動物（門）―哺乳（綱）―霊長（目）へと進化した、まさしく、哺乳類から霊長類に枝分かれした過程です。嗅覚を退化させ、鼻を引き込ませたことも、霊長類へと進化した過程です。ですから、嗅覚を退化させたのも、その生物種にとっては進化です。

個体数（生物種の一匹いっぴき、一体いったいのこと）が少なくなって、絶滅した種はいましたが、退化していく種はいません。結局のところ、地球上に現存する全ての生物種は、進化の最先端にいるわけです。系統樹でいうと、全ての種が枝分かれした最先端です。系統樹とは、生物の進化やその分かれた道筋を枝分かれした図として示したものです。樹木の枝分かれのように描かれますので、このように呼ばれています。

マウスの話に戻りますが、マウスは１回に８匹以上の子どもを産み、その子どもは生まれて４週もすると、子どもを産めるようになります。また、妊娠期間も20日と短いのです。マウスは非常に弱い存在であり、飢餓や敵に襲われて死ぬ確率が高いので、効率よくドンドンと子どもを産まなければ種は存続できません。この道を選ぶ場合には、個体の寿命は長い必要はありません。こうして、マウスの寿命は、２年数ケ月と短命になりました。マウスは１年に８回ほど、子どもを産み、ほぼ寿命に相当する２年ほどの期間にわたって子どもを産み続けますから、１匹のメスのマウスは一生のうちには100匹以上の子どもを産みます。こうして、マウスは、進化の過程で、「多産」「短命」の道を選び、それに伴って寿命を短くしたのです。何回も言いますが、これも進化です。

アフリカの草原には、ヌー（哺乳（綱）—偶蹄（ぐうてい）（目）—ウシ（科）—ヌー（属）—オグロヌー（種））という大型の草食動物がいます。普段は数十頭から数百頭の群れで生活し、草原にはえるイネ科の食物を食べて生きています。アフリカの草原には、雨期と乾期があり、毎年それぞれ2回繰り返されます。ヌーは、毎年、緩い乾期が終わる2月頃に、いっせいに子どもを産みます。1頭が産み始めると、それを合図にするかのように、他のメスも妊娠の日数が少なくても、約3週間位のうちに次々と産むのです。乾期は、草が短いため見晴らしがよく、肉食動物を見つけやすいので、安心してヌーは出産と子育てができるからです。

生まれた子どもは数分で立つことができ、2～3週間もすると走ることさえできます。雨期の4～5月を終えて、6月の頃の厳しい乾季が近づくと、シマウマなどの草食動物と同じく、水と草を求めて大移動を開始します。100万頭以上の大群、総移動距離が1,500km以上の大移動です。このころには、生まれた子どもは大きくなり、大人と一緒に旅ができるほどに育っています。

ヌーは、なぜいっせいに出産するのでしょうか。もし子どもが、毎日数頭ずつ産まれていくと、次々と肉食動物に食べられてしまい、子どもは残らなくなってしまいます。肉食動物も、1日に食べる量には限度があるから、いっせいに産めば多数が生き残れます。子どもは生後2～3週間で早く走れるようになるから、肉食動物に追われても逃げることができます。ライオンが狩りをするときの最高速度は、ヌーが逃げ始める速さより早いので、簡単につかまりそうですが、そうではありません。

ライオンが早く走れるのは、数百m程度です。それ以上になると、ライオンは走るのを止めてしまいます。いっせいに出産し、育てれば、そう簡単にライオンの餌食になりません。草原に群れでくらしている他の草食動物もヌーと同じように、いっせいに出産する傾向にあります。

ヌーなどの草食動物は、なぜ群れで暮らすのでしょうか。その理由は、肉食動物の接近を群れの中の１頭が見つければ、すぐにみんなで逃げられるからです。数が多ければ、すべての方向を同時に見張ることができます。また、１頭でいると集中して狙われますが、沢山いれば狙いが定めにくくなります。

アフリカには、約150～200万頭のヌーがいます。そして、毎年20～30万頭位の子どもを産みます。多い年には50万頭位の子どもが産まれるそうです。ヌーは、150～200万頭という全体の個体数で見た場合に、なぜこのように沢山の子どもを産むのでしょうか。それには、弱い個体を間引きして、健康で強い遺伝子を残していくということが関係しています。沢山の子どもを残しておけば、ライオンなどの肉食動物の餌食になっても、強い個体が生き残り、ヌーの種は保存されるからです。ヌーの場合は、マウスとは少し違い、寿命には関係ありません。しかし、進化ということに関して言えば同じことで、種の保存のために、「多産」「いっせい出産」の道を選ぶようになったのです。

「ホモ・サピエンス」「マウス」「ヌー」という生物種をみてきましたが、生物種の進化とは、自然的環境に対して、種を保存するための工夫です。ホモ・サピエンスが「少産」「長命」の道を選んだのも、マウスが「多産」「短命」の道を選んだのも、ヌーが「多産」「いっせい出産」の道を選んだのも、種を保存するための工夫なのです。「『進化』とは何か？」と問われれば、**「『進化』とは、種を保存するための工夫である」**ということができると思います。

生物の寿命

私たちの祖先をさかのぼると、約38億年前に海の中で誕生した原始細胞にたどりつきます。原始細胞から、やがてバクテリアと呼ばれる光合成を行う細菌が誕生しました。細菌のような原始的な生物は、原核（げんかく）生物と呼ばれ、核と細胞質の境目がはっきりしません。原核生物のもっている染色体（遺伝の情報をもった生物の細胞内にある物質）は一組で、このように一組の染色体しかもっていない生物は、一倍体生物と呼ばれています。一倍体の単細胞の原核生物は、細胞分裂によって二つの同じ細胞に分かれ、子孫を増やします。これを無性生殖と言います。

原核生物から、やがて核が核膜に囲まれた真核（しんかく）生物が誕生しました。このとき誕生した真核生物とは酵母やカビのことです。単細胞の真核生物は、一倍体同士が合体して、一度は二倍体となり、今度は、この二倍体が分裂して一倍体の個体が二つ生まれます。これが二倍体生物と有性生殖の始まりです。

さらに、約6～10億年前になると、単細胞生物から多細胞生物が誕生して、多細胞生物は光合成をする植物と、光合成をしない動物に分かれました。多くの多細胞生物の個体は、生殖に特化した生殖細胞と、それ以外の体細胞でできています。メスとオスの生殖細胞からは、それぞれ卵子と精子という一倍体の細胞がつくられますが、体細胞の方は二倍体です。受精により卵子が精子と合体して、二倍体の新しい生命が誕生するのです。こうして多細胞生物が誕生してから、カンブリア（カンブリア紀：5億5,000万年前～5億年前）の大爆発と呼ばれる時代を迎えることになりました。数十種しかいなかった生物が、爆発的に、1万種以上に増加した時代です。その後、多細胞動物は、動物（界）—脊椎動物（門）—哺乳（綱）—霊長（目）という進化を経て、おおよそ700万年前には、私たちの直接の祖先である直立二足歩行ができる霊長類が現れました。人類の誕生です。

ところで、単細胞動物においては、寿命の概念がありません。合体（接合）するかどうかは別として、分裂を繰り返すだけですから、分裂したものは、依然として残ります。したがって、単細胞動物においては、寿命は理論上では無限大です。しかし、メスとオスがはっきり区別される多細胞生物になると、個体の寿命は有限になります。その代わりに、メスは卵子を、オスは精子をつくって、その卵子と精子が交尾により合体して新しい生命を受け継ぎます。生殖を終えた個体は、多くの場合、比較的速やかに死にます。ドンドンと子どもを産んで、速やかに死んでいくのがマウスです。ヌーも同様で、肉食動物の餌食となるように、ドンドンと子どもを産んで、産めなくなると、こちらの方も速やかに死んでいきます。サケも産卵と射精を終えるとまもなく死にます。

このように、「個体の生」と「個体の命（寿命）」と「個体の死」は、根本的にはつながっています。「生」があるから「命（寿命）」「死」があり、「命（寿命）」があるから「生」「死」があり、「死」があるから「命（寿命）」「生」があります。こうして、多細胞生物が誕生する年代になって、ようやく「生」「命（寿命）」「死」という概念が誕生しました。私たちは、一般的に「寿命とは、産まれてから死ぬまでの命の長さである」と理解しています。これはこれで間違いないのですが、もう少し深く考えてみたいと思います。

個体が、産まれて生きて死ぬこと（寿命）は、一つの生物種としてみると、その種の永遠の生命（種の保存）をつなぐ役割を担っていると捉えることができます。要するに、前世代から「生」を受けて次世代にバトンを渡す役割です。ホモ・サピエンスで言うと、類的個体（個性をもった個人ではなく、ホモ・サピエンスという共通の性質をもった生物種としての個人）、すなわち、私たち一人ひとりは、ホモ・サピエンスという種を保存しながら、世代交代をしています。

「谷野隆一（やのたかいち）」と名付けられた私は、1950年に生まれ、2070年にバトン渡しを予定しているホモ・サピエンスの一人です。何万年、何億年続くか分かりませんが、こうして、ホモ・サピエンスという種の永遠の生命をつないでいます。このように、個体の寿命とは、その生物種の永遠の生命をつなぐ一世代なのです。

ここから、「世代交代」と「進化」について、考えてみます。700万年前に誕生した人類は、確実に進化しました。ようやく直立二足歩行を開始した人類は、いまのチンパンジーのような姿だったのではないかと思います。それが、いまの私たちのような姿になりました。この間、一世代を15年とすると、約45万世代の交代が行われていたことになります。45万世代前まで遡ると、私たちは確実に進化してきたことが分かります。しかし、せいぜい100年しか生きることができない個体（個人）には、とても分かりません。一世代前の父母、二世代前の祖父母と比べてみても、自分がどれだけ進化したか？なんて、だれも分かりません。脳の大きさは、45万世代の交代を経て、450ccから1,350ccにまで、900ccも増やしました。一世代や二世代遡っても、どれだけ増えたか？なんて、だれも分かりません。

こうして、一世代や二世代では分からないチョットしたことを積み重ねて変化しているのです。変化するということが生物種にとっての

「進化」であり、積み重ねるということが「世代交代」です。

私たちの祖先は、脳の大きさを、45万世代で900ccも増やしましたが、ある世代交代のときに、突然に脳の大きさを増やしたわけではありません。私たちの祖先の45万世代前までの人たちは、知らないうちに、脳をほんの少しずつ大きくして、世代交代を行ってきました。知らないうちに、「私は脳を前世代より0.001cc大きくして次世代に引き継ぎました」ということをやっていたのです。

これを、少し違った方向から考えると、今から45万世代前までの一人ひとりは、脳を大きくするための道具に使われてきたとみることができます。世代交代を行うこと、つまり、「各人の寿命（産まれて生きて死ぬこと）」が、ホモ・サピエンスの進化の道具に使われたのです。しかし、そのおかげで、現代人の脳の大きさは、1,350ccまでになりました。私たちの寿命だって、今後ますます進化するホモ・サピエンスの道具に使われているのです。「道具に使われている」という表現ですと、少し悲しくなりますが、「進化のためになっている」と考えると喜ばしくなります。「生や命（寿命）」だけではなく、「死」までもが、喜ばしくなってきます。

ここで、「生物の寿命」についてまとめておきます。個体としての面からは、**「『寿命』とは、産まれてから死ぬまでの命の長さである」**ということができます。もう一方の生物的な類的な面からは、**「『寿命』とは、進化のための道具である」**とも言えると思います。

人間の寿命

まず、「平均寿命」と「絶対寿命」の違いについて述べます。平均寿命とは、個体群（個体のグループ）の各個体の寿命の平均です。この場合の平均寿命とは、いわゆる「天寿（天命、天年、定命）」ではなく、死因にかかわらず、生まれてから死ぬまでの時間の平均的な長さのことです。「戦争」「病気」「事故」などで、若い人が死亡すれば、それだけ平均寿命は短くなります。

平均寿命は、縄文時代（今から1万6,500年前～2,500年前）の中期の頃（今から9,000年前～6,000年前）までは20歳程度、江戸時代の頃までは40歳以下でした。明治・大正時代の頃になって、ようやく40歳を超えるようになりました。それが、医学の進歩などによって、今では83歳になっています。それが、この100年余りの間に、平均寿命を40歳以上も延ばしたのです。こうしてみると、近年のホモ・サピエンスの平均寿命の延びの凄さが分かります。平均寿命に関しては、いろいろな問題があり、そう単純に各時代の平均寿命を評価することはできません。その問題の一つが、新生児（出生後28日未満の子）の生存率です。医学の進歩によって、現在の新生児の生存率は相当上がっています。これが平均寿命を押し上げている大きな要因になっています。

平均寿命という言葉は、よく耳にすると思いますが、「絶対寿命」というのもあります。絶対寿命とは、どうも私の造語らしいのですが、簡単に言うと、その種の各個体が、最大何歳まで生きられるかという「最大寿命」のことです。ホモ・サピエンスで言うと、各人は最大何歳まで生きることができるかです。染色体の末端にあるテロメアの研究により、ホモ・サピエンスの絶対寿命は、現代では120歳程度とされています。

前述したように、平均寿命でいうと、この100年余りの間に、40歳以上も延ばしました。しかし、絶対寿命はこのような急激な変化はしません。平均寿命が40歳以下とされている江戸時代にも、葛飾北斎（かつしかほくさい）（江戸時代後期の浮世絵師）のように90歳まで生きた人はいましたから、それを簡単に証明できます。それでも、進化の過程で絶対寿命を延ばしてきたことには間違いありません。これまでの説明で、「平均寿命」と「絶対寿命」の違いが分かって頂けたと思います。

ここから、もう少し「絶対寿命」について考えてみます。哺乳類をとってみると、「クジラ」や「ゾウ」などのように大型動物になるほど、寿命が長い傾向にあります。それほど大型ではない人類が、なぜ、進化の過程で、「少産」「長命」の道を選び、寿命を延ばしたのでしょうか。

直立二足歩行を開始したばかりの人は、ライオンと戦うと負けました。現代でも武器を持たないで戦うと負けるでしょう。ところが、実際には、ホモ・サピエンスは負けません。ホモ・サピエンスは、動物界の中では、一番強い存在として君臨しているからです。なぜ一番強い存在になったのでしょうか。それは、何ものにも捕食されない、何ものにも狙われない、あるいは、これらの危険から回避する術を身につけたからです。その術というのが、脳の発達、道具の開発、言語の使用、摩擦火の使用などによる、自然的環境に対する支配力です。

一番強い存在として君臨するようになれば、セカセカと生きていく必要はありません。ヌーやマウスのように、沢山の子どもを生んで、育てる必要もありません。女性にとっては、子どもを生むことは大変なことです。また、そんなに急いで死ぬ必要もなくなりました。こうして、人類は、寿命を長くして、ゆっくりと生きていくように進化しました。

自然的環境に対する支配力をもつようになると、食料に関しても、「できたものを採り出す活動」から、「自らがつくり出す活動」に変わりました。「自らがつくり出す活動」を行うようになると、どのようにすれば、より多くの食料をつくり出せるかを、考えるようになります。見えているもの、あるいは、既に知っていることを前提にして、頭のなかで、どうすれば良い結果が得られるかを推理するようになります。このように、推理する力を身に付け、脳を大きくして、ますます寿命を延ばしました。体の大きさと寿命の関係はよく言われますが、私は、脳の大きさと寿命には、相当の関係があるのではないかと思っています。

ホモ・サピエンスは、進化して寿命を延ばしましたが、退化したところもあります。それは、感覚的な判断力（瞬発力）です。ホモ・サピエンスですと、座席数が1,000人程度の規模の講堂に、何人座っているかを数えるのに、どんなに早くても数分の時間が必要になります。ところが、チンパンジーは一瞬のうちに数えきります。しかし、チンパンジーには見えないものを脳に描くこと、つまり、想像力や推理力は全くありません。チンパンジーは、危険が潜む森で生きていくために、この感覚的な判断力（瞬発力）を退化させないように維持し、それをより進化させる道を選択したのです。

ところが、ホモ・サピエンスは、これを、いとも簡単に退化させました。一番強い存在として君臨するようになったので、**想像力や推理力を発揮して、ゆっくりと生きていく道を選択し、寿命を延ばしたのです。**これも、ホモ・サピエンスという種を保存するための工夫（進化）です。もっと積極的には、「人生を楽しむ」ための工夫だったのかも知れません。「今から45万世代前までの一人ひとりの寿命は、脳を大きくするための道具に使われてきた」と述べました。同時に「寿命を延ばす」ための道具にも使われてきたし、「人生を楽しむ」ための道具にも使われてきたのです。今から45万世代前の代々の人に本当に感謝します。

ホモ・サピエンスは、老年期（高齢期）に至るまでに、だれしも、乳幼児期、少年・少女期、青年期、壮年期、熟年期、という時期を過ごします。寿命が延びるに従って、それぞれの時期に相当する年数も延びます。ほとんどの生物種は、子どもを産めなくなると比較的速やかに死んでいきます。ですから、せいぜい、存在するのは熟年期に相当する期間であり、老年期（高齢期）は存在しません。ところが、ホモ・サピエンスは、老年期（高齢期）の期間の年数をドンドンと延ばしました。それ以外の時期に相当する年数は、少し延ばしただけです。せっかく、延ばすのでしたら、青年期や壮年期のところがよかったのですが、少し残念です。こんな願望はゼイタクですかね。こうして、「おじいちゃん」「おばあちゃん」と呼ばれる時期を誕生させたのは、ホモ・サピエンスだけだったのです（クジラの仲間のゴンドウクジラもそのようです）。

人間らしい生き方

◇人間とは？

「人間らしい」ですから、「人間のこと」をある程度分かって頂く必要があります。そのために、「『類的人間』とは何か？」と「人間は他の動物と何が違うか？」について説明しておきます

まずは、「類的人間」についてです。人間には、「個別人間」と「類的人間」という二重性があります。各人は、特定の親から生まれ、その人特有の個性をもっています。ホモ・サピエンスが誕生して5万年

～20万年になりますが、この間に、地球上に棲（住）みついたホモ・サピエンスは、私の概算ですと1,000億人程度です。約1,000億人が棲（住）みつきましたが、誰一人として同じ人間はいません。体形や目鼻立ち、性格など、どれ一つをとってみても同じではありません。「個別人間」とは、このような、個性をもったそれぞれの人間のことです。そして、「個別人間」は、具体的な存在です。

もう一つの「類的人間」の方ですが、これは、個性がなく、ホモ・サピエンスという共通の性質をもった生物種としての人間のことです。ホモ・サピエンスという種の永遠の生命（種の保存＝進化）をつなぐ役割を担っている人間です。この「類的人間」は、抽象的な存在です。

私たちが見ることができるのは、「個別人間」の方ですが、その「個別人間」のなかに「類的人間」が存在しています。私たち一人ひとりは、「個別人間」と「類的人間」の統一体です。通常、私たちは、こんなことを考えないので、気づかないのかも知れません。しかし、ここまで、読んで頂いた方には、「類的人間」がどんな人間なのかが、何となく分かってきていると思います。

それでも、「『個別人間』のなかに『類的人間』が存在している」というと、「何か宗教じみているな！」と捉える人もいると思います。もともと、私は、宗教はあまり好きではありません。人間の正常な思考を邪魔するから、むしろ、積極的嫌い論者です。何かあると、直ぐに「カミサマ」や「ホトケサマ」が登場してきては、正常な思考を邪魔すると言わざるを得ません。「類的人間」は宗教とは無関係です。それを分かって頂くために、見えない「類的人間」のことをもう少し説明しておきます。

ドイツにヘッケル（1834～1919年）という生物学者・哲学者がい

ました。この学者は、**「個体発生は、系統発生を繰り返す」**という反復説を提出し、生物の発生に関して、唯物論的一元論の立場から独自の自然哲学を説きました。この説（法則）を、ホモ・サピエンスを例にして説明します。これは、「一人ひとりの個人の誕生（個体発生）のたびに、母親の胎内では、38億年前の海の中での生命の誕生から、ホモ・サピエンスまでの系統発生の経緯を繰り返す」ということです。ホモ・サピエンスだけではなく、あらゆる生物種は、個体発生のたびに、その種の系統発生を繰り返しています。系統発生を繰り返しながら、世代交代を行って、ほんの少しずつ進化しているのです。

「類的人間」とは、何万年、何億年続くか分からない、ホモ・サピエンスという種の永遠の生命をつないでいる人間のことです。ホモ・サピエンス種という系統を引き継いで、そのバトンを次世代に渡している人間です。先に記述した、知らないうちに、進化の道具にされている人間のことです。「谷野隆一」も「アメリカ合衆国のオバマ大統領」も具体的な存在であり、個別人間です。この個別人間から「個」に関するものを全て剥ぎ取っていくと、ホモ・サピエンスという共通の性質をもった生物種になります。これが「類的人間」です。「私たち一人ひとりは、『個別人間』と『類的人間』」の統一体です」などと言いましたので、ますます分かり難かったかも知れません。

人間ではなく、一頭いっとうのヌーや一匹いっぴきのマウスのことを「個体」と表現してきましたが、これはオグロヌーやマウスという種類の「個体」という意味で、「類的個体」とも言います。「類的個体」とは、あらゆる生物種について言うときに用いられますが、特に人間について言うときに「類的人間」が用いられます。

これまでの説明で、「類的人間」の理解度が深まって頂けたと思いますので、「類的人間」の話はここまでとします。

次に、「人間は他の動物と何が違うか？」ということです。人間が他の動物と違うところは、「大きな脳をもって、概念（脳に描いた本質像）的思考を行う動物である」「知識をもち、知り得た成果を後世につなぐ動物である」「長い老年期間（高齢期間）をもった動物である」など、様ざまです。しかし、何よりも特徴的なのは、「『社会』と『倫理』をもって『生存活動』を行っている」ことです。

人間になるときに、自然的環境に対して支配力をもつようになり、「生存活動」は、「できたものを採り出す活動」から、「自らがつくり出す活動」に変わりました。人間とは、「働く」活動を、「意識的な社会的生産活動」に変えた動物です。簡単に言うと、人間は、人間になるときに、協力して働いて生活に必要な物質を目的意識的につくり出すようになったということです。

つくり出すというと、何らかの形のあるものを製造すると捉えがちですが、そうではありません。もっと簡単に言うと、人間になるときに、みんなで、協力して、より良い生活を目指した活動を行うようになったということです。よく人は、「社会の発展」とか「社会の進歩」という言葉を使いますが、それはこのことです。

こうして、人間が誕生したときに「社会」が誕生しました。「社会」とは、人間の生存活動に基づいたさまざまな共同体（例えば現代では、国、会社、団体、集落、自治会等）の総体のことであり、共同体内の人間と人間との関係、共同体と人間の関係、あるいは共同体どうしの関係のことです。「共同体」が誕生したときに、折角つくった「共同体」を壊さないようにと、そのときの人間に必要なものとして備わったのが、

「倫理」です。「倫理」の内容は何かというと、約束は破らない、嘘はつかない、他者に迷惑をかけない、独善的立場は採らない、弱者を助ける、善いことは積極的に行う等の「常識」のことです。この「常識」を、さらに、一言でいうと「他者の立場に立って考える」ということです。こうして、「共同体」をつくって「倫理」をもって生きているのは、人間だけです。他の生物種には、「共同体（社会）」はありません。また、他の生物種は「倫理」をもってはいません。

人間が誕生して以来、**「社会」と「倫理」をもって「より良い生活を目指した活動（生存活動）」を続けてきました。**地球上での生存活動が、あと、何万年、何億年続くか分かりませんが、ホモ・サピエンスは、それまで永遠に続けるでしょう。これが他の動物と違う人間の大きな特徴です。

◇人間らしい生き方

それでは、「人間らしい生き方」について説明していきます。高等な動物ほど個性が豊かであると言われています。「個性」とは、「個体（個別人間）の特性」のことです。動物界の中で、一番強い存在として君臨しているホモ・サピエンスは、最も高等な動物であり、最も個性豊かな生物種です。実際にも、ホモ・サピエンスの仲間では、「個性を大切にする」「個性豊かに育てる」という言葉なども、頻繁に使われています。

それだけ、ホモ・サピエンスは個性が前面に出た生物種です。これを、裏の方からみると、高等動物ほど個体の特性がたくさんあり、下等動物ほど個体の特性が少ないことになります。突然に、何の定義もなく「高等」「下等」などの差別的な言葉を使ってしまいました。ホモ・

サピエンス以外の生物種に対して「下等」と言っているのですが、「彼ら・彼女ら」は許してくれると思います。生物学の方では、「高等動物」を、「生物体の器官の分化が進んだ動物」と定義しています。

どのような生物種と比べても、ホモ・サピエンスは、本当に個性豊かな生物種です。ですから、人間の生き方に関しても、個性を大切にすることは良いことです。個性を大切にする生き方は、人間らしい生き方になるでしょう。しかし、類（類的人間）をみないで、個（個別人間）だけを大切にする生き方は疑問です。なぜ疑問かと言うと「傍若無人（ぼうじゃくぶじん）的な振る舞い」「傍若無人的な生き方」に陥りやすいからです。個を大切にするばかりに、個を出そうと躍起になります。そして、その結果、類（類的人間）の方をおろそかにします。

しかし、その反対はありません。つまり、類を大切にすれば、個をおろそかにはしないということです。類を大切にすれば、必ず個を大切にします。また、類を大切にすれば、他を押しのけて、躍起になって、個を前面に出そうとはしません。必ず、個をつつましく出します。類を大切にするこちらの方が、最後には、輝くと思います。

そんなことをしたら、個性がなくなると思うかも知れません。しかし、心配は御無用です。如何にして類を大切にするか？というところで、個性が発揮されます。「人間らしく生きる」一つ目は、**「個よりも類を大切にして生きる」**ということです。

先に、人間だけがもっている特徴というものを記述しました。人間は、「みんなで、協力して、他者の立場に立って、より良い生活を目指した活動（生存活動）」を続けているということでした。他の生物種にない人間だけの特徴があるのなら、普通は、そこにも「人間らしい生き方」の何かがあるはずと考えます。この人間だけがもっているという特徴から見て、「人間らしい生き方」とは、どういうことかを考えてみます。

私たちの日常的な生存活動は、個人的なものに見えても、ほとんどが社会的な活動です。例えば、「育児」についてです。特定した親がその子どもを育てていると考えると、「育児」は、ごく狭い範囲の個人的な活動のように感じます。次世代を育てる、その一翼を担っていると考えれば、広い範囲の社会的な活動です。自分だけが食べる食事を自分がつくるなどは、個人的なものです。しかし、この食事をつくることだって、個人に家族が加わり、近所の人が加わり、自治会や集落の人が加わって、大きくなれば、より社会的な活動になります。始めは個人であっても、そこに他者が関わり、さらに、それが多数になればなるほど社会的な活動になってくるのです。時代が進むことによって、社会が発展しました。これによって、個人的な活動が、ますます社会的な活動になってきました。

ここで、一般的な人間の生存活動として、「働く」ことをとり出してみます。私たちは、普通には、個人や家族の生活のために働いて収入を得ていると捉えます。これはこれで、間違いないのですが、ここで終えてしまうと、広い範囲の社会的活動ということが見えません。「外見」ではなく、「内容」の方をよく考えてみると、働くことが、もの凄く広い範囲の社会的な活動であることが分かってきます。よく考えてみると、不特定多数の人が日常生活に必要としているものをつくり出しているのが分かります。また、よりよい生活を目指した何かをつくり出しているのが分かります。

私たちは、生きるために働いていますし、生活するために働いています。分かって頂きたいことは、それと同時に、私たちは、社会のために働いているのです。つまり、社会のために働いて社会の一構成員として生きているのです。

人間だけがもっている特徴は、自然的環境に対して支配力をもつようになり、「みんなで、協力して、他者の立場に立って、より良い生活を目指した活動（生存活動）」を続けているということでした。この活動を通じての「人間らしく生きる」二つ目は、次のようになります。それは、ホモ・サピエンスになるときにつくった**「共同体（社会）の一構成員として、共同体（社会）のために活動して生きる」**ということです。このように、ホモ・サピエンス特有の生存活動を行って、次世代にバトンを渡し、ホモ・サピエンスという種の永遠の生命をつないでいます。

「『人間らしく生きる』とは、『社会の一構成員として、社会のために活動して生きる』ことである」と言っても、何となく分かったようで、まだ、スッキリしない感覚をもたれていると思います。そのため、少し説明を加えておきます。

働くことを含め、日常的な活動で、何が最も喜びと感じるかというと、ある活動やその成果が、人の役に立ったと感じるときだと思います。例えば、あるものを開発したとしますと、その報酬をもらうことよりも、開発したものがみんなの役に立っていると感じることの方が喜びです。報酬をもらう方がうれしい？　それは、世の中がツマラナイ格差社会となっているからです。セーフティーネットの網の目を広げて、そこから、ふるい落とすようなツマラナイ社会となっているからです。

しかし、人間の生活や働くこと、つまり、生きていくことが保障された社会であれば、報酬をもらうことに躍起にならずに、みんなの役に立つことに躍起になるはずです。日常的な活動が報酬をもらうことではなくて、みんなのために活動するような生き方、これが「人間らしい生き方」であると思います。

おわりに

テレビなどで、産卵と射精を求めて川を上っていくサケの大群の放映がなされます。産卵と射精を終えたサケは死にます。死ぬことが分かっているのに、そちらの方に進むのですから、私たち人間にとってみれば、自殺行為のように感じます。放映されるサケの姿を見て、そんなに死を急がなくとも、「もっとゆっくり上りなさい！」とか「もう1、2年後にゆっくり上りなさい！」とかを助言したくなるのは、私だけではないと思います。産卵と射精を終えるとサケはまもなく死にます。私たちは、それが分かっているから、放映されるサケの川のぼりを見て哀れに感じるのです。

しかし、これは自殺でも何でもありません。サケは、川のぼりに一生懸命になっているのではありません。サケに聞いたことはありませんが、次世代をつくって種を保存することに、一生懸命になっているのだと思います。サケは自殺する場所を求めているのではなく、新しい世代をつくる場所を求めているのです。サケの川のぼりの放映だけではなく、サケの生態についてまで考えると、少し微笑ましくなってきます。

他の動物と違って、人間だけがもっている特徴の一つに、「知識をもち、知り得た成果を後世に引き継ぐ」ということがあります。また、人間には、「長い老年期間（高齢期間）をもった動物である」という特別の意味があります。寿命を延ばして、老年期（高齢期）をつくったことは、45万世代前の代々の人たちの「ゆっくり生きて人生を楽しむ」

ための工夫でした。つくって頂いたこの期間は、「次世代への引き継ぎを行う」という特別の期間です。「もうそんなに、アクセクと働いて生きないで、ノンビリと生き、次世代への引き継ぎに専念するように」とつくって頂いたのかも知れません。

天寿を全うするために120歳までの全期間を一生懸命に生きるということを、老年期（高齢期）について見た場合には、「次世代への引き継ぎを行う」ために、一生懸命に生きるということになります。サケと照らし合わせてみると「新しい世代をつくる」ために、一生懸命に川を上ることと同じです。

人間は「次世代への引き継ぎを行う」ために、一生懸命に生きます。サケは「新しい世代をつくる」ために、一生懸命に川を上ります。そして、人間もサケも、目的が達成されたときに、天寿を全うして死にます。

寿命とは、「産まれて生きて死ぬこと」、つまり、「『生』『命（寿命）』『死』」の全体です。「天寿を全うする」とは、120歳までの全期間を人間らしく一生懸命に生きて、最後は次世代に引き継ぐということです。何万年、何億年続くか分からないホモ・サピエンスの永遠の生命のバトンを渡し終えて死ぬことは、一つの生物種としてみれば、喜ばしいことです。生き方が類的であれば、なおさらです。

人間性の喪失……起源と未来

2013年（平成25年）12月頃記述

はじめに

このエッセイでは､「人間の起源と未来」「人間労働の起源と未来」「社会の起源と未来」「人間疎外の起源と未来」「宗教の起源と未来」について記述することにしました。人間社会は、一見すると、便利なものが増えて、ますます豊かな社会に向かっているようにみえます。本当にそうでしょうか。自殺者の数は、年々増加しています。凶悪な犯罪も増加しています。数十年前には考えられなかったオレオレ詐欺のような犯罪も現れています。こんな社会を見ていると、私は、人間性が喪失される社会に向かっているように思います。そんな訳で「なぜ、人間性が喪失されるのだろうか？」をテーマにして考えてみようと思いました。

自然現象や社会現象、つまり、私たちが、見ること、感じることができる全てのものごとには必然性があります。自然現象とは、自然の法則に従った自然の活動が現実に表れている姿です。社会現象とは、自然的人間の生存活動が現実に表れている姿です。自然現象は理解できるが、人間の意識で生存活動をしている社会現象には必然性がないと思っている人は意外と多いと思います。しかし、社会現象にしても自然的人間という動物が行っている生存活動ですから、必然性があります。つまり、人間性が喪失されることについても、それが起こる社会的な何らかの原因があるということです。地球上には様ざまな動物種が生息していますが、人間を特別な動物として捉えるのではなく、地球上に棲む動物の仲間として、捉えることも必要だと思います。

そうした動物の仲間として見た場合の、自然的人間の生存活動の必然性や法則性が分かり、さらに、起源、つまり、ものごと（物や事）が起きた原因が分かれば、これから先の物や事の方向性がみえてくるはずです。ということで、人間や社会などの「起源」にまで遡（さかのぼ）り、そして「未来」についてを記述することにしました。

人間の起源と未来

約46億年前に地球が誕生し、そして、約38億年前に海のなかで一つの生命体が誕生しました。その後、約7億年前に、ゾウリムシやアメーバのような、動きながら自力でエサをとる生物が現れてきました。このような生物を原生動物と言いますが、これが地球上に現れた最初の動物です。それが長い年月を経て進化して、私たちの仲間のホモ・サピエンス種になりました。このように、地球上に棲む各種の動物は、一度にではなく、だんだんと進化を続けながら、誕生してきたのです。現在の地球上に棲む動物は、それぞれの種の進化の最先端を歩んでいます。

動物（界）→ 脊椎（せきつい）動物（門）→ 哺乳（綱）→ 霊長（目）→

→ヒト（科）→ホモ（属）→サピエンス（種）

人間に一番近いと言われているチンパンジーは、次のように進化しています。

動物（界）→脊椎動物（門）→哺乳（綱）→霊長（目）→
→ヒト（科）→チンパンジー（属）→チンパンジー（種）

ヒトが、テナガザル（テナガザル科）などのサルの仲間から分かれたのは、今から約1,800万年前です。次に約1,200万年前にオランウータン（ヒト科）から、そして、約800万年前にゴリラから、さらに、約700万年前にチンパンジーから分かれました。ヒトに置いてきぼりにされたチンパンジーの仲間から、ヒトに追い付こう？と、約300万年前にボノボが分かれました。チンパンジー属―ボノボ種になったわけですが、ボノボはボノボ種として進化の最先端を歩んでいるので、もう、ヒトに追い付くことはできません。

ヒトが誕生したのは、直立二足歩行を開始したときで、今から約700万年前のこととされています。霊長類から分かれて、直立二足歩行を開始したので、人間のことを、直立二足歩行を始めた霊長類と定義することもあります。

なぜ、直立二足歩行を開始したかということですが、それには、気候変動が関係しているようです。遺伝情報の研究などから、現在の人間の祖先はアフリカにいたことが明らかになっています。アフリカの気候変動、つまり、熱帯気候からサバンナ気候への気候変動によって、熱帯雨林の樹木がまばらになってしまいました。その結果、私たちの祖先は、樹上では、生き物や果実を採取するのが困難となり、サバンナの草原に出て直立二足歩行を開始したとされています。爬虫類から哺乳類に進化したときには、地上で生活していましたが、霊長類に進化するときに、樹上で生活するようになりました。それが、再び地上で生活するようになり、ヒトに進化したというわけです。

直立二足歩行を開始後、ホモ属が誕生したのは約200万年前のこととされています。その後、ホモ・サピエンス種が誕生したのは、5万年～20万年前とされています。アフリカのサバンナの草原から世界各地に向けて出発したホモ属の各種、例えば、ホモ・エレクトス種やホモ・ネアンデルターレンシス種などは、いずれも絶滅しました。ホモ属だけではなく、どんな生物も、その種を保存するように進化します。環境が変わればその環境に合うように進化します。ホモ属の各種は自分の種を保存するために、良かれと思ってアフリカを出たのですが、絶滅してしまったわけです。そもそも、進化とは、種を保存するための工夫ですので、絶滅するためにアフリカを出たわけではありません。何がしかの理由があったはずですが、絶滅したホモ属の各種がかわいそうです。

最後にアフリカを出発したホモ属のサピエンス種だけが生き残って繁栄しました。よくぞ厳しい環境のなかで生き残ってくれました。ホモ・サピエンス種を保存してきた代々の類的個体（ホモ・サピエンス種としての個人）に感謝します。

ところで、「人類が動物界から分かれた」という表現がよくなされますが、私はあまり正しいとは思いません。「動物界」の括りがあまりにも漠然としているからです。それは別にして、草原で直立二足歩行を開始し、それから暫く経って、ごく簡単な道具を使うようになった頃を指していると思います。ですから、ここで言う「人類が動物界から分かれた」時期は、今から約200万年前のホモ属が誕生した頃と理解してよいでしょう。

ドイツの社会思想家であるエンゲルス（1820～1895年）は著書「家族・私有財産・国家の起源」のなかで、人類が動物界から分かれたばかりの「過渡的な状態」から現代に至るまでの時代過程を「野蛮時代」「未開時代」「文明時代」に区分しています。

◇野蛮時代……主としてできあいの天然産物を手に入れる時期（200万年前）で、人間の製作物は、主としてこの入手のための補助道具です。ホモ・サピエンス種が誕生したのは、5万年～20万年前ですので、野蛮時代の末期です。

◇未開時代……牧畜と農耕を営み、人間の活動によって天然産物の生産を高める方法を習得する時期です（世界的にみると約6,000年前、日本では約3,000年前）。

◇文明時代……天然産物のさらに進んだ加工を習得する時期、つまり、真の産業と技術をもつ時期です（世界的にみると約250年前、日本では約150年前）。

「文明時代」は、18世紀半ば頃からイギリスで起こった産業革命以後ですので、今から約250年前になります（日本では約150年前）。「未開時代」は、日本で言うと農耕が始まる縄文時代の後期の頃です。縄文時代の後期というと紀元前1,000年頃ですので、今から約3,000年前になります（世界的には6,000年前）。「野蛮時代」は、ホモ属が誕生した頃と思われますので、今から約200万年前になります。

「野蛮時代」「未開時代」「文明時代」を1年間・12ケ月・365日というスケールで表してみます。動物界から分かれてからの人間の「野蛮時代」の始まり約200万年前を、新しい年になった1月1日の午前0時とします。長い間「野蛮時代」のままでしたが、その年の大晦日（12月31日）になって、やっと「未開時代」に入りました。そして、新しい年が明けようとする午後23時頃になって漸く「文明時代」の幕開けです。ホモ属が誕生し、生態系の頂点にたって活動してから久しくなりますが、「未開時代」や「文明時代」になったのは、つい最近であることが理解できます。

一般的には「直立二足歩行の開始」を人間の起源にしています。しかし、「直立二足歩行の開始」「ホモ属の誕生」「ホモ・サピエンス種の誕生」のいずれを人間の起源としても間違いではないと思います。では未来（終点）はどうなるでしょうか。それぞれが、閉鎖的環境のなかで、世代交代を繰り返せば、それぞれは、別の生物種に進化するでしょう。しかし、現代のホモ・サピエンス種の生存圏は、閉鎖的環境ではなく、地球規模になっているので、別の生物種に進化することはありません。ですから、どこまで進化しても、地球が滅びるまで、ホモ・サピエンス種はホモ・サピエンス種です。

人間労働の起源と未来

自然界に実在するすべての動物は、「働いて」自然界からエサをとり出し、それを食べて、生存活動を行っています。これを繰り返して、次世代にバトンを渡して、種を保存しているのが、動物の本質です。生きて種を保存するというのが、動物の本質ですが、まずは、これを説明します。

「あなたはなぜ生きているのですか？」と質問されると、戸惑う人が多いと思います。なぜかというと、日常的にそんなことを考えて、生きているわけではないからです。しかし、チンパンジーに質問すれば、答えて頂けると思います。言葉を話すことができれば、「私たちは、生まれたときから、『働いてエサをとり出し、食べて、一生懸命に生きて、次世代にバトンを渡す』ことが、DNA（デオキシリボ核酸：遺伝情報を担う物質）に書き込まれています」と答えて頂けるはずです。「一生懸命に生きて次世代にバトンを渡すこと（＝種の保存）」は、人間やチンパンジーだけではなく、あらゆる生物・動物の本質です。生物・動物の本質の次は人間の本質です。

直立二足歩行を開始して人間が誕生したときに、足（脚）は身体を支持する機能と、身体を移動させる機能を引き受けました。手の方は、それらの機能から解放されて自由になりました。その手を使用して、「生存活動に役立つもの（富）をつくり出す」のが人間労働です。人間は、動物の本質のうちの「働く」ことを「人間労働」に高めたわけです。

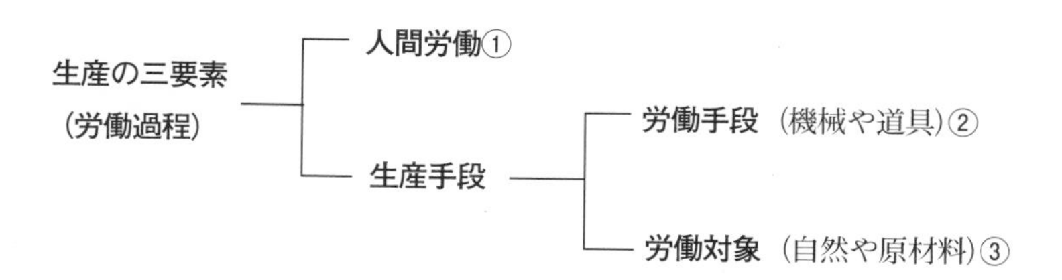

（労働過程：自然が人間労働に素材を提供し、それを人間労働が富に変える過程）

ですから、他の動物と違う人間の本質とは、「『人間労働』である」ということができます。

人間労働は、「意識的生産」であること、また、「社会的生産」であることが特徴的です。これらは他の動物にはみられません。人間になる前は、生存活動に必要なもの、役立つものは、自然界が自然につくり出していました。人間になったときに、手を使用して、自らがつくり出すようになりました。自らがつくり出すようになると、つくり出すものを、まずは、大脳のなかで創ることが必要になります。これが目的的であり、「意識的生産」ということです。

生存活動に役立つもの、必要なものを、自らがつくり出すようになると、モノづくりの仲間を一層結び付けます。それは、個々人がバラバラで行うより、協力して行った方が、効率的だからです。こうして人間労働は、「協働」に発展しました。これが、「社会的生産」ということです。

ここで、話を少しヨコミチにそらせます。私たちは、日常的に「人間性」「人間的」「人間らしい」という言葉を使います。日常的に使っていますが、突然に「『人間性』って、どういう意味ですか？」と質問されると、答えに窮するでしょう。これらの言葉は、他の動物にない「人間だけがもっている善い性格」という意味で使っていると思います。これをもう少し深めてみます。

「人間だけがもっている」わけですから、他の動物と違うところをみれば分かります。他の動物と違う人間の本質は、「人間労働」や「協働」のことでした。「協働」とは、文字通りに「協力して働く」ことです。つまり、「協力して多くの人のものをつくり出す」ことであり、「協力して役に立つことを行う」ことです。これらの行為・行動は、「多くの人を思う意識（気持ち）」がないとできません。このように考えると、人間性とは、「協力して役に立つことを行う」ことであり、「多くの人を思う意識（気持ち）」と理解することができます。チンパンジーなどの他の動物は、人間性をもっていませんから、人間性は、「人間だけがもっている善い性格」です。

ここから、さらに、話をヨコミチにそらせます。ダーウィン（イギリスの生物学者・地質学者、1809 ～ 1882 年）の「成長相関の法則」というのをご存知でしょうか。「成長相関の法則」とは、身体の特定の形態が変化すれば、他の部分の形態の変化も引き起こすというものです。

具体的に人間の場合でいうと、身体を支持する機能と、移動させる機能から解放された「手」の形態変化が、大脳やその他の形態の変化を引き起したことです。別の表現をすると、直立二足歩行への第一歩は、同時に、人間労働の始まりでしたが、この人間労働が、「人間になりたてのヒト」や、その後、しばらくして現れた「野蛮人」を「文明人（高度な完成度の人間）」につくり変えたことです。

解放された「手」の指を使って、自らが、生存活動に役立つもの、必要なものをつくり出すようになります。こうして、モノづくりを専属的に行うようになった「手」の指は、次第に拇指（ぼし）対向性を強めました。拇指とは親指のことで、拇指対向性を強めるとは、親指が他の４本の指と向きあう状態になっていくことです。そして、拇指対向性を強めた「手」は、ますます器用にモノづくりを行うようになりました。またまた、器用にモノづくりを行うようになった「手」は、さらに、拇指対向性を強めました。このように、モノづくりを行うことによって「手」の形態が変化します。

「手」の次は「大脳」です。生存活動に役立つものを自らがつくり出すようになると、人間意識が形成されます。人間意識とは、こうすれば、こうなるだろうと、因果関係を考えて、つまり、見えない結果を想像して行動する意識のことです。昆虫のハチは、芸術的なハチの巣をつくります。クモも芸術的な巣をつくります。ハチやクモは、つくる前に、つくるものを大脳のなかに創ることはできません。ハチやクモのような昆虫だけではなく、人間にもっとも近いといわれるチンパンジーに至っても同じです。目に見えないものを大脳のなかに創って見ることができるのは人間だけです。こうして、見えないものを一生懸命に見ようとしているうちに、人間意識はドンドンと明瞭さを増していきました。その結果、抽象力や推理力を発達させ、大脳を発達させました。直立二足歩行を開始したことによって、頭を支える骨格ができたことも、大脳を発達させることを可能にしました。大脳が発達すると、今度は、それに奉仕する諸器官が発達します。諸器官が発達すると大脳はさらに発達します。こうして、現代人の大脳の大きさは、1,350ccにもなりました。因みに、チンパンジーの大脳は450cc程度です。

「協働（社会的生産）」を行うようになると、つまり、協力してものをつくり出すようになると、仲間に多くの情報を伝えることが必要になります。多くの情報の伝達が、身ブリ・手ブリでは、時間がかかり過ぎます。そこで、言語的な表現行為の発生が必要になり、言語を発達させました。この言語的な表現方法は、広くなった口を使用して行われるようになります。直立二足歩行を開始したことにより、顎（あご）が下がり、口は広くなって、複雑な発声がしやすくなります。動物が鳴くのは、何らかの情報を仲間や敵に伝えるためですが、鳴き方を変えることによって、多くの情報を伝達することが可能になります。このようにしている間に声帯が発達し、音節を区切った発声が可能となり、言語が生まれました。

このように、直立二足歩行により解放された「手」の働きが「大脳」を発達させ、そして、「大脳」の働きが「文明人」をつくりました。これが、ダーウィンの成長相関の法則です。人間労働の特徴である「意識的生産」と「社会的生産」が、「野蛮人」を「文明人」につくり変えたとも言えます。

何を話していたか、分からないほどヨコミチにそれましたが、話を元に戻します。人間労働は、新しい具体的有用労働を次から次へと、つくり出しています。人間労働は、道具の製造とともに始まりました。一番古い道具は、狩猟具と漁労具です。肉食から、二つの決定的に重要な新しい進歩が生まれました。火の使用と動物の飼い慣らしです。そこで、人間は食えるものなら何でも食うことを学びました。これと同様に、どんな気候の中でも生活することを学びました。寒い地方には、寒気や湿気を防ぐための住宅と衣服を必要とし、それをつくり出しました。このように、新しい具体的有用労働を次から次へとつくり出してきました。

これまでの説明で、人間労働の起源が分かって頂けたと思いますが、それでは未来（終点）はどうなるでしょうか。ホモ・サピエンス種を保存して永遠の生命をつなぐ生存活動は、地球が滅びるまで続きます。生存活動が続けば、人間労働も続けられます。人間が人間労働を行う限り、新しい具体的有用労働を次から次へとつくり出します。具体的有用労働とは、狩猟や、住宅・衣服をつくり出す異なった個別の労働のことです。つくり出すのは個別のものですが、同時に「役立つもの」という共通のものをつくり出しています。これが、人間労働のなかの抽象的人間労働です。具体的有用労働と抽象的人間労働は、人間労働の二重性と呼ばれているもので、具体的有用労働が使用価値をつくり出し、抽象的人間労働が役立つという共通価値（「交換価値」、または、単に「価値」という）をつくり出しています。人間労働の具体的有用労働と抽象的人間労働は、ホモ・サピエンス種が滅びるまで続けられます。

社会の起源と未来

「社会」とは、人間の生存活動に基づき、ある共通項によって括られる、さまざまな共同体、例えば、現代では、「国」「会社」「集落」「自治会」「同好会」などの共同体の総体のことです。また、その共同体内の人間と人間との関係、共同体と人間の関係、あるいは共同体どうしの関係のことです。例えば、「国」とは、「政治共同体」、つまり、法律などの同じ決まりごとのもとで、生存活動を行う共同体の総体です。日本国とは、日本国憲法をはじめとした様ざまな法律のもとで、生存活動を行う共同体の集まりです。日本社会とは、日本国内の人間と人間との関係、日本の国と人間の関係、日本国内のある共同体と他の共同体の関係、あるいは、ある共同体と人間との関係のことです。

共同体は、「群れ（動物的家族）」→「家族（人間的家族）」→「親族」→「氏族」→「種族」→「部族」→「民族」→「国族」というように大きくなってきました。「群れ（動物的家族）」のなかから、「家族（人間的家族）」単位で、分業が始まり、そして、それぞれが、「協働（社会的生産）」を始めました。共同体の最初の形態は、「家族（人間的家族）」より大きな括りである「親族・氏族・種族」です。このときの共同体と共同体の関係、共同体内の人間と人間の関係などが社会を形成し、それが社会の起源になりました。こうして、人間労働が社会を誕生させたのです。効率的な生産を目指した共同体（社会）の誕生は、共同体（社会）の仲間を一層結び付けるようになります。

各人は誕生してから死ぬまで共同体（社会）の構成員の一人であり、また共同体（社会）の行為者でもあります。人間は、誕生すると、家庭や学校などで、様ざまな教育を受けながら成長します。この過程で、社会に存在している規範や法、宗教や芸術などの文化に触れ、そして家庭外の人間関係を拡大していきます。

そして、成長してからは、人間労働の担い手になり、生存活動の主体になります。そこでは、多様な共同体の多重的な関係の共同体の一人として組織化されているわけです。現代社会は広範かつ複雑で、一見すると生存活動と関係ないような共同体があります。しかし、よく考えてみると、すべての共同体が、「働く」ことや「生活する」ことに関係しています。〇〇同好会だって、楽しく「生活する」ための共同体の一つです。

情報化の進展や移動手段の開発により、共通項で括られる共同体は広範になり、ますます多様化し、新しい共同体も次から次へと誕生します。数世紀も過ぎれば、想像もできないような共同体が現れて、社会を構成することも考えられます。私の予想ですが、ＥＵ（欧州連合）は、一つの国になっていると思います。このように、共同体（社会）の形態は、変化しますが、人間が「協働（社会的生産）」を営む限り、ホモ・サピエンス種が滅びるまで、共同体（社会）は存続します。

人間疎外の起源と未来

人間疎外とは、人間が機械の部分品のように扱われて、人間の本質

（人間性＝人間らしさ）が無視されることを言います。社会が発展して複雑化すると、それに伴って、人間性が失われ、本来の人間（人間の本質）からドンドンと遠ざけられます。人間の本質とは、「『人間労働』である」ということでした。ですから、人間疎外とは、人間の「働く」ことが、本来の「人間労働」から、遠ざけられるということにもなります。

本来は、労働力を行使すること、すなわち、労働（働くこと）は、人間の生存活動そのものです。獲物を追って野山を駆けていたエンゲルスのいう「野蛮時代」を想像してみてください。「野蛮時代」の人間にとって生きること、つまり、人間の生存活動は、獲物をとることでした。獲物をとるということは、働くことです。とすると、人間の生存活動は、働くことになります。また、獲物を食べて生活することも、人間の生存活動です。働くことと生活することの両者は、人間の生存活動が現実に表れ出ている姿であり、ずっと以前から続けられ、これからも永遠に続く人間の生存活動の基本です。

ところが、現代社会では、人間の生存活動であるべき働くことが、生存活動や生活するための手段になっています。「生活するために働く」は、分かって頂けますが、「働くために生活する」が分かって頂けないのはそのためです。

現代社会のほとんどの人は、働くことを生存活動のなかに含めていないと思います。むしろ、働くことを、生活することを犠牲にするところにおいているでしょう。現代社会のほとんどの人は、働いているときを、自分自身の生存活動の発現と捉えていないと思います。生存活動の発現と捉えているのは、働くことではなくて、むしろ生活する方でしょう。生活するために、自分自身に働くことを強いているのが現状ではないでしょうか。もっと簡単に言うと、私たちが人間らしく生きていると感じるのは、働いているときではなく、生活しているときの方ではないでしょうか。

働くことは、生存活動のために役立つもの（富）をつくり出す行為であり、本当は、人間の生存活動そのものです。ところが、現代社会においては、人間らしい生存活動が始まるのは、働くことが終わってからです。働くことが終わって、食卓で、居酒屋で、ふろ場で、寝床で、始まっているのが現状です。現代の多くの人にとって、確かにそここそが、ホッとし、人間としての自分を取り戻せる場所になっています。働くことが生活するための手段になっていて、働くことを生存活動の外においているからです。

「いつ頃から人間疎外が現れたと思いますか？」と質問すると、「人間が誕生したとき」と答える人が意外と多くいます。人間疎外が現れ出たのは、本当は、人間が誕生したときではなく、ずっと後になって、働くことを、人間の生存活動の外におくような社会になってからです。

私は、人間疎外には、「人間労働からの疎外」と「労働生産物からの疎外」の二つがあると思います。

「人間疎外のない未来社会」を容易に描くことはできませんが、次のことを強調しておきたいと思います。第一の人間疎外は、人間労働からの疎外であり、強制労働でした。働くことは、生存活動そのものですが、強制労働、つまり、働くことを強制されることは、人間労働からの疎外になります。強制労働の始まりは、奴隷制社会です。奴隷制社会とは、人間ごと所有されて、使役され、人格を否定された人間が存在する社会制度のことです。人格を否定された奴隷は、共同体内での強制労働、共同体間に発生する戦争捕虜、被征服民に対する略奪、債務不払いの代償などに使われました。

有史以来、奴隷制社会は、どこの地域でも存在していましたが、時代的・地域的に、その現れ方は、複雑でかつ多様でした。代表的な奴隷制社会は、古代ギリシャ、古代ローマ、カルタゴ（現在のチュニジア）などに見ることができます。第一の人間疎外の強制労働の起源は、牧畜と農耕を営み始めた奴隷制社会の時期であり、エンゲルスのいう「未開時代」に入ってからです（今から6,000年程度前）。

奴隷制社会が始まる前は、働いて自然界からエサをとり出し、それを食べて、生存活動を行っていた時代です。エサの生産は、自然任せであったので、生産力は低く、食料が不足して、飢え死にした人も多かったでしょう。そんな時代でしたが、年中ガツガツと休みなく働くヒトもなく、一日の大半は、のんびりと余暇を楽しんでいました。奴隷制社会が始まる前の「野蛮時代」には、人間疎外なんてありませんでした。

第二の人間疎外は、労働生産物からの疎外です。労働生産物からの疎外とは、自身が働いてつくり出した生産物が、自分のものにならないところから発生します。再び、想像してみて下さい。獲物を追って野山を駆けていた「野蛮時代」を！　そのときには、とった獲物はその人のものでした。

ところが、奴隷制社会になると、奴隷が働いてつくり出した生産物は、奴隷所有者のものになります。奴隷制社会がくずれ、少しばかりの財産を所有する農奴制社会（封建制社会）や資本主義社会になってからもそうです。奴隷制社会になってから現代社会までは、どの時代をとっても、つくり出した生産物は、生産手段（労働手段＝機械や道具）や労働対象（自然や原材）の所有者のものです。

農奴制社会（封建制社会）から資本主義社会になって、身分こそ平等になりましたが、あい変らず生産手段の所有者と非所有者が存在しています。生産手段の所有者は、働かせる人であり、非所有者は働く人です。働かせる人は、生産手段をもっていても、働く人に働いてもらわないとモノの生産はできません。そこで、働く人から、働く人の労働力を商品として買って、労働手段や労働対象と結合させて、生存活動に役立つもの（富）をつくり出しています。働く方の人から見ると、生産手段をもっていないので、自分自身の労働力を商品として、働かせる人に売って生産を行うしかありません。

働く人にとっては、生産手段が自分のものではないから、つくり出した生産物は、自分のものにはなりません。自分のものにならないから、働くことが、「人間の生存活動に役立つものをつくり出している」という意識になりません。「人のため」という意識にならないから、働くことが、実につまらないものとなります。これが、第二の人間疎外の労働生産物からの疎外です。本来の人間的であるはずの人間労働が、こんなにも苦痛なのは、そこに原因があります。第二の人間疎外も、その起源は、生産手段の私的所有が現れ始めた時期で、エンゲルスの言う「未開時代」に入ってからです。

ここで、質問です。なぜ、質問形式にするかというと、どういう意識をもって働いているかを、数分間でもいいから、考えて頂きたいからです。

あなたは、「人のため」という意識をもって働いていますか？

多くの人は、そうではないと思います。生産手段の持ち主の働かせる人は、利益を上げることを目的にしていますから、「如何にして利益を上げようか！」という意識で生産活動に参加しています。働く人は、明日の生活費を稼ぐことを目的にしていますから、「如何にして生活費を稼ごうか！」という意識をもって働いています。

これはこれで、仕方のないことだと思います。現在は、貨幣経済社会です。貨幣経済社会とは、貨幣が生存活動に必要な商品の交換を媒介している経済社会のことです。貨幣経済社会では、働かせる人も、働く人も、貨幣所得を得るために生産活動に参加しています。ですから、働かせる人は、利益が上がったことに満足し、働く人は、生活費を稼げたことに満足しているのが実態です。

物々交換をしていた時代を想い出してみて下さい。その時代は、働く人は、特定の人のために必要なものをつくって、自身が必要とするものと交換していました。その時代に働く人は、特定の人の生存活動に役立つものをつくり出していたはずです。とすると、「人のため」という意識をもって働いていたことになります。その当時の人は、自身が必要とするものと交換できたことに満足し、同時に、人の役に立つものをつくったことにも満足したでしょう。

趣味やレジャーを生きがいとしている人は多いと思いますが、仕事を生きがいとしている人も少なからずおります。仕事、つまり、働くことが生きがいと言っても、明日の生活費を稼ぐことを生きがいとしているのではありません。「人のため」に、働くことを生きがいとしているのです。

農場で働く人を、例にとって「人のため」に働くことを考えてみます。農場で働く人にとって、労働（具体的有用労働）とは、「田畑の耕起」「播種」「肥培」「収穫」などの農作業のことです。働くことが生きがいと言っても、労働力を行使して農作業を行うことを生きがいとしているわけでもありません。農場で働く人の生きがいといえば、「人のため」に安全で、美味しい農産物を提供することです。そこでは、「人のため」に、「役立つもの」という共通のものをつくり出す労働（抽象的人間労働）を生きがいとしているわけです。働くことに生きがいをもっている人は、人間疎外には陥りません。「働くことに生きがいをもとう！」とは言いませんが、「人のため」という意識をもって働きたいものです。

農場で働く人は、農場の土地所有者でも経営者でもありません。生産手段が自分のものではないので、つくり出した農業生産物は自分のものにはなりません。つくり出した農業生産物がその人から離れると、働くことと、モノをつくることが、つながらなくなります。そして、働くことが、厳しい農作業につながるようになり、働くことを人間本来の活動として捉えられなくなります。こうして、働くことが、人間の本質から遠ざけられるようになって、人間疎外に陥りやすくなります。裏の方からいうと、働くことが「人のため」のモノづくりにつながるようになれば、人間疎外に陥り難くなるということです。人間疎外のない未来社会を容易に描くことはできませんが、次のことを強調しておきたいと思います。第一の人間疎外は、人間労働からの疎外であり、強制労働でした。強制労働や劣悪な条件での労働に対しては、声を上げることです。第二の人間疎外は、労働生産物からの疎外でした。これに対しては、「人のため」という意識をもって働くことです。

宗教の起源と未来

宗教とは、超自然的なものへの人間の信仰と、それと結びついた思想、感情、行為の総体と定義されています。宗教の起源を、死者の埋葬にみられるような古代のヒトの習慣に求めて、今から数十万年前であるという説があります。しかし、私はこの説を支持しません。古代のヒトの死者を埋葬する習慣は、死者を哀れむ感情とそれまでの埋葬の経験から学んだ単なる埋葬儀式であると思います。死者の埋葬と宗教とを結び付けて、それを起源とするのは間違いだと思います。

私たちの直接の祖先であるホモ・サピエンス種が誕生したのは、今から5万年～20万年前とされています。それ以前のヒトたちには、「実在しないもの」を追い求める能力、「見えないもの」を見る能力はありません。霊魂などの超自然的なものの存在を信ずることなどできません。宗教は、ヒトの知識が、ある程度の段階に達しないと現れません。チンパンジーに、「あなたたちに、宗教はありますか？」と聞いてみればわかります。

ホモ・サピエンス種になったばかりのヒトは、自然に対しては、まだまだ、無力でしたので、自然に対する恐怖や死に対する恐怖をもっていました。確かに、これらに対しての恐怖はもっていましたが、恐怖からの安らぎを求めての信仰だけが宗教の始まりではありません。唯物論の考えでは、宗教の始まりを、実際のヒトの生存活動にも求めています。

ヒトが、自然界に働きかけ、自然を利用して、自らが欲する生存活動に役立つものを、自らの手でつくり出すようになると、「自然界とヒトの関係」への探求心が生まれます。多くのものをつくり出そうとすると、なおさらです。しかし、探求心はあっても、ホモ・サピエンス種は、まだまだ、自然界に対して無力だったのが当時の実情です。

無力でしたから、自然界を生きものとして捉えて、自然そのものを人格化してしまいます。また、暴風雨などの異常気象を自然が暴れていると捉えて、自然の力への嘆願が起こります。こうして、「自然界とヒトの関係」への探求心が、「自然の人格化」「自然の力への嘆願」につながり、信仰・礼拝が始まりました。唯物論では、ここから宗教が生まれたと考えています。

この最初の宗教を原始宗教と呼んでいます。原始宗教が誕生したのは、ホモ・サピエンスが誕生して暫く経ってからのことで、今から数万年前です。原始宗教は、世界的にみても、ほとんどが多神教です。「八百万(やおよろず)の神」という言葉を聞いたことがあるでしょう。これは、自然の全てのものに神様が宿っているというアニミズム的な考えで、「八百万」とは数が多いという意味です。日本では古くから、山の神様、田んぼの神様、トイレの神様、台所の神様など、米粒の中にも神様がいると考えられてきました。

直立二足歩行を始めたときに、協働による人間労働が始まりました。その時に、「親族」「氏族」「種族」などの共同体が誕生して、社会が形成されました。その後、長い年月が経過して社会が進展すると、共同体は階層的な分化が進んで複雑化します。それに伴って、共同体内の人間と人間、共同体間の人間と人間、共同体と共同体の関係のなかに、格差や差別化が発生して、嘆願、供応に似た行為が生まれます。また、家族・親族・氏族・種族などの発達や、格差や差別化の発生は、それぞれに神話化された祖先への崇拝を生みます。これらが、アニミズム的な原始宗教と結びつき、現代まで続く宗教が誕生しました。この宗教が誕生したのは、社会の階層化が進み、共同体に格差や差別化が現れてからです。その時期は、エンゲルスのいう「未開時代」に入ってからになります。

さらに社会が進展して、奴隷制社会が定着してくると、疎外された人間が現れるようになります。人間らしく生きていけない社会になってしまったからです。そして、人間疎外によって、人間の本質が無視され、無視された人間の本質が人間の外に出されるようになります。外に出された人間の本質への信仰・礼拝も宗教と結び付きました。

因みに、仏教は、今から約2,500年前（紀元前5世紀頃）に、インド北部のガンジス川中流域で、釈迦が提唱して始まったとされています。仏教は、他の宗教と異なり、アニミズム的な原始宗教をルーツにもたないことが特徴的です。

科学が発達する以前は、地震や洪水などの自然災害が起こらないように、神様に祈るのは当たり前でした。科学が発達することにより、自然に対しては、無力ではなくなりました。現在では、神様に祈る人は、もう、そんなに多くはいないと思います。自然への恐怖がなくなれば、宗教の起源として、そのあとに残るのは、共同体内、共同体間の人間と人間、集団と集団の格差や差別です。そして、この格差や差別がなくなれば、宗教は自然になくなります。宗教は、知らないうちに、長い年月をかけて誕生しましたが、同じように、知らないうちに、長い年月をかけてなくなります。宗教が誕生した根源がなくなれば、なくなるというものです。

おわりに

直立二足歩行を開始したときに、ヒトが誕生しました。その後、長い年月が経過してホモ・サピエンス種に進化しました。このホモ・サピエンス種は、地球が滅びるまで存続するでしょう。人間労働や人間の生存活動に基づいた共同体（社会）は、ヒトが誕生したときに誕生しました。これらもホモ・サピエンス種が滅びるまで存続します。

少なくない人は、「『人間性（＝人間らしさ）』は、DNAには書き込まれていない。生まれてから学習するものである」と考えています。しかし、私は、この考えには賛成できません。反対に、「人間は生まれたときには、既に人間性をもっている」と考えています。人間性とは、「協力して役に立つことを行う」ことであり、「他人を思う意識（気持ち）」であることを話しましたが、これを身に付けて生まれてくるということです。

人間性は、ヒトが誕生したときに身に付けましたが、人間疎外や宗教が現れたのは、ヒトが誕生したときでも、また、ホモ・サピエンス種に進化したときでもありません。ヒトの誕生やホモ・サピエンス種への進化のときに、現れたとなれば、ホモ・サピエンス種が滅びるまで存続すると思います。ところが、その時期は、牧畜や農耕を営むようになった未開時代であり、今から約6,000年前です。未開時代ですから、つい最近です。つい最近になって、人間疎外や宗教が現れたのであれば、ホモ・サピエンス種が滅びるまで存続するとは考えられません。

約46億年前に誕生した地球には、宇宙史的な履歴があり、約38億年前に誕生した生物には、生物史的な履歴があり、約700万前に誕生した人間には、人間史的な履歴があります。通常、私たちが「社会史」とか「日本史」「世界史」と呼んでいるのは、人間史的履歴のこと、つまり、自然的人間の「生存活動の歴史」のことです。もっと簡単に言うと、「働く」ことと、「生活する」ことを繰り返して、次世代にバトンを渡している人類の「人間社会の歴史」のことです。

人間社会の歴史は、人間の生存活動の歴史であり、「働く」ことと、「生活する」ことに基づいた社会の歴史です。別の言い方をすると、人間労働による生活に必要なものの「生産（働く）、それの交換、それの消費（生活する）」に基づいた人間社会の歴史ということです。人間社会の歴史には、よく国王・教主・貴族・豪族などが華々しく登場してきます。そして、この人たちが社会を形成する主体であって、この人たちが社会を動かしているような記述がなされます。しかし、社会を形成している主体は、本当は、生活に必要なものをつくり出している人たちであり、社会を動かしているのもこの人たちです。歴史的な出来事なども、華々しく登場する人からではなく、生活に必要なものの「生産、交換、消費」から説明されなければなりません。そこに本当の人間社会の歴史があります。これが、史的唯物論（唯物史観）の考え方です。

人間疎外や宗教も、その時代の生活に必要なものの「生産、交換、消費」に基づいた人間社会の歴史に関係しています。つまり、格差・差別が現れた社会のなかで生存する人間の意識の反映です。ですから、私は、人間疎外や宗教は、そんな社会に起因した人間性を喪失する「社会の病」だと思っています。

人間疎外や宗教の始まりは、未開時代でした。ホモ属が誕生してからを、1年間というスケールで表すと、未開時代は、大晦日（12月31日）になったときでした。そのときに、人間疎外や宗教という病にかかったとなれば、年が明けて、元日（1月1日）の午前中くらいには、治るでしょう。ということで、数百年後、数千年後には、病は治り、「人間性の喪失」などという言葉もなくなると思います。それからは、健全な社会が、地球が滅びるまで、ホモ・サピエンス種が滅びるまで続くでしょう。

技術者のものの見方・考え方

……論理学をとおして

2016年（平成28年）5月頃記述

はじめに

今年2016年（平成28年）の3月20日で満66歳になり、会社を辞める日も、カウントダウンできるようになりました。この表題でエッセイを書く気になった理由は、会社を辞める前に、「人間（特に技術者）のものの見方・考え方は、どうあるべきか？」をまとめておきたかったからです。もう一つの理由は、意固地に自分の考えに固執するものではありませんが、いくつになっても、常に「私としての考え」を、もっていたいからです。

私は、常日頃から、何に関しても、「自分から求めて」、「これって、本来どうあるべきだろう！」と、「自分の頭で考える」ように努力しています。そうかと言って、100％できているわけではなく、巷の風潮に流されることもあるし、マスコミの報道をそのまま受け入れることもあります。なぜ、「『自分から求めて』『自分の頭で』考える」ことを目標にしているかというと、「耳学問（人からチョットかじって知ること）」が、大嫌いで、最低の「ベンキョウ法」だと思っているからです。不純な動機でしょうが、この「耳学問」への猛烈な反発があるため、「自分の頭で考える」ことが目標となっています。

こんなことを考え始めたのは、大学生の頃からですので、約50年前です（もちろん空白期間の方が長い）。50年も前から考えていることについては、自分自身を褒めてやりたいと思いますが、50年も前から考えていて、この程度かと思うと、少し情けなくもなります。

「自分から求めて」「自分の頭で考える」ときに、通常、人間って、「どんな考え方の手順を踏んでいるのだろうか？」を気にし出しました。そして、不十分ながら論理学を学び、ときには、「自分の外に出て、自分の頭の中を覗く」こともありました。

ここでは、「自分から求めて」「自分の頭で考える」ときに、参考になるようにと、論理学の初歩的なところを記述して、表題の「技術者のものの見方・考え方」としてまとめることにしました。

論理学とは何か

論理学は、人間の思考を研究対象とする哲学の一分野です。哲学は、自然、社会、人生などについての一定の体系的なものの見方です。つまり、「自然って何だろう？」「社会って何だろう？」「自然や社会のなかで、人間が生きるってどういうことだろう？」と考えることです。そのときに、人間は、果たして、どのような思考をするのでしょうか？

私たちがものを考える場合に、全く無前提なところから出発しません。それまで獲得された様ざまな知識をもとにして、その背後に隠された新しい知識を獲得します。既知のものをもとにして、新しいそれまで未知であったものを引き出すのです。このように、既知のものから未知のものへと進む運動、つまり、人間の「科学的思考」を研究対象としているのが論理学です。もっと簡単に言うと、論理学は、新しい知識を獲得する「推理の手順（思考の仕方）の学問である」ということです。

科学的思考は、抽象的・概念的思考ともよばれ、具体的思考とは区別されます。この具体的思考においては、「概念」は使用されません。抽象的・概念的思考は、人間のみに見られるのに対して、具体的思考は、他の動物にも見られます。具体的思考とは、見たもの、そのものを大脳に映しているだけです。

例えば、あるところで、木造の平屋の「家」を見たとしますと、「家」とは、木造の平屋の「家」になります。また、別のところで、コンクリート造りの二階建ての「家」を見たとしますと、今度は、「家」とは、コンクリート造りの二階建ての「家」になります。これが、人間以外の他の動物にも見られる具体的思考です。つまり、他の動物は、見たもの、そのものしか大脳に映せず、目に入らない「家一般＝家の本質＝家の概念」を思考できないのです。知能が高く、人間に最も近いとされるチンパンジーでも、目に入らない「家一般＝家の本質＝家の概念」を大脳に映すことができません。

論理学で取り扱う典型的な『推理』に、三段論法があります。

すべての東洋人は人間である
すべての日本人は東洋人である
ゆえに、すべての日本人は人間である

この『推理』は三つの文章から成り立っており、また、三つの名詞（東洋人、人間、日本人）から成り立っています。論理学では、この一つひとつの文章のことを『判断』（命題論理学等では『命題』という）と呼び、文章中に含まれている一つひとつの名詞のことを『概念』と名付けています。

「すべての東洋人は人間である」「すべての日本人は東洋人である」という二つの文章（これは前提と呼ばれる）が分かっていると、経験に照らすことなく「すべての日本人は人間である」ということ（結論と呼ばれる）が真であることが分かります。

論理学では、概念の中に、形容詞などの名詞以外の単語は、すべて名詞の形に直して考えます。例えば、「この花は赤い」という判断は、「この花は赤いものである」と書き直して考えます。

『推理』は『判断』から、判断は『概念』から成り立っています。論理学は、「『概念』→『判断』→『推理』」と進む人間の思考の仕方（形式）を研究対象とする学問であるとも言えます。まずは、『概念』『判断』『推理』について、その概要を説明します。

概念について

「概念」という言葉は、日常生活において、様ざまな意味で用いられていますが、論理学では、次のように定義されています。

概念とは、対象や現象をその本質的徴表において反映する思考形式である

このことから、次の二つのことが分かります。第一に、「概念」は、対象の思考上の像であり、その反映であって、対象そのものではありません。第二に、「概念」は、対象が含んでいる全てのもの、全ての徴表を反映するものではなく、本質的な徴表だけを反映します。

徴表とは、「もの（目に見えるものだけではなく、名詞化されたものごとのこと）のもつ様ざまな性質」のことであり、論理学では、このように呼んでいます。本質的徴表とは、対象の本性、対象の本質を表している徴表であって、その対象をそれ以外の全ての対象から区別する徴表です。したがって、本質的徴表は、一般的で必然的な徴表であって、これがなくなれば、その対象の質そのものが変化してしまう徴表です。

これに対して、非本質的徴表は、それがあってもなくても、それがどの程度であっても、対象や現象の本質の変更には至らない徴表で、表象とも言います。「家」を例にとって、「本質的徴表」と「非本質的徴表（表象）」を説明します。「家」の「本質的徴表」とは、「健康で文化的な生活を営む程度の設備をもった『建物』である」ということです。一方、「家」の「非本質的徴表（表象）」とは、コンクリート構造であっても木造であっても、1DKであっても5LDKであっても、さらには、庭が有っても無くても、こうした本質的ではない、どうでもいい徴表のことです。

「概念」に関して、重要なことは、「概念」を正しく定義することです。「概念を定義する」とは、「概念の内包（徴表の総体のこと）を明らかにする」ことであり、同時に、概念の内包を構成するのは本質的徴表ですから、「対象の本質的徴表を明らかにする」ことになります。よく用いられ、代表的な定義の仕方に、「類概念と種差による定義」があります。次の「家」の定義は、「類概念と種差による定義」です。

「家」の定義……健康で文化的な生活を営む程度の設備をもった「建物」

二つの概念（「家」と「建物」）をとり出した時に、外延（概念の範囲）の広い方（別の言い方をすると、内包が少ない方）を類概念、外延の狭い方を種概念と言います。この場合、「建物」の方が外延が広いので類概念となり、「家」の方が外延が狭いので種概念になります。そして、「健康で文化的な生活を営む程度の設備をもった」が、種差になります。

類概念と種概念との相違は相対的なものです。「家」という概念は「建物」という概念に関しては種概念になり、「一戸建住宅」や「中高層集合住宅」に関しては類概念になります。一つの類概念には、通常、複数の種概念が属しますので、概念全体は、上位概念と下位概念というような形式で整理できます。私は、常日頃、目にしたり、耳にする自然現象や社会現象も同様に整理できると考えています。

「知能が高いチンパンジーでも、目に入らない『家一般＝家の本質＝家の概念』を大脳に映すことができない」と述べました。私たちが目にするのは「この家」「あの家」という個別の家であり、そこに共通する「家の本質」を見ることはできません。思考して大脳に映すことによって、初めて見ることができます。これができるのは人間だけです。「家」だけではなく、すべての「ものごと（物や事）」は、個別に存在しています。人間だってそうです。各人は個性をもった個別的存在ですが、同時に、人間の本質をもっています。しかし、人間の本質は、思考して大脳に映すことによってしか見ることができません。

見えない「ものごと（物や事）」まで、見ることができる人間って、何て幸せなんでしょう。他人のことなど気にすることなく、自分勝手に自由に想像できるなんて、本当に幸せだと思います。ヒトはチンパンジーを置いてきぼりにして、直立二足歩行を始めた頃から、見えない「ものごと（物や事）」を見ることができるようになりました。常日頃から、「これって、本来どうあるべきだろう！」と、「自分から求めて、自分の頭で考える」ことが重要だと思いますが、如何でしょうか。

私は、「概念」に関しては、これを正しく定義することが、次の「『判断』→『推理』」と進む上での第一歩だと思っています。裏の方から言えば、「概念」を正しく定義できなければ、次に進むことはできません。

判断について

「判断」とは、対象について、何らかのことが肯定されるか、あるいは否定される思考形式のことです。判断は、概念と概念との間の関係ですが、そのことによって、諸々の対象の間に存在する諸関係、諸連関を反映する事実判断です。判断は、概念と概念との間の一致、不一致を主張するものであり、その真偽を論ずるものですから、疑問文、命令文、感嘆文、祈願文のような文章にはなりません。判断には、「定言判断」「仮言判断」「選言判断」があります。

定言判断……ＳはＰである
仮言判断……もし、ＳがＰならば、ＢはＲである
選言判断……ＳがＰであるか、または、ＢがＲであるかの
いずれかである

推理（推論）について

一般に、推理（推論）とは、既に獲得された知識に基づいて、未知のものを既知のものへと転化させる思考形式です。既知のものも未知のものも共に、判断の形で表され、既知のものを表す判断を前提と言い、未知のものを表す判断を結論と言います。原則として、前提は一つ、または、複数であり、結論は一つに限定されます。推理（推論）は、演繹推理、帰納推理、類比推理の三つに分かれます。

◇演繹推理（演繹法）

演繹推理は、普遍的な、一般的な知識から出発して、特殊的な、個別的な知識へと進む推理です。この推理で得られた結論は、前提が確実な知識であるならば、これもまた確実な知識となります。この推理は、一般知識が既に獲得されているときなどに多く用いられます。演繹推理は、さらに、直接推理と間接推理とに分かれます。

ただ一つの前提しかもたない演繹推理を直接推理と言い、複数の前提をもつ演繹推理を間接推理と言います。間接推理のうち、二つの前提をもつものを三段論法と呼びます。三段論法は演繹推理の典型的な形式であり、形式論理学で取り扱う間接推理は、何らかの形でこの三段論法に還元できます。したがって、間接推理では三段論法の分析が主として行われることになります。

三段論法を構成する三つの判断（前提二つ、結論一つ）が、全て定言判断（全称肯定判断・全称否定判断・特称肯定判断・特称否定判断の四つ＝ AEIO 判断）であるようなものを定言三段論法と言います。

すべての東洋人（M）は人間（P）である……大前提
すべての日本人（S）は東洋人（M）である……小前提
ゆえに、すべての日本人（S）は人間（P）である……結論

ここには、「東洋人」「人間」「日本人」という三つの概念が含まれています。ここで、結論で主部となるもの、ここでは「日本人」を小概念（Sと通称する）と呼びます。次に、結論において述部になるもの、ここでは「人間」を大概念（Pと通称する）と呼びます。最後に、結論には出てきませんが、二つの前提に共通に表れて、主部と述部を結合する媒介物、ここでは、「東洋人」を媒概念（Mと通称する）と呼びます。

前提を構成する二つの定言判断のうち、大概念（P）を含むものを大前提といい、小概念（S）を含むものを小前提と言います。定言三段論法は、大前提、小前提、結論の順序に並べるものと約束されています。したがって、定言三段論法を記述する場合、結論は明白であっても、何が大前提であり、何が小前提であるかを明確にしたうえで、配列しなければなりません。

大前提は、大概念（P）と媒概念（M）とから成り立つ
小前提は、小概念（S）と媒概念（M）とから成り立つ
結論は、小概念（S）と大概念（P）とから成り立つ

◇帰納推理（帰納法）

帰納推理は、特殊的な、個別的な知識から出発して、一般的な、普遍的な知識に到達する推理です。この推理は、それによって得られた結論は、絶対的な確実性をもたない知識ですが、日常生活や科学研究の場においては、しばしば用いられます。個別的な実験データから、

一般的法則的な知識へ進むのは、この帰納推理によってです。

この帰納推理も前提と結論から成り立っています。ここで、前提となるものは、個別の事実、部分的な事実についての判断であり、結論となるのは、そこの主部（S）となる概念の外延（概念の範囲のこと）全体についての判断です。この定式化は次のとおりです。

S_1 はPである

S_2 はPである

S_3 はPである

S_1、S_2、S_3 は、Sの外延の部分をなす

ゆえに、全てのSはPである

この帰納推理はさらに、完全帰納と不完全帰納とに分かれます。

・完全帰納推理

S_1 はPである

S_2 はPである

・・・・・・・・・・・・・・

S_n はPである

S_1、S_2、・・・・・・・・S_n は、Sの外延の全てをくみつくす

ゆえに、全てのSはPである

このような推理を完全帰納推理と言います。

・不完全帰納推理

一般的結論が、Sの外延に属する全ての対象をくみつくしていない前提から得られるような推理を不完全帰納推理と言います。不完全帰納推理の特殊性は、対象の一部についてのみについて知っていることを、対象の全体にまで押し及ぼすという点にあります。しかし、圧倒的に多くの場合、対象の全てについて研究することは、事実上不可能です。したがって、帰納推理と言えば、一般的にはこの不完全帰納推理を指すことになります。

◇類比推理（類推法）

類比推理は、特殊的、個別的な知識から、やはり特殊的、個別的な知識を導き出す推理です。類比推理によって得られた結論は、帰納推理と同様に、絶対的な確実性をもたない知識です。類比推理は、広い意味では、帰納推理に括られることがあります。例えば、次のものも類比推理の一例です。

人間の生存には、ABCD が必要である
S星には、ABCD が存在する
ゆえに、S星には人間が生存しているであろう

ABCD が完全に人間の生存条件をくみつくしていれば、この推理は正しく、成り立ちますが、生存条件の全てをくみつくしていないので、この推理は、確実なものと断定することはできません。

論理学の基本法則

人間の科学的思考は、気ままに、でたらめに行われるのではなく、厳密に定められた論理法則に従って行われます。論理法則には、四つの基本法則があります。ここでは、この四つの基本法則をごく簡単に示すだけにします。

◇同一律（同一性の原理）

同一律は、「事物についてのあらゆる思考は、一つづきの考察の過程においては、同一でなければならない」と表現されます。

◇矛盾律（矛盾排除の原理）

矛盾律は、「二つの矛盾する判断は、同時に真であることはできず、少なくとも一方は必ず偽である」と表現されます。

◇排中律（第三者排除の原理）

排中律は、「二つの矛盾する判断は、同時に、そして同じ関係において、一方は真であり、他方は偽でなければならず、第三者、中間者は存在することはできない」と表現されます。

◇充足理由律（十分理由の原理）

充足理由律は、「あらゆる思考は、それが十分に根拠（理由）づけられてはじめて、正しいと認められる」と表現されます。

演繹法と帰納法

一般に、私たちが直面する問題は、論理的に解決できる問題と創造力を活用して解決する問題に大別されます。『演繹法』や『帰納法』を知らない人でも、問題解決のために、日常的に、無意識のうちに使っています。私たちは、あらゆる「ものごと（物や事）」を説明する際にも、『演繹法』や『帰納法』を無意識のうちに使っています。

これらの推理法のうちで、私が、初めて出会ったのは、高校時代の数学の授業のなかです。おそらく、皆さんも習っていると思います。そこでは、「数学的帰納法」という証明法が説明されていました。そのときに、『帰納法』の注釈が、ごく小さい字で、欄外に、帰納法の反対の方法として、『演繹法』が紹介されていたような記憶があります。この字って、「エンエキ」って、読むんだ、という記憶は鮮明に残っています。

私は、『演繹法』や『帰納法』を、無意識のうちにではなく、意識して使用することが重要だと思っています。そのために、これらの方法の概要を、簡単に説明しておきます。

①演繹法‥‥諸法則を活用して論理的に解決する問題
②帰納法（類比推理も含まれる）……創造力を活用して解決する問題

◇演繹法

演繹法とは、普遍的技術（設計基準）を個別に、適用する方法です（普遍的技術から個別に進む推理）。個別設計の報告書や企画提案書などの多くは、この演繹法が使用されています。

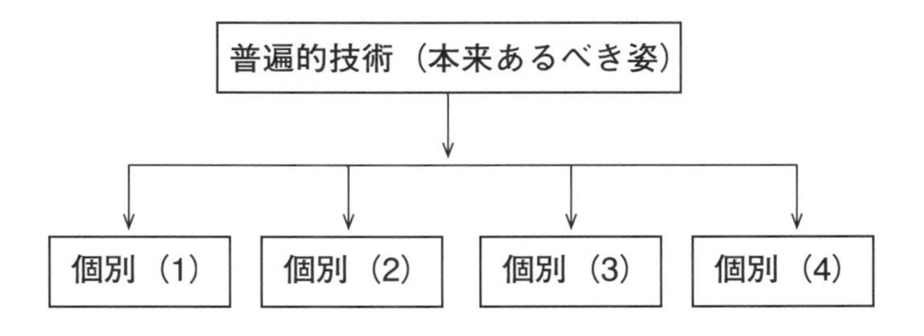

普遍的技術（設計基準）を個別に正しく適用する場合には、個別の置かれた現状を漏れなく把握することが重要になります。例えば、「道路橋梁（河川などを跨ぐ道路橋）」を設計することを考えてみても、どのような規模のものにするのか（例えば、どのような幅員で、どのような長さの橋にするか？）によって、異なるはずです。また、どのような地盤の上に設置するのか？　によっても異なるはずです。

個別（1）に求められるものと、個別（2）に求められるものでは、必ず何かが違います。1億3千万人の日本人は、それぞれの個性があり、顔も異なります。似ていても、同じではありません。必ず何かが違います。普遍的技術（設計基準）を個別に正しく適用する場合には、その何かの違いを把握することが重要です。

それぞれの個別の特徴（他との違い）が解らなければ、良い設計はできません。ましてや企画提案書は書けません。

◇帰納法

帰納法とは、個別から普遍的技術を導き出すときに、適用する方法です（個別から普遍的技術に進む推理）。研究論文や技術論文などの多くには、この帰納法が使用されています。

普遍的技術（共通する一般的な法則）を正しく導き出すためには、集められた個別を正しく分析することが重要になります。「ものごと（物や事）」の個別を整理する学問的な方法論に「類型論」というのがあります。「類型論（類型学ともいう）」とは、常日頃みられる様ざまな個別のなかから、いくつかの類似点を抽出し、個別を「区分け」する学問的な方法論です。簡単にいうと、様ざまな個別を分類（類型化）するための理論です。

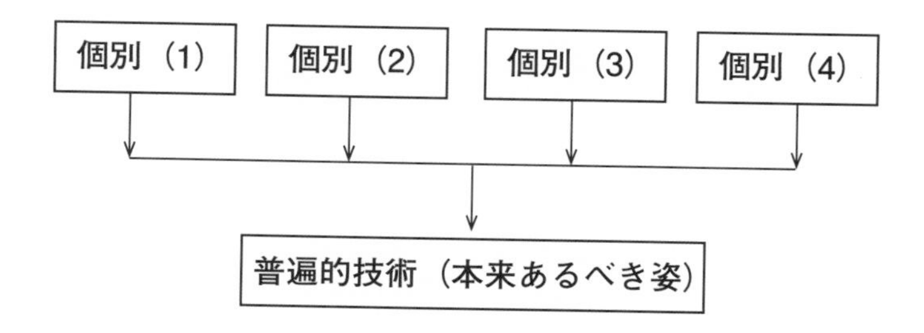

「道路橋梁」を例に採ると、今までにつくられた「道路橋梁」を分析し、類型化して、「道路橋梁」のあるべき姿を理論化することです。「道路橋梁の設計基準（普遍的技術）」をつくることなどは、帰納法の典型です。

おわりに

普通の人は、日常的には意識はしていませんが、多少の「曖昧性」を残しながらも、論理的に思考しています。今までの仕事のなかでも、間違った考え方や間違った文章、間違った設計報告書（設計ミス、計算ミスは別次元）、また、間違った論文に出会ったことは稀でした。しかし、「◇個別の分析・評価がみられない企画提案書」や「◇帰納法的視点がみられない研究論文や技術論文」に出会ったことは、数多くありました。

◇個別がみられない企画提案書

個別の置かれた現状が把握できていない企画提案書がよくみられます。読んでいて、これって、いったいどこの提案書？ と思ってしまいます。提案書の評価が低いのは、多くの場合、『演繹法』を「意識的」に使用していないことが原因だと思います。

◇帰納法的視点がみられない研究論文や技術論文

難しい公式を使った場合や適用事例が少ない基準を使った場合などに、それを題材とした論文をよく見かけます。難しいこと、また、新しいことを実施したことは評価しますが、事例紹介だけでは論文ではありません。研究論文や技術論文で重要なことは、個別に適用したことを自分で評価することです。評価するときに、少なからず、「帰納法」が使用されます。個別に適用しただけでは、ただ『演繹法』を適用しただけです。論文の評価が低いのは、多くの場合、『帰納法』を「意識的」に使用していないことが原因だと思います。

「◇個別がみられない企画提案書」や「◇帰納法的視点がみられない研究論文や技術論文」は、論理的には間違いではありませんが、分析が不十分で、「曖昧性」を残しているために、良い評価がなされません。「曖昧性」を残さないためには、「意識的」に、『演繹法』と『帰納法』を使うことが重要だと思います。

『演繹法』では、適用しようとする個別の置かれた現状を漏れなく把握します。『帰納法』では、集められた個別を正しく分析します。いずれも、個別を大切にするので、「曖昧性」が排除されます。一般論で済ませることができなくなります。

企画提案書や論文を書くにあたって、特に『演繹法』と『帰納法』を、「意識的」に使ってみてはどうでしょうか。これを意識しただけで、ものの見方・考え方、そして、文章の書き方も違ってくるはずです。

人間って何者？

その１：社会をつくった生き物

2018年（平成30年）6月頃記述

はじめに

まだ成人を迎える前の若い頃に、哲学に興味をもちました。それと関連していたかは覚えていませんが、その頃から、「人間の生き方って、どのようにあるべきだろうか？」と考えるようになりました。そんなことがあり、頭の中では、よく「人間って、他の生き物と何が違うのだろうか？」と考えていました。そこで、ここ10年間くらいで考えていたことを、簡単にまとめておこうと思い、「人間って何者？」と題して記述することにしました。

その１では、「社会をつくった生き物」と題して、その２では、「道具をつくった生き物（3～6ケ月後の予定）」と題して記述します。「ホモ・サピエンスの生存活動って何？」（p.51参照）「人間の寿命と人間らしい生き方」（p,69参照）と少し重複するところがあります。

生き物が生きる目的

私たちが住んでいる地球上には、たくさんの生き物たちが生息しています。生き物たちは、大きくは動物界、植物界、菌界の三つの［界］に分けられています。それらの中には、クジラのような大きな生き物もいれば、幹周・幹高ともに数十メートルとなるような生き物（巨木）もいます。また、反対に目に見えないバクテリアのような小さな生き物もいます。地球上のあらゆる生き物は、今からおおよそ30数億年前に、海の中で出現した原始生命体が共通の祖先となっています。それ以後、原始生命体の子孫たちが複製・増殖を繰り返しているうちに、遺伝子に様ざまな変異が生じることで進化が起こり、長い年月をかけて、多種・多様な生き物たちになりました。

私たちの目には見えませんが、この多種・多様な生き物たちは、自然の中でつながり、お互いが関連し、影響し合って生きています。これを「生物多様性」と呼んでいます。他と何の関連も持たない生き物はいません。例えば、人間にとって、害となる生き物であっても、誰かさんにとっては必ず益になっています。他と何の関連も持たない生き物、あるいは、害しか与えない生き物であれば、そうした生き物はとっくの昔に絶滅したはずです。

生き物の個体は、何らかの自己複製の方法によって、祖先（親）から生まれます。「祖先（親）から生まれる」ことは、○○種という生き物の個別の身体が、地球上に現れ出ることであり、「個体発生」と呼ばれています。そして、生まれた後は、その個体は、自分の身体を継続的に正常な状態に維持（恒常性の維持）する活動を行います。これは、自らの生命を存続する活動ですから、生存活動と言います。生存活動を行っていく中で、成長した個体は、何らかの自己複製の方法で、子孫（次の世代）をつくります。子孫をつくることは、生殖活動のことであり、自己の種が絶滅しないようにする活動です。自己の○○種を地球上に実在させて残す（保存）ことであり、「種の保存」と呼ばれています。

生き物は、「［界］—［門］—［綱］—［目］—［科］—［属］—［種］」の項目で細分化されますが、「種の保存」の［種］とは、細分化された最後の［種］のことです。例えば、私たち人間でいえば、「動物［界］— 脊椎動物［門］—哺乳［綱］— 霊長［目］—ヒト［科］—ホモ［属］— ホモ・サピエンス［種］」に細分化された最後のホモ・サピエンス［種］です。私たち人間にとっての「種の保存」とは、ホモ・サピエンス種が絶滅しないように、次の世代をつくって残すことです。

生き物の個体が地球上に生まれてからは、生存活動（生命を存続する活動）と、生殖活動（次の世代をつくって残す活動）を行います。この二つの活動は、あらゆる生き物の本能であり、生き物の遺伝子には、このことが組み込まれています。

生き物にとって、生きる目的があるとすれば、それは「種の保存」のためです。地球上の生き物に対して、「何のために生きているか？」と問えば、そして、生き物が言葉を話すことができれば、「種の保存」のために生きていると答えると思います。それを理解できない生き物は、私たち人間だけかも知れません。「種の保存」のために生きるということを、もっと、きれいな言葉で、そして、人間の場合で表現すれば、「人類（ホモ・サピエンス種）の永遠の未来」のために生きるということになります。

人間と取り巻く自然環境の変化

人間（ホモ・サピエンス種）は、今から700万年前に、他の霊長類と別れてヒト［科］になり、そして、200万年前にホモ［属］になり、それ以後、野蛮な時代を経て、5～20万年前に誕生しました。誕生した人間は、今では、地球上の生態系の頂点に君臨するようになりました。今後、地球を壊さなければ、人間が君臨する時代は、あと数十億年ほどは続くでしょう。数十億年という途方もなく先のことですから、永遠に続くと考えてもよいと思います。

このように、人類（ホモ・サピエンス種）という種の生命は永遠（無限）です。しかし、個体（一人ひとり）の生命は有限です。地球上のあらゆる生き物は、自分の身体を継続的に正常な状態に維持（恒常性の維持）できなくなると死を迎えます。これが、生き物の個体の一生（生涯）、つまり、個体の寿命です。人間は、平均的には80年程度で恒常性の維持ができなくなり、寿命を全うして死を迎えます。

なぜ、個体には寿命があるのでしょうか。それは、あらゆる生き物たちは、生物多様性を形成していて、お互いが関連し、影響し合って生きているからです。そして、さらに取り巻く周りの自然環境が常に変化しているからです。自然環境が変化するので、それに合わせて自分自身も変化しなければなりません。変化を拒否すると、置いてけぼりを食らって、自然環境の変化に追従できずに絶滅してしまいます。自分自身も少しずつは変化していますが、自分自身が変化するスピードには限度があります。そこで、周りの自然環境の変化に適応するように、現在の自分自身を止揚（揚棄＝アウフヘーベン＝後述）し、高い次元の次の世代の自分自身をつくるわけです。

人間は、人間として誕生以降、他の生き物たちと、お互いに影響し合って生きてきました。人間は誰しもが、「種の保存」のために、次の世代をつくって残し、そして、寿命を全うして死を迎えました。これを数十万世代、繰り返して、現在に至っています。「駅伝」に例えると、前走者（前世代）からタスキを受け取り、一生懸命に走って（生きて）、次走者（次世代）にタスキを渡すということです。こうしてみると、私たち一人ひとりの人生（寿命）は、人類の永遠（無限）の生命（未来）をつなぐ一区間になっています。

私たち一人ひとりは、誰とも異なる個性（個体の性質）をもっています。顔かたちや体つきは言うまでもなく、やることなすことのすべてが異なります。しかし、誰しもが、人間である限り、人類的な側面をもっています。人類的な側面とは、前世代から生を受け、一生懸命に生きて、そして、人類の永遠のために「高い次元の自分自身」をつくって残すことです。私たちは、意識していませんが、私たちの中にいる類的人間（ホモ・サピエンス種の系統を引き継ぐ人間）は、本能的にこんなにも崇高な活動をしていました。

ここまで、人間（ホモ・サピエンス種）に関してのことを記述しましたが、地球上に生息するあらゆる生き物についても同様です。それぞれの生物種は、「次の世代をつくって残し、寿命を全うして死を迎える」ということを繰り返しています。

５億数千万年前に生き物たちが爆発的に誕生しましたが、この頃までを振り返ってみると、生き物たちが織り成す自然は、引き継がれる遺伝子によって、こんなにも合理的・法則的に変化してきたことが分かります。本当に驚きます。

人間と自然環境の弁証法

地球上に生息している生き物だけではなく、あらゆるものごと（物や事）は、お互いが関連し、影響し合って変化しています。このような自然環境の変化は（実は社会もそうですが）、適応するための生物種としての進化であり、弁証法そのものです。

古代ギリシャの哲学者であるヘラクレイトス（B.C.540～B.C.480年）は、「万物は流転する」という哲学的命題を述べています。これは、「あらゆるものは、時の経過とともに常に変化している」という意味です。例えば「私は私です」は、正しいと扱われています。しかし、私自身も時の経過とともに老化に向かって変化しており、決して同一ではありません。あらゆる物や事を詳しく考えると同一のものはありえないことが分かります。

ドイツに「弁証法」で有名なフリードリヒ・ヘーゲル（1770～1831年）という哲学者がいました。ヘーゲルは、「『法の哲学』要綱」の序文で、「理性的なものは現実的であり、現実的なものは理性的である。」と述べています。ヘーゲルのいう「理性的」とは、「合理的・法則的（弁証法的）」のことですから、現実的なものは弁証法的に変化していると捉えることができます。ヘーゲルは、「ちょっとした思いつき、さらに、退化して消えていくような存在までが、何でも、目につくままに『現実』と名付けられるが、偶然の存在は、あえて現実的と呼ぶには当たらない」とも述べています。これは、特殊的存在までをも理性的と捉えることへの戒めです。

弁証法に関しては、ドイツの思想家のフリードリヒ・エンゲルス（1820

〜1895年）は、「自然および人間社会の歴史からこそ、弁証法の諸法則は抽出される」と述べており、また、別のところでは、「思考そのものの最も一般的な法則にほかならない」と述べています。このことからも、弁証法は、「自然や社会の法則」であると同時に、「思考の法則」でもあると捉えることができます。

少し弁証法について述べましたが、弁証法を論理法として捉えた場合のもう一つに「形式論理学」があります（認識論から捉えると、もう一つは「形而（けいじ）上学」)。弁証法は、ものごと（物や事）を運動・変化・発展しているものとして捉えますが、形式論理学は、物や事をバラバラな、固定し、静止したものとして捉えます。しかし、最初の段階では、物や事をバラバラな、固定し、静止したものとして捉えざるを得ません。ですから、弁証法と形式論理学を同じ次元で比べるとか、形式論理学を間違った論理法とすることは、正確ではありません。

ここで、弁証法の「止揚（揚棄＝ドイツ語でアウフヘーベン)」について記述しておきます。アウフヘーベンとは、ドイツ語で「保存しつつ廃棄すること」を意味しています。あるところを否定して変化するわけですが、このときに全面的に否定するのではなく、「良いところは保存して生かし、否定するところは高い次元への変化」という意味になります。ですから、生物種の環境に適応するための変化は、単なる変化ではなく、変化・発展のことであり、進化と呼ぶのに相応しいと思います。生物の進化は弁証法の「アウフヘーベン」そのものだと思います。弁証法は、「『対立物の統一』『量から質への変化』『否定の否定』という三つの法則に帰着する」とされています。いずれの法則も、変化・発展に関する法則ですが、その時に、「アウフヘーベン」という言葉が使われます。

進化の過程で得たもの

自然も社会も弁証法的に変化・発展（進化）しています。ここでは、自然的ヒト（数百万年前の昔の人間）がどのように進化し、その過程で、何を獲得したかを記述します。

人間（ホモ・サピエンス種）の一生（生涯）の成長過程は、おおよそ、次のように区分されます（別の区分法もある）。その区分は、新生児期（生後1年間）、幼児期（1歳〜およそ3歳）、子ども期（3歳〜およそ7歳）、少年・少女期（7歳〜およそ10–12歳）、思春期（10–12歳〜およそ14–17歳）、青年期（14–17歳〜およそ20–25年）、成人期（20–25年〜およそ45–50歳）、中年期（45–50歳〜およそ60–65歳）、高齢期（60–65歳〜）です。この中で、人間特有の成長期といわれるのは、「新生児期（胎児期）」「長い子ども期」「高齢期」の三つです。ここから、人間特有の三つの成長期をみることにします。

まず、最初に「新生児期（生後1年間）」についてみます。この新生児期は、人間特有の期間であり、チンパンジーなどの類人猿では、胎児期に該当する期間です。胎児期とは、出産されるまでの母親の胎内にいる期間です。この胎児期は、人間では平均270日間であり、チンパンジーの240日間より少し長いだけです。人間の場合には、新生児期は、胎児期の延長であるとも言われています。チンパンジーは、運動感覚がある程度完成してから生まれるので、出生直後から自力で母親の体にしがみつきます。人間の胎児がその段階までに育つためには約1年が必要です。しかし、それでは頭が大きくなりすぎて、出産ができなくなるので、270日目で産んでしまいます。

人間の新生児は非常に無力です。自分から母親にしがみつくことができないので、抱っこが必要になります。目は、ボヤッとしか見えていません。新生児（赤ちゃん）の大きな泣き声は、天敵に知られてしまいます。これらは、環境に適応する上で、非常に不利な条件になったはずです。そこで、人間の祖先は、赤ちゃんを胎児のままで産んで、その替わりに社会（集団、群れが進化）で育てるように進化してきました。

次に、二番目の「長い子ども期（3歳〜およそ7歳）」についてみます。子ども期は、人間の場合には、非常に長いのが特徴的です。歯の生える時期をみると、硬いものを噛むのに必要な永久歯（第一大臼歯を含む）は、子ども期の7歳の頃に生え出します。そのあと、第二大臼歯は、少年・少女期の10〜12歳の頃になってようやく生え出します。一方、チンパンジーをみると、3〜4歳で離乳し、その時期に合わせて大臼歯が生えそろいます。つまり、チンパンジーの場合には、離乳したあと、間もなく少年・少女期に入り、子ども期はごく僅かな期間です。

人間の子ども期には、急速に発達する脳のために、糖分の多い高カロリー食が要求されます。子どもをもつ親にとっては、軟らかく質の高い食事を用意するのは、大変な苦労です。子ども期が親に苦労をかけ、親を悩ませるだけでしたら、人間は自然淘汰されて絶滅したはずです。

絶滅しなかったのは、この子ども期を長くとって、人類として生存していくための学習に充てたからです。社会を形成して生存する人類（ホモ・サピエンス種）にとって、集団内での規律や礼儀作法などの慣習を身に付けること、つまり「躾」を受けることは絶対的に必要です。同時に、言葉や数を覚えることも絶対的に必要です。子ども期を長くすることによって、躾を受け、言葉や数を覚えることに、十分な時間をとることができました。これによって、人類の生存能力が高まり、地球上の生態系の地位も高まりました。

次に、三番目の「高齢期（60–65歳～）」についてみます。日本人の平均寿命は、2017年（平成29年）発表のデータによれば、男性80.98歳、女性87.14歳です。現代人の寿命には、栄養や医学的条件、さらには、政情や文化などが反映しています。人間の生物学的寿命は、潜在的には90歳に近いとみなされ、他の霊長類と比べて圧倒的に長いことが特徴的です。さらに、特徴的なのは、老人が多いことです。

一般に、動物では生殖に参加できなくなると死ぬのが原則ですが、人間は、その点では例外です。世界中の多くの社会で、高齢期に入ったおばあさん（祖母）が母親の出産や育児を助けることはよく知られています。おばあさんは、自分では子どもを産みませんが、自分の娘や親戚のお母さんを助けることによって、人類の生存にとって非常に重要な役割を果たしています。このことからも、おばあさんの存在が、人類という集団の生存能力を高めているのが分かります。

同じように「おじいさんの存在」を考えることもできます。人類のおじいさんは、もともと狩猟や地域の自然条件、集団の安全などに関する豊富な経験の蓄積をもっていました。それを息子たちに教えることによって、人類という集団の生存能力を高めることに貢献していたはずです。こうして、「おじいさん」も「おばあさん」も社会（集団、群れが進化）に必要な存在になったと思われます。

ここまで、「新生児期（胎児期）」「長い子ども期」「高齢期」の三つの人間特有の成長期についてみてきました。要約すると次のようになります。

①新生児（胎児）を社会で育てるように進化してきたこと。

②子ども期を長くとって、社会を存続させるための躾を受ける期間に、また、言葉や数を覚える期間に充てたこと。

③高齢期をつくり、高齢者が、自らの豊富な経験を活かして、社会を支援する期間に充てたこと。

①～③をみると、社会（集団）で次の世代を育てる、あるいは、社会を支援し、社会を存続させるということであり、三つの人間特有の成長期のいずれもが、人類が自然界の中で淘汰されないようにしてきたことです。これらは、人類という社会（集団）の生存能力を高めるための工夫であったと思います。

この三つの成長期を人間特有のものに進化させ、これと並行して、社会をつくりました。これが、結果として、人間は「地球上の生態系の頂点」という地位を獲得したわけです。

さらに得たもの

ヒトに成り始めの初期のころは、直立二足歩行をすることで手の利用が高まり、狩りの方法も、弓や投げ矢を使用したものに変わってきました。狩りの場となる草原には、ヒトをも餌食とする猛獣などが生息しているために危険がいっぱいです。当時のヒトは無力な存在でしたから、猛獣と戦うと負けました。そんな危険がいっぱいの草原に出て、狩りの成果を上げるためには、集団で狩りをすることが必要になります。

集団で狩りを行うようになると、仲間に多くの情報を伝達することが必要になります。この伝達を、広くなった口を使用して行うようになります。直立二足歩行を始めたことにより、顎（あご）が下がって、口は広くなって、複雑な発声がしやすくなっていきます。動物が鳴くのは、何らかの情報を仲間や敵に伝えるためですが、鳴き方を変えることによって、多くの情報を伝達することが可能になります。このようにしている間に、声帯が発達し、音節を区切った発声が可能となり、言語が生まれました。ちなみに、私は、集団で狩猟・採集をすることが、人間労働の最初であって、なかでも狩猟（狩り）は、「協働（共同作業）」の原型ではないかと考えています。そうだとすれば、「協働」が言語をつくったと言っても過言ではないでしょう。

言語が生まれた頃からみれば、随分と時代が下がりますが、文字が生まれたのも、実は、最初は集団内で仲間と情報を共有し、それを確認するためだったのです。文字といっても、現在の言語に対応した文字ではなく、あるものごと（物や事）を表す絵文字のようなものです。この絵文字が進化すると、もう少し抽象化した象形文字になります。

最初に絵文字が必要になったのは、重要な情報を仲間と共有し、仲間で確認するためです。例えば、約束ごとなどを印した絵文字を、目で見て確認し合うためです。文字が生まれたのは、何がしかの物や事の記録を、次世代あるいは後世に残すためと思いがちですが、最初はそうではありません。物や事の記録を、文字で後世に残すようになったのはその後のことです。

絵文字を使用し始めたのは紀元前40世紀の頃と言われています。その頃になると、狩猟採集社会の時代から農耕社会の時代に変わりました。食糧を自然界から取り出していた時代から、自然界を利用して食糧を自ら作り出す時代に変わります。そして、多くの食糧をつくり出そうとすると、栽培技術の積み重ね、また、栽培技術の継承が必要になります。その栽培技術の積み重ね・継承に貢献したのが絵文字からの文字の進化でした。

人間の集団（社会）をつくって、仲間に多くの情報を伝えようとすると、必然的に言語が生まれます。そして、さらに、その集団をより良くしようとすると、今度は、必然的に文字の使用が始まります。今では、人間は、最も人間に近いとされる「ヒト科チンパンジー属ボノボ種」と比べても、同じヒト科の仲間か？ と思うほどの進化を遂げ、高度な社会をつくり上げました。

社会とは

私たち一人ひとりの人生（寿命）は、人類という永遠の生命をつなぐ一区間になっていることを述べました。「駅伝」に例えると、前走者（前世代）からタスキを受け取り、一生懸命に走って（生きて）、次走者（次世代）にタスキを渡すということでした。このようにみると、一生懸命に生きるのが、人間としての義務のように感じます。

私たちは、個性をもった一人の人間であると同時に、「ホモ・サピエンス種の系統を引き継ぐヒト」という類的な側面をもっています。この類的な側面から考えると、一生懸命に生きてタスキを渡すのは、確かに人類としての義務だと思います。

「生きるのが義務だ！」などと言われると、ほとんどの人は、生きるのが堅苦しく感じると思います。ここで、正しく理解しなければならないことは、この義務は、私たち一人ひとりではなく、社会に課せられた義務だということです。つまり、社会をつくって生存している私たちの世代が、次の世代に対する義務なのです。

親から産まれて、躾（しつけ）を受け、言葉や数を覚えて、学校で様ざまな知識を学び、働いて生活していく中で次世代をつくり育て、さらに、それまでの生きた経験を、次世代・次々世代に引き継いで、最後に、寿命を全うして死んでいく。これらの全てが保障されていれば、「一生懸命に走り（生きて）、次走者（次世代）にタスキを渡す」という義務感も和らぐと思います。

ここに記述した「学ぶこと」「生活すること」「働くこと」は、社会権と言われるものです。社会権とは、基本的人権の一つであり（もう一つが自由権）、一般的に社会を生きていく上で、人間が人間らしく生きるための権利とされています。私は、この社会権は、私たちの世代全体にとっては、次の世代に対して課せられた義務であると思います。そして、私たち一人ひとりにとっては、権利でもあり、さらに、その中にいる類的人間（ホモ・サピエンス種の系統を引き継ぐヒト）にとっては、義務でもあると思います。

日本国憲法には、社会権として、「生活権（一般には生存権と呼ばれる）、憲法第25条」「教育権、憲法第26条」「労働権、憲法第27条」「労働三権、憲法第28条」が定められています。参考までに、それぞれの条項の第一項を記載しておきます。

第25条　すべて国民は、健康で文化的な最低限度の生活を営む権利を有する。

第26条　すべて国民は、法律の定めるところにより、その能力に応じて、ひとしく教育を受ける権利を有する。

第27条　すべて国民は、勤労の権利を有し、義務を負ふ。

第28条　勤労者の団結する権利及び団体交渉その他の団体行動をする権利は、これを保障する。

最後に、「社会とは何か？」に対する私の考えです。『広辞苑』（新村出編、岩波書店）によると、社会とは、「人間が集まって共同生活を営む際に、人々の関係の総体が一つの輪郭をもって現れる場合のその集団。諸集団の総和から成る包括的複合体をいう。」と記されています。他の生物に捕食されないようにつくったのが社会の始まりであり、他の生物に負けないように、協力して生存能力を高める工夫をしてきたのが社会でした。

私は、もっと簡単に、社会とは、「生存活動を行う上での共助、協働のための集団の全体」と定義します。

おわりに

1980年代の終わり頃から、「小さな政府」と称して、社会福祉政策の規模を小さくし、政府による市場介入を最小限にして、市場原理に基づく「自由」な競争を推進する動きが活発化します。その結果だと思いますが、年を追うごとに社会権が疎かになってきているように感じます。社会権は「自由社会に特有な弱肉強食の弊害を除去する権利」とも言われています。私は、社会福祉に関することを、自由な競争にさらすのは、もっとも相応しくないと思います。○○種の強い生き物が、同じ○○種の弱い生き物を貶めるのは、ヒョッとすると、ホモ・サピエンス種だけかも知れません。社会をつくったホモ・サピエンス種が、社会権を疎かにするなんて、他の生き物たちに笑われそうで心配です。

人間って何者？

その２：道具をつくった生き物

2018 年（平成 30 年）10 月頃記述

はじめに

まだ成人を迎える前の若い頃に、哲学に興味をもちました。それと関連していたかは覚えていませんが、その頃から、「人間の生き方って、どのようにあるべきだろうか？」と考えるようになりました。そんなことがあり、頭の中では、よく「人間って、他の生き物と何が違うのだろうか？」と考えていました。そこで、ここ 10 年間くらいで考えて

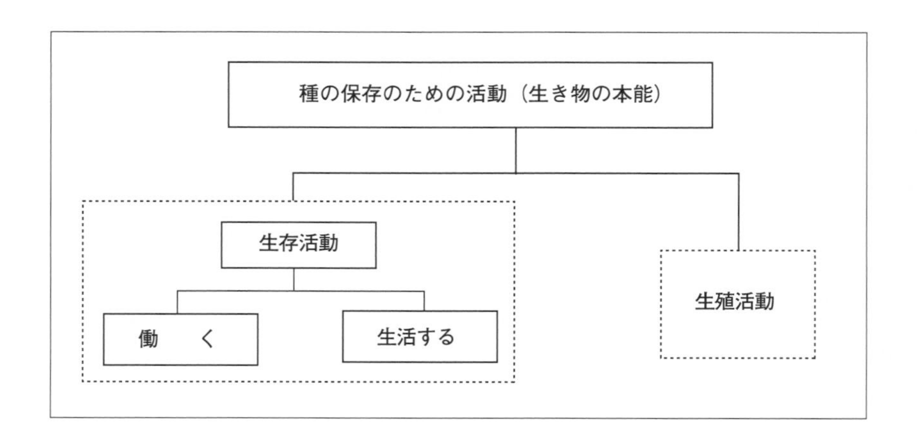

いたことを、簡単にまとめておこうと思い、「人間って何者？」と題して記述することにしました。

その１では、「社会をつくった生き物」と題して記述しました。その２では、「道具をつくった生き物」と題して記述します。「ホモ・サピエンスの生存活動って何？」（p.51 参照）と少し重複するところがあります。

社会をつくった生き物（その１の復習を兼ねて）

その１の「社会をつくった生き物」では、ホモ・サピエンス種（人類、人間）を含めた、生き物たちの各々は、自己の○○種が絶滅しないような活動を行っていることを述べました。その活動とは、一生懸命に生きる活動（生存活動）と、子孫（次の世代）をつくって残す活動（生殖活動）のことでした。この生存活動と生殖活動の二つの活動は、あらゆる生き物の本能です(前頁図参照)。あらゆる生き物の遺伝子には、このことが組み込まれていることも述べました。

あらゆる生き物の中で、人類（人間）だけに見られる特徴は、社会をつくって生存活動を行っていることです。これは、自然界の中で淘汰されないために、自らが選択したことです。その結果、人間は、「地球上の生態系の頂点」という地位を獲得することができました。誰も、日常生活では考えてはいませんが、実は、こんな経過を辿って、現在の「人類全盛の時代」が築かれたわけです。

生存活動の中身は、「働いて」「生活する」ことですが、社会をつくって生存活動を行うとは、協力して働いて（協働)、共に助け合って生活する（共助）ということです。ここから、「働いて」「生活する」ことについて、記述していきます。

「働く」ことと「生活する」ことの循環

50歳代の後半のころに、下の図に示すような「谷野の環」を創りました。これによって、生き物たちの生存活動が簡単に説明できるようになりました。「何のために働くか？」「何のために生活するか？」が、いとも簡単に説明ができ、創った私自身がビックリしたほどです。これによって、「何のために生きているか？」と問われたときに、地球上に生息する他の生き物たちと同様に、「生存活動（生きながらえること）」は本能であり、「『種の保存』のために生きている」と答えることがで

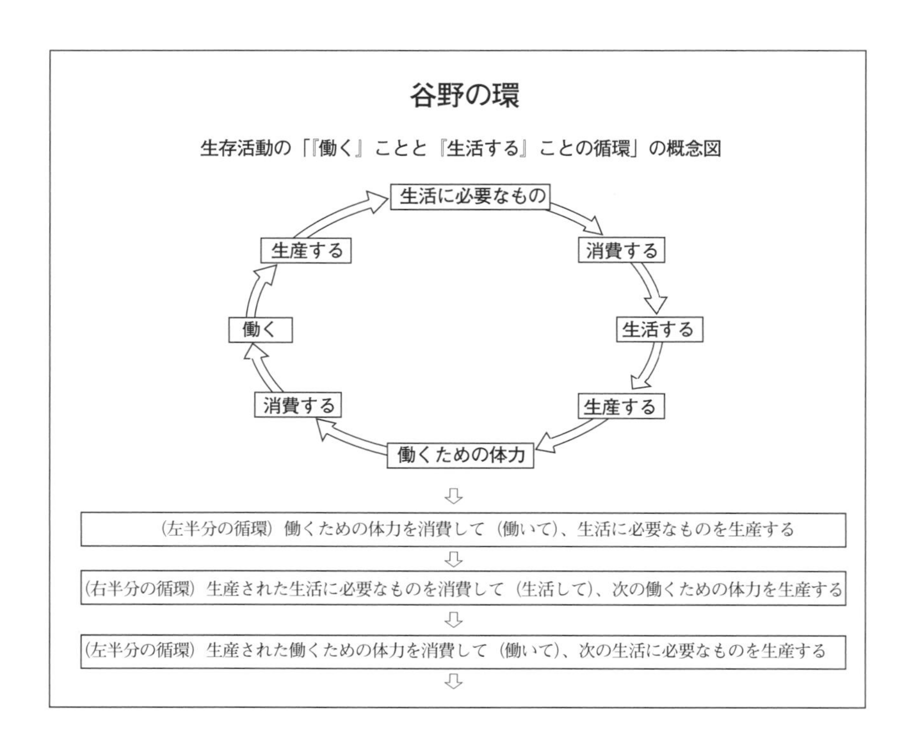

きるようになりました。

「谷野の環」を説明するにあたって、まず、「生存活動」「働く」「生活する」という三つの言葉を、ごく簡単に次のように定義します。

第一番目の「生存活動」とは、「生き続ける（生命を存続する＝生きながらえる）」ことです。第二番目の「働く」とは、「生活に必要なものをつくり出す」ことです。第三番目の「生活する」とは、「好きなことをしてくつろぐ」ことです。ここでは、このように簡単に定義しましたが、特に「働く」ことに関連しては、項を設けて詳細に記述します。

「谷野の環」をみると、「働く」とは、左半分の循環のことであり、働くための体力を消費して、生活に必要なものを生産することが分かります。また、「生活する」とは、右半分の循環のことであり、生活に必要なものを消費して、働くための体力を生産することが分かります。「生存活動」とは、「働く」ことと、「生活する」ことの両者の循環であり、これを繰り返して生き続けているわけです。

通常は、「何のために『働く』か？」、また「何のために『生活する』か？」と問われれば、「生存活動」のためと答えると思います。ですから、「生存活動（生き続けること）」は、「働く」ことと「生活する」ことの目的になっていると言えます。逆の方から言うと、「働く」ことと「生活する」ことは、両者とも「生存活動」のための手段になっています。「生存活動」と「『働く』ことと『生活する』こと」の三者の関係を、目的と手段の形式で表現すると、このように言えます。この目的と手段の関係は、「○○のために××する」というと、○○が目的であり、××がそれを達成するための手段ということです。

「『働く』ことと『生活する』こと」の二者の関係ですが、これは環になっているので、お互いが、お互いに、目的の関係になっていて、そして、手段の関係にもなっていると言えます。つまり、「『生活する』ために『働く』」ということもできるし、「『働く』ために『生活する』」ということもでるわけです。

多くの人は、「何のために『生活する』か？」と問われたときには、答えに窮（きゅう）すると思います。ところが、「谷野の環」をみれば、簡単に「働くための体力を生産するため」と答えることができます。ホモ・サピエンス種に成り始めの頃のヒトのことを考えてみてください。その頃のヒトは、明日の働く体力を養うために生活していたはずです。

もっとも重要なことは、「働く」ことと、「生活する」ことを環として捉えることであり、決して縦の関係で捉えないことです（次頁の非循環概念図参照）。つまり、「『生き続ける（生存活動）』ために『生活する』」、「『生活する』ために『働く』」というように、縦の関係で捉えないことです。「働く」ことを、単なる「生活する」ための手段として捉えると、「働く」ことがツマラナクなってしまいます。

「生存活動」の弁証法

先に定義した「生存活動」「働く」「生活する」という三つの言葉（概念＝本質的徴表）を、弁証法で表現すると次のようになります。弁証法には、「対立物の統一」「量から質への変化」「否定の否定」という三つの法則がありますが、このうちの「対立物の統一」です。

「働く」ことと、「生活する」ことは、それぞれがお互いに固有の他者であり、「生存活動」は両者の対立物の統一である

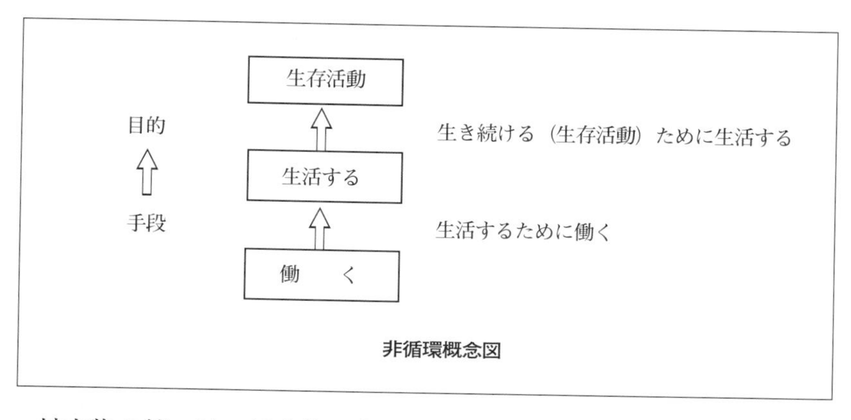

非循環概念図

対立物の統一は、対立物の自立の側面からすると、固有の他者を排斥することによって自立しうることになるので、対立物の相互排斥、または、対立物の闘争となって現れます。一方、非自立の側面からすると、対立する二つのものは、お互いあっての自分であり、相互に固有の他者となる同一の関係と言えるので、対立物の相互浸透（相互移行）、または、対立物の同一となって現れます。

「働く」ことと「生活する」ことは、「谷野の環」の概念図に示される対極的位置からも分かるように、対立関係にあります。弁証法で言う対立関係ですから、お互いが相手を自己の「固有の他者」とする無くてはならない関係です。「働く」ことと、「生活する」ことは、一見すると、それぞれが自立しているように、考えがちです。しかし、「働く」だけでは、生命を存続することはできません。同じように、「生活する」だけでもできません。「働く」ことと、「生活する」ことが、互いに固有の他者となって、「生存活動」を成り立たせています。これは「経済活動」を見れば分かります。「経済活動」は、「生産」と「消費」で成り立っています。「生産」だけ、あるいは、「消費」だけでは、「経済活動」は成り立ちません。

「生存活動」における「働く」ことと、「生活する」ことの両者は、単なる繰り返しではなく、弁証法的な変化・発展（止揚＝アウフヘーベン）ですから、高い次元への変化になります。だからこそ、螺旋的に発展して、働く環境や生活水準が質的に向上するわけです。

「働く」って、どういうこと

私たちが、生き続けていくためには、衣・食・住などの生活手段（生活に必要なもの＝生活資料、財貨）が必要です。これらの生活に必要なものは、できあがったものとして、最初から存在しているわけではありません。それらを手に入れるためには、自然に働きかけることが必要になります。自然のなかにある動物・植物・鉱物をそのまま利用できるものもありますが、ほとんどは、自然に働きかけて、人間が利用しやすいものに変えなければなりません。この自然への働きかけが「労働」、つまり、「働く」ことであり、この行為によって、生活に必要なものがつくり出されます。人間が自然に働きかけ、生活に必要なものをつくり出す過程を労働過程と呼んでいます。

「働く」ということは、生活に必要なものをつくり出すことであり、「谷野の環」に示される「『働く』ことと『生活する』ことの循環」の左半分の循環です。ですから、左半分の循環の過程が労働過程ということができます。

どのような時代であっても、労働過程においては、①「人間労働」、②人間が働きかける「労働対象（資源や原料などの自然）」、③人間の労働が労働対象に働きかけるときに用いる「労働手段（道具・機械など）」の三つが必要です。この三つを「労働の三要素」と呼んでいます。

この内､「労働対象」と「労働手段」をあわせて生産手段と言いますが、これと「人間労働」とが結びついて、はじめて生活に必要なものがつくり出されます。

人間労働の特徴

◇協働であること

私は、集団で狩猟・採集をすることが、人間労働の最初であって、なかでも狩猟（狩り）は、「協働（共同作業）」の原型ではないかと思います。このことを、もう少し詳細に記述します。

ときは、まだ人間（ホモ・サピエンス種）になる前の大昔、ホモ属が誕生して、しばらくした頃です。ようやく、摩擦火や言語を使い始めるころで、ヒトが「働く」ことが、もっぱら狩猟（狩り）・採集であった時代です。

ヒトの目には、白目（強膜（きょうまく））と黒目（虹彩（こうさい））があります。白目が大きく出ているのは、霊長類のなかでも、ヒトだけです。ほとんどの動物は、ヒトのように白目を外から見ることができません。類人猿（例えば、ゴリラやチンパンジー）の目は、多少ヒトに近く、横を向いた一瞬だけ白目を見せることがあります。

生態系の頂点に立ったヒトが、常日頃から、どうして白目を見せるように進化したのでしょうか。白目と黒目がはっきり外から見えていると、視線がどこを向いているかが分かりやすくなります。野生動物の場合、獲物となる動物に対しても、天敵となる動物に対しても、相手に気づかれずに動く必要があるため、自分の目の位置や見ている方向を知られない方が有利です。

狩りのときには、誰が何を見ているかという情報が重要になります。そこで、「白目と黒目」を用いたコミュニケーションが進化しました。つまり、「白目と黒目」の動きによって、相手が何を目的として、次に何をするのか、というのをお互いに分かるようになり、それに伴って、集団で獲物を狩る能力が高まったのです。

このようなコミュニケーションの発達のおかげで、白目による黒目の強調という特徴がさらに顕著になっていきました。そして、最終的には、捕食者や被捕食者などに自分の目の位置を知らせてしまう短所よりも、協力して、お互いの知識や目的を共有する方が優位にはたらき、現在の私たちがもっている「ヒトの目」になりました。これが、ヒトが白目を見せるように進化した理由だと言われています。

今から200万年ほど前の、まだ人間（ホモ・サピエンス種）になる前の大昔のヒトは、他の霊長類と同じように群れで生活し、主食も他の霊長類と同じように植物でした。狩りを行うようになると、大きくなってきた大脳を使って、役割分担や共同行動を行うようになりました。こうして、ヒトが「働く」ことを「協働」に進化させたのです。

◇二重性があること

「働く」ことは、先に述べたように、生活に必要なものをつくり出すことでした。もう少し言うと、不特定多数の人が求めているものであり、そして、より良い日常生活を満たすものをつくり出すことです。

ここから、「働く」ことを具体的に詳しく見ることにします。どのような姿で働いているか？ を見ると、例えば、自動車会社の製造部の社員の人は、自動車という日常生活に役に立つものをつくり出しています。開発部の社員の人は、より良い、新しい自動車を開発しています。

農業に従事する人は、食生活を満足させ、明日の体力を養う食料をつくり出しています。

もっと具体的に見ると、自動車会社の製造部の社員の人は、工場でベルトコンベアに乗ってきた部品を組み立てています。開発部の社員の人は、新車の設計図と向き合っています。農業に従事する人は、農地を耕しています。このように、自動車会社の製造部の社員の人、開発部の社員の人、農業に従事する人では、「具体的な働き方（具体的有用労働）」はそれぞれ違います。私たちが見ることができるのは、具体的有用労働の方です。

異なる個々の具体的有用労働の中に、共通の働き方があります。どのような働き方でも、不特定多数の人が求めているもの、そして、より良い日常生活を満たすものをつくり出しているという点では共通です。これを「抽象的な働き方（抽象的人間労働）」と言います。

ドイツの哲学者・経済学者であるカール・マルクス（1818 ～ 1883 年）は、著書「資本論」の中で、「労働は『具体的有用労働』と『抽象的人間労働』という二つの属性をもっている。これが労働の二重性である」と述べています。私は、そもそも、人間にも二重性があると思っています。一人の人間（個人）は個性をもった具体的人間であり、もう一人の人間とは、その中にいる類的人間（個性を捨象したホモ・サピエンス種の系統を引き継ぐヒト、一生懸命に生きて次世代にタスキを渡すヒト）のことです。

一人ひとりの個性をもった具体的人間は、具体的有用労働をしており、類的人間は、抽象的人間労働をしています。私たちは、意識していませんが、私たちの中にいる類的人間は、不特定多数の人のために働いています。具体的人間の働き方は時代とともに変化しますが、類的人間の働き方は永久に続きます。類的人間が、こんなにも崇高な働き方をしているのは驚きです。

ここまで記述すると、「働く」目的が、「金儲け」のためではないことが分かります。そして、「働く」目的は、自分自身や家族の生活のためであり、もっと本質的には、不特定多数の人のためであることが分かります。

道具をつくった生き物

◇道具って何？

道具とは、「労働手段」のことであり、「労働手段」は、「人間労働」、「労働対象（資源や原料などの自然）」とともに、「労働の三要素」の一つになっています。「労働手段」とは、資源や原料などの自然に働きかけて、生活に必要なもの（生活手段）をつくり出すときに用いる「手段的なもの」のことです。具体的には、例えば、木製のテーブルを作るときに用いる木を切る「ノコギリ（鋸）」、田畑を耕すときに用いる「クワ（鍬）」のことです。道具とは、総論的には、「木製のテーブルを作る」、また「田畑を耕す」という目的のために使用する器具の総称のことです。

道具の分類として、現在では、「道具をつくるための道具」を「二次道具」として区別するようになりました。かつては「道具を使うのはホモ・サピエンス種（人間）だけ」と言われてきました。しかし、現在では、多くの動物が道具を使用することが知られており、特に、チンパンジーは何通りもの道具を使うことが知られています。

このため、「一次道具」と「二次道具（道具をつくるための道具）」を区別して、改めて評価してみると、「二次道具」をつくり、使用する動物は、人間に限られていることが明らかになりました。

◇道具づくりを振り返って

人間が生活に必要なもの（生活手段）をつくり出す活動は、道具づくりとともに始まりました。霊長類と別れて直立二足歩行を開始した人間は、常に、道具を媒介として、労働対象（資源や原料などの自然）に働きかけて、様ざまな生活手段をつくり出してきました。道具の成り立ちをよくみると、その時どきの時代の水準や特徴がよく分かります。

第一の段階は、霊長類と別れて（約 700 万年前）から、ホモ属が誕生するまでの時期（約 200 万年前）です。この段階は、自然界にあり、人の手が加わらない、ありあわせの粗製のものを道具として使った時代です。

第二の段階は、ホモ属が誕生して（約 200 万年前）から、約 1.5 万年前までの時期です。ホモ・サピエンス種になったのは 20 万年～ 5 万年前の頃ですから、ホモ・サピエンス種になって暫（しばら）くした頃までと言うことができます。この段階は、人の手が加えられた多くの石器を道具として使った時代で、ホモ・サピエンス種の先行者による日常的な道具づくりが見られます。

第三の段階は、約 1.5 万年前（縄文時代に入るころで、ホモ・サピエンス種になって暫くした頃）から現在までの時期です。この段階は、青銅器や鉄器がつくられてから現在の蒸気機関を利用した様ざまな機械がつくられるようになり、「二次道具」をつくるようになった時代です。そして、現在では、厳密には、「『道具（一次道具）をつくるための道具（二次道具）』をつくるための道具（三次道具）」をつくるようになってきたと言えるかも知れません。

道具づくりを振り返ると、「如何にして、自然界から生活に必要なものをとり出すか？」という時代から、「如何にして、自然を利用して、生活に必要なものをつくり出すか？」という時代に変わってきました。

◇道具づくりで得たもの

直立二足歩行を行うことにより、「足」は体を支持する機能と体を移動させる機能を引き受け、「手」は開放されて自由になりました。初期のヒトは、この自由になった手で道具づくりを始めました。手による道具づくりは、ますます、拇指対向性（親指を他の４本の指と向き合わせること）を強め、さらに、器用に「道具づくり」ができるようになっていきました。道具づくりを始める頃までは、ヒトは他の霊長類と同じように、せいぜいものを手全体で握ることしかできませんでした。道具づくりを始めたことによって、指先でつまむ（指先で挟んでもつ）ことができるようになりました。

ヒトは、自らが自然的環境に働きかけることによって、自然的環境をつくり変えてきました。そして、また、つくり変えられた自然的環境がヒトをつくり変えてきました。つまり、道具づくりによって、自然的環境がヒトの手をつまむことができるようにつくり変えたわけです。このように、特にヒトはそうですが、あらゆる生き物は、自らと自然的環境との交互作用を通じて進化・発展しています。

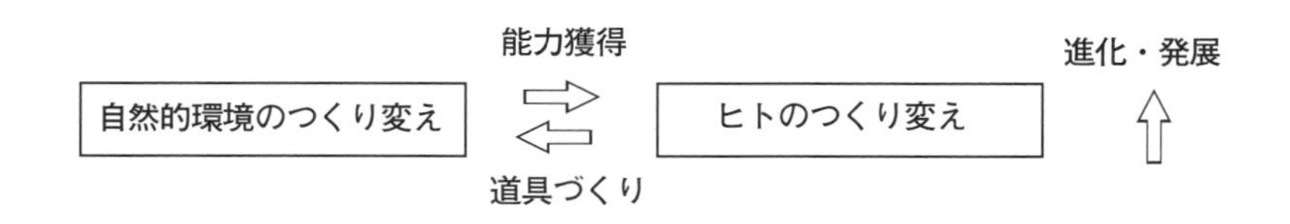

また、道具づくりにおいて、決定的だったことは、食物の栽培や動物の飼育などにより、火の使用とあいまって、人間意識を形成し、この人間意識が大脳を発達させたことです（大脳の大きさは、今から200万年～50万年ほど前にかけて、急激に大きくなった）。人間意識とは、こうすれば、こうなるだろうと、因果関係を考えて（想像力を発現させ、見えない結果を想定して）行動する意識のことです。

昆虫のクモやハチは、芸術的な巣をつくります。しかし、クモやハチは、巣をつくる前に、つくろうとする巣を、頭の中に創ることはできません。人間（ホモ・サピエンス種）の道具づくりの過程が、クモやハチの巣づくりと本質的に異なるのは、つくろうとする（成果として生み出すべき）ものを、あらかじめ頭の中に、想い描いている点にあります。「目で見えないものを大脳で見る」ことは、他の生き物にはできません。道具をつくった生き物だからこそできるわけです。

道具づくりを続ける生き物

なぜ、ホモ・サピエンス種は、次々と継続的に高度な道具づくりができるようになったのでしょうか。それは、道具づくりを体系化し、知識（技術）として、前世代から引き継ぎ、レベルアップさせて、次世代に引き継ぐことをやっているからです。

カンやコツなどの技能は、主観的・心理的・個人的なものです。技能は、「なぜか」は理論的には分からないが、「こうすれば、こうなる」という体験の繰り返しをとおして、熟練によって体得されるだけです。ですから、世代間で引き継ぐことはできません。しかし、技術は、技能と違って、客観的・組織的・社会的なものであり、理論的に体系化されたものです。ですから、前世代から引き継いだ技術をレベルアップさせて、次世代に引き継ぐことができるわけです。

チンパンジーやゴリラの類人猿は、ホモ・サピエンス種と同じヒト「科」の仲間です。しかも、ホモ・サピエンス種とチンパンジーやゴリラのDNAとは、1%程度しか違わないと言われています。それにもかかわらず、同じ「ヒト『科』の仲間か？」と思うほどの決定的な差は、先に記述した「目で見えないものを大脳で見る力」と「知り得た知識の蓄積（技術の引き継ぎ）」にあると思います。

初期のヒトは、チンパンジーやゴリラを置き去りにし、自由になった手で道具づくりを始めました。そして、ホモ・サピエンス種になってからも、道具づくりを続けています。これから、何百万年・何千万年と経過すれば、ホモ・サピエンス種の姿は、自然的環境とともに変化するでしょう。それでも、ホモ・サピエンス種は、道具づくりを止めないと思います。

私の手もとに、『ゴリラからの警告　人間社会、ここがおかしい』（山極寿一著、毎日新聞出版）という本があります。この本は、2018年（平成30年）8月下旬に、浜松市天竜区二俣町にある「天竜谷島屋」という本屋さんに注文して（静岡県の田舎に住むようになってからは、読みたい本は、「天竜谷島屋さん」にとり寄せてもらっています）、9月上旬に手に入れたもので、その中に次のような記述がありました（ゴシックで示したものです。アンダーラインは私が引きました）。

この本を読んで、「なぜ、ホモ・サピエンス種は、次々と継続的に高度な道具づくりができるようになったか？」の問いの答えは、「人間だけに見られる『世代間で教えるという行為（技術の引き継ぎ）を行っている』からである」と、改めて確信したところです。

人間とは、おせっかいな動物だとつくづく思う。相手が困ってもいないのに、忠告したり、手をさしのべたりする。相手が気付いていないことをわざわざ伝え、必要以上のものを用意してあたえる。その典型的な行為が教育である。

人間以外の動物は、たとえ相手が自分の子どもであっても、教えたり訓練したりすることは、めったにない。唯一、教える行為が知られているのは猛禽類や肉食類だ。ミサゴの親鳥は、せっかく捕らえた魚を、わざわざ放して幼鳥に捕獲させようとする。ライオンの母親は、追いつめた獲物を捕らえずに、子どもに追跡させる。

でも、人間に近いサルや類人猿に、こういった行動は見られない。チンパンジーでわずかに２例だけ報告されているにすぎない。母親が硬いナッツを木の枝を使って割るときに、ゆっくりとその動作をくり返して子どもに確認させたという例と、母親が道具を用いてシロアリを釣り上げていたとき、それをのぞきこんでいた子どもに、わざとゆっくり動作を見せた後、釣り棒を残して立ち去ったという例である。いずれも、意図的だったかどうか、確証は難しい。

このことから、獲物を捕らえたり道具を使ったりする技術以外に、動物は教える必要がないことがわかる。人間も霊長類の一種で、もともとは植物が主食である。狩りや道具が必要になるまで、教育とは無縁だったに違いない。しかも、人間以外の動物では、親子の間以外に教えるという行為は見られない。それは、何かを教えると自分が損をすることが多いからである。自分が不利益を被ってまで教えようという動機をもつのは、親以外にはありえないのだ。

ではなぜ、人間は親子でもない赤の他人が一生懸命教えようとするのだろうか。それは人間が他者のなかに自分を見ようとする気持ちや、目標をもって歩もうとする性質をもっているからだと思う。そして、何よりも、動物の親子のような信頼関係を、見ず知らずの他人との間にも、つくることができるからである。

おわりに

この本の著者の山極寿一さんは、現在、京都大学の総長をやられている方です（注：2020年9月まで）。2018年（平成30年）10月1日の午後に、ノーベル医学・生理学賞を受賞されることになった本庶佑京都大学特別教授と一緒に、京都大学での記者会見の様子がテレビ放映されていました。

10月1日というと、ちょうど、このエッセイがまとまりつつあった頃です。記者会見が行われた前夜（9月30日）から、10月1日の未明にかけて、私が住んでいる静岡県の西部地方（遠州地方）は、台風24号に襲われ、今までに経験したことがない大規模な停電事故が発生しました。私の家の付近は、10月1日の午前10時ころに回復しましたが、数キロしか離れていないのに、4、5日間も停電が続いたところがありました。また、停電になる寸前には、翁長沖縄県知事の死去にともなう知事選の開票速報がテレビで流れました。2018年9月30日から10月1日にかけての「ノーベル賞の受賞の記者会見」「先ほど読み、手元にある本の著者がテレビ放映されていること」「大規模停電事故」「沖縄知事選挙の開票速報」などの出来事は、決して忘れないと思います。

停電事故に関して、廻りの家は、市の上水道を利用していて、停電による断水は無かったのですが（停電の場合は、ディーゼル自家発電を使用か？）、私の家は、井戸ポンプで汲み上げた水を使用していたため、停電の影響をまともに受けました。停電事故は、結果的には、早々に回復したものの、私の家だけが井戸ポンプを使用していたので、なおさら記憶に残ると思います。

私にとって、経験したことのない停電事故であったために、原子力発電や核兵器のことが頭に浮かびました。原子力発電は電気を起こす道具ですが、使用済み核燃料棒の処理ができていない未完の道具です。しかも、一旦、何かが起これば、途方もない事故につながる道具です。一方、核兵器などの武器は、人間を殺す道具です。ホモ・サピエンス種という同じ種の生き物を殺す道具です。

同じ種の生き物を貶めたり、殺したりするのは、ホモ・サピエンス種だけです。ホモ・サピエンス種以外の生き物たちは、決して、こんなバカなことはしません。霊長類と別れて約700万年、ホモ属が誕生して約200万年になります。ホモ・サピエンス種が、同種の生き物を殺す戦争を始めたのは、わずか5,000年～6,000年前（日本では2,500年ほど前）からです。早く戦争のない社会にしないと、他の生き物たちに笑われそうで心配です。

人間は考える葦

2020年（令和2年）8月頃記述

はじめに

2017年（平成29年）6月30日で、勤めていた会社を辞めて、郷里の静岡県磐田市に住むようになり、3年が経過しました。郷里での生活は、「今日は、これをしなければならない。明日は、あれをしなければならない」といった強いられたものではありません。良くいえば、毎日が、誰からもトヤカク言われることのない勝手気ままな自由な生活です。しかし、悪くいえば、毎日が、メリハリのない惰性の生活です。

勝手気ままで、メリハリのない生活のためなのか、それとも高齢のためなのか、原因は分かりませんが、どうも最近になって、思考する（考える）能力が低下してきているように感じます。こうした生活態度を反省すると同時に、意固地かも知れませんが、自分の意見をもち続けるためにも、そして、脳の活性化を図るためにも、「考える」ことを放棄しないことが重要だと思っているところです。

ここで立ち止まって、いま一度、人間が「『考える』って、どういうことか？」を考え直してみたいと思い、「人間は考える葦（あし）」と題して記述することにしました。そして、このなかで、最近の「考える能力」の低下の原因などを探ることにします。

フランスの哲学者・数学者・物理学者であるパスカル(1623～1662年)は、著書「パンセ」の中で「人間は考える葦(あし)である」という名言を残しています。これは、「人間は葦のようにひ弱であるが、考える（思考する）点で他の動物と異なる」という意味です。「他の動物と異なる」とは、論理的に、裏（逆・裏・対偶の裏のこと）の方からいえば「『考える』ことは、人間に特有である」ということです。

動物の意識

人間が「考える（思考する）」とは、「『意識』の最高レベルの段階」のことです。というと、今度は、「『意識』とは何か？」を説明しなければなりません。「意識」とは、客観的実在（外界）を反映する動物の精神作用のことを言います。客観的実在とは、人間の意識とは別に、意識の外に、意識に先立って存在していて、意識の対象となるものごと（物〈もの〉や事〈こと〉）のことです。つまり、意識とは、外界が動物に与える刺激のこと、これを作用とすれば、それに対応する動物の精神的な反作用（刺激反応）です。

「意識」には、最低レベルの「感覚をもつ」段階から最高レベルの「考える」段階までの様ざまな段階があります。これらの様ざまな段階のうちの最高レベルの段階が「考える」ということであり、「人間に特有」のものだと言われています。

どのような下等な動物（「下等」な動物の皆さんには、このような言葉を使ってしまってごめんなさい）でも、外界の情報を得るために、目や耳や鼻などの感覚機能をもち、それなりに感覚したり、記憶したり、判断したりする精神作用（刺激反応）が可能です。これらが、低い方のレベルの「感覚をもつ」段階です。それに対して、最も高等な動物である人間に特有の「意識」は、単に外界からの刺激に対する直接的な反射、また、反射の組み合わせにとどまらず、「感覚したものごと（物や事）に対して、考えをめぐらす」という刺激反応までが可能です。人間が「考える」ということは、感覚したものごとに対して、その成り立ちについてまで認識する刺激反応のことを意味します。他の動物たちは、ここまでのレベルに達することができないので、「人間に特有であり、『意識』の最高レベルの段階」と言うことができる訳です。

実を言うと、動物だけではなく、植物にも刺激反応と似たようなものがあります。植物も外界の刺激を感知して、様ざまな刺激反応を示します。植物は外界の光、温度、接触などの刺激を感知して、いろいろな生理反応を起こしています。同じ植物でも、暗闇（くらやみ）の中で育てた「もやし」と、明るい所で育てた「芽生え」の形の違い、また、昆虫などを捕食する食虫植物をみれば、植物にも様ざまな刺激反応があることが分かります。

「考える（思考する）」ことは人間に特有

このように見ると、「考える（思考する）」ことが、意識の最高レベルの段階であることは分かりますが、それが、本当に人間に特有のことなのでしょうか。チンパンジーは人間に最も近く、DNA の違いはわずかに1%程度だと言われていますが、このチンパンジーは、「考える」ことができないのでしょうか。人間とチンパンジーとの意識のレベルの違いは、どのようなところに現れているのでしょうか。

人間が考えること（人間の思考）は、科学的思考と呼ばれています。

科学的思考は、抽象的・概念的思考とも呼ばれ、チンパンジーなどの動物にみられる「具体的思考」とは区別されています。この「具体的思考」は、厳密には、「感覚的刺激反応」と呼ぶに相応しいと思いますが、なぜか、「具体的思考」と呼ばれています。「具体的思考」は、もっともらしく「○○思考」と銘打っていますが、私は「考える」ことの範疇には入らないと思っています。これ以上、御託を並べても仕方がないので、「抽象的・概念的思考」に対しては、「具体的思考」と表記して話を進めます。

ここから、人間に特有の「抽象的・概念的思考」とチンパンジーなどの動物に見られる「具体的思考」について、説明します。

抽象的・概念的思考とは、意識の対象となる具体的な物や事（ものごと）を抽象化し、概念を使用して考えることを言います。というと、今度は、「『概念』とは何か？」を説明しなければなりません。「概念」とは、「対象となるものごとをその本質的徴表において反映する思考形式」と定義されます。徴表とは、あるものごとを他のものごとから区別する性質のことです。

概念とは、第一に、対象となるものごとの思考上の像（反映）であり、対象そのものではありません。第二に、対象となるものごとが含んでいる本質的な徴表だけを反映します。徴表とは、「ものごとのもつ様ざまな性質」のことであり、本質的徴表とは、対象としているものの本質を表している徴表であり、それ以外の対象から区別する徴表です。本質的徴表に対して非本質的徴表とは、見たものそのものであり、「表象」と呼んでいます。

概念については、少し具体例をあげて説明を加えます。例えば、机を見たときに、そこにはスチール製の机であったり、木製のものであったり、引き出しが付いていたり、無かったり、傷ついた机であったりしたものが、そのまま目に入ります。

家であれば、マンションであったり、一戸建ての家であったり、木造であったり、鉄筋コンクリート造りであったり、あるいは、庭付きであったり、無かったりしたものが、そのまま目に入ります。目に入ったものそのものは、非本質的徴表であり、「表象」です。

そこで、「机（の本質）とは何か？」「家（の本質）とは何か？」と問われたときに、果たしてどのように答えるでしょうか。

見たものそのものを答えることはしないでしょう。見たものの共通点は何かを考えて、その共通部分を抽出して（抽象化して、個を捨象して）、像として脳に描き、その脳に描いたものを答えるでしょう。これがものの本質的徴表であり、「概念」です。このように考えることが、人間に特有の抽象的・概念的思考です。

「机」の本質的徴表（概念）とは

……人々が、各種事務および作業を行うことができる台である。

「家」の本質的徴表（概念）とは

……人々が、健康で文化的な生活を営む程度の設備をもった建物である。

次に具体的思考について説明しますが、実を言うと、具体的思考は、人間の乳幼児（およそ１～３歳児）にも見られます。例えば、私と乳幼児Ａちゃんの目の前に「リンゴ（林檎（りんご））」があったとします。そして、私が乳幼児のＡちゃんに、「これは『リンゴ』というものですよ」と教えます。その後に、Ａちゃんに「『リンゴ』って何？」と聞きます。すると、Ａちゃんは、リンゴを指差して、「それだよ！」と答えます。

私がＡちゃんに聞いたのは、「『リンゴ』の本質って何？」ということ、もっと優しくは、「『リンゴ』って、どのような果物？」ということです。Ａちゃんの答えは、見たものそのもの（具体的なものそのもの）であり、こうした思考形式が具体的思考です。

具体的思考のチンパンジーなどの動物の行動は（乳幼児もそうですが）、他のものを真似た行動になります。ものごとを抽象化して考えることができないので、真似た行動にならざるを得ない訳です。

人間がやって見せれば、チンパンジーは棒を使って、高いところに生っているバナナを、容易に取ることができます。これは、見たものそのものであるから真似ることができます。人間がチンパンジーの前で、釣り竿とウキとエサを使った魚釣りをやって見せても、チンパンジーはそれを真似ることはできません。ウキは見えているので、「ウキが動いたら竿を上げるという行為」は真似ることができます。しかし、エサと魚の関係、魚がエサに寄ってきてエサに食いつく姿を、頭の中に思い浮かべることはできませんから、「魚を釣るという行為」は真似ることができないのです。このように、人間に一番近いと言われるチンパンジーでも、見たものそのものであり、具体的思考はできますが、抽象的・概念的思考はできません。

蛇足となりますが、チンパンジーの名誉のために、人間より優れているところを付け加えておきます。数万人を収容できるサッカースタジアムがあったとします。普通の人間であれば、今日の試合では、スタジアムに何人が入っているかを数えるのに、相当な時間を必要とします。ところがチンパンジーは一瞬のうちに、数え切ることができます。危険が潜んでいる森で身体を守って生きていくために、こうした具体的思考の能力（感覚的刺激反応の能力）が必要となったのだと思います。

今まで述べてきたことをまとめると、「考える」とは、人間に特有のものであり、「感覚したものごとの成り立ちを、抽象的・概念的思考によって認識する精神作用（刺激反応）である」ということです。簡単にいえば、「ものごと（物や事）を抽象化して本質を捉える（真理を捉える）」ことです。

いつの頃に、考える（思考する）能力を獲得したか？

私たち人間は、いつの頃に、「考える」能力を獲得したのでしょうか。人間に最も近いと言われているチンパンジーでさえも、「考える」能力がない訳ですから、「チンパンジーから人間（ホモ・サピエンス種）になる頃に獲得したのだろう」ということが想定できます。

霊長目	→	ヒト科	→	ホモ属	→	サピエンス種
6,500万年前		700万年前		200万年前		20～5万年前

中世代（おおよそ6億5,000万年前～2億5,000年前）は恐竜の全盛時代でしたが、恐竜が絶滅するまでは、私たち人間の祖先である哺乳類は、恐竜に隠れて「うさぎ」「ねずみ」のような小さな体で、地上で生存していました。恐竜の絶滅と同時に樹上生活を送るようになった哺乳類のある種のものが、霊長類（サルの仲間）に進化しました。

その後、今から700万年前に、チンパンジーなどと共に、サルなどの他の霊長類に別れを告げました（ヒト［科］の誕生）。そして、200

万年前に、今度はチンパンジーなどの類人猿（ゴリラ、オランウータンなど）に別れを告げ、樹上生活をやめて、サバンナの草原に出て直立二足歩行を開始しました（ホモ［属］の誕生）。草原に出たホモ属は、狩りを行うようになり、大きくなってきた脳を使って、役割分担や共同行動を行うようになりました。そして、その後、今から5～20万年前に、他のホモ属が次々と絶滅し、ホモ・サピエンス種（人間）だけが生き残ったとされています。

人間の脳の大きさは、今から200万年～50万年ほど前にかけて、急激に大きくなったと言われており、「考える」能力を獲得したのは、この頃だと判断してもよいでしょう。

なぜ、考える（思考する）ようになったか？

獲得した時期が分かると、今度は、「なぜ『考える』ようになったか？」が疑問になってきますので、それを説明します。

ヒトは他の動物から別れたときに、自由な意志をもち、それによって自然や社会を変革する動物に進化しました。人間とチンパンジーとではDNAで１％も違わないのに、こんなにも、生存活動や生活様式に大きな差が生じています。これは、生物（ヒトを始めとした動植物）が自然を変革すると同時に、自然が生物を変革するという相互作用のなかで、生物と自然がともに発展してきたからです。人間と社会との関係も同様で、人間が社会を変革すると同時に、社会が人間を変革するという相互作用のなかで、人間と社会とがともに発展してきたからです。

「なぜ『考える』ようになったか？」の一つ目は、自然を変革することに関係しています。サルなどの他の霊長類に別れを告げた頃のことです。その頃のヒトの生活物質（食料を始めとした生活に必要なもの）は、ただ単に自然界から採り出していたに過ぎません。この当時の生活物質は、自然界が生態系のなかで自然の法則によってつくり出したもの以外にありません。どんなに頑張っても、自然界は、人間の意識に関係なく自然の法則に従って動いています。生活物質をつくり出すのは、ヒトではなく自然界でした。類人猿に別れを告げホモ属になった頃（約200万年前）に、ヒトは、生活物質を自然界から採り出す活動から、自然に働きかけ、自然を変革することによって、生活物質をつくり出す活動に変えました。

「なぜ『考える』ようになったか？」の一つ目の契機（きっかけ）は、「如何にして、生活物質をつくり出すか？」が課題となってきたことです。「採り出す活動」の時代には、採り出すものが目の前に実在しているので、具体的思考です。「つくり出す活動」の時代になると、つくり出すものは、実在していないので、抽象化して脳に反映しなければなりません。こうして、抽象的・概念的思考（考える能力）が身に付いてきたのです。

人間は、社会（共同体）をつくり、社会の一員として、生存しているわけですが、「なぜ『考える』ようになったか？」の二つ目は、社会を変革することに関係しています。まずは、「社会とは何か？」を説明します。

社会とは、『広辞苑』（新村出編、岩波書店）によると、「人間が集まって共同生活を営む際に、人々の関係の総体が一つの輪郭をもって現れる場合のその集団。諸集団の総和から成る包括的複合体をいう」と記されています。少し難しい表現ですが、私流に平易にいうと、社会とは、「人間の生存活動に基づいた様ざまな共同体（例えば現代では、国、会社、団体、集落、自治会等）の総体」のことであり、共同体内の人間と人間との関係、共同体と人間の関係、あるいは共同体同士の関係です。

それでは、本題の方の説明に入ります。今から200万年ほど前に、人間の祖先（ヒト）は、樹上生活をやめて、サバンナの草原に出て、生存活動を開始したことを述べました。サバンナの草原には、ヒトをも餌食とする猛獣などが生息しており、危険がいっぱいです。そんな危険がいっぱいのなかで、生き抜いていくために、社会をつくって生存活動を行う動物に進化したのです。

その生存活動の一つに、「新生児期（生後1年間）を社会で育てる活動」がありますが、ここでは、それを紹介します。この新生児期は、ヒト特有の期間であり、チンパンジーなどの霊長類では、胎児期に該当する期間です。胎児期とは、出産されるまでの母親の胎内にいる期間です。この胎児期は、ヒトでは平均270日間であり、チンパンジーの240日間より少し長いだけです。ヒトの場合には、新生児期は、胎児期の延長であるとも言われています。チンパンジーは、運動感覚がある程度完成してから生まれるので、出生直後から自力で母親の体にしがみつきます。ヒトの胎児がその段階までに育つためには約1年が必要です。しかし、それでは頭が大きくなりすぎて、出産ができなくなるので、270日目で産んでしまいます。

ヒトの新生児は非常に無力です。自分から母親にしがみつくことができないので、抱っこが必要になります。目は、ボヤッとしか見えていません。新生児（赤ちゃん）の大きな泣き声は、天敵に知られてしまいます。これらは、環境に適応する上で、非常に不利な条件になったはずです。そこで、ヒトの祖先は、赤ちゃんを胎児のままで産んで、その替わりに社会（集団＝群れが進化）で育てるように進化してきました。

「なぜ『考える』ようになったか？」の二つ目の契機（きっかけ）は、折角つくった社会ですから、「如何にして、社会を維持するか？」が課題となってきたのです。「社会」は実在していますが、目に見えないので、概念的に脳に反映しなければなりません。こうして、抽象的・概念的思考（考えるの能力）が身に付いてきたのです。

今まで述べてきたことをまとめると、「なぜ『考える』ようになったか？」の一つ目のきっかけは、「①如何にして、生活物質をつくり出すか？」が課題になってきたからです。二つ目は、「②如何にして、社会を維持するか？」が課題になってきたからです。今から200万年～50万年ほど前の頃に、外界（自然および社会）がヒトに、二つの課題（刺激）を与えてきました。そして、ヒトは、何万世代にわたって、感覚した反作用（刺激反応）で徐々に自然や社会を変革してきました。それを繰り返してきた結果、意識の最高レベルである「考える」能力を獲得した（身に付けた）ということです。

現代でも、私たち人間の「考える」という精神活動は、突き詰めると、「①、②」がきっかけとなっているはずです。これを読んで頂いている皆さんも、何かを考えている最中に、一瞬、立ち止まって、「何のために、考えているのだろう？」と自問してみては如何でしょうか。

あらゆる動植物の「種」が、自然的環境のなかで（外界との関連で）進化するのは、その「種」を保存していくための工夫です。ホモ・サピエンス種（人間）が、「Ⓐ生活物質を『採り出す活動』から『つくり出す活動』に変えた」こと、また、「Ⓑより良い社会を目指す動物になった」ことは、その種（ホモ・サピエンス種）を保存していくための工夫であったのです。裏の方からは、「Ⓐ、Ⓑ」のように進化しないと、「種」を保存することができなかったということ、つまり、絶滅したということです。

認識の段階（変革するための能動的な精神活動の段階）

「意識」とは、外界からの刺激に対する反作用であり、この「意識」の最高レベルの段階が「考える（思考する）」という刺激反応のことでした。そして、この刺激反応は、「本質を捉える（真理を捉える）」ための精神的な反作用のことでした。

ここで、大切なことは、この「本質を捉える（真理を捉える）」ための刺激反応は、外界に働きかけ、変革するための能動的な精神活動（反作用）であることを理解することです。つまり、「如何にして、生活物質をつくり出すか？」や「如何にして、より良い社会を目指すか？」に反応する能動的な精神活動であることを理解することです。

「考える」という能動的な精神活動の成果を「認識」と言います。もっと簡単に言うと、「対象となるものごと（物や事）が何であるか？」を捉えること（知ること、認めること、理解すること）です。認識（能動的な精神活動）の過程には、対象となる具体的なものごと（物や事）を捉えて、それを抽象化して、さらに、未来を推定する過程があります。認識の各過程は、それぞれ「①感性的認識」「②悟(ご)性的認識」「③理性的認識」という三つの段階に区分されています。

①感性的認識：客観的事物（物や事）の表面的な真の姿を認識する

こと（有論＝存在論）

②悟性的認識：客観的事物（物や事）の内面的な真の姿である本質、法則、実態、類を認識すること（本質論）

③理性的認識：客観的事物（物や事）の必然性、法則性を捉え、それに沿いつつ、事物（物や事）を真にあるべき姿に発展させる立場で認識すること（概念論）

もっと簡単に言うと、次のようになります。

① 感性的認識：起きた物や事（ものごと）の真実を認識すること

② 悟性的認識：起きた物や事（ものごと）が、なぜ起きたか？を認識すること

③ 理性的認識：起きた物や事（ものごと）が、今後どうかるか？を認識すること

これでも、まだ、解り難いと思いますので、認識の各段階を「王林という品種のリンゴ(林檎)」を例にとって説明します。「①感性的認識」とは、五感やもっている知識により、これはミカン等の果物ではなく、「確かにリンゴである」ことを感覚(確認)する段階です。「②悟性的認識」とは、他の果物や「リンゴ」の他の品種と比較して捉えた（依然として他との区別に固執した）段階であり、「リンゴ」という果物の成り立ち、「王林」という品種の成り立ちまで遡って、「王林」の本質を捉える段階です。「③理性的認識」とは、「王林」の本質を捉えた段階であり、かつ、多収穫・品種改良など「王林」の未来（改良後）を認識する段階です。

ものごと（物や事）を成し遂げようとする自由な意志をもって、自然や社会を変革する動物に進化したのが人間ですので、人間特有の「考

える」という刺激反応は、究極的には「③理性的認識」の段階に達することを意味しています。人間が個々の具体的なものごと（物や事）に対して、あれこれと考えをめぐらすのは、「理性的認識」に至るまでの過程であると思います。

おわりに

「考える（思考する）」ことに関して、説明してきましたが、要約すると、次のようになります。「分かりやすく」をモットーに記述しましたが、如何でしたでしょうか。

- **「考える」ことは、外界（自然や社会に実在するものごと＝物や事）の本質を捉える（真理を捉える）ための精神作用（刺激反応）のこと**
- **「考える」ことは、究極的には、理性的認識の段階にまで達すること**

「はじめに」で、会社を辞めてから、「考える（思考する）能力」が低下したように感じると述べました。そして、このエッセイで、その原因を探ることにしていました。

人間が考えるきっかけは、「如何にして、生活物質をつくり出すか？」また「如何にして、社会を維持するか？」の課題（刺激）に対してでした。そこで、気付かされたことは、「考える能力」が低下したのではなく、「課題（刺激）を刺激として感覚する能力」が低下したということです。つまり、「考える能力」以前の「感覚する能力」まで低下してしまったということです。なぜ、「感覚する能力まで低下してしまったか？」というと、第一に「勝手気ままで、メリハリのない生活」が原因ではないかと思います。

今年（2020年＝令和2年）の夏は、以前にもまして、暑い日が続きました。8月16日（日）には、浜松市天竜区（船明）で、最高気温が40.9℃の日本歴代5位を記録しました。「いっそのこと、1位の方がよかったのに！」と思っていたところ、翌17日には、浜松市中区（高丘東）で、41.1℃の歴代日本一の暑さを記録しました。「課題（刺激）を刺激として感覚する」ことも「考える（思考する）」ことも、脳の働きですが、暑くなると脳の働きが鈍ります。第二の原因は、今年の猛暑に、関係しているのではないかと思います。

第三の原因を探ろうとしましたが……。これ以上、「『桶屋が儲かった』原因は『風が吹いた』ことにある」に倣って探ると、言いわけばかりになりそうですので、この辺りで終わりにします。

私は、20歳前の頃から、哲学に興味をもって、他の人と比べると、多少なりとも、哲学をかじってきたように思います。様ざまな物や事（ものごと）について、その成り立ちまで遡って「考える」ことが好きでした。そして、それが、面白くもあったと思います。「自分なりの理性的認識」の段階までに到達し、考えた結果として得た成果に対して、「なるほどガッテン」することが、たまらない喜びでした。

これからの生き方……？　目標？　夏の猛暑にも負けず、コロナ感染症にも負けず、意固地な精神をもつ「丈夫な葦」です。サウイフモノニワタシハナリタイ。

「理論と実践」および「その周辺」を考える

2020年（令和2年）12月頃記述

はじめに

先のエッセイ「人間は考える葦」（p.164参照）で、人間が「考える（思考する）」とは、「感覚したものごと（物や事）の成り立ちを、抽象的・概念的思考によって認識する精神作用」であることを述べました。「なぜ『考える（思考する）』ようになったか？」については、つまり、考える（思考する）ようになったきっかけは、二つの実践的な課題を解決する必要に迫られたからでした。二つの実践的な課題とは、「如何にして、生活に必要な物質をつくり出すか？」、そして「如何にして、社会を維持するか？」のことです。

人間は、ヒトになる頃（チンパンジーなどの類人猿に別れを告げ、ホモ属の誕生の頃）から思考するようになりましたが、このことは、現代でも変わっていません。よく考えてみると、私たちの日常の生存活動は、「『理論』を適用して活動を計画し『実践』する。そして『実践』した結果をもとに総括し、『理論』を実証する（見直す）」というパターンの繰り返しになっています。つまり、私たちの日常生活は、現代でも「生活に必要な物質をつくり出す」「社会を維持する」という二つの課題を解決するために、その手段を考える毎日になっているということです。

「理論 → (考えて) 適用 → 実践」、そして「実践 → (考えて) 総括 → 理論」の日常生活に関連し、最初に「理論」と「実践」について考えてみます。その後、そこから派生する様ざまな問題を考えることにします。

理論と実践

人間の生存活動とは、生活に必要な物質をつくり出す活動であり、また、社会を維持する活動のことですが、「実践」とは、これらの活動を実際に行う(実行する)ことです。『広辞苑』(第七版、新村出編、岩波書店)で、「実践」という言葉を調べてみると、「実際に実行すること。一般に人間が何かを行動によって実行すること」とされています。一方「理論」は、「科学において個々の事実や認識を統一的に説明し、予測することのできる普遍性をもつ体系的知識」とされています。

「実践」というのは、「理論」に基づいて具体的な活動を実行することですが、この「理論」すなわち「普遍性をもつ体系的知識」というのは、もともとは「実践した活動」を総括してつくられています。こうした意味で、「理論」と「実践」は、常に車の両輪となっています。弁証法的思考法では、「理論」と「実践」のような、切っても切れない二つの関係に基づいた発展を、「対立物の統一」と呼んで重視します。この二つの関係をもう少し詳しく見てみます。

全てのものごと(物や事)は、多様な連関(「関連」と同じ意味ですが、統一性を保って成り立っていることを強調する意味で「関連」ではなく「連関」を使用）のうちに成り立っています。このことは、裏の方からいうと、全てのものごとは、それぞれ「①区別（対立）をもって」、互いに「②相対的に自立している」ことが前提となって、成り立っているということです。

この区別（対立）の簡単な例としては、「『右』と『左』」、「『上』と『下』」、「『プラス』と『マイナス』」などがあり、「『理論』と『実践』」、生存活動における「『働くこと』と『生活すること』」、経済における「『生産』と『消費』」もそうです。

「理論」と「実践」のような対立関係にあるものは、相互に固有の他者として、特定のセットになった関係になっています。その意味で論理的に必然的な結び付きをもっています。もう少し詳しくいうと、「理論」と「実践」の対立は、一方が他方を否定する関係ではなく、むしろ、両者は一つのものに、不可分の二側面を構成していて、相互に前提し合い、依存し合う関係だということです。

「生活に必要な物質をつくり出す活動」および「社会を維持する活動」の二つの活動の発展と「理論」および「実践」の関係は、弁証法的には次のように整理することができます。

「理論」と「実践」は、それぞれがお互いに固有の他者であり、「生活に必要な物質をつくり出す活動」や「社会を維持する活動」の発展は、両者の対立物の統一である

次頁の「『社会の発展』の概念図」で説明すると、私たち人間の生存活動は、「❶総括：実践（1）を総括して、理論（1）を豊富にする」

→「❷適用：実践（2）に豊富になった理論（1）を適用する（豊富になった理論（1）から実践（2）を導き出す）」→「❸総括：実践（2）を総括して、理論（2）を豊富にする」→「❹適用：実践（3）に豊富になった理論（2）を適用する（豊富になった理論（2）から実践（3）を導き出す）」、というパターンの繰り返しです。

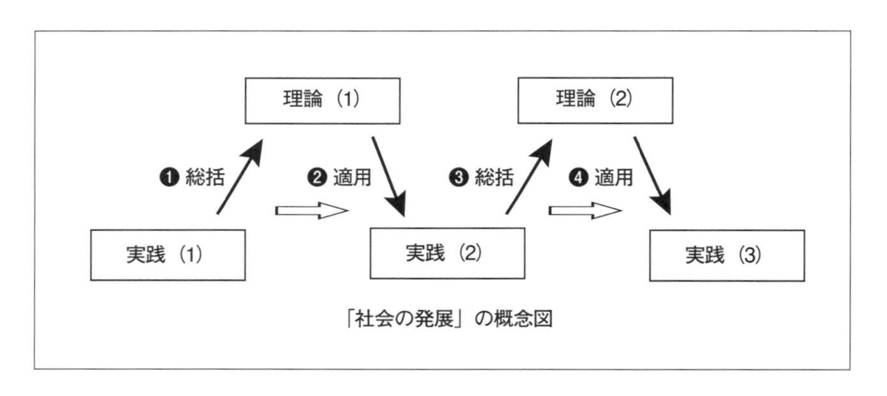

「社会の発展」の概念図

私たちが活動をするときには、多かれ少なかれ、計画を立ててから実行する（実践する）のが通常です。計画を立てるときに重要なことは、「思いつき」は論外として、「経験」だけに頼らないことです。「理論」から実践を導き出すこと、つまり、「経験」だけではなく「理論」を「実践」に適用することが重要だということです。

「理論」の欠如した「実践」は、心もとないし、得られる結果に対しても確信がもてません。「実践する」には、なぜそうしなければならないのか、どうしてそういうことが言えるのか、に対する理論的根拠をもつことが必要です。「すぐに実践する」という軽快さも必要ですが、その前に、まず理論的根拠をもつように意識することが重要です。

「理論」は、「実践（実行した活動）」の総括の結果であることを述べました。「理論」というのは、「実践」を基礎に、「実践」の要請に応えるものとして形成されます。つまり、「実践」があってこその「理論」だということです。ところが、多くにみられることは、「実践」があっても、総括がなされないことです。つまり、「ヤリッパナシ」です。「ヤリッパナシ」では、「理論」が更新されませんし、「理論」は豊富になりません。「ヤリッパナシ」にしないで、実践したことを必ず総括するという意識をもつことが重要です。

ヒトは、「なぜ『考える（思考する）』ようになったか？」を述べましたが、その観点からすれば、「『社会の発展』の概念図の❷適用、❹適用のように実践する前に考える（思考する）」、そして「『社会の発展』の概念図の❶総括、❸総括のように実践した後に考える（思考する）」、これを意識するかどうかが重要だということです。私ごとでいえば、適用して実践する場合にも、総括して理論化する場合にも、その都度、意識して考えた（思考した）ことが、ものごと（物や事）を根本から考えるうえで、随分と役に立ったように思います。

科学と技術

なぜ「『科学と技術』の項を設けたか？」というと、「科学と技術」の関係が、「理論と実践」の関係と同じだからです。それでは、科学の方から話を始めます。

科学は、一般に自然科学と社会科学（社会科学は、さらに、社会科学と人文科学に区分されることもある）とに区分されています。ところで、自然科学や社会科学は、何を研究対象としているのでしょうか。即答することを要求されると、「自然科学は、『自然』を対象とした科学であり、社会科学は、『社会』を対象とした科学である」と答え（応え）

てしまいそうです。何がしかを定義するときに、論理的に「定義は循環を含んではならない」という規定があるので、結局のところ、その科学が対象としている「自然」とは何か、「社会」とは何か、を説明しなければなりません。

先ずは、宇宙的規模でみたときの「自然」や「社会」の誕生を歴史的に振り返ってみます。「自然」や「社会」をも含めた全自然史の過程は、物質の自己運動の過程として、宇宙史的過程（地球史的過程）、生物史的過程および社会史的過程の三つの発展段階から成り立っています。

物質の宇宙史的（地球史的）自己運動の特殊な発展として、自然史的生物が創造され、創造された自然史的生物とそれ以外の自然との交互作用によって自己発展する自然史的過程が、物質の自己運動の生物史的過程です。さらに、この生物史的過程の特殊な発展として、自然史的人間が創造され、創造された自然史的人間とそれ以外の自然との交互作用によって自己発展する自然史的過程が、物質の自己運動の社会史的過程です。46 億年前に地球が誕生して宇宙史的（地球史的）過程が始まり、38 億年前に生命体が誕生して生物史的過程が始まり、そして、200 万年前に社会をつくって生存活動を行う自然史的人間が誕

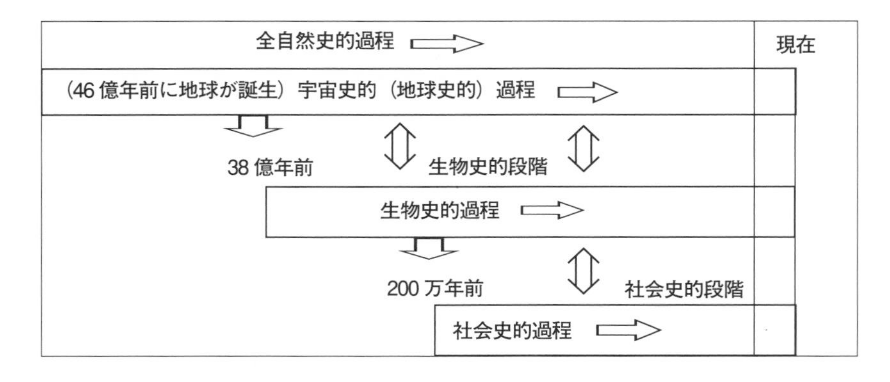

生して社会史的過程が始まったということです。

宇宙の中に地球が創造され、地球の中に生物が創造され、生物の中に自然史的人間が創造されましたが、このうち、自然科学が対象としているのは、宇宙史的（地球史的）自然、および、生物史的自然の過程であり、これに対して、社会科学が対象としているのは、自然史的人間の社会史的過程と言うことができます。

科学が対象とする「自然」や「社会」とは、人間の意識とは別に、意識の外に、意識に先立って存在していて、意識の対象となる客観的実在(外界)です。人間を含めて客観的に実在する全てのもの(外界)は、「物質」によりできており、この物質の自己運動により発展しています。

物質の自己運動……地球が、1年かけて太陽を一周するのも自己運動。地球が、24時間かけて自転するのも自己運動。人間の体をつくっている細胞が日々更新されているのも自己運動。

「自然」や「社会」の中で、現実に起きているものごと（物や事）、私たちが見ているものごと（物や事）は、物質の自己運動によって変化する過程の一瞬間です。「自然」や「社会」には、物質の必然的な自己運動と、それの固有の法則性が存在しています。科学とは、「『自然』や『社会』の発展過程の客観的法則性を諸法則として認識することである」と言うことができます。

「自然」や「社会」の中で起こる全てのものごとは、多様な連関のうちに成り立っていることを述べました。「科学とは何か？」を、もう少し簡単に定義すると、現象するものごとについて、そのもの（物）の成り立ち、そして、こと（事）が起こる仕組みを研究する学問だということです。

次に、技術とは何か、という問題です。「技術の出発点は、道具の開発である」と言われていますが、このことからも分かるように、技術の究極的な目的は、より多くの物質（人間社会の役に立ち生活に必要な物質）をつくり出すことです。人間はより多くの自然を取得することを欲しており、「技術」は、この「社会的生産活動（生活に必要な物質をつくり出す活動）」の中に存在しています。そして、技術とは、「社会的生産活動において客観的法則性を意識的に適用することにある。」と規定することができます。

科学と技術の関係を述べますが、ものづくりを行う技術との関連で科学をみる場合に、その科学は『自然科学』を指すことが通常です。『広辞苑』（第七版）で、「科学」という言葉を調べてみると、「観察や実験など経験的手続きにより実証されたデータを論理的・数理的処理によって一般化した法則的・体系的知識。物事を論理的に研究して系統的にまとめた知識の体系・学問。特に、自然科学を指す」とされています。したがって、これ以降、科学とは、「自然科学」を指すものとして話を進めます。

科学との関係で言えば、技術とは、「科学（諸法則）を利用しての人間社会のために役立つものづくり、すなわち道具の開発」です。道具を開発することによって、認識された諸法則の正しさを実証していくことになります。技術も科学も以下に示すように、相互に作用しながら発展します。

先に記述した「『社会の発展』の概念図」と見事に一致しますが、次頁に示す「『科学・技術の発展』の概念図」を説明すると、「❶総括：技術（1）を総括して、科学（1）を豊富にする」→「❷適用：技術（2）

に豊富になった科学(1)を適用する(豊富になった科学(1)から技術(2)を導き出す)」→「❸総括：技術（2）を総括して、科学（2）を豊富にする」→「❹適用：技術（3）に豊富になった科学（2）を適用する（豊富になった科学（2）から技術（3）を導き出す)」、というパターンを繰り返して、相互に作用しながら発展しています。

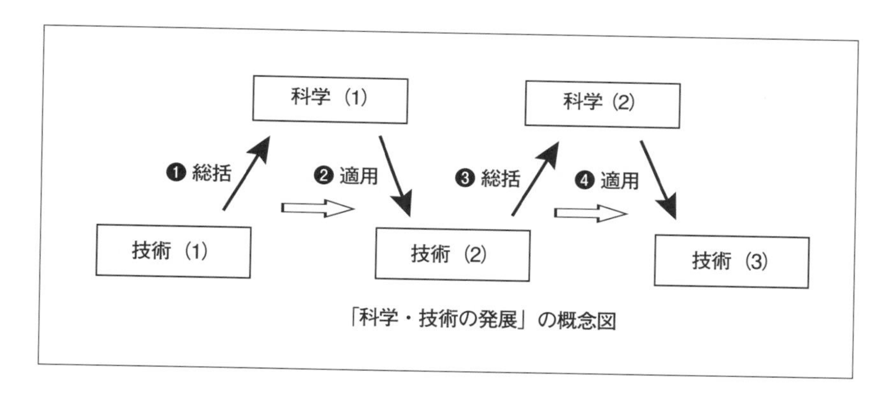

「科学・技術の発展」の概念図

演繹推理と帰納推理

そもそも、人間が考える（思考する）ことは、「これから自身が実行しようとすること（実行した後のことも含めて)」や「これから起こりそうなこと」など、未知のことです。「未知のことを、どのように考えるのが良いか？」という「『推理』における『正しい考え方』」を取り扱う学問分野が論理学です。ここから、論理学で扱っている「推理」について考えることにします。

代表的な推理には、演繹(えんえき)推理（演繹法)、帰納(きのう)推理（帰納法)、類比推理（類比法）があります（帰納推理に類比推理を含むこともある)。これらの推理のうち、演繹推理と帰納推理について考えてみます。

まずは、演繹推理です。演繹推理は、「社会の発展」の概念図に示される理論を実践に適用する場合、「科学・技術の発展」の概念図に示される科学を技術に適用する場合に、よく用いられる推理の方法です。この方法は、普遍的な、一般的な知識から出発して、特殊的な、個別的な知識へと進む推理です。具体的にいうと、概念図の理論（1）や科学（1）の知識から、実践（2）や技術（2）の知識に進む推理のことです。この推理で得られた結論は、前提が確実な知識であれば、これもまた確実な知識です。この推理は、一般知識が既に獲得されているときなどに多く用いられます。

演繹推理の代表的なものには三段論法があります。以下に示す三段論法では、「死ぬもの」を大概念、「私」を小概念、「人間」を媒（ばい）概念と言います。大概念「死ぬもの」を含んだⒶの命題を大前提と言い、小概念「人間」を含んだⒷの命題を小前提と言います。この三段論法では、ⒶとⒷの命題を前提として、結論となるⒸの命題を導き出しています。

Ⓐ　人間は死ぬものである

Ⓑ　私は人間である

Ⓒ　ゆえに、私は死ぬものである

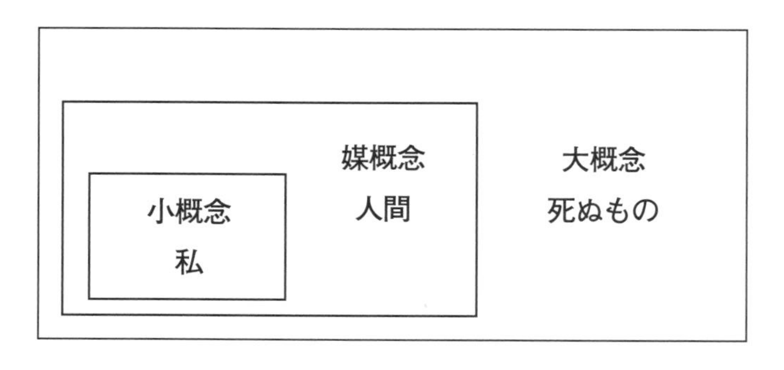

もう少し説明を加えます。Ⓐの命題では、「人間は死ぬものである」という一般知識（「公理」「自然史の法則」「科学の成果である理論」）を大前提としています。Ⓑの命題では、「私（小概念）」が「人間（媒概念）」に包摂される（含まれる）か、どうか、を吟味しています。そして、Ⓒの命題となる結論を導き出しています。

私ごとですが、会社員の時代は、農業土木の技術者として、農業生産基盤整備や農村地域整備の計画・設計に携わってきました（今でも、まだ、ときどきは、この仕事に関わっています）。そのときの仕事の内容を見ると、「如何にして、良い農業生産基盤をつくり出すか？」、「如何にして、良い農村地域をつくり出すか？」ということが課題になっていました。この会社員時代を振り返って、計画・設計に演繹推理を適用する場合の留意点を簡単に述べます。

計画・設計を行う場合で、「公理（自然史の法則）や基準書（適用する理論）」に従って進めていくことは、この演繹推理に該当します。実際に行った計画・設計を総括して、論文などに取りまとめる場合は、帰納推理を使用しますが、日常のほとんどの仕事は、演繹推理を使用します。演繹推理を使用する場合に、もとになる「公理や基準書」は、もともと、特殊的な条件（全てをくみ尽くすことのできない条件）のもとで作成されたものですから、そこでの「公理や基準書」は、全ての条件に適用できるものとなっているとは限りません。

したがって、「公理や基準書」を適用する場合の「適用条件」には、十分な注意を払うことが必要です。「公理や基準書」を正しく「意識的に適用する」ことが、科学的・技術的な「公理や基準書」を「実証する」ことにつながっていくからです。先の三段論法でいうと、大概念が全ての概念を包摂していること（大前提に成りえる公理であること）を確認すると同時に、特に、小概念が媒概念に包摂されていること（「公理や基準書」を適用する場合の「適用条件」が正しいかどうか）を吟味することが重要であるということです。

次は、帰納推理について考えてみます。帰納推理は、「社会の発展」の概念図に示される「実践」を総括する場合、「科学・技術の発展」の概念図に示される「技術」を総括する場合に、よく用いられる推理の方法です。この方法は、特殊的な、個別的な知識から出発して、一般的な、普遍的な知識に到達する推理です。具体的にいうと、概念図の実践（2）や技術（2）の知識から、理論（2）や科学（2）の知識に到達する推理のことです。この推理は、それによって得られた結論は、絶対的な確実性をもたない知識であることが多いけれども、研究・開発の分野などにおいて、しばしば用いられています。個別的な実験データから、一般的法則的な知識へ進むのは、この帰納推理によってです。

まず、帰納推理の一例を紹介します。この推理では、人間Ａ～Ｚの個別を総括して「人間は死ぬものである」という公理を導き出しています。人間Ａ～Ｚが人間の全てではないので、不完全帰納推理になっています。一般的にも、或る種に属する個別のデータが、その種の全てをくみ尽くすことができないので、不完全帰納推理にならざるをえません。

Ⓐ　A、B、Cも……Zも全て死んだ

Ⓑ　A、B、Cも……Zも全て人間である

Ⓒ　ゆえに、人間は死ぬものである

この例から分かるように、帰納推理を使用するうえで重要なことは、推理を確かなものにするため、できるだけ多くの個別（データ）を集めて総括することです。もう一つ重要なことは、日常的にも意識して帰納推理を使い、そして、帰納推理に慣れることです。

私たちの日常の生存活動は、「『理論』を適用して活動を計画し『実践』する。そして『実践』した結果をもとに、適応した『理論』を実証する（見直す）」というパターンの繰り返しです。繰り返しですから、演繹推理も帰納推理も同程度に使用されているかというと、そうではありません。実際は、演繹推理を使って行動計画を立て、それを実行する日常生活がほとんどであり、「理論」にまで立ち帰る（帰納推理を使用する）ことは、研究・開発の分野以外ではほとんどないように思います。

会社員時代を振り返ってみても、日常の仕事は演繹推理を適用することがほとんどでした。帰納推理を使用したのは、実際に行った計画・設計を総括して、論文などに取りまとめるときだけだったように思います。

技術論文に関してですが、私は他人の技術論文を評価できるほどの技術者ではありませんでしたが、ときどきは、そんな私でも分かるほど、体裁を成していない論文を目にすることがありました。体裁を成していない論文は、書き方（論理法）が、帰納推理を意識していないことに起因しているように感じました。よく見かけたのは、実践した技術の紹介だけであって、正しく総括がなされていない論文でした。

日常的に「帰納推理」を意識するために、次項で「『適用と総括』の精神作用、特に『総括』という精神作用」について考えてみます。

「適用と総括」の精神作用（特に「総括」の精神作用）

演繹推理は、一般的な命題ないし諸法則から論理的規則に基づいて必然的に結論を導き出すことであり、通常は普遍的命題（公理）を「適用」して個別的命題を導く形をとります。これに対して、帰納推理は、個々の具体的事実を「総括」して一般的な命題ないし法則を導き出すことです。簡単にいうと、演繹推理は、公理を個別に「適用」して具体化することであり、帰納推理は、個別を「総括」して公理を実証することです。

論理的思考の観点からみると、演繹推理では、個別が他から区別できるように「具体化」の精神作用が伴います。これに対して帰納推理では、多くの個別から或る側面を抜き出して評価する「抽象化」の精神作用が伴います。これによって、抜き出す精神作用では、必然的に排除する精神作用を伴いますが、これを捨象と言います。精神作用とは、「感覚したものごと（物や事）に対して考えをめぐらす刺激反応＝人間の思考形式」のことです。

演繹推理において適用する「具体化」の精神作用には、帰納推理において総括する「抽象化」の精神作用が対比されます。また、「特殊化」の精神作用には、「一般化する」の精神作用が対比され、「個別化」の精神作用には、「普遍化」の精神作用が対比されます。

このように、演繹推理において適用する場合の精神作用と、帰納推理において総括する場合の精神作用とは正反対の精神作用になっています。

＊具体化の精神作用（演繹推理、適用）⇔ 抽象化の精神作用（帰納推理、総括）

＊特殊化の精神作用（演繹推理、適用）⇔ 一般化の精神作用（帰納推理、総括）

＊個別化の精神作用（演繹推理、適用）⇔ 普遍化の精神作用（帰納推理、総括）

会社員の時代には、「技術提案書」や「技術論文」を記述することが稀にありました。そのときに、特別に意識したのは、「個別化の『技術提案書』であり、「普遍化の『技術論文』」でした。演繹推理を適用して記述する「技術提案書」と、帰納推理を適用して記述する「技術論文」とは、正反対の思考形式になっています。

ここから、総括する場合に用いられる帰納推理の抽象化、一般化、普遍化などの精神作用を考えてみます。

下記のように、事象「1」～事象「D」のような12個の事象があったとします。この中から、アラビア数字で括られる事象「1」「2」「3」「4」を抜き出す精神作用を抽象化（一般化、普遍化）と言います。このことは同時に、また、必然的にローマ数字で括られる事象「Ⅰ」「Ⅱ」「Ⅲ」「Ⅳ」と、アルファベットで括られる事象「A」「B」「C」「D」を排除することになります。これを捨象と言います。

＊全ての事象‥‥「1」「Ⅰ」「A」「2」「Ⅱ」「B」「3」「Ⅲ」「C」「4」「Ⅳ」「D」

＊抽象化した事象‥‥「1」「2」「3」「4」

＊捨象された事象‥‥「Ⅰ」「A」「Ⅱ」「B」「Ⅲ」「C」「Ⅳ」「D」

大切なことは、抽象化した事象である「1」「2」「3」「4」を評価することです。「1」「2」「3」「4」を抜き出しただけでは、単に個別の事象を抜き出しただけで、本来的に言えば、抽象化ではなく抽出化です。何を共通のものとして括ったか、そこに潜む共通点は正しいか、などを評価することが重要だということです。先に述べましたが、よく見かけた体裁を成していない技術論文は、評価がなされていない、つまり、正しく総括がなされていない論文でした。

抽出、捨象、抽象化、共通点などに関連して、ここで「本質の捉え方」を考えてみます。現実に起きているものごと（物や事）、私たちが見ているものごとは、物質の自己運動によって変化する過程の一瞬間であり現象です。現象とは、「観察されうるあらゆる事実。本質の相関的概念として本質の外面的な現れ」とされています。これに対して、本質とは、「変化する現象的存在に対し、その背後または内奥に潜む恒常的なもの」とされています。

ここから、一例として「人間の本質（普遍的人間）」を捉えてみます。例えば、私たち人間一人ひとりは個別的・具体的に存在している個人ですが、同時に「人類（ホモ・サピエンス種）」という普遍性をもっています。「谷野隆一」も、前首相の「安倍晋三」も、現首相（執筆時）の「菅義偉（すがよしひで）」も具体的な存在であり、個別的人間です。この個別的人間から、職業・職種、身分、地位、個人的な性格などの全ての「個別的人間」に関する属性を剥ぎ取っていくと（個を捨象すると）、「人類」という共通の性質をもった生物種になります。つまり、「働く」ことと「生活する」ことを繰り返し、「次世代を育て、次世代にバトンを渡す」というただの人間です。普遍的人間（人間の本質）とは、このように「人類」という生物種の永遠の生命をつないでいるただの人間のことです。

人間の本質を捉えてみましたが、「全ての実在する人間から、『個を捨象して、共通点を抽出する。それを抽象化する』」という精神作用、つまり、帰納推理を使って「総括する」ということを試みたわけです。これは、帰納推理を使って次の公理を実証（証明）しているともいえます。

公理（人間の本質）……全ての人間は、「働く」ことと「生活する」ことを繰り返して生存し、次世代をつくり育て、次世代にバトンを渡す

或るものの本質を捉えるとき、また、或ることの原因を探る（究明する）ときなどにも帰納推理が使われます。大切なことは、意識して帰納推理を使って、帰納推理に慣れることだと思います。

「経験主義」に陥らないこと

人間はだれでも歳をとり、経験はそれとともに増大しますが、年齢を重ねれば、必ずしも知識を豊富にするとは言えません。もしそうであれば、私たちが知識を豊富にするために必要なのは年齢だけであり、また、逆の方からいうと、歳をとらなければ知識を豊富にできないことになってしまいます。このように考えると、「豊富な経験」と「知識を豊富にすること」とは、決定的に異なっていることが分かります。

「経験」とは、「あらゆる『ものごと（物や事）』の直接的把握で、未だ認識や知識として組織化されていない段階」であり、経験した人の中にとどまっている個別的性格のものです。「知識」とは、「知り得た『ものごと（物や事）』が、普遍性（一般性、抽象性）をもち、他者との交換が可能なまでに組織化された段階」のものです。

積み上げてきた経験は重要であり、実用的であるという観点からすれば、知識は経験よりも劣ることがあります。ところが、ここから、個人の経験を絶対化して、「理論」を疎かにする「経験主義」が生まれます。個人の経験には、どうしても限界があります。ですから、私たちの実践活動は、単に個人的な経験だけでなく、多くの人（大げさに言えば全人類）の長年にわたる経験の蓄積による理論に基づいて行われなければなりません。「『社会の発展』の概念図」で説明すると、実践（2）を導き出すときに、実践（1）からではなく、理論（1）から導き出さなければならないということです。

病気の治療法には、「原因療法」と「対症療法」があります。「原因療法」とは、病気そのものの原因を取り除く治療法です。「原因療法」では、「熱が出た」「咳が出た」などの症状を携えて「理論」に立ち帰り、そこから、治療法を導き出します。

もう一方の「対症療法」とは、熱が出たら解熱剤、痛みに鎮痛剤、咳に咳止めというように病気の不快な症状を和らげる治療法を言います。「対症療法」は、病気そのものの根本的な治療法にはなりません。そのために、比喩的には、「根本的でない当面の解決策」のような意味で使われています。「経験主義」に陥ると、実践活動が「理論」から導き出されないために、「対症療法的」になってしまう欠点があります。

「経験主義」に陥らないように、いかなるときでも、実践活動は、「理論」から導き出さなければなりません。実践活動の計画は、「今まで、これでよかったから、今回もこれでいいだろう！」ではなく、「こうすべきだ！」という計画とすべきです。

おわりに

先に記述したエッセイ「人間は考える葦」（p.164参照）では、「人間が『考える（思考する）』って、どういうことか？」、「人間は、なぜ考えるようになったか？」について、つまり、「人間が考える」目的を記述しました。このエッセイでは、「人間は、どのように考えるべきか？」、つまり、目的を解決する手段としての、人間の論理的思考方法を記述したつもりです。

科学・技術の分野にとどまらず、私たちの日常の生存活動は、「理論」を「適用」して「実践」し、「実践」を「総括」して「理論」を見直す、というパターンの繰り返しです。この日常の活動を正しく考えるために、「演繹推理」や「帰納推理」を意識して使用することの重要性を述べてきました。

日常的にあまり使用されない言葉が多く、それが災いしてか、読みづらいエッセイになったような気がします。「谷野隆一」のなかに潜む「類的人間（個別を捨象しホモ・サピエンス種の永遠の生命をつないでいる人間）」は、「もっと勉強して、わかりやすいエッセイを書け！」と言っていましたが、個別人間の「谷野隆一」がそれを拒否したので、このようなエッセイになりました。

「哲学をかじって」（p.24 参照）のエッセイで、「抽象化して『最高類概念（最高に抽象化したもの＝大元（おおもと）のもの＝本質的なもの）』を捉えるのが、哲学のおもしろさだ」と書いてある本を読んだと記述しました。今でも、ときどきこの本のことを思い出します。それは、帰納推理を使って抽象化の階段を昇り、最高類概念を捉えにいくのが面白いからなのでしょう。演繹推理や帰納推理を使って、現象に潜む本質を捉えるのが面白いからなのでしょう。「何のために考えるか？」と問われれば、今でも躊躇することなく「面白いから考える」と答えます。

演繹推理や帰納推理の使用が、ものごと（物や事）を根本から考えるうえでも、さらには、自分自身の成長のためにも役に立っていることは確かです。

ものごとの本質（真理）を的確に捉えるために

2021 年（令和３年）４月頃記述

はじめに

今回のエッセイは、先の二つのエッセイである「人間は考える葦」(p.164参照)、その後の「『理論と実践』および『その周辺』を考える」(p.179参照)に続くものです。これらのエッセイを「考える(思考する)シリーズ」Part1、Part2 とすれば、今回のものは、Part3 に相当します。

Part1 のエッセイの「人間は考える葦」では、「人間が『考える（思考する)』ってどういうことか？」、「人間は、なぜ考えるようになったか？」について記述しました。つまり、「人間が考える」目的を記述したものです。Part2 のエッセイの「『理論と実践』および『その周辺』を考える」では、「人間はどのように考えるか？」について記述しました。こちらの方は、目的を達成するための手段について記述したものであり、言い換えれば、目的を達成するために、「人間はどのような論理的思考方法を用いるか？」という手段を記述したものです。

Part3 のエッセイでは、「ものごと（物や事）の本質（真理）を的確に捉えるために」と題して、ものごとをより深く考えるために、留意すべき基本的なことを記述します。

人間が「考える（思考する）」とは？（復習を兼ねて）

まず初めに、復習を兼ねて、「考える（思考する）シリーズ」の中心的な話題である「人間が『考える（思考する）』ってどういうことか？」をまとめておきます。

人間が「考える（思考する）」とは、外界（客観的実在）を反映する最も発達した動物（人間＝ホモ・サピエンス種）の精神作用のことでした。客観的実在が人間に与える刺激を作用とすれば、この精神作用は、刺激に対する反作用です。最も発達した人間の場合の反作用は、最高レベルの「考える（思考する）」段階と言うことができます。

類人猿に別れを告げホモ属になりたての頃（約200万年前）になると、ヒトは、生活物質を自然界から「採り出す活動」を、自然を変革することによって「つくり出す活動」に変えました。協働で「つくり出す活動」の時代になると、「如何にして、生活物質をつくり出すか？」や「如何にして、社会を維持するか？」が課題となってきました。「つくり出すもの」や「社会」は、目に見えないので、概念的に脳に反映しなければなりません。こうして、人間の「考える」能力が身に付いてきたのです。

こうした課題を解決するためには、外界（客観的実在＝生活物質も社会も客観的実在）に働きかけ、変革のための能動的な精神活動が必要になります。この能動的な精神活動が、「人間が『考える（思考する）』」ということなのです。能動的な精神活動の過程は、対象となる具体的なものごと（物や事）を感覚し、それを抽象化して捉え、生じた原因を明らかにし、さらに、未来を推定する過程になっています。

客観的実在（外界）とは？

そもそも客観的実在（外界）とは、どのようなもの（物）でしょうか。それとも、どのようなこと（事）でしょうか。客観的実在とは、自然や社会に実在する全てのものごと（物や事）を言いますが、今からそれを説明します。

「『客観的実在』とは何か？」の問いに対して、直ぐに想い描くのは、机や椅子やコップなど、目に見えて、形や重さをもっているもの（物体、個体）です。しかし、それだけでなく、犬や猫などの動物も、草木などの植物も、客観的に実在するもの（物）です。さらには、形のない水（液体）も、また、目には見えない光も、空気も（気体）も、電気も、自然に存在するものは全て客観的に実在するもの（物）です。

人間も、人間によってつくられている社会も、「客観的実在」です。また、自然が織り成すこと（事＝自然的事象）も、人間が織り成す社会的なこと（事＝社会的事象）も、「客観的実在」です。「人間」や「人間社会」や「自然が織り成す自然的事象」や「人間が織り成す社会的事象」が、唯物論でいう「もの（物）」のことです。もう少し言うと、唯物論でいう「もの（物）」とは、一般的なイメージの「もの（物）」ではなく、客観的に実在する全ての「ものごと（物や事）」なのです。

「客観的」というのは、「主観的」ではないことです。「主観的」ではないとは、頭のなかで考えたものごと（物や事）とは違うということです。知っているか、知らないかに関わらず、在（あ）るものごと（物や事）は存在します。しかも、「実在」というのは、実際に在る、確かに在る、つまり、調べれば分かる存在なのです。社会や社会的事象も客観的に存在していて、調べれば分かる対象です。そういう意味で、「人間」も「人間社会」も「自然が織り成す自然的事象」も「人間が織り成す社会的事象」も「客観的実在」なのです。

客観的実在は、私たちの意識とは別に、意識の外に、意識に先立って存在していて、私たちの意識の源（私たちに与える刺激の源）となる存在です。そして、直接的であれ、間接的であれ、感覚によってその存在を確かめることができるものごと（物や事）です。

客観的実在の本質的特徴は「変化」です。古代ギリシャの哲学者ヘラクレイトス（BC.540 年頃～ BC.480 年頃）は、**「万物は流転（るてん）する」**という有名な言葉を残しています。これは、「世界は絶えず変化している」という意味で、「変化」を問題にしている思想です。

昔の日本の歌人・随筆家である鴨長明（かものちょうめい）（1155 ～ 1216 年、平安時代末期から鎌倉時代にかけての日本の歌人・随筆家）は「方丈記（ほうじょうき）」の中で、**「行く川の流れは絶えずして、しかも、元の水にあらず。よどみに浮かぶ泡沫（うたかた）は、かつ消え、かつ結びて、久しく留まりたるためしなし」**と記しています。これは、「川の流れの水は、絶え間なく流れており、元の水として留（とど）まっていない。よどみに浮かぶ泡は、消えたり、出てきたりして、しばらくの間でも、止まっていることはない」という意味です。このように、客観的実在は、常に「変化」しています。

この「変化」を詳しくみると、客観的実在のそれぞれは独自の自己運動により変化を繰り返していますが、さらに、お互いに影響し合いながら（相互作用を通じて）変化するという特徴があります。例えば、今日の「私」は、昨日の「私」と同じ人間ですが、同じ人間であっても、よくみると、時間とともに細胞が入れ替わるなど、常に変化しています。地球が、1 年かけて太陽を一周するのも、24 時間かけて自転するのも自己運動による変化であり、私たちが見ているのは、客観的実在の自己運動の結果としての存在であり、その過程の一瞬間と言うことができます。

次に、少し長くなりますが、お互いに影響し合いながら（相互作用を通じて）変化している例を述べます。恐竜が絶滅するまでの中世代の哺乳類は、地上で、「うさぎ」「ねずみ」のような小さな体で生存していたわけですが、嗅覚を発達させた群れでした。地上生活では、移動ルートや移動した時間を臭いの情報として残すために、さまざまなマーキング行動が使われていました。恐竜の絶滅後、「うさぎ」「ねずみ」のような哺乳類から進化した霊長類のニッチ（生態的地位、生息環境をも含んでいる）は、地上から樹上へと変化しました。樹上生活では、同じ枝を他のものが通るとは限りません。また、枝はすぐに朽ちて落ちてしまいます。このように樹上生活になると、臭いの情報は役に立たなくなります。そこで進化した霊長類は、嗅覚を退化させ、平たい顔になりました。

樹上生活で必要な機能には、立体的にものを見る能力、あるいは、距離感を判断する能力があります。手・足で枝を握れても、枝までの距離を測り間違えば、空振りして墜落死してしまいます。そこで、霊長類は、立体的にものを見るために、両眼が顔面の前方に並んで位置し、退化した鼻を挟む形となりました。

このように、あらゆる動物は、自らと自然との相互作用を通じて変化（この場合は進化とも捉えられる）しています。人間と社会との関係も同様で、人間が社会を変革すると同時に、社会が人間を変革するという相互作用のなかで、人間と社会がお互いに影響し合いながらともに変化（進化、発展）しています。

絶対的真理、相対的真理

「ものごとの本質（真理）を的確に捉えるために」という本題に入る前に、「絶対的真理と相対的真理」のことを話しておきます。「『真理』とは、『現実』と『認識』の一致である」と言われています。「現実」とは、「客観的実在」のことであり、「認識」とは「認識した事がら」のことです。ですから、「真理とは、ものごと（物や事）の現実の姿かたち（客観的実在）と、認識したものごと（概念）の一致である」とも言えます。もっと簡単には、「実在と思惟との一致」などと言ったりもします。

真理とは、そういうものだということを認めたとしても、「人間には現実と認識の一致を確かめることができない」、だから「人間にはものごとの本質を認識することは不可能である」といった考え方があります。これを不可知論と言います。

不可知論は、一つには、人間の認識能力は不完全であり、真理の検証はその不完全な認識能力に頼るしかないため、「真理の完全な把握は不可能である」という主張です。もう一つは、自然的事象についても、社会的事象についても、解明が進むにつれて、さらに、解からない問題が出てきたり、未解明の課題が見つかったりしていくことになり、「いつまでたっても、真理を把握することは不可能である」という主張です。不可知論の特徴を簡単に言えば、「現象を越えること、感覚に表れる内容を越えること」を不可能とする思想であり、究極的には真理の認識を放棄する思想です。私がここで述べようとする考えとは、正反対の思想です。不可知論の悪口を言い始めると長くなるので、この辺りで終わりにして、「真理」の話に戻ります。

真理は、頭のなかに生み出した観念的なもののなかではなく、認識の対象となる客観的実在のなかにあります。間違いなく在るわけですから、それがどんなに複雑で難解であったとしても、時間をかけて、様ざまな角度から、様ざまな方法で観察や測定を行えば、現実と一致した認識、すなわち真理に近づくことができるはずです。

また、科学が発達し認識が進むにつれて、さらに解明しなければならない課題が出てくることも確かにあります。しかし、だからと言って、「真理の認識は不可能だ！」ということにはなりません。そのような新しい課題は、科学的な認識を進めるための原動力であり、次の段階で解明されていくことになります。ただ一方向的に未解明の問題が増えるわけではなく、新しい課題は新しい科学の力で、次つぎに解明されていくはずです。そのように言い切ることができるのは、200 万年ほど前から現在まで、出てきた新しい課題は、決して積み残すことなく解明されてきたからです。

と言っても、「人間は真理を完全に把握することはできない」という点を、どのように考えたらよいのでしょうか。人間の認識能力には限りがあります。ですから、私たちが把握している真理は、歴史のある段階で得られた、特定の条件のもとでの不完全な真理、すなわち「相対的真理」に過ぎません。そして、私たちの認識が、どんなに進んだとしても、最終的な永遠普遍の、究極的で完全な真理、すなわち「絶対的真理」には、決して到達することができません。それは、客観的実在の本質的特徴は「変化」であり、絶対的な静止はあり得ないからです。

しかし、相対的真理だからといって、不完全な程度が低い、粗雑なものではありません。相対的真理は、条件付きの真理だとは言え、単に主観的なものではなく、客観的実在を反映したものであり、それぞれの歴史的時点において最高のものでもあります。

相対的真理を単純に不十分で、不完全なものとみて、それを理由に「人間には本当のことなんか解らない」とするのではなく、着実に獲得する成果であることに確信をもって、客観的実在を正しく認識する日常的な努力の方が大切だと思います。

原因と結果

ここから本題に入り、ものごと（物や事）を的確に捉えるための留意事項を述べていきます。まず初めに、「原因と結果」について考えてみます。「原因」とは、何かのできごとを引き起こすものごと（物や事）であり、「結果」とは、それによって引き起こされたものごとのことです。この原因と結果の両者の関係を因果関係と言います。因果関係にあるとは、或るものごと（原因）によって、必ず他のものごと（結果）が引き起こされるということであり、また、逆に、或るものごと（原因）がなければ、他のものごと（結果）も引き起こされないということです。

因果関係においては、原因は結果に先行しますが、それだけでは、因果関係とは言えません。因果関係とは、原因が結果に先行するだけでなく、原因が結果を引き起こす、という関係でなければなりません。さらに、条件が十分にそろっているなら、同じ原因から同じ結果が引き起こされることになります。因果関係にあるかどうかは、原因と結果の関係を十分検討したうえで判断されなければなりません。

因果関係は、内容のうえでの連関であり、客観的に存在する関係です。この世界の客観的に存在するものごと（物や事）は、全て何らかの原因によって引き起こされたものであり、原因のないものごとは一つもありません。ですから、ものごとの本当の姿を知ろうとすれば、その現在の姿（事象）を感覚し、それを抽象化して捉えるだけでなく、それを引き起こさせている原因を明らかにする（究明する、推理する）必要があります。

原因を究明する（推理する）ことは、ある事象とある事象との因果関係を把握して、その法則性を捉えることにつながります。ですから、結果から遡って原因を明らかにする（究明する）ことが、科学の重要な任務の一つにもなっているのです。

原因を究明するうえで重要なことは、感覚したものごとの現象をそのまま認めるのではなく、まずは、ものごとを批判的に見ることが大切です。なぜ大切か、というと、「批判的にみる」姿勢が、原因を究明することを保証するからです。つまり、「何かおかしい？」、また「どこか納得できない？」などの疑問をもつことが、原因を究明しようという気持ちをかき立てているのです。

「原因—結果」の関係は、実際はそれほど簡単ではなく、次に示すように、客観的実在のある事象Ａが原因となって事象Ｂを引き起こし、今度は、この事象Ｂが原因となって事象Ｃを引き起こします。そして、次には、この事象Ｃが原因となって事象Ｄを引き起こします。このように、次から次へと変化（進化、発展）していくのが現実の姿です。

事象Ａ（原因）→ 事象Ｂ（結果）
→ 事象Ｂ（原因）→ 事象Ｃ（結果）
事象Ｃ（原因）→ 事象Ｄ（結果）
事象Ｄ（原因）→ 事象Ｅ（結果）

「原因を究明する（推理する）」ことは、「法則性を捉える」ことです。「法則性を捉える」というと少し難しく感じますが、「ものごとが引き起こされる必然性（本質）を捉える」ということです。ここで、法則性（必然性）を捉える例を紹介します。

・ＡＢＣが存在すると、ａという事象を引き起こす
・ＡＤＥが存在すると、ａという事象を引き起こす
・ＡＦＧが存在すると、ａという事象を引き起こす

「なぜａという事象が起こったのだろうか？」を繰り返して「原因」を推理すると「Ａが存在したからだ」と、その法則性を捉えることができます。（これは「帰納法」という論理的推理法）

全てのものごとは、何らかの原因によって引き起こされたものです。大切なことは、「感覚した具体的なものごと（物や事）を抽象化し、それを生じさせている原因を究明して、法則性を捉える」ことです。

本質と現象

すでに、「事象」「現象」「表象」という言葉を使っていますが、本題の「現象と本質」を述べる前に、簡単に説明しておきます。まずは、「事象」と「現象」の違いについてです。「事象」とは、「現実に起こったものごと（物や事）」のことを言います。「現象」とは、「観察されうるあらゆる事実」のことを言います。「事象」とほぼ同じ意味で使用されているようですが、「現象」は、本質の外面的な表れであり、本質との相対的な概念として使用され、感覚的に認識される姿かたちのことを言います。よく「『本質的』なことは別として、『現象面』をみると……」というような言い方

がなされます。このように、「本質」と「現象」の二つの言葉は、「『本質』対『現象』」の関係で使用するのが適当だと思います。もっと言えば、通常は「事象」という言葉を使い、「現象」という言葉は、「本質」との関係で用いる以外には使わない方がよいと思っています。「表象（非本質的徴表のこと）」は、「現象」とほとんど同じ意味ですが、主に「哲学」「論理学」「心理学」などの分野で使用され、それ以外で使用されることは殆どありません。

それでは、本題の方の「本質と現象」に入ります。本質とは、ものごと（物や事）をそのものとして成り立たせている固有の性質を言います。本質は、ものごとの背後に隠れている本当の姿であり、そのものの中身ですから、直接、感覚的に捉えることはできません。これに対して現象とは、ものごとの表面に現れ出た姿かたちのことであり、感覚によって捉えられる、つまり、観察されうる事実のことです。

私たちがものごとを捉えようとするとき、差し当たりは現象しか見えません。ところが、本質は違います。例えば、太陽は毎日、東から昇り西へ沈みます。これは現象です。本当は、地球の方が自転しているわけで、これが本質です。

ガリレオ・ガリレイ（イタリアの物理学者・天文学者、1564年～1642年）は、ピザの斜塔（しゃとう）（イタリアのピザ市にあるピザ大聖堂の鐘楼（しょうろう））から物体を落とし、落下速度は、物体の重さによらず一定であるということを証明しました。これは本質です。これを証明するために、現象をあるがままに捉えるのではなく、摩擦や空気抵抗など、邪魔になる要素、つまり、現象を取り除き、純粋に自分が知りたいことだけを考える実験という手法を初めて導入して、公開しました。

このように、現象は、本質からはずれたり、ゆがんだり、正反対のかたちで現れたり、様ざまな姿をとっているのが通常です。とは言っても、本質は、現象として現れてこそ、本質なのであって、現象しない本質などありません。ですから、本質と現象を統一として捉えることが大切です。現象にふりまわされることなく、現象として現れ出た事実をよく捉え、その現象の原因はどこにあるかなど、現象の後ろに隠れている本質的な要素を探り、ものごとの本質の認識にまで進むことが、科学的･論理的思考においては決定的に重要です。

ドイツの哲学者ヘーゲル（フリードリヒ・ヘーゲル、1770～1831年）は、「法哲学要綱」の序文に、次のような命題を記述しています。

『理性的なものは現実的であり、現実的なものは理性的である』

これに関して、ヘーゲル自身の著書の「小論理学　第6節」で、次のような解説を行っています。以下のゴシック体の文章は、『論理学哲学の集大成･要綱第一部』（長谷川宏訳、作品社）からの引用です（アンダーラインは私が引きました）。

日常の生活では、ちょっとした思いつき、あやまり、間違ったことやそれに類すること、さらにまた、退化して消えていくような存在までが、なんでも、目につくままに「現実」と名付けられる。しかし、日常の感覚からしても、偶然の存在は、あえて現実的と呼ぶには当たらない。偶然の存在とは、可能な存在という以上の価値をもたず、あってもなくてもよいものなのだ。

わたしが「現実」というとき、わたしがどんな意味でその言葉を使っているのか、よく考えてもらいたい。わたしの精細な『論理学』（1812

～1816年）では、「現実」という概念も扱われていて、「現実」は、存在の一角を占める偶然のものから区別さだれるだけでなく、「そこにあるもの」や「現実にあるもの」などからも厳密に区別されている。

理性的なものが現実的だという考えは、理念や理想が幻想にすぎず、哲学はそうした妄想の体系だという考えと対立するだけでなく、逆に、理念や理想は高貴すぎて現実に降りてこられない、とか、無力にすぎて現実へと至りつけない、といった考えともキッパリと対立する。

哲学の扱う理念は、「あるべき」ものにとどまって現実にあるものとならないような、そんな無力な理念ではないし、哲学の扱う現実はといえば、永遠の理性に貫かれた現実である。些細で、外的で、はかない対象や制度や状態と見えるものは、単なる表面的なありさまにすぎない。

ヘーゲルが「理性的なものは現実的であり、現実的なものは理性的である」というヘーゲル自身の命題の解説によれば、「現実なもの」とは、「そこにあるもの」や「現実にあるもの」ではなく、具体的、個別的で、現実にあるものから普遍として採り出した「本質的（理性的）なもの」を意味していることが解かります。

私は、この命題を次の①～③に示すように理解し、現実を直視してその中にある真理を求めるようにしています。本質（真理）の捉え方としては、随分と参考になると思いますが、如何でしょうか。

① 普遍として採り出すべき本質は、「現実以外の空想」や「偶然的な現実」の中には存在していない。
② 物質の必然的な自己運動としての現実は、本来、永遠の理性に貫かれている。

③　この「永遠の理性に貫かれた現実」の中にだけ、普遍として採り出すべき本質が存在している。

なぜ､「ものごと（物や事）の本質を的確に捉える」ことが大切かって。それは､法則性を捉えて､「如何にして､生活物質をつくり出すか？」や「如何にして、社会を維持するか？」を論理的に根本から考えるためです。

必然と偶然

前項（本質と現象）でも、「必然」「偶然」に触れましたが、ここでもう少し詳しく述べます。まずは、「『必然』とはどういうこと？『偶然』とはどういうことか？」というところから始めます。

必然とは、「必ずそうなる、そうなる以外にあり得ない」ということであり、偶然とは、「そうなることもあれば、そうならないこともある」ということです。必然と偶然とは、まったく逆のようですが、互いに排除しあうものではなく、必然も偶然も、ものごと（物や事）のなかに客観的に存在している二つの側面です。

必然というのは､様ざまな事象に含まれる本質的連関に根ざしていて､一定の恒常的な傾向を意味します。しかし、事象のなかには、このような内的で本質的な連関だけでなく、外的で副次的な連関（現象）もあります。それが偶然です。ですから、すべてのものごとは、多くの様ざまな偶然を伴いながら、そのなかを必然が貫いている、ということになります。

世界のできごと（起きた事）全ては必然であり、偶然と思われるのは、そのできごとの原因を私たちが知らないからだ、という考え方があります。これとは反対に、世界のできごとは、全て偶然であり、必然性などないからこそ、「人間は自由なのだ」という主張もあります。

しかし、全てのできごとが必然なら、人間の意志の働きようがないわけですから、世の中はなるようにしかならず、努力してもどうにもならない、ということになってしまいます。また、「人間には意思決定の自由はない」という考え方では、そもそも、「あれ、これを、しよう」という意欲が湧かないばかりか、責任も成り立ちません。反対に、全てが偶然なら、どんなできごとも、たまたま起こったことですから、同じように、私たち人間にはどうしようもないことであり、意欲も責任も成り立たなくなってしまいます。

世界のできごとだけではなく、人間の為すことの全てについて、それを偶然と見るのも、必然と見るのも、ともに誤りです。現実に起こる様ざまなできごとは、一見して、偶然のように見えますが、多くは、そのなかを必然が貫いています。

偶然のように見えるできごとを、そのまま認めるのではなく、そのなかに貫かれている必然性や法則性を捉えて初めて、ものごとの成り行きも見えてきます。先の「本質と現象」の関係で言うと、「現象をそのまま認めるのではなく、そのなかに貫かれている本質を捉えて初めて、ものごとの成り行きも見えてくる」ということと同じです。

「現実性」「可能性」という言葉は、日常的によく耳にすると思います。「現実性」は、これから起こることとして、「可能性」との関係で用いられます。「可能性」とは、これから起こる見込みのことを指します。

「現実性と可能性」は、別々のことではなく、密接に関連しています。この世界のあらゆるものごと（物や事）は、どれも可能性が現実性に転化したものですから、「現実性と可能性」を、つながりのなかで捉えることが大切です。

絶対に不可能だという「可能性」は、ものごとが、やがて現実となりうる傾向や要素をほとんど含んでいないので、本当の可能性とは言えません。可能性というのは、まだ現実に存在していなくても、やがて実現されて現実になりうる傾向を言うわけですから、本当の可能性には、そもそも現実性が萌芽として含まれていなければなりません。

現実的可能性は、ものごとの発展の法則性・必然性と結びついています。「客観的実在の本質は変化である」ということを述べました。客観的実在であるものごとを「本質と現象の統一」として捉えると、客観的実在の現実の姿のなかに潜んでいる変化の可能性や、その可能性を現実のものにするための条件も見えてきます。

経験と知識

最後に、「経験」と「知識」について考えてみます。まずは、「『経験』とは何か？『知識』とは何か？」ということです。

「経験」とは、「あらゆる『ものごと』の直接的把握で、未だ認識や知識として組織化されていない段階」であり、経験した人の中にとどまっている個別的性格のものです。一方、「知識」とは、「知り得た『ものごと（物や事)』が、普遍性（一般性、抽象性）をもち、他者との交換が可能なまでに組織化された段階」のものです。「経験」と「知識」とは、まったく異なったものですから、どれほど多くの「経験」を積み重ねても、「知識」までには到達しません。

多くの「経験」を積み重ねることも大切ですが、それよりも大切なことは､｢経験｣したことの本質を捉え､｢知識｣にまで高めることです。｢経験｣を「知識」まで高めることは、ものごとの改善策を「対症療法」的にさせないためであり、また、狭い「経験主義」に陥らないためです。そして、何よりも、自分自身の「知識」を豊かにするための工夫です。

ものごと（物や事）を的確に捉えるための留意事項として、「原因と結果」｢本質と現象｣｢必然と偶然｣｢経験と知識｣について述べてきました。ものごとの本質（真理）を的確に捉え、それを能動的な精神活動に活かすキーワードは次のとおりです。

> **『客観的実在の本質』 → 『変化』 →**
> **『原因と結果』 →『法則性・必然性』 →**
> **『経験から知識』 → 『能動的な精神活動』 →**

「『事象』とは、『本質』と『現象』の統一である」と述べましたが、最後に、今まで出てきた非日常の言葉を「『本質』と『現象』」のカテゴリー（区分け）で整理しておきます。

本質 — 必然 — 抽象 — 一般・普遍 — 知識 — 原因療法
現象 — 偶然 — 具体 — 特殊・個別 — 経験 — 対症療法

おわりに

『「役に立たない」科学が役に立つ』という本があります。この本は、エイブラハム・フレクスナー（教育者、教育評論家）とロベルト・ダイクラーフ（数理物理学者）の二人のエッセイで構成されていて、初田哲男東京大学名誉教授が監訳者となり東京大学出版会から出版されたものです。そのなかの一文を紹介します。

「役に立たない知識は有益だ」というフレクスナーの主張は、現在においていっそう重要であり、さらに広い分野において真実であり続けている。なぜなら、第一に、フレクスナーがエレガントに論じたように、基礎研究はそれ自体が知識を向上させるからだ。基礎研究は、可能なかぎり上流（上流とは：基礎知識のさらに、その基礎のような意味）**まで知識を探求し、実践的な応用やさらに進んだ研究へと緩慢ながら着実につながるアイデアを生み出していく。よく言われるように、知識は唯一、使えば使うほど増える資源なのだ。**（(）内は私の注釈です）

実用科学や応用科学に対して、数学や物理学のような基礎科学の重要性を解いた本ですが、この文章で、それがよく解かると思います。これを読んだときに、私が今までチョットかじってきた哲学もこれと同じだと思いました。つまり、一般に役に立たないと言われている哲学も、ものごと（物や事）の成り立ちや成り行きを考えるうえでの基礎的な学問であると。ですから、この文章を読み終えたときは、ハッとさせられた瞬間であり、腑に落ちた瞬間でもありました。

二十歳（はたち）前の若い頃から、チョット哲学に興味をもつようになり、他の普通の人と比べると（別に私が普通ではないと言っているわけではありません）、少し多く、哲学の勉強をしてきたと思います。と言っても、「少しかじって、放っておいて、また、少しかじって、また、少し放っておく」の繰り返しでしたが……。

想えば、哲学をかじってきたおかげで、ものごと（物や事）を根本から考えることが身に付いたようです。そして、「ものづくり（如何にして、生活物質をつくり出すか？）」や「社会的活動（如何にして、社会を維持するか？）」を考えるうえで、随分と役に立ってきたように思います。

私は、2021 年（令和 3 年）3 月 20 日で、71 回目の誕生日を迎えました。10 年ほど前から書き続けているエッセイは、思っていたより溜まってきました。このため、ここ 1 〜 2 年でとりまとめて、一区切りをつけようと思っているところです。しかし、役に立たない哲学は、これからも、かじり続けたいと思います。

II

政治・憲法・社会問題

「風評被害」って何？

2011年（平成23年）10月頃記述

最近、「風評被害」という言葉をよく耳にします。「風評被害」とは、真実かどうかに関係なく、「うわさ」によって被（こうむ）る損失のことです。「風評」という言葉を『広辞苑』で調べてみると、「世間の評判」「うわさ」「とりざた」というように記述されています。一方、「風評」を文字どおりに訳してみると、「風に乗って運ばれる評判（うわさ）」になります。東京電力福島第一原子力発電所の人災事故以来、放射性物質が風に乗って運ばれる現象が頭に浮かびますので、文字通りに訳した方がピッタリします。

「風評」という言葉の定義は別にして、この意味をもう少し深めてみようと思います。「風評」は、もともと真実かどうかを全く問題にしていません。「風評」には、「偽り、真実、責任」などの言葉自体がその範疇にないのです。

私が、「この『うわさ』を、『真偽（しんぎ）を吟味してから責任をもって』流します」と言ったとしますと、これは、もはや「うわさ」ではありません。その「うわさ」が、「偽り」であろうと、「真実」であろうと、それを確認した途端に「うわさ」ではなくなります。「真偽」はどうでもいいことであって、「まことしやかに」「本当らしく」「真実に見せかけて」、風に乗って運ばれるのが「風評」なのです。また、この「風評」というのは、重さがほとんどありませんので、だれでも勝手に簡単に風に乗せることができます。そして、これは、一度風に乗ると、どこまで運ばれるか、見当が付きません。

今度は、「風評」は、どういうところに広がりやすいかを考えてみます。新聞が、まだ、かわら版であった頃は、「風評」が広がる範囲はごく狭い範囲でした。それが、新聞、雑誌、電話、ラジオ、テレビなどのマスメディアが発達することによって、この範囲を広げていきました。そして、インターネット社会に入ってからは、とてつもない早さで一気にその範囲を広めました。

これの善悪は別として、このように社会が発展してきたのは事実です。また、社会の発展にともなって、人間関係が希薄になってきたようにも思います。「メール」一つをとってみても、何か一方向的で、人間味が感じられません。電話ですと双方向的で人間関係というものを感じますが……。

この「風評」は、人間関係の希薄なところに広がりやすいようです。人間関係が希薄なところは、人間と人間との間にすき間ができています。真偽が吟味されることなく、このすき間に、一方的に入っていけるからです。

人間関係が希薄なところに、「うわさ」が一気に広がるとなると、情報操作がやりやすくなります。ですから、ある情報があったときに、その情報を決して鵜呑みしてはなりません。一度立ち止まって、「何かの手段で調べる」「多くの人に聞く」などして、自分で批判的に吟味することが必要です。

2011年3月に東京電力福島第一原子力発電所で大変な人災事故を起こしました。それ以降、放射性物質をまき散らして農作物に害を与えています。実際に農作物が放射能に汚染されてしまえば商品になりませんから、農家にとっては害を被ったことになります。実際の汚染被害とは別に、もう一つあるのは「風評被害」です。実際に放射能に汚染されたかどうか判らないのに、「汚染されたかも知れない」という「うわさ」が広まって、商品にならなくなってしまう被害です。

実際の汚染被害の場合も、「風評被害」の場合も、いずれも被害者は農家です。それでは、加害者はいったい誰になるのでしょうか。それが、汚染被害であれば、東京電力が加害者となるでしょう。これは誰もが認めるところですが、「風評被害」の場合の加害者はどうでしょうか。

① 起因者が東京電力だから、加害者は東京電力？

② それを、煽動（せんどう）したのはマスコミだから、マスコミにも責任がある？

私は、法律の専門家ではありませんので、これ以上のことは分かりません。しかし、次の二つのことは、確信をもって言うことができます。

加害者が誰であろうと、「風評被害」の被害者は現実に存在しています。冷害や干害のような自然災害と違いますから、被害者がいれば加害者がいるはずです。被害農家は、何もしていないのに、知らないうちに一方的に害を被っているわけです。ですから、「風評被害」であっても、その被害に対して「何らかの補償をしろ！」ということを第一番目に言いたいのです。

情報を知らせることはマスコミの役割です。その情報が正しいかどうかを判断するのは、情報を与えられる側ではありません。ですから、二番目には、マスコミに対して、「批判の目をもって、つかんだ情報をしっかりと吟味し、正確に報道しろ！」ということを言いたいのです。吟味しない報道は、「うわさ」をまき散らしているのに等しいと思います。

「吟味しての報道」に関して、もう少し言いたいことがあります。原発事故以後しばらくの間、原子力安全・保安院の役人や政府の記者会見が連日のように行われました。そのときに、ほとんどのマスコミは、会見の内容をそのまま報道するだけでした。これでは報道の内容を追認することになってしまいます。何が起こっても、いつまでたっても、「ただちに健康に影響はない」という報道を数え切れないほど、目にしたり、耳にしました。国際原子力事象評価尺度レベル７という大事故を小さく見せかけようとした意図がまる見えです。ほとんどのマスコミは、「この原発事故は小さい事故である」との原子力安全・保安院や政府の主張を認めて、支援していたことになります。小さい事故であるとの「見せかけ」を報道していたのですから、「うわさ」をまき散らしていたのも同然です。

ホモ・サピエンスよ！思い上がるな！

2011年（平成23年）12月頃記述

30数億年前に海のなかで一つの生命体が誕生しました。それが長い年月を経て進化し、私たちの仲間のホモ・サピエンスになりました。

動物（界）→ 脊椎動物（門）→ 哺乳（綱）→ 霊長（目）→
→ ヒト（科）→ ホモ（属）→ サピエンス（種）

最初の生命体は自分の力で移動することができませんでしたが、そのうちに自分で移動することができる生命体に進化しました。動物の誕生です。最初の動物は海のなかで生活していました。そのうちに背骨をつくって速く泳ぐ魚になり、陸に上がって両生類になり、それが、爬虫類になり、そして、今度は哺乳類に進化しました。最初の哺乳類は陸上で生活していましたが、そのうちに樹の上で生活するようになり霊長類に進化しました。それが再び陸上に下りて、二本足で立つようになり人が誕生しました。このときが、今から700万年前とされています。

最初の人は、なかなかホモ・サピエンスになりきれなかったようで、絶滅した人も多かったのですが、そのうちに、アフリカで最初のホモ・

サピエンスが誕生しました。今から５万年～20万年前のことです。これから先、ホモ・サピエンスは、どのような進化の道を進むか分かりませんが、どこまで進化しても、動物の一種であることには変わりありません。

ここで、ホモ・サピエンスというものを定義してみます。ものの成り立ち（ヘッケルの唯物論的一元論）からホモ・サピエンスを定義すると、「直立二足歩行を行う霊長類」になります。一方、他の動物と何が違うかという観点（類概念と種差）から定義すると、「社会（共同体）をつくって生存活動を行う動物」ということになります。ここで、ホモ・サピエンスを定義したのは、「人間とは何者か？」とか「人間社会はどうあるべきか？」を考えるためです。それぞれ各人なりに、「ホモ・サピエンス」を定義してみては如何でしょうか。たまには、こんなことを考えてみるのもよいかと思います。

ホモ・サピエンスの食料は、初めのうちは、ただ単に自然界から採り出していたに過ぎません。この当時の食料は、自然界が生態系のなかで自然の法則によってつくり出したもの以外にありません。どんなに頑張っても、自然界は、人の意識に関係なく自然の法則に従って動いています。食料をつくり出すのは、人ではなく自然界です。ですから、或る年、あるいは、或る季節によっては、食料が不足して、飢え死にした人も多くいます。少し体力に余力があったために生き残った人もいれば、反対に体力に余力がなかったために、飢え死にした人もいます。そんなときに、たまたま飢え死にした人を目の前にしても、「可哀想だ！」などと思う人は一人もいなかったはずです。現在の時代を生きる私たちにとってみれば、冷たい言い方のようですが、その当時の皆さんは全員が「ショウガナイ」と思って通り去って行ったと思います。それ自体が自然の摂理だったのですから「ショウガナイ」でしょう。人の生存活動そのものが自然の摂理であったのです。このような時代ですから、年中ガツガツと休みなく働く人もなく、一日の大半は、のんびりと余暇を楽しんでいたに違いありません。サルもチンパンジーも自然界に棲む動物の一種ですが、人間だって同様に、自然界の真只中（まっただなか）に棲んでいた時代です。何もかもが自然まかせの時代であったのです。

食料となる木の実を採り出すときでも、一番の熟れた食べ頃をねらって、その日に食べる分だけを、つつましく頂いていたと思います。川に魚を採りに行っても、むやみに採れるだけ採るのではなく、その日に食べる分しか採らなかったと思います。何しろ、まだ誰も「貯える」ということを知らなかった時代でしたから、魚が沢山いても、むやみに採り出すようなことはしません。

現代人は、食料などの生活に必要な物質を、無理やりに、多くの量を自然界から採り出すことを「乱獲」と呼んでいます。そして、それは自然界に対する悪い行為とされています。ホモ・サピエンスになりたての頃は、「乱獲」などという、そんな言葉さえありませんでした。そういう時代ですから、人の食料を横取りして「自分だけ生きのびよう」などと思う人もいません。現代を生きる私たちには、とても想像できないような、のんびりとした平和な時代だったのです。

それが一変したのは農耕社会に入ってからのことです。農耕というのは田畑を耕して、食料になる作物をつくることです。今までと違って、意識して自らが自然界を利用して食料を生産するようになりました。「できたものを採り出す活動」から、「自らがつくり出す活動」に変わったのです。

農耕社会に入ったことによって、人間は多くの自然の法則を掴むようになり、食料を始めとして、生活に必要な物質の生産を増大させました。これを緑の革命と呼んでいます。これによって､地球上に住(棲)む人間の数を急増させました。また、食料も人間が食べる以上のものを生産するようになったことから、不測の事態のために「貯える」ということもできるようになりました。

ここまでは、人類にとって「良いこと」ばかりでしたが、実は人類にとっての不幸の始まりでもありました。余剰生産物を巡っての争いは、貧富の差を生じさせ、階級社会（ヒエラルキー）をつくり、富める者のための国家をつくりました。また、生産する土地を巡っての争いは、戦争社会をつくりました。戦争は最初のうちは人を殺していましたが、「殺すよりは、生かして『奴隷』として思うように使った方がよい」ということで、奴隷制の国家が誕生したのです。「人類には闘争本能があるから、戦争は最初からあった」とか「みんな平等なんてことはありえないから、もともと、階級社会があった」という人は、意外と多いと思います。しかし、もともとあったのではなく、奴隷制国家の誕生も、戦争の始まりも、実は農耕社会に入ってからのことです。日本の場合ですと、農耕社会は、縄文（じょうもん）時代の後期から徐々に始まって、弥生（やよい）時代の紀元前4世紀の頃には定着していました。ホモ・サピエンスになってから、5万年～20万年ほどの年月を経過していますが、この長いホモ・サピエンスの歴史からみると戦争が始まったのは、つい最近のことです。

緑の革命の次は産業革命です。蒸気機関の発明に端を発した産業革命は、18世紀後半からイギリスで始まりました。生産様式は工場制手工業から工場制機械工業へと変わり、生活に必要な物質は、大量に生産されるようになりました。そのときの世界の人口は10億人程度でしたが、現在までの二百数十年の間に人口は7倍になりました。日本の産業革命は1880年頃と言われていますから、明治に入ってからのことであり、イギリスのそれに約100年遅れて起こっています。そのときの人口は4,000万人程度でしたが、それから日本の人口は急激に増えて、現在までの約130年間で3倍強になっています。緑の革命によって、地球上に住む人間の数は急増しましたが、産業革命によっても、またまた、地球上に住む人間の数は急増しました。

自然界を利用して生活に必要な物質をつくり出す活動によって、人類は自然の法則性を掴むようになりました。自然の法則性を掴んだ人類は、今度はさらに多くの物質を生産するようになりました。これを繰り返しているうちに、科学・技術はドンドンと発展し、現在のような人間社会をつくり出しました。

ここまで一足飛び（いっそくと）びで、人間の歴史を振り返って見てきましたが、ここで、一度立ち止まって、現在の人間社会と自然界というものを考えてみたいと思います。

これだけ、科学・技術が発展すると、人類は、いつの間にか、自然を自分の思うようにつくり変えることができると勘違いするようになってきました。また、人類は、自分が特殊な動物だと勘違いするようになってきました。しかし、人類は、どこまで進化しても、動物の一種であることには変わりありません。人類だって、他の動物と同様に、自然の法則に従って生きています。

地球は、太陽系のなかの一惑星であり、1年かけて太陽の周りを回っています。どんなに科学・技術が進歩しても、人間の手で勝手に、2年かけて太陽の周りを回るように変えることはできません。日本は火山・地震大国であり、火山の噴火や地震は初中終(しょっちゅう)あります。火山の噴火や地震を予知する科学・技術はドンドン進歩します。しかし、どんなに進歩しても噴火や地震を人間の手でなくすことはできません。気象庁は長期・短期の天気予報を発表します。私が子どもの頃は、当たるも八卦(はっけ)、当たらぬも八卦の天気予報でしたが、最近の予報は的中することが多いようです。これからも天気予報の確実性は増していくと思います。しかし、科学・技術がどんなに進歩しても、日本には雨が多いからといって、人間の手で、その雨を砂漠に降らせるように変えることはできません。

科学・技術は際限なく進歩しますから、自然の法則もドンドンと明らかになっていくでしょう。しかし、人類は自然の法則を掴むことはできても、自らの手で自然の法則を変えることはできません。人類は、特殊な動物ではありません。人類は、どんなに進化しても、自然界のなかの動物の一種です。ですから、人類ができることには、自ずと限度があると見るべきです。

人間は自然界のなかで生きています。人間も進化していますし、自然界も進化しています。自然的環境のなかで、人間も動物もあらゆる生物は、お互いに影響し合いながら、DNA（遺伝子）をほんの少しずつ変化させて、世代交代を行って生きています。こうして、絶滅しないように、ときには突然変異（親とは異なった形質が生じること、いきなり他の種が誕生することはありません）を起こすこともありますが、その種が引き継がれて進化しているわけです。人間はときとして病気に罹ることがあります。この病気の原因となる病原菌というやつも、DNAを変えて進化しています。悲しいことかも知れませんが、科学・技術・医学・医術がどんなに進歩しても、病気に罹らない人間や不老不死の人間をつくることはできません。

何回も言いますが、人間は自然界のなかの動物の一種です。自然を大切にし、つつましく自然界と共存していくべきだと思いますが、如何でしょうか。人類になれなかった他の動物たちが「ホモ・サピエンスよ！ 思い上がるな！」と叫んでいるのが聞こえます。

人類は1930年代に「第二の火の発見」とか、「人類史的な大発見」と呼ばれたほどの巨大な核エネルギーを発見しました。この核エネルギーを商業用に利用するということで、原子力発電がつくられています。この原発には二つのとんでもない欠陥があります。原子炉内では、核エネルギーを取り出す過程で、放射能を生み出しています。欠陥の一つ目は、人類は、何か起こったときに、この放射能を原子炉の内部に閉じ込める技術を、開発できていないことです。一旦燃やした後の核燃料は、大量の放射能を絶えず出し続ける危険なものです。欠陥の二つ目は、人類は、この使用済み核燃料を後始末する技術を、開発できていないことです。

「原発は、自然界を利用してエネルギーをつくり出している」という人は意外と多いと思います。しかし、この原発は、自然界を利用する活動ではありません。原子炉の安全性や使用済み核燃料の処理の二つの欠陥が解決できないうちは、とても自然界を利用しているとは言えません。これは、自然界を利用する活動ではなく、突き詰めて考えてみれば、人類が自然界を破壊する活動です。放射能を出し続ける使用済み核燃料を、地下数百メートルのところまで穴を掘って埋め込むなんて、誰が考えても、自然界を破壊する活動ではないでしょうか。

放射能を出し続ける物質のなかには、半減期（ある原子の半分が崩壊して他の原子に変化する期間）が数万年のものもあります。今から数万年先を生きる人間は、地下に埋められた使用済み核燃料を見て、「人間はなんと愚かな動物だったのでしょう！」と思うかも知れません。否、きっとそのように思うでしょう。

数万年の長い期間の話は止めて、現実的なところに話を戻します。2011年3月に東京電力福島第一原子力発電所で大変な人災事故を起こしました。それにも拘わらず、原発を推進しようとしている不逞の輩がいます。「いずれ科学・技術が進歩して、二つの欠陥を解決する」と考えているのか、それとも、「大洪水よ、わが亡きあとに来たれ」と思っているのか、私には分かりません。いずれにしても、この二つの欠陥を解決しない限りは、原発は、自然界を破壊する活動です。福島第一原子力発電所の事故は、修復するのに何十年掛かるか分からないような大事故です。壊れた原子炉から燃料棒を取り出すのに10年掛かり、更地に戻すのに30年掛かるといっています。これだけの大事故を起こしても、まだ、この欠陥商品をつくり、使い続けるなんて、通常の人間のやることではありません。

人間が自分で制御できないものをつくり、それを使い続けることは、ブレーキが効かない車に乗っているのと同じことです。恐ろしいことだと思います。ブレーキが効く車に乗り換えましょう。自然を大切にし、自然界と共存して行くなら、できるだけ早く、再生可能エネルギーに方向転換すべきと考えます。

地球上には、いろいろな動物が生息（棲息）しています。動物（界）の一種にすぎない人類が、自分勝手に自然界を破壊することは許されません。自然破壊を当然視している不逞の輩に対し、人類になれなかった他の動物たちを代弁して言ってやりたいことがあります。それは、「ホモ・サピエンスよ！ 思い上がるな！」ということです。

「社会保障と税の一体改革」の裏側の「政治改革」について

2011年（平成23年）12月頃記述

はじめに

民主党政権3代目の野田佳彦内閣になって（2011年＝平成23年9月）から、いよいよはっきりしてきていることがあります。それは、「社会保障と税の一体改革」と称して、あたかも社会保障を充実させるふりをして、2010年代の半ばまでに消費税を10％に上げることを企んでいることです。2011年3月11日の東日本大震災以降、この影響で、国民のなかにも「何か負担することがあれば、少しでも負担しよう！」という空気が生まれてきました。「少しでも負担しよう！」という純真な国民感情まで利用して消費税を増税しようと企んでいます。

さらに、「社会保障と税の一体改革」の裏の方では、この国民感情を利用して（国民受けをねらって）、「国民に増税をお願いするなら、議員も身を削らなければならない」と言い出し、議員定数を削減しようとする動きが出てきました。普通の会社ですと、社員を削る前に、まずは、賞与・給与の順で削ります（賞与・給与を削ることを肯定するものではありませんが）。なぜ、議員の場合になるとすぐに定数削減になるのか、私には理解できません。日本の国会議員の人口当たりの議員数は、他国と比べてみても少ない方です。それにも拘らず、さらに削減するというトンデモナイ結論に導こうとしているのです。そして、議員数のどの部分を削減するかというと、またもや、比例代表の部分です。今でも、小選挙区300人、比例代表180人と、比例代表部分が少なく、少数意見が切り捨てられていますが、ここから、さらに比例代表の部分を80人削減することを企んでいるわけです。これでは、「身を削る」ではなく、「民意を大きく削る」だけです。また、民主党や自民党のような大政党に有利な選挙制度を、さらに有利な方向にもっていくだけです。

野田内閣のやろうとしていることを、ここで整理しておきます。表の方では、「『少しでも負担しよう』という純真な国民感情」を利用して、「消費税増税」をやろうとしていることです。その裏の方では、国民受けをねらって、そして、「一票の格差是正の最高裁の判決（2011年3月23日）」を利用して、「衆議院の比例代表部分の議員定数削減」をやろうとしていることです。もっと端的に言うと、東日本大災害という未曾有の災害に手を差し伸べるのではなく、それを利用して、「庶民から税金をとり」、「自らの政党に有利な選挙制度の基盤をつくろう」としていることです。

野田内閣では、比例代表部分の議員定数を180人から100人に削減することを、「政治改革」と呼んでいます。「政治改革」という言葉を耳にすると、かつて、「政治改革」と称して、衆議院の選挙制度を、中選挙区制から小選挙区・比例代表並立制の選挙制度に変更したことを思い出してしまいます。

小選挙区・比例代表並立制の選挙制度の導入

◇導入の背景

中選挙区制での最後の総選挙は、1993年（平成5年）7月18日の第40回総選挙でしたが、衆議院の解散は、選挙日の1ケ月前の6月18日でした。このときの内閣は、自民党の宮沢喜一内閣であり、衆議院解散の名称を「『政治改革』解散」と呼んでいます。

1980年代後半から1990年代前半にかけて、リクルート事件（1988年＝昭和63年）、東京佐川急便事件（1992年＝平成4年）、ゼネコン汚職事件（1993年＝平成5年）が相次いで起こりました。その頃は、こうした事件によって、「政治と金」のことが大問題になっていた時期でした。この「政治と金」の問題を解決することが、「政治改革」につながるので、第40回総選挙のときの解散を「『政治改革』解散」と呼んでいるわけです。

この三つの事件を簡単に説明しておきます。

リクルート事件とは、リクルート社江副浩正（えぞえひろまさ）会長（当時）により、関連会社のリクルート・コスモス社の未公開株が、大物政治家に、店頭公開前に渡されていた事件のことです。この未公開株は、値上がり確実な株ですから完全な賄賂です。この事件で、自民党の藤波孝生氏や公明党の池田克也氏が、収賄罪で在宅起訴され、有罪判決を受けています。

東京佐川急便事件とは、自民党経世会（竹下派）会長の金丸信氏が、佐川急便側から5億円のヤミ献金を受けたとして、衆議院議員辞職に追い込まれた汚職事件です。当初、金丸氏は、政治資金規正法違反の略式起訴の罰金で済んでいましたが、世論の猛反発により議員辞職に追い込まれました。

ゼネコン汚職事件とは、自民党金丸信氏の巨額脱税事件の押収資料から、ゼネコン各社から中央政界や地方政界に多額の賄賂が送られていることが判明した事件です。建設（現国土交通）大臣、宮城県知事、茨城県知事、仙台市長他が贈収賄罪で逮捕起訴され、裁判途中で死亡した1名を除き、全員が有罪判決を受けました。

◇国会で出した結論

1993年（平成5年）7月の第40回総選挙後に成立したのが、日本新党代表であった細川護熙（もりひろ）内閣です。その後、羽田孜（つとむ）内閣、村山富市内閣と続きますが、村山内閣のときの1994年（平成6年）11月に、「小選挙区・比例代表並立制の選挙制度の導入」と「政党助成金の導入」を決めました。

一つ目の「小選挙区・比例代表並立制の選挙制度の導入」は、「中選挙区制では選挙にお金が掛かるから、お金が掛からずに民意を集約できる制度にする」と、ウソを言って導き出した結論です。もう一つの「税金を原資とする政党助成金の導入」は、「企業・団体献金は『将来廃止の方向に踏み切る』」と、ウソを言って導き出した結論です。

このときに、「政治家個人」への企業・団体献金は禁止されました。しかし、「政治家個人」ではなく、「政党支部」などであれば、企業・団体献金を受け取れるとしたので、「政党支部」が、ドンドンつくられ、企業・団体献金を受け入れることになりました。入れる金庫の名称が個人名から別のものに変わっただけで、入れる金庫それ自体は変わっていません。ですから、これは改革でも何でもありません。「ウソも方便（良い結果を得るための手段としてウソをいうこと）」ではなく、「ウソは方便（都合の悪いことを隠すための手段としてウソをいうこと（私の辞書より））」です。

もう一度はっきりと述べます。「政治改革」と称してやったことは、「小選挙区・比例代表並立制の選挙制度の導入」と「政党助成金の導入」です。もっと分かりやすく説明します。「ヤミ献金や賄賂は、どうすればなくなるか？」ということを、国会で議論しなければならなかったはずですし、したはずです。そして、その結果、普通であれば、企業・団体献金をなくす法律をつくるとか、受託収賄罪の罰則を強化するなどの結論を導き出すはずです。ところが、このときに、「選挙制度を小選挙区制に変える！」「政党助成金をもらう！」というトンデモナイ結論を導き出したのです。

議論した目的と出した結論とには、何の因果関係もありません。逆の方からいうと、「小選挙区制にすれば、ヤミ献金や賄賂がなくなりますか？」「政党助成金をもらえば、ヤミ献金や賄賂がなくなりますか？」ということです。小中学生でも、少し議論すれば、もっとマトモな結論を導き出します。「小選挙区制にすれば、ヤミ献金や賄賂がなくなる」なんて、誰が考えてもオカシイと思うでしょう。総選挙の制度を振り返ってみて、政治家の多くが、小中学生以下のレベルの思考能力の持ち主であったことにビックリしました。

小選挙区・比例代表並立制導入のその後

こうして、小選挙区・比例代表並立制の選挙制度のもとで、第41回総選挙が、1996年（平成8年）10月20日に行われました。その後、現在（2011年＝平成23年12月）まで、この小選挙区・比例代表並立制の選挙制度のもとで行われています。衆議院議員の総定数は、小選挙区300人、比例代表200人の合計500人でしたが、第42回総選挙（2000年＝平成12年6月25日実施）で、小選挙区300人、比例代表180人の合計480人に変更されています。

選挙制度が小選挙区・比例代表並立制になって以降、「政党助成金」や「企業・団体献金」がどうなったか、興味があるところです。少しこの経過を辿ってみたいと思います。

政党助成金が導入されてから、共産党を除く各政党・会派は、一貫してもらい続けています。しかも、使い切れなくて余っても返していません。平気でため込んでいるのです。国や地方公共団体の予算・決算は、各年度単位でやられていますから、使い切れなくて余ったら返すというのは、ごく当たり前です。政治家ともなれば、これくらいの考え方をもっているのは常識です。いまだに、当たり前のことが理解できない政治家が多いのです。いつまでたっても、政治家の思考能力は、小中学生以下のままです。

第41回総選挙（1996年＝平成8年）以降も、KDS事件（2001年＝平成13年）、日本歯科医師連盟事件（2004年＝平成16年）、事務所費疑惑（2007年＝平成19年）などの事件や疑惑が毎年のように起きています。まずは、この三つの事件および疑惑を簡単に説明します。

KDS事件とは、財団法人「ケーエスデー中小企業経営者福祉事業団」の創立者である古関忠男氏が、「ものつくり大学」設置を目指し、自民党議員に対して、数々の政界工作のために賄賂を渡した事件です。2001年には国会議員が逮捕されています。

日本歯科医師連盟事件とは、2001年に連盟が自民党国会議員にヤミ献金をした事件で、2004年に発覚しました。当時の衆議院議員であった村岡兼造（かねぞう）氏が在宅起訴され、有罪判決を受けています。

事務所費疑惑とは、当時農林大臣だった松岡利勝氏の事務所費問題、水道光熱費問題、献金問題など数々の疑惑が浮上し、国民から大きな批判を受けた事件です。松岡利勝氏は2007年に首を吊っているところを発見され、病院に運ばれましたが死亡しました。

最近では、民主党小沢一郎氏の4億円の土地購入疑惑があります。これらの事件や疑惑のいずれもが、企業が、政治家に「汚い金」を渡しているとみられるものです。毎年のようにこんな事件が起きるということは、「企業・団体献金」をもらい続けるのは当然で、賄賂まで要求する極悪な政治家が、まだまだ存在していると見るのが妥当だと思います。

「企業・団体献金禁止」が話題から消えた

それでも、この間、まじめな政治家が少しいて、「企業・団体献金は禁止しよう」という動きは多少なりともありました。「企業・団体献金は悪いことだ」ということが、国民に理解されるようになり、それが政治家のなかにも、徐々に浸透しているのではないかと思います。そして、民主党は、2009年（平成21年）に行われた第45回総選挙のときに、マニフェストで「企業・団体献金の全面禁止」を掲げました。このためかどうか分かりませんが、2010年は、「企業・団体献金禁止」の議論が活発化したように思います。活発化はしましたが、疑問に思うところが多くあります。それは、本気で禁止しようとしているのか、国民受けをねらって、ポーズをとっているのか、全く分からないことです。

「企業・団体献金が悪い」と思うなら、すぐに止めればよいと思うのですが、止めません。止める条件はいつでも整っていますし、悪いことを止めるのに遠慮する必要はありません。民主党はマニフェストで掲げたわけですから、ただ単にそれを実行するだけでよいのです。「今後、一切の企業・団体献金は受け取りません」と宣言して、受け取らなければよいわけですから、何の手続きも必要ありません。ですから、直ぐに止められるはずです。それを、各党の意見がそろったら、企業・団体献金禁止の法案を出すとか言っていました。これでは、企業・団体献金は悪いことだが、「法律で禁止するまでは、もらい続ける」と言っているのも同然です。

倫理的に見て悪いことだとしているものは、法律で決めなくとも、やってはいけないことです。民主党に所属する（民主党だけではありません）多くの政治家は、「倫理的に悪いことでも、法律で決めるまでは悪いことではない」と考えているのか、「倫理なんてどうでもよい、法律が全てである」と考えているのか、はたまた「罰則がなければ何をやってもかまわない」と思っているのか、私には分かりません。民主党はマニフェストで「企業・団体献金の全面禁止」を掲げましたが、結局のところ企業・団体献金をもらい続けるというのが、本音ではないかと思います。

トンデモナイ政治家はいつまで経ってもこんな調子ですが、小学生に、倫理的にみてこれは悪いことだと教えれば、普通はやりません。それを大人が、しかも、選挙で選ばれた公職にある政治家がやるなんて、恥ずかしい限りです。ここでも、政治家の思考能力は、小中学生以下のままでした。

「企業・団体献金禁止」の期待を少しはもっていたのですが、2011年（平成23年）3月11日の東日本大震災以降は、この議論は全く影をひそめてしまいました。

「政治改革」の私案

2011年11月のある日、テレビのニュースを見ていたら、とても役に立っていると思えない国会議員が出てきました。その国会議員は、消費税を上げる前に議員も身を削らなければならないと言い出しました。何の役にも立っていない議員ですから、その瞬間は、「我が身を削って議員を辞職する」とでも言うのかなと思っていました。ところが、出てきた次の言葉は、「衆議院の比例代表の部分を削る」でした。テレビに向かって、何かを投げ付けるところでした。

こんなことがありましたので、私なりに「『政治改革』とはどういうことか？」を述べておきます。私は、次の五つに帰着できると考えます。

①不当な理由で導入した選挙制度（小選挙区・比例代表並立制）を元（中選挙区制）に戻す
②政党助成金を廃止する
③企業・団体献金を禁止する（政治資金集めのパーティーの禁止はここに入ります）
④政治資金規正法を強化する
⑤歳費をはじめ文書通信交通滞在費等の費用を削減する

⑤については、少し極端であると思われますので、説明を加えます。選挙には必ず定数（定員）があります。私の記憶によると、過去に国会議員の選挙で定数割れになったことはありません。費用を2割や3

割削っても定数割れを起こすことは考えられませんから、ドンドンと費用を削ることです。「そこまでしたら、議員になる人がいなくなってしまう」というところまで、削ればよいと思います。何がなんでも全ての費用を削れと言っているわけではありません。必要な費用は最低限にして、掛かった費用の全てに領収証を付けて決算しろということです（領収証さえ添付すればよいという意味でもありませんが）。

私は、①～⑤を徹底することが、本当の意味での「政治改革」であると考えます。こうして初めて、私利私欲がなく、我が身を削って国民の役に立つ国会議員が出てくると思います。

おわりに

日本の人口は、2008年にピークになりましたが、これからは、減少傾向になるとの予測です。現在は、緩やかな減少ですが、そのうちに、急激な減少になります。人口減少の度合いは、小選挙区ごとでみると相当な違いがあるので、一票の格差を是正しようと思えば、総選挙が行われるたびに、小選挙区の区割りを変更しなければなりません。また、人口が減れば、税収も少なくなります。政治的課題は、山ほどあります。

野田政権では、未曾有の災害（2011年3月11日の東日本大震災）を利用して、表の方では「庶民から税金をとり」、裏の方では「自らの政党に有利な選挙制度の基盤をつくる」ことを企んでいます。小中学生以下の思考能力しか持ち合わせていない政治家がそろっています。「社会保障と税の一体改革」と称して、その裏の方での「政治改革」はどうなるのでしょうか。

小泉純一郎元首相の最大の実績（悪行）

2012年（平成24年）5月頃記述

はじめに

少し長くなりますが、なぜ、「小泉純一郎元首相の最大の実績（悪行（あくぎょう））」という表題でエッセイを書くようになったかを説明します。

小泉純一郎内閣以後、安倍晋三氏、福田康夫氏、麻生太郎氏の自民党の３代の内閣総理大臣が誕生しました。いずれも在職期間が１年程度の短命の内閣でした。国民のなかには、「内閣総理大臣は変わっても、何も変わらない」という閉塞感が漂ってきました。こうした状況のもとで、第45回総選挙が2009年（平成21年）８月30日の投票で行われました。安倍晋三、福田康夫内閣のときには総選挙は行われていませんので、この第45回総選挙は、自民党にとってみれば、小泉純一郎氏が首相をやめてから初めての総選挙です。

この総選挙では、少なくない国民は、「民主党が政権をとれば、何かを変えてくれるだろう」という期待から、民主党に投票しました。

その結果、民主党は多数をとり、政権交代が実現しました。ところが、民主党政権になっても何も変わりません。民主党が消費税増税を言い出したときに、自民党は「私たちは、すでにルビコン川を渡っている」と言っていました。どちらが先に消費税増税の政策を掲げたかを言い争っているのです。民主党はかつての自民党の政策を後追いしているわけです。

民主党政権が誕生したときには、アメリカ軍の普天間基地の移転先は「国外か最低でも県外」でした。それが、アチコチの移転先を探し、グルッと廻って、最後は「辺野古」に戻りました。民主党もグルッと廻って、最後は自民党になってしまいました。もう自民党と民主党の区別はありません。そして、多くの国民は、「自民党もダメだったが、民主党もダメだ」と思うようになりました。

当然のことですが、多くの国民のなかには、依然として「何かを変えて欲しい！　閉塞状況を打破して欲しい！」という要求があります。そこに出てきたのが、「みんなの党（渡辺喜美代表）」や「大阪維新の会（橋下徹代表）」です。世論調査などによると、「みんなの党」や「大阪維新の会」への支持は大きくなっているようです。マスコミのなかには、大阪維新の会を率いる「橋下徹大阪市長（2011 年＝平成 23 年 12 月に大阪府知事から大阪市長に）を英雄視する報道」さえ見られます。期待した民主党政権下で何も変えられなかったものですから、何かを変えてくれる「強い影響力もった指導者」に期待が高まっているのも当然です。

しかし、私は、橋下徹大阪市長に、閉塞状況を打破することを期待するのは、大変危険であると思っています。橋下徹大阪市長は、強い影響力もった指導者ではなく、「扇動することしか頭にないエセ指導者」

です。そこで、こうしたエセ指導者に期待する危険性を、自分自身の記憶にとどめておくために、この表題でエッセイを書くことにしました。この「エセ指導者の代表」ということで、小泉純一郎元首相を登場させました。書いているのは、「小泉純一郎元首相の実績（悪行）」と「エセ指導者に期待する危険性」についてです。

小泉純一郎元首相の実績（悪行）

小泉純一郎氏は、森喜朗内閣の退陣を受けた2001年（平成13年）4月の自民党総裁選に、橋本龍太郎氏・麻生太郎氏・亀井静香氏とともに出馬しました。敗れれば政治生命にも関わるとも言われていましたが、当時、清新なイメージで人気があった小泉氏への待望論もあり、森派・加藤派・山崎派の支持を固めて出馬したのです。総裁選では、小泉氏は主婦層を中心に大衆の人気のあった田中眞紀子氏（田中角栄元首相の長女）の協力を受けました。

当初は、最大派閥の橋本龍太郎氏の勝利が有力視されました。しかし、小泉氏は予備選で田中眞紀子氏とともに派手な選挙戦を展開し、また、小泉氏は「自民党をぶっ壊す！」「私の政策を批判する者はすべて抵抗勢力だ！」と熱弁を振るい、街頭演説では数万人の観衆が押し寄せ、小泉旋風と呼ばれる現象を引き起こしました。こうした中で、2001年7月に控えた参院選の「選挙の顔」としての期待も次第に高まり、予備選では地滑り的な大勝をし、4月24日の議員による本選挙でも圧勝して、自民党総裁に選出されました。

2001（平成13年）年4月26日に発足した小泉内閣は、「構造改革なくして景気回復なし」をスローガンに、道路関係四公団・石油公団・住宅金融公庫・交通営団など特殊法人の民営化など小さな政府を目指し(「官から民へ」)、また、国と地方の三位一体改革(「中央から地方へ」)を含む「聖域なき構造改革」を打ち出し、とりわけ、持論である郵政三事業の民営化を「改革の本丸」に位置づけて登場しました。

発足当時の小泉内閣の支持率は、最も高かった読売新聞社調べで87.1%、最も低かった朝日新聞社調べで78%を記録していました。これは戦後の内閣として歴代1位の数字です。この小泉人気に乗るかたちで、自民党は2001年7月の参議院議員選挙(小泉内閣になって最初の国政選挙)に大勝しました。

2001年9月11日、米同時多発テロの発生を受けて、小泉内閣は、ブッシュ大統領の「テロとの戦い」を支持しました。また、米軍らのアフガニスタン侵攻を支持するテロ対策特別措置法を成立させ、海上自衛隊を米軍らの後方支援に出動させました。テロ対策特別措置法は、アメリカ同時多発テロ事件により成立した時限立法「テロ対策特別措置法」および「テロ対策海上阻止活動に対する補給支援の実施に関する特別措置法(新テロ特措法)」のことです。これらにより、2001年(平成13年)から2010年(平成22年)1月15日まで、海上自衛隊の補給艦と護衛艦が派遣されました。

国際情勢が緊迫するなかで、外務省は、田中眞紀子外相(当時)が外務官僚や元外務政務次官の鈴木宗男議員と衝突し、機能不全に陥っていました。そして、小泉首相は2002年2月に田中眞紀子外相を更迭しました。人気の高い田中眞紀子外相の更迭(田中眞紀子氏は、同年8月に秘書給与流用疑惑が浮上し議員を辞職)により、80%を超える異例の高支持率であった小泉内閣の支持率は、50%台にまで急落しました。その後、2002年(平成14年)9月30日に、小泉改造内閣が発足し、柳沢伯夫氏を金融大臣から更迭して、竹中平蔵経済財政政策担当大臣に兼務させました。これ以後は、不良債権処理の強硬策を主張する竹中氏が小泉政権の経済政策を主導することになりました。

その後の国外についてみると、2003年（平成15年）3月に、アメリカ軍はイラクへ侵攻してフセイン政権を打倒しています。小泉氏はこの侵攻の数日前にアメリカ支持を表明し、野党やマスコミの一部から批判を受けました。日米同盟こそが外交の基軸とのスタンスを崩さず、ブッシュ大統領との蜜月関係を維持しました。イラク戦後復興支援のための陸上自衛隊派遣が課題となり、2003年7月に「イラク特措法（イラクにおける人道復興支援活動及び安全確保支援活動の実施に関する特別措置法）」を成立させました。「イラク特措法」の活動の柱は、人道復興支援活動と安全確保支援活動となっています。「非戦闘地域」に限定されていましたが、自衛隊創設以来初めて、「戦闘地域ではないか？」との論議のある地区に陸上部隊を派遣したのです。これに先立つ6月には、長年の安全保障上の懸案だった有事関連三法案（有事法制）を成立させています。（「九条の会」は、こうした憲法九条が危機にさらされる状況下で、2004年（平成16年）6月10日に結成されています。）

ここで、小泉元首相の行ったこと（実績）を、簡単にとりまとめておきます。

・「テロ対策特別措置法」や「イラク特別措置法」を成立させて、覇権国家アメリカの世界戦略に加担して海上自衛隊や陸上自衛隊を海外にまで派遣した。

・「構造改革なくして景気回復なし」をスローガンにして、特殊法人の民営化など小さな政府を目論み、全てを競争の社会にさらした。

・「自助」とか「自己責任」と称してセーフティーネットの網の目を広げ、社会的弱者を救うのではなく、網の目からふるい落とした。
・「規制緩和」や「構造改革特区」の構想をもち出し、起業家を支援するとして、強者をさらに強くした。

しかし、私が記憶にとどめておきたい（指摘したい、訴えたい）小泉純一郎元首相の実績は、こうしたことではありません。このエッセイの表題とした「小泉純一郎元首相の最大の実績（悪行）」は、「郵政民営化」法案を成立させことでもありません。それは法案成立に至る過程のヒトラー顔負けの悪行です。ここから、少し詳しくそれを記述します。

小泉首相（当時）の最大の関心は、持論の郵政民営化にありました。2004年（平成16年）7月の参院選を何とか乗り切ったことで小泉首相は郵政民営化に本格的に乗り出し、2004年9月に第二次小泉改造内閣を発足させ、竹中平蔵氏を郵政民営化担当大臣に任命しました。小泉内閣は、郵政民営化のための「基本方針」を策定して、4月に開設した郵政民営化準備室を本格的に始動させました。しかし、2005年に、小泉首相が「改革の本丸」に位置付ける郵政民営化関連法案は、党内から反対が続出して紛糾することとなりました。

2005年の衆議院本会議では、反対派は反対票を投じる構えを見せ、両派による猛烈な切り崩し合戦が行われ、7月5日の採決では、賛成233票、反対228票（自民党議員37人が反対票）で辛うじて可決されました。しかし、8月8日の参議院本会議の採決では、賛成108票、反対125票（自民党議員22人が反対票）で郵政民営化関連法案は否決されました。小泉首相は、参議院で否決されれば「直ちに衆議院を解散する」と表明していたので、同日、憲法第7条に基づき衆議院解散を強行しました。

この衆議院選挙では、小泉首相は、法案に反対した議員全員に自民党の公認を与えず、その選挙区には自民党公認の「刺客」候補を落下傘的に送り込む戦術を展開しました。小泉首相は、自らこの解散を「郵政解散」と命名し、郵政民営化の賛否を問う選挙とすることを明確にし、反対派を「抵抗勢力」とするイメージ戦略に成功しました。また、マスコミ報道を利用した劇場型政治は、都市部の大衆に受け、政治に関心がない層を投票場へ動員することに成功しました。それにより9月11日の投票結果は高い投票率を記録し、自民党だけで296議席、公明党と併せた与党で327議席を獲得しました。この選挙はマスコミにより「小泉劇場」と呼ばれました。

2005年(平成17年)9月21日、小泉氏は圧倒的多数で首班指名を受け、第89代内閣総理大臣に就任します。10月14日の特別国会に再提出された郵政民営化関連法案は、衆参両院の可決を経て成立しました。この採決で、かつて反対票を投じた議員の大多数が賛成に回り、小泉氏は「長年の悲願」を強引に実現させました。

「郵政民営化」とは、郵便局が行っていた「郵便」という配達業務、「郵便貯金」という銀行業務、「簡易保険」という保険業務を民営化したことです。全国の郵便局には、合計350兆円ものお金が集まっていました。このお金が郵便局から日本国に貸し出され、日本国はこれらを日本道路公団や住宅金融公庫などの特殊法人へ貸し出す原資としました。貸し出された側では郵便局に集まるお金をあてにできたため、費用対効果をあまり省みないで事業活動ができました。郵政民営化論者の言い分は、これらに対する反省を踏まえて「郵政民営化」を行うとしていました。

民間だから採算を考えて事業ができ、特殊法人だから採算（費用対効果）抜きで事業ができるということではありません。もともと、特殊法人や国が行う事業は、「採算が合わないから行う」という面と「あまりにも巨大化しているから行う」という両方の面をもっています。「どんなに不合理な事業でも、民間がやれば採算が合う」なんて、だれが考えてもオカシイと思います。

郵政民営化では、第一に、採算の合う「銀行業務」や「保険業務」の収益は、株主などを中心とした民間人（富裕層）の所得になってしまうことです。第二に、採算の合わない「配達業務」などは、ドンドンと切捨てられて、その結果、田舎の方にある「郵便局」は閉鎖されてしまうことです。郵政民営化によって、こんな事態を招くことは、火を見るより明らかです。

小泉純一郎氏は、強引に衆議院を解散し、税金を使いマスコミや国民を煽りたて（本当はマスコミの方からも政府や国民を煽りたて）、小泉劇場をつくり出して、その選挙に勝利しました。そして、「改革の本丸」と位置づけた「郵政民営化」法案を強引に成立させました。もっと簡単にいえば、自分の意見に反対した議員に対して、税金を使って自分の支配下において、法案を強引に成立させたということです。

批判されても耳を貸さない小泉純一郎氏の「強引性」、また、小泉氏やマスコミの「煽動性」をみると、第二次世界大戦を引き起こしたナチスドイツの独裁者であるヒトラーも顔負けです。

エセ指導者に期待する危険性

当時の小泉純一郎氏だけではなく、現在（2012年5月）の石原慎太郎東京都知事、橋下徹大阪市長、河村たかし名古屋市長を見ていると、何か、共通点がありそうです。それは、①扇動性（煽ることしか頭にない）、②弱者を叩く非人間性、③耳を貸さない強引性、ではないでしょうか。総じて言うと、独裁的で非人間的な首長となります。

こうした非人間的な首長をもてはやす、マスコミの害悪を指摘しないわけにはいきません。そして、記憶にとどめておきたいことは、「閉そくした現状を打破して、何かをやってくれるのではないか！」との期待をもたせるようなマスコミの報道のことです。これは、真実の報道ではなく、「視聴率」や「販売部数」を稼ぐだけの報道のことです。

マスコミが煽りたてたため、第44回と第45回の衆議院議員選挙の投票率は高くなりました（後記の表「第43～46回衆議院議員選挙の投票率」）。第44回衆議院議員選挙では「郵政民営化」とだけ言って「小泉劇場」をつくり出し、また、第45回衆議院議員選挙では「政権交代」とだけ言って、煽りたてていました。マスコミもそうでしたが、民主党の方も、政策の内容抜きで、「政権交代」としか言っていませんでした。

投票率が高くなること自体は、悪いわけではありません。むしろ良いことです。マスコミが悪いところは、「何かをやってくれるのではないか！」と期待感をもたせて、無責任に煽りたてたことです。「郵政民営化したらどうなるか！」を報道したでしょうか。「民主党のマニフェスト（政権公約・選挙公約）の内容はどうか！」また「政権をとったらマニフェストを本当に実行できるだろうか！」を報道したでしょうか。

第44回衆議院議員選挙のときに、小泉純一郎氏にすり寄って選挙に立候補し、当選した議員を小泉チルドレンと呼んでいます。第45回衆議院議員選挙のときに、小沢一郎氏（2009年5月に民主党代表を辞任、選挙後に民主党幹事長）が手なずけて選挙に立候補させ、当選さ

第 43～46 回衆議院選挙の投票率

回	投票日	投票率（%）	備　考
第 43 回	2003 年（平成 15 年）11 月 09 日	59.86	小泉内閣で最初の衆議院選挙
第 44 回	2005 年（平成 17 年）09 月 11 日	67.51	郵政解散
第 45 回	2009 年（平成 21 年）08 月 30 日	69.28	民主党が第一党
第 46 回	2012 年（平成 24 年）12 月 16 日	59.32	＊ここへの記載は 2013 年 5 月

マスコミが煽った第 44 回・第 45 回衆議院選挙の投票率が高いのがわかります。

せた女性議員を小沢ガールズと呼んでいます。マスコミはこうした役に立つか分からない国会議員をつくり出すのに一役買っているのです。

橋下徹大阪市長が掲げる「大阪都構想」の実現を目指しての言動、そして、最近のマスコミの「橋下徹大阪市長を英雄視した報道」などをみると、「またまた、反省もなく同じことをやっているな！」と感じます。日本のマスコミの権力に対する批判の弱さとレベルの低さを痛感してしまいます。

橋下徹大阪市長は「第二の小泉純一郎」であり、「扇動することしか頭にないエセ指導者」です。そうだとすれば、第三、第四の小泉純一郎が出てくるのは、容易に想像できます。そのときに役に立つように、「煽られない強い精神」と「第三、第四の小泉純一郎の言動を見抜く先見性」は持っていたいと思います。

「九条の会」と憲法９条改定の動き

2013 年（平成 25 年）６月頃記述

はじめに

第 46 回総選挙（2012 年＝平成 24 年 12 月 16 日）で自民党が勝利し、野田佳彦内閣（民主党政権）に代わって、第２次安倍晋三内閣（自民・公明連立政権）が発足しました。安倍政権になってから、憲法改定の動きが活発化してきました。今までは、それほどではなかったのですが、「憲法 96 条の改定」や「国防軍の創設」などに代表される反動化の動きは、露骨になっているように思います。この動きの危険性を書き留めておくために、「『九条の会』と憲法９条改定の動き」と題して記述することにしました。

九条の会

「九条の会」は、日本が戦争を永久に放棄し、戦力を保持しないと定めた憲法９条の改定を阻止し、それを活（生）かすために、日本の護憲派知識人・文化人の９人で 2004 年（平成 16 年）６月に結成されました。この「九条の会」の呼びかけに応えて、日本の各地、各分野で、7,000を越える「○○九条の会」や「九条の会○○」が結成されています。

「九条の会」に関して、「九条の会とは？」を、インターネットで検索してみると（2013年5月）、次のような書き込みがありました。

……近年は主だった呼びかけ人の死去、会員の高齢化などに伴って活動は停滞気味となっており、開店休業状態にある支部が多いとしばしば指摘される。……

ここで、私が逆に指摘しておきたいのは、「『九条の会』『○○九条の会』『□□九条の会』は、本部と支部の関係ではない」ことです。7,000以上の「○□九条の会」がありますが、全ての会は、上下のような縦に並んだ会ではありません。どんなに多くの会員をもった「○□九条の会」でも、どんなに少ない会員の「○□九条の会」でも、全ての「○□九条の会」は並列・平等です。ですから、「○○九条の会」と「□□九条の会」が集まれば、交流会になります。

「誰がインターネットに書き込んだか？」は分かりません。しかし、「開店休業状態にある『支部』」などと書き込むようでは、何らかの意図をもって書き込んだものと想定せざるを得ません。何らかの意図というのは、「九条の会の活動が停滞気味になってきた」と思わせる意図です。つまり、このことによって、「憲法9条を守る運動」が停滞し、逆に「改憲の世論」が多数になってきたと思わせようとしているのではないでしょうか。

2004年の「九条の会」の呼びかけ人は、以下の9人ですが、その他、多くの著名人の「賛同者」がおります。東大教授で国文学者の小森陽一さん（1953年5月14日〜）も、その一人で、「九条の会」の事務局長として運営に携わっています。

◎井上ひさしさん（作家）：井上ひさしさん（1934年11月17日〜2010年4月9日）は、有名な小説家・劇作家・放送作家でした。

◎梅原猛さん（哲学者）：梅原猛さん（1925年3月20日〜）は、京都帝国大学哲学科を卒業後、龍谷大学・立命館大学・京都市立芸術大学で哲学を教え、実存哲学の研究に取り組んだ哲学者です。

◎大江健三郎さん（作家）：大江健三郎さん（1935年1月31日〜）は、東京大学在学中の1958年に23歳の若さで芥川賞を受賞され、サルトルの実存主義の影響を受けた作家として登場しました。1994年には、ノーベル文学賞を受賞されています。

◎奥平康弘さん（憲法学者）：奥平康弘さん（1929年5月15日〜）は、憲法学者で多数のエッセイを執筆されています。「学者」という呼称を敬遠して、「憲法研究者」という肩書きを名乗っています。

◎小田実（まこと）さん（作家）：小田実さん（1932年6月2日〜2007年7月30日）は、体験記「何でも見てやろう」で有名になった作家です。ベトナム戦争期には「ベトナムに平和を！（べ平連）」を結成した一人です。

◎加藤周一さん（評論家）：加藤周一さん（1919年9月19日〜2008年12月5日）は、東京帝国大学医学部を卒業後、医院を開業した医者でしたが、後には、文学に関心を寄せ、小説や文芸評論を執筆した評論家です。

◎澤地久枝さん（作家）：澤地久枝さん（1930年9月3日〜）は、ノンフィクション作家で、様ざまな賞を受けられています。

◎鶴見俊輔さん（哲学者）：鶴見俊輔さん（1922年6月25日〜）は、京都大学助教授、同志社大学教授を歴任しましたが、1970年に大学紛争で同志社大学を退任されています。

◎三木睦子さん（三木武夫元総理大臣夫人）：三木睦子さん（1917年7月31日〜2012年7月31日、生没同日）は、昭和電工創業者の二女として生まれ、1940年に後の総理大臣の三木武夫氏と結婚し、夫の政治活動を支えました。自民党内では左派として有名であった夫より、さらに左派であったようです。

（以上、2013年＝平成25年6月当時で記述）

呼びかけ人9人のうち、すでに4人の方が亡くなっており、「九条の会」は、停滞気味になっているようにみえるかも知れません。しかし、ノーベル物理学賞を受賞された益川敏英さんらが呼びかけ人になって、「九条科学者の会」を結成したように、勝手に次々と「○□九条の会」が結成されています。

憲法9条改定の動き（これを容易にする憲法96条改定の動き）

第46回総選挙（2012年＝平成24年12月16日）で自民党が勝利し（議員数119人→294人）、第2次安倍晋三内閣（自民・公明連立政権）が発足しました。自民党が勝利したのは、自民党の政策が支持されたわけではなく、それまで政権政党であった民主党が勝手にコケタからです。

第45回総選挙（2009年8月30日）では、民主党は「政権交代」と言っただけで勝利しました（議員数113人→308人）。それだけ何かを変えてくれるだろうという国民の期待感があったわけです。そして、鳩山由紀夫内閣（民主・社会民主・国民新連立政権）が発足しました。以後、民主党の菅直人内閣、野田佳彦内閣と続きましたが、結局は、どの内閣も、選挙で公約したことを何もやりませんでした。その結果、国民からソッポを向かれてしまったのです。第45回総選挙で、せっかく民主党は大勝したのに、何もやらなかったために政権を失ったのですから、勝手にコケタという表現がピッタリでしょう。

第46回総選挙で、自民党が勝利したのは、第一には民主党が勝手にコケタこと、第二には、「小選挙区比例代表並立制」という選挙制度のゆがみのためです。3割以下（比例代表では27.6%）の支持率で、6割以上の議席を確保したわけですから、選挙制度が大きく影響していることには間違いありません。こうして、数の虚構の上に立った安倍内閣ですが、多くの支持を得たと勘違いをし、「河野談話*[1]」を否定し、「村山談話*[2]」を見直すと言い出して、暴走を始めました。どちらの方に向かった暴走かと言うと、「憲法を改定して国防軍を設置する」という歴史に逆らったトンデモナイ方向です。

これに呼応するかのように、「政府」の中から、また、「自民党」「日本維新の会」「みんなの党」に所属する議員から、トンデモナイ発言が繰り返されています。自民党の高市早苗政務調査会長（当時）の「村山談話を否定する発言」や日本維新の会の橋下徹共同代表の「従軍慰安婦をめぐる発言」は、私には、ノボセ上がった人間のタワゴトとしか思えません。

＊1　「河野談話」とは、宮澤喜一内閣のときの河野洋平官房長官が、平成5年8月4日に発表した談話のことです。慰安所・従軍慰安婦の存在と、軍

当局が関与し、本人の意思に反した強制性があったことを、政府が調査した結果として、公式に認めたものです。そして、「従軍慰安婦として数多くの苦痛を経験され、心身にわたり癒しがたい傷を負われたすべての方々に対して、こころからお詫びと反省の気持ちを申し上げる」と発表しました。

＊2　「村山談話」とは、戦後50周年の終戦記念日（1995年＝平成7年8月15日）にあたって、村山富市内閣総理大臣が、閣議決定に基づいて発表した声明のことです。以後の内閣にも引き継がれ、日本国政府の公式の歴史見解となっています。

今度は、ノボセ上がった人たちは、トンデモナイことを言い出し始めました。それは、「憲法を改定しやすくするために、まずは第96条を改定するのだ！」と。

日本国憲法の96条は、第9章「改正」の中にある唯一の条文で、憲法改正の手続きについて規定しています。

第96条　この憲法の改正は、各議院の総議員の三分の二以上の賛成で、国会が、これを発議し、国民に提案してその承認を経なければならない。この承認には、特別の国民投票又は国会の定める選挙の際行われる投票において、その過半数の賛成を必要とする。

2　憲法改正について前項の承認を経たときは、天皇は、国民の名で、この憲法と一体を成すものとして、直ちにこれを公布する。

憲法を改正するために、通常の法律の立法手続きよりも厳格な手続きを必要とする成文憲法のことを硬性憲法と言います。これに対して、通常の立法手続きによって改正できる成文憲法のことを軟性憲法と言います。日本国憲法の特徴の一つは、アメリカ合衆国憲法をはじめ多くの国の憲法と同様に硬性憲法だということです。

憲法には、規律されるレベルを超えた普遍的な価値、根源的な価値があります。簡単に言うと、「国としての理念」が示されているのです。これが通常の法律と違うところです。「国としての理念」が示されている憲法が、そのときどきの政府（政権政党）によって、簡単に都合のいいように改定されては、国民は非常に迷惑です。そもそも、「国としての理念」がコロコロと変わるようでは、理念とは言えません。憲法が憲法ではなくなってしまいます。

憲法は、もともと立憲主義を前提にしています。立憲主義とは、政府の統治は憲法に基づいて行われなければならないという考え方のことです。つまり、政府の執政は憲法（国民）によって縛られているわけです。通常の法律に関して言えば、国民が法律の制限下に置かれていますが……。

このように、日本国の憲法の特徴は、「硬性憲法」「立憲主義」ということです。

ここで、憲法と通常の法律の関係（硬性憲法）、憲法と執政者（政治家）と国民との関係（立憲主義）を考えてみます。憲法25条には、国民の社会権の一つとして生活権（一般には「生存権」ですが、私は「生活権」の方が相応しいと考えます）があることが明記され、そこでの国の社会的使命が規定されています。

第25条　すべての国民は、健康で文化的な最低限度の生活を営む権利を有する。

2　国は、すべての生活部面について、社会福祉、社会保障及び公衆衛生の向上及び増進に努めなければならない。

一方には、「生活保護法」があります。この「生活保護法」の目的は、**「日本国憲法第25条に規定する理念に基づき、国が生活に困窮するすべての国民に対し、その困窮の程度に応じ、必要な保護を行い、その最低限度の生活を保障するとともに、その自立を助長すること」**（第1条）とされています。目的から分かるように、「生活保護法」は、憲法の下位に位置する法律です。

つまり、生活保護は、憲法25条の理念に基づいて、そして、生活保護法という法律に従って、生活困窮者に対して行われているのです。ですから、例えば、財政事情が悪くなってきたからといって、「憲法（国としての理念)」を変えてはなりません。諸事情で生活保護法を変えることは許されます（賛否の是非は別ですが)。しかし、憲法（理念）を変えることは絶対に許されません。憲法（理念）を変えること、つまり、憲法25条を改定することは、国民の社会権の一つである生存権（生活権）を否定することになります。

国民は最低限度の生活を営む権利をもっています。執政者（政治家）は、最低限度の生活を保障しなければならないという憲法(国民の権利)の統治下におかれているのです。

ごく簡単に、憲法25条と生活保護法との関係を述べましたが、通常の法律と違った「憲法の重み」が分かって頂けたでしょうか。また、憲法と執政者（政治家）と国民との関係が分かって頂けたでしょうか。

＊生存権について一言……「生存権」とは、誰でも生きる権利をもっているということを表現した語句です。国際人権規約（国際連合総会などで採択される、人権に関する多国間条約）第6条1項では、「人はすべて、生まれながらにして生きる権利を有する。この権利は法によって守られるべきである。だれもこの権利をみだりに奪ってはならない」とされています（現代では当たり前のこととされていますが)。豊かな社会になっているなどと、ノボセ上がったことをいう執政者（政治家）が多数い

ます。まだまだ、生活保護を受けられなくて、「おにぎりを食べたい！」といって、死んでいく人がいるのが現状です。執政者（政治家）の役割は、憲法25条の理念に基づいて、そうした不幸をなくすように努めることです。にもかかわらず、ノボセ上がった執政者（政治家）は、生活保護を受けにくくさせようと画策しています。ノボセ上がった執政者（政治家）は、ノボセ上がっている故に、何かに縛られるのが嫌なのでしょう。どうも、憲法に対しても、それに縛られるのが嫌になっているように感じます。

憲法96条改定の話に戻します。改憲論者の目的は、憲法9条を改定するために、憲法96条を改定することです。1952年に警察予備隊が保安隊・警備隊に改組され、1954年には、陸・海・空の3軍体制の自衛隊が設立されています。憲法9条を読んで頂ければ分かると思いますが、憲法9条 第2項に定めた「戦力の不保持」に反して、自衛隊を設立したのです。ですから、その当時から、憲法9条が憲法をめぐる一番の問題となっていました。

＊ 憲法9条に関して一言……今までも憲法9条の役割は大きかったし、今でも大きいと思います。憲法9条があったからこそ、それが足かせとなって、歴代政府は「防衛予算は、GDPの1.0%以内にする」などの、枠をはめざるを得なかったのです。アメリカが咳をすると風邪をひくような日本ですから、憲法9条がなかったら、アメリカに肩代わりをさせられて○○をしていたでしょう（○○は勝手に想像して下さい）。

第9条「戦争の放棄、軍備および交戦権の否認」
日本国民は、正義と秩序を基調とする国際平和を誠実に希求し、国権の発動たる戦争と、武力による威嚇又は武力の行使は、国際紛争を解決する手段としては、永久にこれを放棄する。（戦争の放棄）

2　前項の目的を達成するため、陸海空軍その他の戦力は、これを保持しない。国の交戦権は、これを認めない。(戦力の不保持)

以前から、憲法9条を改定するために、よくもち出されたのは、「日本の憲法は、自前の憲法ではなく、GHQ（連合国軍最高司令官総司令部､実質はアメリカ）から押し付けられた憲法である」という理由です。それが、年を経るごとに、①1947年（昭和22年）5月3日に施行された憲法であり時代にそぐわなくなっている、②日本の憲法は施行以来一度も改定されていない、などの理由が加わるようになりました。

＊「GHQから押し付けられた憲法である」という意見に一言……私は「押し付けられた」のではなく､「タダで頂いた」と考えるようにしています。その当時、日本政府は、明治憲法の若干の手直しで済ますような「粗末な憲法草案」しか、つくれませんでした。また、日本中のどこの研究機関に委託しても、委託費をどれだけ積んでも、この憲法をつくることはできなかったでしょう。絶対主義的天皇制の時代が長く続き、まだ、民主主義の土壌ができていなかったからです。それをＧＨＱからタダで頂いたのです。

改憲論者は「他の国は何回も憲法を改定している。日本は一度も改定していない。だから、日本の憲法も改定しやすいように、まずは96条を改定するのだ」と、憲法96条改定の理由を述べています。ここだけを聞いていると、「一度も改定したことがないのなら、改定しやすいようにしても良いのでは？」との意見が出てきても当然です。

しかし、他の国で憲法改定がなされているのは、日本の国の憲法と違って、例えば税率や行政手続きまで憲法に書き込んでいるからなのです。良し悪しは別として、ここまで細かく憲法で規定していれば、憲法改定が再々あっても当然であると思います。こうしたことに目隠しをして、ただただ、「他の国では憲法を改定している」と煽って、「憲法を改定しやすいように、96条を改定する」というのは、とても危険で、オカシナ発想です。

「憲法を改定しやすいように改定ハードルを低くする」ことは、執政者（政治家）が、やってはいけない「禁じ手」です。憲法を改定しやすくするために、96条を改定するのではなく、憲法のどこが悪いのかを説明することが執政者（政治家）の役割です。憲法を改定するなら、それができるように、各議院の総議員の三分の二以上の賛成、および、国民の過半数の賛成を集めることです。執政者（政治家）が、やるべきことをやらないで、憲法改定ハードルを低くすることは、どのように考えても、「禁じ手」でしょう。

「憲法のどこを、どのように改定するか」という中身のことは、二の次にして、「憲法を改定しやすいように、96条を改定する」ということは、「憲法を無くします」ということと同じです。憲法96条は、執政者（政治家）に、「憲法の理念に基づいて政治を行って下さい」と訴えているのですよ。

憲法学者を名乗る人、憲法研究家を名乗る人の中には、少なからず、「憲法9条を改定して軍備をもつこと（明文改憲）」に賛成の人がいます。そうした人でも、その多くは、憲法96条改定には反対しています。2013年5月23日に、憲法96条の改正に反対する「96条の会」（会長:樋口陽一東大名誉教授）が発足しました。この中には、「九条の会」に入っている方が多いのですが、小林節慶応大教授のように、以前から9条改憲論者として有名であった方もおります。

憲法96条改定を企てている不逞（ふてい）の輩（やから）に、もう一度言います。憲法

96条は、国民にではなく、執政者（政治家）に、訴えているのですよ。執政者（政治家）は、通常の法律で、国民を縛ることはできても、憲法によって縛られているのですよ。憲法には通常の法律と違った重みがあるのですよ。これらが理解できないのですか？　ノボセ上がった96条改憲論者さん！

おわりに

2013年5月17日に、「九条の会」の呼びかけ人である大江健三郎さん、奥平康弘さん、澤地久枝さんの3人は、東京都内で記者会見を開きました。そして、憲法96条改定を手始めに改憲の道を暴走しようとしている安倍政権の企てを許さないための行動を呼びかけるアピール「九条の会のみなさんへ」を発表しました。これには、事務局長の小森陽一さんも同席しています。

アピールは「安倍政権の真のねらいは、憲法第96条改憲を突破口に、第9条改憲に突き進むことにある」と指摘するとともに、憲法の解釈変更によって、集団的自衛権の行使を可能としようとしていることを指摘しています。「こうした企てを絶対に許すことはできません」として、― **①学習と話し合いを行い、職場・地域の草の根から改憲反対の世論をつくり、安倍内閣や改憲勢力を包囲しよう　②「九条の会」の輪をもっと大きくし、ゆるぎない改憲反対の多数派を形成しよう　③11月16日の「全国交流・討論集会」に参加しよう** ― と呼びかけています。

私は通算すると広島に14年ほど住んでいました。そのときに感じましたが、広島市の人たちは「平和」「戦争」「憲法」「核兵器」などの言葉にものすごく敏感です。小学生の頃から「平和」に関することを学んでいて、「平和学習」という言葉も根付いています。そのためかどうか分かりませんが、広島県内には、たくさんの「九条の会」があります。私は、地域の「九条の会」に入っていました。仙台に転勤して来てからは「九条の会」とは、少し疎遠になってしまいました。それでも、「九条の会」に入って、憲法の大切さを学んだ一人として、5月17日のアピールに呼応し、改憲反対の多数派を形成するための一助になろうと思います。

「『九条の会』アピール全文（2004年6月10日）」を掲載します。「九条の会」が結成された背景は次のとおりです。

アメリカのブッシュ超覇権派大統領と仲が良かった小泉純一郎首相（当時）は、「国際貢献」として称して、「イラク特措法」を成立させました（2003年7月26日）。この法律に基づいて、「戦闘地域ではないか？」との論議のある地域に、創設以来初めて自衛隊を派遣しました。自衛隊派遣は、憲法9条の精神とは正反対です。こうした憲法9条が危機にさらされている情勢のもとで、「九条の会」が結成されました。

「九条の会」アピール全文（2004年6月10日）

日本国憲法は、いま、大きな試練にさらされています。ヒロシマ・ナガサキの原爆にいたる残虐な兵器によって、五千万を越える人命を奪った第二次世界大戦。この戦争から、世界の市民は、国際紛争の解決のためであっても、武力を使うことを選択肢にすべきではないという教訓を導きだしました。

侵略戦争をしつづけることで、この戦争に多大な責任を負った日本は、戦争放棄と戦力を持たないことを規定した九条を含む憲法を制定し、こうした世界の市民の意思を実現しようと決心しました。

しかるに憲法制定から半世紀以上を経たいま、九条を中心に日本国憲法を「改正」しようとする動きが、かつてない規模と強さで台頭しています。その意図は、日本を、アメリカに従って「戦争をする国」に変えるところにあります。そのために、集団的自衛権の容認、自衛隊の海外派兵と武力行使など、憲法上の拘束を実際上破ってきています。また、非核三原則や武器輸出の禁止などの重要施策を無きものにしようとしています。そして、子どもたちを「戦争をする国」を担うものにするために、教育基本法をも変えようとしています。これは、日本国憲法が実現しようとしてきた、武力によらない紛争解決をめざす国の在り方を根本的に転換し、軍事優先の国家へ向かう道を歩むものです。私たちは、この転換を許すことはできません。

アメリカのイラク攻撃と占領の泥沼状態は、紛争の武力による解決が、いかに非現実的であるかを、日々明らかにしています。なにより武力の行使は、その国と地域の民衆の生活と幸福を奪うことでしかありません。1990年以降の地域紛争への大国による軍事介入も、紛争の有効な解決にはつながりませんでした。だからこそ、東南アジアやヨーロッパ等では、紛争を、外交と話し合いによって解決するための、地域的枠組みを作る努力が強められています。20世紀の教訓をふまえ、21世紀の進路が問われているいま、あらためて憲法九条を外交の基本にすえることの大切さがはっきりしてきています。相手国が歓迎しない自衛隊の派兵を「国際貢献」などと言うのは、思い上がりでしかありません。

憲法九条に基づき、アジアをはじめとする諸国民との友好と協力関係を発展させ、アメリカとの軍事同盟だけを優先する外交を転換し、世界の歴史の流れに、自主性を発揮して現実的にかかわっていくことが求められています。憲法九条をもつこの国だからこそ、相手国の立場を尊重した、平和的外交と、経済、文化、科学技術などの面からの協力ができるのです。

私たちは、平和を求める世界の市民と手をつなぐために、あらためて憲法九条を激動する世界に輝かせたいと考えます。そのためには、この国の主権者である国民一人ひとりが、九条を持つ日本国憲法を、自分のものとして選び直し、日々行使していくことが必要です。それは、国の未来の在り方に対する、主権者の責任です。日本と世界の平和な未来のために、日本国憲法を守るという一点で手をつなぎ、「改憲」のくわだてを阻むため、一人ひとりができる、あらゆる努力をいますぐ始めることを訴えます。

原爆碑の碑文と憲法九条

2013年（平成25年）7月頃記述

はじめに

2013年（平成25年）6月中旬に、『自民党改憲案を読み解く』（長谷川一裕著、かもがわ出版）を読みました。この本は、憲法改定に反対する立場で書かれています。本の「あとがき」に、次のような記述がありました。

……本書が、読者のみなさんが人類史的意義を持つ日本国憲法の価値を再発見するとともに、それを破壊しようとする動きの本質、その根源は何かを考えていただく参考になれば望外の幸いです。

もし日本の国民が世界に誇ることが出来る国柄、国際社会で通用する普遍的な理想を持つとすれば、憲法の平和主義以外にはありません。それを放棄して「普通の国」になることは、戦後67年間の歴史が作り出した日本の個性、伝統を捨て去るものではありませんか。

最後に広島の原爆慰霊碑の碑文を引用して、本書を結ばせていただきます。

「安らかに眠って下さい　過ちは繰返しませぬから」

この「原爆慰霊碑」（以下、「原爆碑」とします。正式には「広島平和都市記念碑」であり、「原爆死没者慰霊碑」とも呼ばれています）は、広島市の平和記念公園内の敷地に建てられています。原爆碑は、平和記念資料館と原爆ドームを結ぶ直線上にあり、そこの中央の石室には、亡くなった原爆死没者のすべての氏名を記帳した名簿（2011年8月6日現在では27万人を超えています）が納められています。

原爆碑は、1949年に成立した「広島平和記念都市建設法」（広島市を復興させるための特別立法）の精神に則って計画され、建てられたものです。原爆碑が除幕されたのは、1952年8月6日で、そこに、この碑文が刻まれています。

私は、通算して、広島に14年間も住んでいました。そして、地域の「九条の会」にも入っていました。そんな関係もあって、前述の本の「あとがき」に記述されている「原爆碑の碑文『安らかに眠って下さい　過ちは繰返しませぬから』」をみた途端に、広島で学んだいろいろなことを思い出して、懐かしさがこみ上げてきました。それとともに、その本の著者が、「なぜ碑文を引用して書を結んだのか？」に興味をもちました。

「碑文」に関しては、人並みくらいの知識はもっているつもりですが、これをきっかけに自分なりにまとめておこうと思いました。

原爆碑の碑文

ここから、「碑文」の解釈など、その内容について記述します。この中で、特に注目したいのは「過ちは繰返しませぬ（ん）から」という、碑文の後半の方です。

これから先を読み進む前に、「碑文」について、みなさんも3、4分考えてみてください。読んでスンナリと納得できますか？　違和感はありませんか？　「過ちって、原爆投下のこと？」と思った人はいませんか？　「何かオカシイ！」と思った人はいませんか？　「『過ちを繰返させませんから』の方が、正しいのではないか！」と思った人はいませんか？

碑文は、浜井信三広島市長（当時）が、自らも被爆者である雑賀（さいが）忠義広島大学教授（当時）に依頼したものです。浜井市長は、碑文をつくる前に「この碑の前にぬかずく（ひたいを地面につけて拝むこと）一人ひとりが、過去の責任の一端をにない、犠牲者にわび、再び『過ち』を繰返さぬように深く心に誓うことのみが、ただ一つの平和への道であり、犠牲者へのこよなき手向け（祈り）となる」と述べています。浜井市長は、「碑文はこうありたい！」と、その願いを説明したうえで、雑賀教授に依頼していたのです。

この碑文には主語がありません。「『過ち』は『誰が』犯したものか？」については、原爆碑が除幕される以前から議論になっていました。除幕の4日前の1952年8月2日に、浜井市長は、広島市議会で、「碑文の『過ち』とは、戦争という人類の破滅と文明の破壊を意味している」と答弁しています。

除幕後の同年8月10日の中国新聞に、「原爆を投下したのはアメリカであるから、『過ちは繰返させませんから』とすべきだ」との投書が掲載されました。これにはすぐに多数の反論の投書がありました。どのような意見かというと「広く人類全体の誓いである」とする意見です。前者の投書も当然ですが、後者の投書も当然であると思います。ただし、前者の投書が当然だと言えるのは、碑文の趣旨が説明されていない限りにおいてです。説明を受けていなければ、しかも、簡単に一読しただけでは「誰が」が「アメリカ」になって、「過ち」が「原爆投下」になるかも知れません。すると、碑文は「安らかに眠って下さい　アメリカに原爆投下を繰返させませぬから」になります。これでは、アメリカに対しての憎しみだけを表現した恥ずかしい碑文（アメリカ憎しの碑文）です。

これらの投書に対して、浜井市長は「誰のせいでこうなったかの詮索ではなく、こんなひどいことは人間の世界に再びあってはならない」と説明しました。この説明が、後の「碑文の説明板」（後述）につながっています。説明を聞けば、碑文の「過ちは繰返しませぬから」の趣旨が理解できるはずです。

ところが、何回、説明しても、趣旨が理解できないオカシナ集団（人）がいます。オカシナ集団は、「過ちは繰返しませんから」を「自虐碑文（自らを虐げた碑文）だ！」といって批判し、「過ちは繰返させませんから」を繰返します。この碑文の解釈の行きつく先は、「安らかに眠って下さい　アメリカに原爆投下を繰返させませんから　そのうちにカタキを討ちます」となります。

日本が引き起こした侵略戦争（十五年戦争、アジア太平洋戦争）を否定すると、オカシナ集団（人）は、「自虐史観（自らを虐げた歴史観）だ！」といって批判します。この批判は、戦争の否定や軍縮につながらず、逆に、戦争の肯定や軍拡につながります。「過ちは繰返しませんから」を「自虐碑文だ！」といって批判することも同様で、戦争の否定や軍縮につながらず、戦争の肯定や軍拡につながります。

新聞投書のやりとりの後、数ケ月が経過して、極東国際軍事裁判の判事のパール氏（インド人の法学者）が、1952 年 11 月 3 日から 4 日間、講演のために広島を訪問しました。そして、11月5日に原爆碑を訪れた際の、献花と黙祷（もくとう）の後に、通訳を介して碑文の内容を聞くと「原爆を落としたのは日本人ではない。落としたアメリカ人の手は、まだ清められていない」とし、「日本人が日本人に謝罪（自虐）している」と解釈して、碑文を批判しました。

これを聞いた雑賀教授は、同年11月10日にパール氏宛てに「広島市民であると共に世界市民であるわれわれが、過ちを繰返さないと誓う。これは全人類の過去、現在、未来に通ずる広島市民の感情であり良心の叫びである。『原爆投下は広島市民の過ちではない』とは世界市民に通じない言葉だ。そんなせせこましい立場に立つ時は、過ちを繰返さぬことは不可能になり、霊前でものをいう資格はない」との抗議文を送っています。

極東国際軍事裁判の判事という立場の人が、前述の「アメリカ憎しの碑文」を好んでいたとしたら、本当に情けないことだと思います。たとえアメリカ憎しであっても「自虐碑文だ！」といって碑文を批判することは、戦争の肯定や軍拡につながっていきます。

これがきっかけとなって、「主語は『原爆死没者』か？『日本人』か？『アメリカ人』もしくは『世界人類』か？」という碑文論争、また、「『繰返しませぬから』か？『「繰返させませぬから』か？」という碑文論争が行われました。

こんな碑文論争が続けられているなかで、1970年2月11日に、「碑文は犠牲者の霊を冒涜（ぼうとく）している」と主張する「原爆慰霊碑を正す会」（岩田幸雄会長、児玉誉士夫顧問、荒木武相談役）なる市民グループによって碑文抹消・「改正」を要求する運動が起こりました。意図的に「自虐碑文である！」と捉えて、そして、また、意図的に「原爆死没者の霊を冒涜している」と主張して、騒ぎ始めました。

私の脳裏に「児玉誉士夫」の名前があがったのは久しぶりです。この名前を聞くと、「小佐野賢治」「岸信介（安倍晋三首相は岸信介の孫）」「笹川良一」「正力松太郎」などの名前が次々と浮かびあがってきます。戦時中から、とても良い仲間たちであったそうで、「政財界のドン」「……の黒幕」「ヤクザとのパイプ役」などと呼ばれていました。このうちの4人はA級戦犯（「平和」に対する罪）で逮捕されています。それが、「いつの間にか」、赦免・釈放されて、その後も「安保改定」「勝共連合設立」「ロッキード事件」などで、暗躍しました。ここまで説明すれば、「原爆慰霊碑を正す会」が、どういう会かがすぐに分かると思います。なに！そんなことは「2月11日」と聞いただけで分かるって！

明治時代の初期に、神武天皇（「日本書紀」に出てくる初代天皇）が即位したとされる日（2月11日）を、日本の起源（紀元節）として定められました。その後、1948年（昭和23年）に廃止されましたが、1967年（昭和42年）から、「建国記念日」として復活して、国民の祝日に加えられました。歴史学上では、神武天皇は実在の人物ではなく「神話」とされていますので、2月11日を「紀元節」にするのは適当ではありません。先に名前があがった人たちは、「紀元節」を復活させるために一生懸命になった人たちであり、「原爆慰霊碑を正す会」も、碑文の趣旨が理解できないオカシナ会です。

この「原爆慰霊碑を正す会」の運動に反対する市民グループが、「碑文を守る会」を結成して、論戦を繰り広げました。これらの運動に対して、当時の広島の山田節男市長（1967～1975年）は、「再びヒロシマを繰り返すなという悲願は人類のものである。主語は『世界人類』であり、碑文は人類全体に対する警告、戒めである」という見解を示しました。

この見解が出されて以降、碑文の意図するところは、「日本」「アメリカ」といった特定の国を超えて、全ての人間が再び戦争をしないことを誓うためのものである、とする見解が公式見解となりました。

その後、1983年に、今度は、原爆碑に「トルーマン」（原爆投下時のアメリカ大統領）と記された名札が貼り付けられる事件が発生しました。これを受けて広島市は、浜井市長の答弁を基にした説明板（日本語と英語で表記、現在では8ケ国語で表記）を原爆碑西側の池の中に設置しました。

説明板には、「**碑文は　すべての人びとが　原爆犠牲者の冥福を祈り　戦争という過ちを再び繰返さないことを誓う言葉である　過去の悲しみに耐え　憎しみを乗り越えて　全人類の共存と繁栄を願い　真の世界平和の実現を記念するヒロシマの心が　ここに刻まれている**」と記されています。

ここで、分かって頂きたいことは、碑文に刻まれている「過ち」とは、原爆投下に関してだけのことではなく、戦争という過ちであることです。つまり、「過ちは繰返しませぬから」は、「戦争という過ちを再び繰返さない」ことを宣言しているということです。もう少し言うと、「過ちは繰返さない」という「戦争の反省」の上に立って、「『戦争放棄』（憲法九条第一項）が世界平和への道である」ことを宣言しているのです。

当然のことですが、この「過ち」には、日本が引き起こした十五年戦争（第二次世界大戦、アジア太平洋戦争）も含まれています。だからと言って、反省しなければならないのは、日本人ということではありません。敗戦国の人でもなければ、戦勝国の人でもありません。そんな「せせこましい」考え方は止めましょう。「せせこましい」考え方は、「アメリカ憎し碑文」につながります。とすると、反省しなければならないのは、だれになるのでしょうか。それは、当時の浜井市長が「この碑の前にぬかずく一人ひとりが、過去の責任の一端をにない……」と述べているように、広島を訪れて、原爆碑を前にする人になるでしょう。もっと積極的には、訪れる人という受け身ではなく、碑文を見る人、知る人、聞く人の全て、つまり、全世界の人、人類全てということになるでしょう。

もう一つ大切なことは、説明板の「……ヒロシマの心がここに刻まれている」です。これは、ヒロシマから全世界に向けて発信するということです。つまり、碑文は、ヒロシマから「『戦争放棄』が世界平和への道である」ことを発信していることになります。

碑文と憲法九条（その1）

憲法九条は、第一項で「……国際紛争を解決する手段としては、永久にこれを放棄する」（戦争の放棄）と宣言しています。私の予想ですが、あと数百年で世界から戦争はなくなります。なぜなくなるかについては、長くなるので、ここで記述するのは止めにします。

「いずれ戦争が、人間社会からなくなるのなら、戦力（軍事力）なんて持つ必要がない。どこの国も、できるだけ早く戦力を捨てるように」と発信しているのが、憲法九条です。ここに、「人類史的意義」（前述の本の「あとがき」に記述されている言葉）をもつ日本国憲法の平和主義があるのです。

碑文は、戦争を反省して、ヒロシマから世界に「戦争放棄」を発信しています。憲法九条は、戦争を反省して、日本の国から世界に「戦争放棄」を発信しています。この点で、碑文と憲法九条はつながっています。

私は、広島に住んでいたときに、地域の「九条の会」に入っていました。その「九条の会」の集まりで、広島市長をやられた平岡敬さん（市長は1991年～1999年の8年間。平岡さんは別の「九条の会」に所属）の話を聞く機会がありました。その時に、「広島市民は、核に対しては非常に敏感で、核兵器反対の運動は盛り上がるが、それが憲法九条を守る運動にナカナカつながらない」というような内容のことを話しました。

また、アメリカのオバマ大統領が、2009年4月5日に、プラハで「核兵器のない世界を」と演説したことに関連して、私たちとは別の九条の会で、「オバマ大統領を広島に連れてきて、原爆投下を謝罪させ、『核兵器のない世界を』宣言させよう！」との話題が出たことがあったようです。このときにも、平岡さんは、「『アメリカ憎し』や『原爆投下の謝罪』は、憲法九条を守る運動につながらない」と話したそうです。

これらのことを思い出して、私も「碑文と憲法九条とのつながりがナカナカ理解して頂けないかな！」と少し不安になりました。それでも、ここまでの私の説明で、碑文と憲法九条が、実線でなくとも、破線（点線）くらいで、つながったのではないかと思います。少なくとも、原爆碑の碑文の趣旨は、理解して頂けたでしょう。

何回、説明しても、碑文の趣旨が理解できないオカシナ集団（人）がいることを話しました。説明すれば、通常は分かって頂けますから、積極的に無理やり分かろうとしない不逞の輩です。考え方の相違であるから、これはこれで仕方のないことかも知れません。だけど碑文にペンキをかけたり、原爆碑にハンマーで傷を付けたりする行為は止めてもらいたいと思います。こういったニュースを見たり聞いたりすると、いつまで経っても戦争を反省できない日本という国が、本当に情けなくなります。

不逞の輩の多くは、この破壊行為を批判するのではなく、逆に助長する言動をとります。この助長する言動が、またまた、破壊行為につながるものですから、悪循環が断ち切れません。そこで、この悪循環を断ち切る一番簡単な方法を教えます。それは、意固地にならずに、素直に「過ちは繰返さない」という「戦争の反省」の上に立つことです。この上に立つと、悪循環を断ち切るだけではなく、何もかもが鮮明に見えてきます。

広島平和記念式典

毎年8月6日になると、原爆碑の前で、広島平和記念式典（正式には「広島市原爆死没者慰霊式並びに平和祈念式」）が行われます。式典は午前8時から始まり、原爆が投下された8時15分に平和の鐘やサイレンを鳴らして、1分間の黙祷を行います。広島市街を走るバスや広島電鉄の路面電車もこの時間には停車し、運転手さんや乗客のみなさんも黙祷を行います。平和記念式典は1947年から行われていますが、現在のような形式になったのは1954年からです。今年（2013年＝平成25年）で67回目になりますが、日本の総理大臣として、初めて参列したのは、当時の佐藤栄作首相です。初めて参加したのは、1971年ですので、終戦後、四半世紀もたってのことです。それまでは、広島市側が再三にわたって要請したにもかかわらず、参加してもらえませんでした。「反核」が対米批判につながる可能性があるという危惧が、そのようにさせたのでしょう。1971年以後は、毎年必ず出席しています。

今年は、安倍晋三首相が出席すると思いますが、原爆碑の碑文を前にして、碑文をどのように解釈して、どのように説明するか、聞いてみたいと思います。どのように、答えてくれるでしょうか？　みなさんもチョットだけ考えてみて下さい。私は、軍備、戦争に関することになると、おそらく口をつぐむと思います。碑文を前にして、果たして「私の内閣で、憲法を変えて、国防軍をつくります」と言うでしょうか。

6月23日の「沖縄慰霊の日」には、毎年、沖縄県糸満市の平和祈念公園で「沖縄戦没者追悼式」が行われ、総理大臣が出席します。2013年6月23日の沖縄慰霊の日には（この日は東京都議会議員選挙の投票日でもありました）、安倍首相は、外務大臣と防衛大臣を引き連れて出席しました。外務大臣や防衛大臣が出席するのは今年（2013年＝平成25年）が初めてです。安倍首相は、「あいさつ」で「沖縄の負担を少しでも軽くする」と言っただけです。結局、都合の悪い「オスプレイの追加配備計画」や「普天間基地の辺野古移転」や「国防軍」に関することには口をつぐみました。

8月6日の広島の平和記念式典に出席する予定の安倍首相は、「非核三原則（核兵器を、もたず、つくらず、もちこまず）を堅持する」などと決まりきったことを言うだけでしょう。平和記念式典で、総理大臣が読み上げる文章は、前もってアメリカの大統領に添削してもらっているのかな！と勘繰りたくなります。

第二次世界大戦（十五年戦争、アジア太平洋戦争）を反省

日本には、中国全域から東南アジアへと戦火を拡大していった戦争を、侵略戦争と認めることができない不逞（ふてい）の輩（やから）が少なからずいます。不逞の輩は「過ちを犯したのはアメリカだ！」「あれは侵略戦争ではな

い！」「やむにやまれない自衛のための戦争だ！」「日本の戦争だけが非難されている！」「悪いのは日本だけではない！」「アジアを欧米の植民地から解放するためだ！」「世界平和なんてありえない！」などと言うでしょう。不逞の輩は、概して、せせこましい考え方の持ち主です。ですから、碑文の内容は理解できないと思います。憲法九条も理解できないと思います。これが理解できないものですから、初中終(しょっちゅう)トンデモナイことを言います。最近では、「村山談話」を「見直す」と言ったり、「河野談話」を「事実でない」と言ったりしています。

「不逞の輩が少なからずいる」と言いましたが、日本には、比較的多いように思います。なぜ多いかと言えば、教育の問題もありますが、私は、第一の理由は、戦争犯罪人をしっかりと裁かなかったからだと思います。日本もドイツのように戦争犯罪人をしっかりと裁いておけば、戦争に対する考えは、もっとマトモになっただろうと思います。「第二次世界大戦では、なぜ、こんなに厳しく戦争犯罪人を裁くのだろう」ということを理解すれば、「第一次世界大戦」「第二次世界大戦」の違いが、自ずと分かります。世界が「戦争は違法だ！」と宣言したのは、第一次世界大戦後の1928年の「パリ不戦条約」です。第一次世界大戦までの戦争は、ある意味では合法でした。だからと言って、日清戦争や日露戦争が正しいわけではありませんよ！　第二次世界大戦（十五年戦争、アジア太平洋戦争）は違法ですから、戦争を引き起こした人間を厳しく裁くことは当然です。なにも「死刑にしろ！」というのではありません。何らかの処罰があって当然です。A級戦犯の容疑で逮捕された人が総理大臣になるなんて、どう考えてもオカシイ！　こんなところからも、戦後のアメリカの対日政策によって、日本が政治後進国になってしまったのが分かります。

碑文と憲法九条（その 2）

『自民党改憲案を読み解く』という本を読み終えました。この本には、「自民党改憲案（日本国憲法改正草案［現行憲法対照］自由民主党　平成 24 年 4 月 27 日［決定］）」が記載されています。「自民党改憲案」には、現憲法が対比して記載されており、これをみると、天皇が「象徴」から「元首」に変わる（第一条）など、戦前を想起させるような言葉が随所に出ています。何とも、恐ろしくなりました。また、本当に憲法を知っている人がつくっているのかな！と疑問にもなりました。「自民党改憲案」では、憲法が憲法ではなくなっています。

日本の国の憲法もそうですが、世界のほとんどの国の憲法は、硬性憲法であり、立憲主義に基づいた憲法です。立憲主義とは、政府の統治は憲法に基づいて行われなければならないという考え方のことです。つまり、立憲主義の憲法は、憲法が執政者（政治家）を縛っているわけです。ですから、現憲法は、**「国は○○をしなければならない」「国は××をしてはならない」**というような表記になっています。ところが、「自民党改憲案」になると、**「国民は○○をしなければならない」「国民は××をしてはならない」**のような表記がみられます。挙句の果てには、「憲法尊重擁護義務」などとして、「第百二条　全て国民は、この憲法を尊重しなければならない」という条項を新設しています。「自民党改憲案」では、執政者（政治家）を縛らないで、国民を縛っています。これでは、立憲主義に基づいた憲法ではありません。

いま、自民党や日本維新の会やみんなの党は、トンデモナイことを画策しています。それは、憲法九条をはじめとした条項を、変えやすいように、まずは九十六条を改定しようとしていることです。憲法九十六条は、憲法改定の手続きについて規定している条文で、改定の発議には、「各議院の総議員の３分の２以上の賛成が必要」とされています。これが硬性憲法と言われるもので、憲法改定のハードルを上げているのです。ときの執政者（政治家）によって、憲法が簡単に変えられないようにしているわけです。簡単に変えられたら、国民はたまりません。

現在の憲法九条第二項は「前項（戦争放棄）の目的を達成するため、陸海空軍その他の戦力は、これを保持しない。国の交戦権は、これを認めない」と、戦力不保持を定めています。それが「自民党改憲案」によると、国防軍をつくることになっています。

執政者（政治家）を縛らないで、国民を縛ると、立憲主義に基づいた憲法ではなくなります。憲法を変えやすいように、第九十六条を改定すると、硬性憲法ではなくなります。国防軍をつくると戦争がしやすくなります。

「国民を縛って、自分の都合のいいように憲法を変えて、戦争をしやすくする」なんて、ナチス・ドイツの独裁者ヒトラーでさえも、「顔色が真っ青」になるでしょう。

ここまで、まとめてみて、『自民党改憲案を読み解く』の本の著者が、「なぜ碑文を引用して書を結んだのか？」が、鮮明に理解できました。それは、憲法九条と碑文とに、**「戦争を反省した徹底した平和主義に立っている」**という共通点があるからだと思います。

おわりに

私は、1994年（平成６年）４月から1998年３月までと、2002年（平成14年）4月から2012年（6月）までの合計14年3ケ月の長きにわたり広島市西区に住んでいました。そんなこともあり、最後に「広島での思い出」を記して終わりにします。

広島の平和運動に関係している人は、よく8月6日のことを「ハチロク」と呼んでいます。私には、いきなり、「今年も、ソロソロ『ハチロク』の活動が始まるかな！」とか「『ハチロク』に合流しよう！」などと言われても、何のことか分かりませんでした。しかし、話を聞いているうちに、8月6日であること、核兵器反対の活動であることが分かりました。

8月6日には、広島市主催の広島平和記念式典が、原爆碑の前で行われます。また、別のところでは、数日前から原水爆禁止国際会議・世界大会（主催：原水爆禁止日本協議会）が行われます。そして、なぜだか分かりませんが、数日前になるとオカシナ集団が全国から広島に集まってきます。そして、街宣車がボリュームを最大に上げて騒々しく街を走ります。こうして、8月6日は、全国・全世界から人々が集まって、原爆死没者を慰霊し、核兵器反対の立場で会議などが行われます。広島に住んでいると、8月6日という日が、「広島の特別な日」であることが実感できます。

8月6日には、18時頃から21時頃まで、「とうろう」流しが行われます。いつの頃から始まったか分かりませんが、「原爆死没者の慰霊」や「ヒロシマからの『平和』のメッセージ」として、行われるようになったようです。「とうろう」流しは、原爆ドームと平和記念公園に挟まれた元安川（もとやすがわ）（すぐ上流で旧太田川から分流）の河川敷内で行われます。私は、平和記念式典や原水爆禁止国際会議・世界大会には出たことはありません。もちろん、街宣車などには乗ったことはありません。しかし、「とうろう」流しが行われているところには、何度か足を運んだことがあります。一連の最後の行事の「とうろう」流しを、「安らかに眠って下さい 過ちは繰返しませんから」と祈念し、また、「今年の『広島の特別な日』も、これで終わりになるのかな！」との想いで見ていました。

基本的人権って何？
社会権って何？

2013年（平成25年）11月頃記述

はじめに

日本国憲法は、「国民主権（主権在民）」「平和主義」「基本的人権の尊重」を憲法の三大原則として位置づけています。基本的人権の「人権」とは、「人が生まれながらに有する侵すことのできない権利」のことです。「人権」の内容を、総じて、簡単に言うと、「人間らしく、自由、平等に生きていく権利」のことです。「人権」の語句の前に「基本的」と付けられていますが、それは、基本的に人間は生まれながらにして「人権」をもっているからです。憲法がなくても、人間として生まれれば、「人権」をもっているということです。

「基本的人権」は、人類が歴史的経過のなかで獲得したものです。ですから、たとえ、将来的に憲法がどのように改定されようとも、「人間には、基本的人権がある」ことが、前提になります。日本国憲法第11条は、このことを言っております。

日本国憲法

第 11 条　国民は、すべての基本的人権の享有(きょうゆう)を妨げられない。この憲法が国民に保障する基本的人権は、侵すことができない永久の権利として、現在及び将来の国民に与えられる。

基本的人権は、大きくは、「自由権」「社会権（参政権を含む）」の二つに分けられます。このエッセイでは、日本国憲法の三大原則の一つの「基本的人権」、特にその中の「社会権」について記述します。

日本国憲法で基本的人権を規定

市民社会の最初のころは、基本的人権は、国家権力によって制限されない思想・信仰の自由などの自由権を意味していました。そして、次に自由権を現実に保障するための参政権が含まれるようになりました。その後、さらに国民の生活や労働が保障される生存権などの社会権も含まれるようになりました。最近では、このほか、環境権や知る権利などの新しい人権が主張されています。

「自由権」は、日本国憲法では、第 12 条から第 24 条までと、第 29 条から第 40 条に定められています。そして、その内容は、「自由の保障（第 12 条）」「人間の尊厳（第 13 条）」「法の下の平等（第 14 条）」「生命身体の安全（第 18 条）」「思想・信仰・言論・集会・結社の自由（第 19、20、21 条）」「私生活の保護（22 条）」「財産権の保障（第 29 条）」「公平な公開裁判の保障（第 32 条）」などです。

「社会権」については、日本国憲法では、第 25 条から第 28 条までに、「生活権（生存権）（憲法第 25 条）」「教育権（憲法第 26 条）」「労働権

（憲法第 27 条）」「労働三権（憲法 28 条）」が定められています。そのなかでも、「生活権（生存権）」は、国際人権規約の「市民的および政治的権利に関する国際規約」によれば、社会権ではなく、自由権の一つになっています。それは、どのような事態になっても、まずは、第一に「生活権（生存権）」は、守っていこうという考え方です。

ここから、日本国憲法に規定されている「社会権」のなかの「生活権（生存権）」「教育権」「労働権」「労働三権」を詳しくみてみます。

まずは、憲法第 25 条の**「生活権（生存権）」**です。

第 25 条　すべて国民は、健康で文化的な最低限度の生活を営む権利を有する。

２　国は、すべての生活部面について、社会福祉、社会保障及び公衆衛生の向上及び増進に努めなければならない。

憲法第 25 条は、一般的には「生存権」と呼ばれています。しかし、私は、「生存権」ではなく、「生活権」と呼ぶのが相応しいと思っています。「生存権」とは、文字通り「生命を存続する権利」のことです。「生活権」は「労働権・労働三権」とともに、この「生存権」のなかに含まれています。ですから、憲法第 25 条の「生活権」と第 27･28 条の「労働権・労働三権」を合わせて「生存権」とすべきと考えます。ということで、第 25 条は、「生存権」ではなく「生活権」とする方が正しいと考えています。

ホモ・サピエンス種の生存活動は、「『生活する』ために『働く』」、そして「『働く』ために『生活する』」ということです。ホモ・サピエンス種という生物種としての個人は、精一杯に生存活動を行って次世代にバトンを渡すことを、何万年も前から繰り返してきました。**「ホモ・サピエンス種の生存活動は、『生活する』ことと『働く』ことの対立物の統一である」**というのが私の持論です。「生活する（第25条）」ことと「働く（第27・28条）」ことは切り離すことができません。弁証法の対立物の統一の「固有の他者」の関係です。ですから、日本国憲法も、第25条「生活権（生存権）」の直ぐ後に「労働権」と「労働三権」が続き、そして、「労働三権」の後に「教育権」となるように、つまり、「第27条 → 第26条、第28条 → 第27条、第26条 → 第28条」のように、順番を入れ替えた方がよいと思います。

憲法第25条では、様ざまな障害により働けなくなり収入がなくなった人でも、法律によって保護されることを定めています。つまり、生活が困難になれば、生活保護などを受けることができるということです。日本には、生活権を保障する法律として、生活保護法（昭和25年5月4日）があり、その目的で、「……その困窮に応じ、必要な保護を行い、その最低限度の生活を保障するとともに、その自立を助長するこことことを目的とする。」とされています。しかし、生活保護を受けることになるまでの「様ざまな障害」や「最低限度の生活の内容」などの行政の怠慢や国の施策をみると、現時点では、まだまだ不十分と言わざるを得ません。

「教育権（教育を受ける権利）」は、憲法第26条で定められています。

第26条　すべて国民は、法律の定めるところにより、その能力に応じて、ひとしく教育を受ける権利を有する。

２　すべて国民は、法律の定めるところにより、その保護する子女に普通教育を受けさせる義務を負ふ。義務教育は、これを無償とする。

教育を受ける権利では、子どもが学校で学ぶことを保障しています。これに対応して、教育基本法（1947年）があります。9年間の学校教育を義務教育とすること、男女共学、教育の機会均等などが定められています。

この教育権には、「①勉強をする権利」「②勉強をする環境を国に要求できる権利」「③勉強をして将来の主権者としての資質を養う権利」という三つの意味があるとされています。普通には、第26条の主体は、子どもたちということになっています。しかし、最近は大人たちも一生懸命勉学に励んでいるので、このような大人たちの勉学する権利も第26条に含まれていると思います。将来の主権者としての資質を養うばかりでなく、現在の主権者の大人たちも、常に資質を養わなければなりません。

「労働権（労働基本権）」は、憲法第27条で定められています。

第27条　すべて国民は、勤労の権利を有し、義務を負ふ。
２　賃金、就業時間、休息その他の勤労条件に関する基準は、法律でこれを定める。
３　児童は、これを酷使してはならない。

憲法第27条「労働権」に対応して、労働基本法、労働組合法、労働関係調整法の労働三法があります。

憲法第28条には、「**労働三権**」が定められており、そこで「**団結権**」「**団体交渉権**」「**団体行動権（争議権）**」を保障しています。

第28条　勤労者の団結する権利及び団体交渉その他の団体行動をする権利は、これを保障する。

労働権（労働基本権）や労働三権は、資本主義体制の歪みから考えられたものです。現在でもまだまだありますが、特に、19世紀のヨーロッパの初期の資本主義体制のころは、労働者は過酷な労働条件に悩み、低賃金を強いられていました。また、景気が悪くなれば失業してしまうこともありました。そのころは、当然、労災や失業保険といった考え方などはありませんでした。そんな時代を経験しているうちに、労働者の権利を保護する制度があってもよいのでは、と考えるようになりました。

労働者と使用者（会社側）との契約行為のときに、弱い立場の労働者は足元を見られ、不利な契約をしてしまうことが通常です。そこで、このような労働者と強い使用者（会社側）とを同じ立場に立たせることを目的として労働権（労働基本権）や労働三権が定められました。強い使用者（会社側）は、放っておけば、立場を利用して、自分勝手にものごとを進めます。労働権（労働基本権）や労働三権は、そうした勝手なことに対して、弱い立場の労働者が、強い使用者（会社側）に、キッパリとものが言えるようにしたものです。

最初は自由権から

そもそも憲法が生まれたのは、絶対王政期の国王による人権侵害を防ぐためでした。憲法によって、国王の国家権力を制限し、国民の権利が不当に侵されることのないようにしたわけです。こうして生まれた自由権は、自由権的基本権とも呼ばれています。

こうして人々は「国家権力からの自由」を手に入れました。近代市民は、「他人を害しない限り何でもやってよい」という自由を手に入れたわけです。国家権力を制限することを目的として作られたこのような憲法を「近代憲法」と呼んでいます。「国家権力からの自由」という精神は、アダム・スミス（1723～1790年）の「小さな政府」論や「自由放任経済」論に相通じています。逮捕され罰せられないことなら、何でもできるわけですから、自由な経済・産業活動ができます。こうして自由主義（新自由主義に対して古典的自由主義ともいう）という時代をむかえて資本主義が発達しました。

自由権の後に生まれた社会権

しかし、資本主義が発達するにつれて、新たな問題が発生するようになりました。貧富の差の拡大・恐慌・失業・労働問題などがそれです。国家権力からの干渉を受けない自由権的基本権を手にしたのはよいのですが、少なくない人にとって、その自由とは「公園や橋の下でボロキレやムシロに包(くる)まって寝る自由」でしかありませんでした。強者はますます強くなり、富める者はますます富みます。反対に、弱者はますます弱くなり、貧乏人はますます貧乏になります。ここまで進むと、「のたれ死にする自由」も出てきます。こうして、国家権力を制限することを目的とした近代憲法は、強者を野放しにして、弱者をくじくようになりました。そこで、人々は「参政権」を要求し、やがて、強者をくじき、弱者を助ける法律を次々に成立させていきました。

こうして20世紀の憲法は、資本主義によって生じた問題を解決するために、国家が最低限の生存（「生活すること」「働くこと」）を保障する「社会権」を盛り込んだ憲法が登場するようになりました。1919年のワイマール憲法が、社会権を含んだ世界で最初の憲法だと言われています。このような社会権を含む憲法は、「近代憲法」に対して、「現代憲法」と呼ばれることもあります。 現代憲法は福祉国家を目指すものであり、「大きな政府」論と共通するものがあります。社会権は、基本的人権のなかでも比較的新しいことから、20世紀的人権とも言われています。

社会権の現状

近代憲法は、「貧乏は個人の自己責任」「のたれ死にするのも個人の自己責任」という考え方でした。現代憲法は、自由主義の理念である「個人の尊厳」を守るために、国家によって富の再配分を肯定する考え方です。富の再配分とは、貧富の格差を緩和させ、「貧乏人はいつまで経っても貧乏人」という階層の固定化をなくすとともに、社会的な公平と活力をもたらすための経済政策の一つです。それは、高額所得者や儲けている企業から税金（社会保険料などを含む）として多くとって（累進課税）、それを社会保障などで社会に還元するという福祉国家施策です。

こうした福祉国家施策は、社会の安定と継続的な経済発展をもたらし、先進諸国の国民からは大いに歓迎されました。しかし、福祉国家施策は大きな財政負担を伴うものであり、また、インフレーションを促進する傾向にありました。1970年代の石油ショック以後は、先進各国は不況にも関わらずインフレーションが続くスタグフレーションに見舞われました。1980年代からは、ミルトン・フリードマン（1912～2006年、市場原理主義＝マネタリズムを主張した新自由主義の代表者）などの主張にもとづいて、アメリカやイギリスを中心として福祉国家施策が見直されます。そして、経済社会における所得再配分の機能を抑制・破壊して、経済競争を重視する政策が採用されるようになりました。こうして、累進課税は、しだいに弱められました。もっとも、アメリカでは、伝統的に所得再配分に否定的な価値観が根強く、高度な福祉国家的施策がとられたことはありません。この価値観のなかには、「所得再配分は個人への侵害だ！」といって個人の自由を絶対視するリバタリアニズム（完全自由主義、自由至上主義）というトンデモナイ思想があります。

イギリスでは、サッチャー政権期に人頭税（納税能力に関係なく、全ての人に一定額を課す税金）の導入が打ち出されましたが、国民の反発にあって頓挫しました。日本でも、財政赤字が深刻化するなかで、新自由主義的な経済学者やマスコミが、経済的に非効率であると煽るようになりました。そこで、1980年代の前半に、中曽根康弘内閣による行政改革が行われました。行政改革（行革）というのは、本来は、「国や地方自治体が、如何にして国民や住民に対し、サービスを向上させるか？」という改革ですが、中曽根内閣が行ったのは、「如何にしてサービスを削るか？」という改悪でした。

アメリカ、イギリス、日本が行った社会権の破壊施策（新自由主義施策）が、世にいう「レーガノミックス（レーガン：米国大統領在任期間1981～1989年）」「サッチャリズム（サッチャー：英国首相在任期間1979～

1990年)」「中曽根臨調行革(在任期間1982～1987年)」です。その後、1996年に発足した橋本龍太郎内閣になると、再び再配分施策の見直しが進められました。1997年には、消費税が3%から5%に増税され(消費税は当初は1989年に3%で施行)、1999年に所得税や法人税の減税が実行されました(年収1,800万円以下の人は増税)。橋本内閣による財政改革は、所得税率や法人税率を他の先進国に揃(そろ)えるという理由からでした。その結果、デフレーションと信用収縮という、負の側面が強く現れることとなりました。そして、2000年代に入ってからは、小泉純一郎内閣によって再配分の機能は徹底的に抑制・破壊されました。

この間、法人税率は1986年(昭和62年)の43.3%から下がり続けて、2012年(平成24年)からは25.5%となりました。また、所得税の最高税率は、1974年(昭和49年)までは75%(8000万円/年以上)であったものが、ドンドンと引き下げられて、2007年(平成19年)からは40%(1800万円/年以上)となりました。例えば、年収2億円の人は、1974年には1億5000万円の所得税がかかりましたが、2007年からは8000万円ですむことになります。さらに、2007年からは、年収2000万円の人も年収2億円の人も、所得税率は40%で変わらなくなりました。要するに、この間に、所得が高額になればなるほど、税金が減額されるようになったのです。強者優遇・弱者タタキもいいかげんにしろと言いたいところです。強者優遇・弱者タタキは税金についてだけではありません。

「規制緩和だ!」と叫んで、強者優遇・弱者タタキがやられたこともそうです。1974年(昭和49年)から施行された「大規模小売店舗法」という法律がありました。この法律は、「大規模小売店舗の事業活動を規制して、周辺の中小小売業者の事業活動を保護し、小売業の正常な発展を図ること目的」にしたものです。これを「規制緩和だ！」と叫んで、2000年6月に廃止しました。その結果、「イオン」「西友」「ダイエー」「ジャスコ」などの大手スーパーが小売店業者を追い払いました。かつて賑わいのあった商店街がシャッター通りになってしまったのも一つの要因です。

社会保障と消費税

先にも少し述べましたが、ここから、社会保障の財源となるべきであった消費税のことを述べます。1988年（昭和63年）の竹下登内閣のときに、消費税法案が成立しました。翌1989年（平成元年）4月1日から、贅沢品に対して個別に課税していた物品税等を廃止して、消費税が税率3%でスタートしました。次に、1994年（平成6年）の村山富市内閣のときに、税率を3%から5%に引き上げる法案を成立させ、1997年（平成9年）4月1日から税率5%で増税が実施されました（実施は橋本内閣のとき）。さらに、2012年（平成24年）の野田佳彦内閣のときに、消費税を5%から段階的に10%に引き上げる「税と社会保障の一体改革法案」を成立させました。そして、安倍晋三首相は、2013年（平成25年）10月1日に、熟慮を重ねた結果として、2014年（平成26年）4月1日から消費税を5%から8%に引き上げることを閣議決定しました。

最初のときは、消費税は、「将来の少子高齢化社会に備えて、社会保障を充実させる」ためといって導入しました。そして、3%から5%、5%から8%・10%へと、増税のたびに「社会保障の充実」が目的になっていました。ところが、実際には、社会保障には使われませんでした。先にも述べましたが、企業の法人税率を低くしたり、高額所得者の所得税に対しての累進課税率を弱めたりしてきたため、企業や高額所得者の方にまわってしまいました。2013年3月31日時点でみると、消費税が施行されてから24年が経ちました。この間（平成元年度～平成24年度）に、私たちが納めた消費税の総額は、200兆円を超すと言われています。そして、この間の企業減税の総額は200兆円を超すと言われており、また、大企業が増やした内部留保の額も200兆円を超すと言われています。

私たちが、日常生活に必要なものを買ったりするところから税金として吸い上げて、吸い上げた額と同じ額だけ、大企業に配ったことになります。もっと言えば、政府は、税務署に命令して、私たちからお金を取り立てて、大企業の金庫の中に入れさせたことになります。私たちから社会保障を名目にして取り立てて、大企業の金庫に入れたのですから、これは、国家と大企業によるサギです。

所得が減る一方で、消費税率が上がるから、生活は年々苦しくなってきます。生活が苦しくなっても、モノを買えば必ず消費税を支払わなければなりません。「生活が苦しいから、消費税を払うことができません」とは言えません。消費税の額の大小は別として、税の取り立ては厳しいと言わざるをえません。年号が平成に変わった元年から取り立てていますので、消費税は「平成の年貢」と呼ぶのに相応しいと思います。

安倍首相は、来年（2014年＝平成26年）の4月1日から消費税を引き上げることを決めましたが、同時に、その後の消費の冷え込みや駆け込み需要の反動による景気の腰折れを防ぐためとして、企業に対する5兆円規模の経済対策も閣議決定しました。消費税の増税分として8兆円程度が見込まれているようですが、そのうちの5兆円を企業に配るわけですから、またまた、同じことをやろうとしているのです。呆れてものが言えません。

安倍首相だけでなく政府首脳は、「企業が潤えば、やがて、労働者に多くの賃金を払ってもらえる」と言います。一方、企業経営者は次のようなことを言っています。

経団連は、**「社会の９割の労働者を、半年とか３年で雇い止め**（期間の定めのある雇用契約において、雇用期間が満了したときに使用者が契約を更新せずに、労働者を辞めさせること）**にできないと、日本の資本主義は生きていけない」**と言います。米倉弘昌会長（当時）は、TPP（環太平洋経済連携協定）に関しての記者会見で「日本に忠誠を誓う外国からの移住者をドンドン奨励すべきだ」と述べ、TPP への参加とそれに伴う海外からの低賃金労働者の積極的受け入れを支持する発言をしています。

これらの財界人の発言を聞いて、本当に賃金が上がると思いますか。私は、そのようにはならないと思います。政府は、経済団体に「企業が潤えば、賃金を上げるように要請する」と言っていますが、企業経営者はそう簡単に賃金を上げません。政府が要請文を企業経営者に手渡せば、頭を下げて受け取ると思います。しかし、頭を下げている間は、舌を出して、あざけ笑っています。

このままでは、労働者の賃金は上がらないし、景気は良くなりません。消費する人から、消費するお金を奪い取って、消費できない人を増やして、景気が良くなるとは思えません。国民の購買力を減らして、景気が良くなるわけがありません。そんな状況でも、すでに、2015 年（平成 27 年）10 月１日から消費税の 8％から 10％に引き上げが予定されています。税率を引き上げる際には、「経済状況の好転」が条件になっていますので、増税実施の半年くらい前に、閣議決定をすると思います。つまり、今から１年半後くらいに、またまた、増税の閣議決定がなされるということです。そのときに、日本の経済状況はどうなっているでしょうか。決して好転しているとは思えません。賃金が上がらないために、国内での消費は落ち込み、日本の経済は悪化の一途を辿っていると思います。

働く方の人からも、ときどき「企業が生きていけないと自分たちも生きていけない！」という言葉が聞かれます。これは、企業経営者側のだましの文句であり、また、我慢を強いる文句です。高額所得者や大企業経営者と一般国民との格差は、広がっており、「もう、だまされません！」「もう、我慢ができません！」というのが労働者側の現状です。

「逮捕され罰せられなければ、何をやっても自由である！」という自由権的基本権の中で競争すれば、強者が勝つのは、当たり前です。こんなことは、小学生でも高学年になれば分かります。自由権的基本権の中では、強者がこれ以上暴れないようにと規制を加えて、弱者を守らなければ、強者と弱者とが、途方もない格差になってしまいます。これも、小学校高学年になれば分かるでしょう。

本当は誰にも分かることですが、それが、なぜ分からないかというと、できるだけ分からないようにと、内容のない言葉を使って真実を覆い隠しているからです。「自助努力」などとわけの分からない言葉を使って、セーフティーネットの網の目を大きくして、弱者をふるい落としているのもそうです。まずは言葉にだまされないことです。

政府首脳からも、まれに、「消費税を社会保障の財源に充てる」ということを耳にします。これもクセモノです。これまでは、厚生年金、雇用保険、健康保険は、労使折半で支払われてきました。使用者側の50

％の負担分を消費税で賄えば、「消費税を社会保障の財源に充てる」という論理は成立しています。しかし、労働者側が、直接的に50％を支払い、間接的に消費税というかたちで残りの50％支払うことになれば、結局は、経営者側の負担はゼロで、労働者側が100％を支払うことになります。経営者側の立場に立てば、これ位のことは考えると思いますが、これは、サギでしょう。

本当の「社会権」とは？

社会権とは、日本国憲法で言うと、すべての国民がもっている「生活権」「教育権」「労働権」「労働三権」のことでした。国家（政府）は、これらの権利を保障しなければなりません。強者が弱者からこれらの権利を奪おうとしている現状では、本当は、弱者を救済するための国家としての介入が必要になります。それを、逆に、国家が強者と一緒になって、弱者から社会権を奪い取ろうとしているのです。

社会権を確立するためには、国家によって、富を強者から弱者に再配分することがどうしても必要です。「社会権」は「小さな政府」論や「新自由主義」とは相容れませんので、それらの思想と決別しなければなりません。そして、平等主義のもと、弱者を救う思想に立脚しなければなりません。余裕があるから弱者を救うことができるという思想は、平等主義に基づいたものではありません。富の再配分についても、余裕があるから再配分ができるという思想も、平等主義に基づいたものではありません。「弱者を救うこと」や「富の再配分」を絶対的とする思想が平等主義です。

第45回総選挙（2009年8月30日投票）の前に掲げた民主党のマニフェストには、多少なりとも、社会権を取り戻そうというものがありました。選挙の結果、民主党は政権をとりましたが、マニフェストの実現には至りませんでした。野党にまわった自民党の嫌がらせや財界からの圧力に負けたのです。なぜ負けたかと言うと、民主党は「小さな政府」論や「新自由主義」思想と決別できていないからです。事業仕分けをやって、予算配分をチョット変更しただけでは、社会権を確立することはできません。そんな単純なことではありません。1980年代から日本が歩んだ新自由主義を、根本的に変える必要があるのです。

ＥＵ諸国は、厳しい財政事情に苦しみ、紆余曲折しながらも、社会権を活用して福祉国家を目指しています。日本も見習うべきところは多いと思います。ＥＵ諸国の消費税率は、15％～20％を超えていますが、日本の政府は、その税率を見習うのではなく、福祉国家政策の内容を見習ってもらいたいと思います。

次のような社会は、「企業経営者が栄えて国民が滅ぶ社会」です。憲法第25条、26条、27条、28条の社会権がなくなってしまった社会です。

企業経営者は、より一層の利益を得るために、賃金の安い外国人労働者を大量に雇用して、モノをつくるようにしました。はじき出された日本人労働者は、法律の支配が及ばない「スラム街特区」に借家して、食うや食わずの生活を強いられます。買えるモノといったら、質素な食糧と質素な衣類だけです。収入が数分の一になってしまって、他のモノは買うことができません。こうして、日本ではモノが売れなくなったため、企業経営者は、外国で売るようにしました。日本で安くつくって、外国で高く売ることができるようになり、その結果、今の数

倍の利益を得るようになりました。

こんな社会を「健全な社会」と言えますか。どこかで、方向を変えないとトンデモナイ社会になります。「日本は絶対にそんな社会にはならない」と考えていたら大間違いです。「労働者派遣法」「ワーキングプア」「貧困ビジネス」「ブラック企業」などという言葉は1970年代のころは聞いたことがありません。しかし、今では初中終（しょっちゅう）耳にします。社会は変化しますから、数十年前には、想像もしていないことが、今では現実になっています。というわけで、数十年後には、日本が想像もできないトンデモナイ社会になっていることも否定できません。

トンデモナイ社会をつくる一般的な手口を見てみます。まずは、社会権（法律）にチョットだけ違反したことを、隠れて行うところから始まります。そして、コソコソと隠れて行っていることを積み重ねます。次に、これを既成事実化します。今度は、それらを一般社会が認めるように仕組みます。こうして社会権を破壊してしまいます。トンデモナイ社会を一気につくろうとしたら国民は見破ります。見破られないように徐々にやるのがサギ集団です。サギに引っかからないように、また、社会の構造をチェックできるように、私たちは、常に主権者としての資質を養うことが大切です。

いま一つ見過ごせないのは、自民党政府（公明党との連立）は、「基本的人権としての社会権」から「共助や連帯としての社会権」へと変えて、国家の責任を放棄しようとしていることです。ここから、「基本的人権としての社会保障」や「共助や連帯としての社会保障」に関してのことを少し述べます。

「共助」や「連帯」についてですが、自民党の憲法「改正」案（2012

年＝平成 24 年 4 月 27 日決定）には、次のような「改正部分」が見られます。

（前文）部分

日本国民は、国と郷土を誇りと気概を持って自ら守り、基本的人権を尊重するとともに、和を尊び、家族や社会全体が互いに助け合って国家を形成する。

（家族、婚姻等に関する基本原則）

第二十四条　家族は、社会の自然かつ基礎的な単位として、尊重される。家族は、互いに助け合わなければならない。

自民党政府は、「家族の助け合い」を憲法に記述し、「共助」や「連帯」などの言葉を巧みに利用して、国家の責任を放棄しています。「生活保護や年金などの社会保障」は、本当は、国家がやるべきことですが、それを放棄して、家族が面倒をみろと明言しているように思います。「共助」や「連帯」というと、私は、中世の「5 人組」や戦時下の「隣組」のことを思い出します。

中世の五人組は、村では惣百姓（百姓の共同組織）、町では地主・家持（家をもった戸主）を近隣ごとに 5 戸前後を一組として編成した制度のことです。領主はこの組織を利用して、治安維持・争議の解決・年貢の確保・法令の周知徹底などを行いました。これは、住民同士の相互監視であり、相互扶助や連帯責任に名を借りた住民対策（住民支配）です。

戦時下の隣組は、日本の昭和期において、戦時体制の銃後を守るための国民生活の基盤の一つとなった官主導の隣保組織（一組は 5 戸～

10戸程度）です。1940年（昭和15年）布告の「隣組強化法」の目的は、近所の人々の団結および地方自治の進行ですが、実態は、住民同士の相互監視です。

五人組や隣組というのは、仲間同士が相互監視をして牽制し合う、強者（支配層）が弱者（非支配層＝住民）を支配するための制度です。政情不安の世の中では、争いの火種はどこにでもあります。その中では、常に相互監視をして牽制し合わないと、何らかの争いが起こってしまいます。その結果、勝者と敗者とに分かれます。その後、敗者は競争社会の矛盾を感じるようになります。敗者はいつまでも敗者ではありません。いつかは、敗者同士が集まって、勝者に立ち向かうことになります。

ところが、相互監視があれば、そのようにはなりません。相互監視によって、お互いは牽制し合っています。弱者同士が牽制し合うことによって、強者（支配層）に立ち向かわないようになります。強者（支配層）は、ときには「密告」制、ときには「連帯責任」制を巧みに利用し、相互監視を行って弱者同士を牽制させ合っているのです。というわけで、私は、五人組や隣組は、強者（支配層）に立ち向かわないように、弱者同士が慰め合う制度だと理解しています。

現代社会は、弱者同士が慰め合う社会ではありません。努力が足りなかったからショウガナイと慰め合う社会ではなく、強者に立ち向かう社会です。ところが、自民党政府や財界の言うことを聞いていると、「共助」や「連帯」などの言葉を巧みに利用して、弱者同士を争わせてあざけ笑う、強者の高慢な姿勢を感じます。

「共助」や「連帯」という言葉は、本来的には素晴らしい意味をもっています。しかし、年収5億円の企業経営者が、年収300万円の人に向かって「共に助け合いましょう！」と言っている姿を見たら、みなさんはどのように思いますか。本気にしないでしょう。なぜ本気にしないのかと言うと、「共助」や「連帯」という強者の言葉は、格差が拡がった現在では、内容のない空虚な言葉、つまり、ダマシの言葉になっているからです。もっと言うと、「共助」や「連帯」は、「五人組」や「隣組」の制度と同様に、強者が弱者を支配する道具になっているからです。「共助」や「連帯」は言葉としての支配の道具であり、「五人組」や「隣組」は制度としての支配の道具です。

「基本的人権としての社会権」とは、「国家が責任をもって保障します」という社会制度のもとでの社会権のことです。「共助や連帯としての社会権」とは、「努力が足りなければ少なくなってもショウガナイ」という社会制度のもとでの社会権です。これは、「小さな政府」論者や「新自由主義」者が企んでいる社会制度での社会権です。強者の意のままになる貧弱なアメリカ型の社会権です。私が勝手にいうなら、アメリカ型の社会権は、福祉国家を目指しているＥＵ（ヨーロッパ）型の社会権と対比される貧弱なニセの「社会権」です。

おわりに

本当の社会権は、人類が歴史的経過のなかで獲得した「社会権」であり、基本的人権としての「社会権」です。人間は、生まれながらにして、人間らしく、自由、平等に生きていく権利をもっています。私たちが求めている「社会権」は、弱者が強者にねだる「『お涙ちょうだい』形式の『社会権』」ではなく、「『生まれながらの権利』としての『社会権』」です。

私たちは、強者の意のままになる貧弱なニセの「社会権」を、いつまでも追い求めるわけにはいきません。本当の「社会権」を確立するためには、強い意志をもって「小さな政府」論や「新自由主義」思想と決別しなければなりません。それは、日本が歩んだ1980年代からの新自由主義を根本的に変えることです。

なぜいつまでもアメリカ言いなりか！ 戦後の日本が歩んだ道

2014年（平成26年）5月頃記

はじめに

「原爆碑の碑文と憲法九条」（p.265参照）の中で、「広島市側が再三にわたって、日本の政府に、平和記念式典への出席を要請したにもかかわらず、初めて参列したのは、終戦後から四半世紀も経っての1971年です。『反核』が対米批判につながるという危惧が、そのようにさせたのでしょう。」と記述しました。このことだけではありませんが、私には、いつでもどこでも、「アメリカに気兼ねする」「アメリカの言いなりになる」主体性のない日本政府の姿勢を感じます。そこで、この機会に「なぜいつまでもアメリカ言いなりか！」と題してエッセイにすることにしました。

GHQ（連合国軍総司令部）による戦後の日本の民主化

日本と三国同盟を結んだ（1940年9月）枢軸国のイタリアは1943年9月に、ドイツは1945年5月に降伏しました。日本は、その後も抗戦を続けていましたが、1945年8月15日に、ポツダム宣言を受諾することによって、連合国に無条件降伏をしました。1939年9月にドイツ軍がポーランドに侵攻したことに始まった第二次世界大戦（日本では12月8日に開戦した英米との戦争のことで、アジア太平洋戦争と呼ぶ）は、こうして終結しました。第二次世界大戦の終結に際し、日本において、ポツダム宣言を執行する連合国の機関となったのが、GHQ（連合国軍総司令部）です。「連合国」とは言っても、その多くは、アメリカ軍であり、少数のイギリス軍とオーストラリア軍で構成されています。

ポツダム宣言とは、1945年7月26日にベルリン郊外のポツダムにおいて、アメリカ大統領トルーマン、イギリス首相チャーチル、中華民国主席蒋介石の名で、大日本帝国（日本）に対して発せられ、「日本軍の無条件降伏」等を求めた全13カ条からなる宣言文のことです。連合国が枢軸国に対して無条件降伏を求める姿勢は、すでに1943年1月のカサブランカ会談、1943年11月のカイロ会談で明確化されています。

連合国は、ポツダム宣言によって、日本に何を求めたのでしょうか。求めたものは、第二次世界大戦が反ファシズム戦争という基本的な性格（第一次世界大戦とは違う性格）を反映して、次に示す①～⑦のことです。それは、①軍国主義の一掃（このための連合国の占領）、②日本軍の完全な武装解除、③戦争犯罪人の処罰、④民主主義の徹底、⑤言論・宗教・思想信条の自由、⑥基本的人権の尊重、⑦平和を志向する政府の樹立、です。

よく勘違いをして、GHQを占領支配のための機関と、捉えている人が多いのですが、そうではなく、ポツダム宣言の完全実施のための機関と捉えることが重要です。ポツダム宣言の第12条には、「日本国国民が自由に表明した意志による平和的傾向の責任ある政府の樹立を求める。この項目並びにすでに記載した条件が達成された場合に占領軍は撤退する」と記載されています。つまり、軍国主義が一掃され、平和的政府が樹立されれば、占領軍は撤退すると言っているわけです。

ところが、東久邇宮内閣は、①国体護持（天皇中心の政治体系）、②特別高等警察の充実、③治安維持法の温存、④政治犯は獄中に閉じ込めたままで、ポツダム宣言を全く理解できていません。堪りかねたGHQは、①政治犯の釈放、②特高警察の廃止、③弾圧法規の廃止などを内容とする「人権指令」を1945年10月4日に政府につきつけました。そして、近衛文麿国務大臣には、憲法改正の必要性を示唆しました。これをみた東久邇宮内閣は、政権を投げ出してしまいました。たった54日間（1945年8月17日～1945年10月9日）の無能な短命内閣でした。

その後、GHQ最高司令官のマッカーサーは、10月11日に訪問した幣原首相（1945年10月9日～1946年5月22日）に、①婦人参政権の付与、②労働組合の結成の奨励、③教育の自由主義化、④秘密警察の廃止と人権保護の司法制度の確立、⑤経済機構の民主化と独占資本の是正を求める「五大改革指令」を出しました。さらに、矢継ぎ早に、①軍国主義教育の禁止、②軍国主義教員の追放、③財閥解体等、④農地改革、⑤国家と神道の分離などの非軍事化・民主化を求める指令を出しました。

日本国憲法の施行

GHQによる一連の民主化処置が進行するなかで、幣原内閣は、10

月13日に松本烝治国務大臣を委員長とする「憲法問題調査会」を設置しました（初会議は10月27日）。すでに、有識者のなかには、マッカーサーの指示を待つまでもなく、憲法改正に踏み出すべきとの意見が広まっていました。

「日本共産党」「日本自由党」「日本進歩党」「日本社会党」「民間の憲法研究会」などが、それぞれ憲法草案をつくりました。政府も憲法改正作業にとりかかり、1945年12月8日に「松本4原則（議会権限の強化などであるが、基本的には明治憲法の枠内）」を発表して、さらに改定作業を進めました。

1946年2月1日に、毎日新聞が、「憲法問題調査会」の試案が「明治憲法の一部手直し程度のものになっている」のをスクープしました。これを知ったマッカーサーは、日本政府が憲法を起草するのは無理と判断し、GHQは一週間という短期間で、憲法草案をつくりました。その一方で、日本政府には、正式な政府案の提出を急がせました。

日本政府は、1946年2月8日に、明治憲法を一部修正したような改定憲法（松本試案）をGHQに提出しました。この中には、例えば「『天皇は神聖にして侵すべからず』を『天皇は至尊にして侵すべからず』に改める」があります。政府案（松本試案）は、「民主主義の徹底」や「基本的人権の尊重」など、ポツダム宣言が求めるものとは、ほど遠い内容のものです。そこで、GHQは、政府案（松本試案）を拒否して、1946年2月13日に、GHQの憲法草案を日本政府に渡しました。

GHQが政府案（松本試案）を拒否するのは当たり前でしょう。GHQは、ポツダム宣言の完全実施のための機関ですよ。政府の要人に対しては、そこまで、国体護持の教育、軍国主義の教育が徹底されていたのかと思うと、情けなくなります。

1946年2月21日に、マッカーサーは、幣原首相との会談で、国民主権に基づく「象徴天皇制」と「戦争放棄」を認めることが天皇を守ることになると説得しました。これは、2月下旬から極東委員会（GHQより上の対日政策の最高決定機関）が始まり、天皇制廃止が予想されていたからです。この頃から、マッカーサーは、ポツダム宣言の執行というより、天皇を利用したアメリカの対日占領政策を考えていたのではないかと思います。

日本政府は、GHQ草案に修正を加えて、1946年3月2日にまとめ、3月4日に再びGHQに提出して折衝に入りました。連日の徹夜折衝が続いたのですが、このとき、日本側の責任者の松本国務大臣は責任を放棄してしまいます。この松本国務大臣が、後に「押し付け憲法」と騒ぎ出した張本人です。

GHQとの折衝が重ねられた憲法草案は、1946年3月6日の閣議決定を経て、「憲法改正草案要綱」として発表されました。さらに、これが口語体に直され、1946年4月17日に「憲法改正草案」として全文が発表されました。その後、国会での審議を経て（①主権在民の明記、②憲法第25条第1項の追加などあり）、1946年10月7日に日本国憲法が成立しました。こうして日本の憲法は、1946年11月3日に公布され、翌1947年5月3日に施行されたのです。

1946年の「憲法改正草案」の国会審議では、日本共産党は、「象徴天皇制」「憲法九条」に反対し、修正案を提出して採決に反対したようです。今では考えられませんが、日本共産党は、憲法九条に対しては、どの国でも自衛権はあるはずだから、自衛のための戦力まで放棄するのは反対であると表明しています。逆に、当時の吉田茂首相（麻生太郎元首相の祖父）は、憲法九条は、「平和団体の先頭に立って平和を促進する、平和に寄与するという抱負を加えての戦争放棄の条項である」と説明しています。1980年代の頃までは、日本共産党は、「自衛隊は、憲法九条に違反している。自衛隊をもつかどうかは国民投票で」と主張していたと思います。それが、現在では、なぜ、憲法九条を守ることが重要だと考えるようになったのでしょうか。そのように変わったのは、東西冷戦構造が崩壊し、「戦争のない社会」が現実のものとなってきたからではないかと思います。

公職追放の正逆

GHQは、1946年（昭和21年）1月4日付、連合国最高司令官覚書「公務従事に適しない者の公職からの除去に関する件」により、『公職に適せざる者（①戦争犯罪人、②陸海軍の職業軍人、③超国家主義団体等の有力分子、④大政翼賛会等の政治団体の有力指導者、⑤海外の金融機関や開発組織の役員、⑥満州・台湾・朝鮮等の占領地の行政長官、⑦その他の軍国主義者・超国家主義者）』を追放することを政府に求めました。いわゆる「公職追放」で、政府の要職や民間企業の要職に就くことを禁じたものです。

この覚書を受け、1946年に、「就職禁止、退官、退職に関する件」（公職追放令、昭和21年勅令第109号）が勅令形式で公布・施行され、戦争犯罪人、戦争協力者、大政翼賛会、護国同志会関係者がその職場を追われました。この勅令は、翌年の「公職追放者は公職に関する就職禁止、退職に関する勅令」（昭和22年勅令第一号）で改正され、公職の範囲が広げられて戦前・戦中の有力企業や軍需産業などの幹部も対象になりました。その結果、1948年5月までに20万人以上が追放される結果となりました。公職追放者は、公職追放令の条項を遵守しているかどうかを確かめるために、その静動についても政府から監視されていました。

1947年(昭和22年)2月1日に、計画されたゼネラル・ストライキ(2.1ゼネスト)が、決行直前にマッカーサーの指令で中止になった事件がありました。高揚してきた労働運動を抑え込む一大事件です。その後、中華人民共和国の設立、朝鮮戦争など世界情勢に変化が起こり、GHQは対日政策を180°転換して、公職追放指定者も戦争犯罪人や戦争協力者から日本共産党員や進歩的な人へと変わっていきました(レッドパージ)。

また、サンフランシスコ条約・旧安保条約(1951年9月8日調印、1952年4月28日発効)が近づくと1950年に第一次追放解除が行われました。1951年には日本政府に対して公職追放の緩和および復帰に関する権限を認めました。これによって、1951年には25万人以上の追放解除が行われました。軍部の暴走を煽(あお)ったことで、1946年に公職追放となっていた鳩山一郎元首相(鳩山由紀夫元首相の祖父)は、この時に追放解除となりました。「公職追放令」は、サンフランシスコ条約発効(1952年4月28日)と同時に施行された「公職に関する就職禁止、退職に関する勅令等の廃止に関する法律」(昭和27年法律第94号)により廃止されました。この法律の施行まで追放状態に置かれていたのは、岸信介元首相(安倍晋三首相の祖父)ら、約5,500人程度です。岸信介氏は、A級戦犯の容疑で巣鴨拘置所に収容されていましたが、1948年12月24日に釈放されました。岸信介氏は、A級戦犯では不起訴になっても、公職追放者ですから、公職追放を解くことはできません。多くの戦争扇動者や戦争協力者と同様に、1952年(昭和27年)の法律の施行までは、公職追放状態のままであったわけです。

GHQの対日政策の変化

戦後の日本が歩んできた道や日本国憲法の成り立ちを理解するためには、「①第二次世界大戦の性格」「②ポツダム宣言の内容」「③ GHQの対日政策」を理解しなければなりません。あまり考えないで、日本の憲法は、GHQから押し付けられた憲法であると批判する人がいます。先にも述べたように、GHQがつくった憲法草案がもとになっていますから、押し付けられたと捉えれば、押し付けられた憲法なのでしょう。しかし、日本政府の「憲法問題調査会」は、自分の国の憲法をつくることができなかったのですから、「憲法をタダでつくって頂いた」といった方が、的確な表現だと思います。

言い方は別として、重要なことは何を押し付けたかということです。私は、GHQが、押し付けたのは、「平和主義」「主権在民」「基本的人権の尊重」（日本国憲法の三原則）だと思います。当時の政府・支配層の政治体系の基本は、「国体護持」でしたから、これに逆らって、押し付けたわけです。

明確にいつからとは言えませんが、1946年（昭和21年）の半(なか)ばころを境にして、GHQの対日政策が180°転換します。180°転換してからGHQが押し付けたのは、日本が反共の砦(とりで)（アメリカの目下の同盟者）になることです。もっと、ハッキリ言えば、アメリカのポチになることを押し付けたのです。このように、GHQの対日政策は変化しました。

GHQは、1946年の半ば頃までは、第二次世界大戦に反対した政治犯を釈放し、戦争扇動者や戦争協力者を公職追放にしました。それが、今度は、1950年には、戦争に反対したような進歩的な人を公職追放にしました。そして、1951年には、かつて公職追放にした25万人以上の戦争扇動者や戦争協力者を解放したのです。公職追放指定者をみても、GHQの対日政策の変化が分かります。GHQの対日政策の変化が理解できないと、いつまで経っても、アメリカが咳をすると、日本は風邪をひきます。

サンフランシスコ条約・旧安保条約が発効した1952年4月28日を、日本が独立を勝ちとった日として、「独立記念日」に指定しようとする不逞(ふてい)の輩(やから)が少なからずいます。不逞の輩の多くは、GHQの始めの頃(1946年の半ばころまで)の「軍国主義の一掃」などの対日政策を「占領軍の支配」あるいは「占領軍の押し付け」と言って批判します。戦犯容疑から釈放された輩や、公職追放から解除された輩は、自らを合理化するために批判するわけです。

不逞の輩は、日本が行ったアジア太平洋戦争(第二次世界大戦のことで、アジア・太平洋地域での連合国のアメリカ軍・イギリス軍と枢軸国の日本軍との戦争)は、侵略戦争ではなく、自存自衛のための戦争であると正当化します。また、欧米の植民地から解放するための戦争であると美化します。

日本には、第二次世界大戦を正しく理解しない人が比較的に多いように思います。その理由は、戦争犯罪人を正しく裁かなかったことなどが考えられます。世界を見わたせば、「従軍慰安婦はどこでもあった!」「ナチスドイツにみならう!」「太平洋戦争は侵略戦争ではない!」などと発言する政治家は一人もいません。こんなことを言えば、即刻、議員辞職に追い込まれます。

いつまでも、こんな調子では、いつか、日本は一番遅れた政治後進国になってしまいます。世界は、百年経っても、千年経っても、第二次世界大戦（アジア太平洋戦争）は正しい戦争であったとは認めません。アジア太平洋戦争が侵略戦争であったことは、世界の常識です。日本の政治家が靖国神社を参拝するのを批判するのは、中国や韓国だけではありません。これは世界の趨勢です。不逞の輩は、政治家の靖国神社への参拝を「内政干渉だ！」などと叫んでいますが、世界は日本に対して、常識的行動を採るようにと忠告をしているわけです。不逞の輩は、それが理解できないのでしょうか。

世界から戦争をなくすためにも、日本が常識国になるためにも、そして、何よりもアメリカの言いなりにならないためにも、私は、第二次世界大戦を反省して、戦後の日本が歩んできた道を正しく理解することが、重要であると思います。

「教育の機会均等」って何？
「教育」ってどういうこと？

2014年（平成26年）10月頃記述

はじめに

テレビや新聞、あるいは、国会中継などで、ときどき、「教育の機会均等」という言葉を目にしたり、耳にしたりします。この「教育の機会均等」を、ごくごく簡単に言うと、誰でも教育を受ける権利をもっているということです。もう少し付け加えると、誰でも教育を受けられるように、国や地方公共団体は、必要な支援をしなければならないということです。

ところが、格差が広がった日本の社会を見ていると、どうも「教育の機会均等」が、おろそかにされているように思います。私には、新自由主義者たちが、「貧乏人は、義務教育を終えたら、サッサと働け！」とでも言っているように感じます。

いま、日本社会では、かつては考えられなかった事態が起きています。それは、「奨学金返済に行きづまり自己破産」「夫婦で奨学金を返済中。子どもをあきらめた」など、本来は若者の夢と希望を後押しすべき奨学金が、若者の人生を狂わせるという「正反対の結果」をもたらしていることです。卒業時に平均で300万円、多い場合には1,000万円もの「奨学金という借金」を背負って、社会人としてのスタート台に立っているわけです。就職氷河期と言われている時代ですから、大学を卒業しても、非正規社員としての道しか選べない人もいます。非正規社員の賃金は、正規社員のそれの半分以下です。これでは、働いても、働いても、奨学金の返済が、本来の人間生活の足かせになってしまいます。人間の当然の活動の「働く」ことが、苦痛になるのが心配です。

私は、そのような人に、「何のために、働くのですか？」と聞いてみたいと思います。ヒョットすると、「奨学金を返済するために働くのですよ！」という答えが返ってくるかも知れません。奨学金制度を利用して、大学に入って教育を受け、卒業したら、奨学金を返済するために働く？　もしかすると、奨学金を返済するために大学に入ったのかな！　私には、何が何だか？　わけが分からなくなってきました。

そこで、「教育の機会均等」って何？　そもそも「教育」って、どういうこと？　を考えてみることにしました。

「教育の機会均等」について

まずは、次の質問から始めます。

ごく普通の100人の日本国民を対象にして、私が、「日本の国の発展にとって、次に示す①または②の、どちらの教育制度が望ましいと考えますか？」と質問します。

そこで、みなさんには、「質問された100人が、どのように答えるか？」を予想して頂きたいのです。みなさんは、どのように予想されますか？

①…貧しい家庭に生まれても、優秀な子どもが、高度な教育を受けられる教育制度

②…裕福な家庭に生まれた子どもであれば誰でもが、高度な教育を受けられる教育制度

これを読まれている皆さんは、きっと「100人の全員が『①』と答える」と予想するでしょう。私もそのように思います。普通は、常識的には、「『②の方が望ましいと答える人』なんて、いるはずがない」と予想します。

今度は、同じ質問を、普通の日本国民ではなく、子どもをもった裕福な家庭の親の100人に質問します。今度は、「100人が、どのように答えるか？」を予想して下さい。

みなさんは、きっと、「裕福な家庭の親の100人の全員が『②』と答える」と予想するでしょう。私もそのように思います。

「②の考え」をもつことに対しては、一人の人間としても、子どもをもつ親としても、勝手なことであり、トヤカク言うつもりはありません。また、「②の考え」をもつ裕福な家庭の親のもとで、教育を受けた子どもに対しても、トヤカク言うつもりはありません。しかし、「①の考え」を否定する人、ましてや、「②の考え」で教育を受けた子どもが大人になって、「①の考え」を否定することに対しては、トヤカク言うつもりです。

「①の考え」を表だって否定すると、国民から総スカンを食らいます。「貧しい家庭に生まれた子どもは、高度な教育を受ける必要はない」と、表だって言うとどうなるでしょうか。こんなことは、誰だって分かります。子どもでも分かります。

と言うわけで、「②の考え」の人は、表だっては、「①の考え」を肯定して「②の考え」を否定し、裏の方では、「②の考え」を肯定して「①の考え」を否定するのです。つまり、二枚舌を使うということですが、私たちは、二枚の舌をしっかりと吟味してからトヤカク言わなければなりません。

文部科学省や大学の先生らの調査結果などから、「親の年収と子ども学力は、比例関係にある」と言われています。つまり、親の年収が高い家庭の子どもほど、学力が高い傾向にあるということです。貧しい家庭に生まれた子どもは、必ず学力が低いかというと、それは間違いです。親の年収が高い家庭に生まれた子どもは、必ず学力が高いかというと、これも間違いです。ところが、親の年収が高い家庭で育った人は、ここを勘違いして、「親の年収が高い家庭に生まれた子どもは、必ず学力が高い」と捉えています。

「アンタは、金持ちに対するコンプレックスがあるから、そんなことを言うのでしょ！」と指摘する人がいると思いますので、子どもの学力の「高い、低い」は、親の年収だけではないことを付け加えておきます。確かに、それだけではなく、親の学歴、家庭環境や本人の姿勢などにも関係しています。親の年収や学歴が低いグループのなかでも、成績がよい子どもには、「朝食を毎日食べる」「就寝が毎日同じ時刻」「親が本などを読むよう進めている」「家庭内で学校の成績に関する会話がある」等の特徴が見られるようです。

しかし、現在のように格差が広がった社会が続くと、子どもの教育機会が、親の年収によって決定され、確実に親の格差が子どもに連鎖するような社会になるでしょう。親の年収や階層によって、子どもの教育機会の不平等が生じ、将来の人生が固定されるようになれば、人は意欲を失い、発展性のない停滞した社会になってしまいます。

ここで、教育基本法第4条、そのもとになった日本国憲法の第14条と第26条を記載しておきます。

《教育基本法（教育の機会均等）》

第4条　すべて国民は、ひとしく、その能力に応じた教育を受ける機会を与えられなければならず、人種、信条、性別、社会的地位又は門地（もんち）（家柄）**によって、教育上差別されない。**

2　国及び地方公共団体は、障害のある者が、その障害の状態に応じ、十分な教育を受けられるよう、教育上必要な支援を講じなければならない。

3　国及び地方公共団体は、能力があるにもかかわらず、経済的理由によって修学が困難な者に対して、奨学の措置を講じなければならない。

教育基本法第4条は、日本国憲法の第14条と第26条がもとになって、教育の面から具体化されたものです。憲法第14条は、基本的人権のうちの自由権であり、第26条は基本的人権のうちの社会権です。

《日本国憲法》

第14条　すべての国民は、法の下に平等であって、人権、信条、性別、社会的身分又は門地により、政治的、経済的又は社会的関係において、差別されない。

２　華族その他の貴族の制度は、これを認めない。

３　栄誉、勲章その他の栄典の授与は、いかなる特権も伴わない。栄典の授与は、現にこれを有し、又は将来これを受ける者の一代に限り、その効力を有する。

第26条　すべて国民は、法律の定めるところにより、その能力に応じて、ひとしく教育を受ける権利を有する。

２　すべて国民は、法律の定めるところにより、その保護する子女に普通教育を受けさせる義務を負う。義務教育は、これを無償とする。

「教育の機会均等」とは、教育基本法の第４条第１項そのものです。それでは、なぜ、「教育の機会均等」が必要なのでしょうか。なぜ「教育の機会均等」が定められたのでしょうか。ここから先は、教育に関しては素人の私の持論です。

次に示す、「Ⓐ」と「Ⓑ」の違いは、憲法の第14条第１項からみれば、明らかにオカシイと思いますが、如何でしょうか？

Ⓐ…奨学金制度を利用して大学に入り、卒業しても、正社員として採用されないために、奨学金の返済に苦労する。

大学に入って、特に遊んでいたわけではなく、ごく普通に勉強したとしても、こうなってしまうのが、現在の日本の格差社会です。

Ⓑ…裕福な家庭に生まれた人が、留学して専門知識を身に付けたフリをする。そして、日本に戻り、親の社会的地位を利用して、一流企業に就職する。

留学して、特に勉強したわけでもなく、ごく普通に遊んだとしても、こうなってしまうのが、現在の日本の格差社会です。

こうして、「Ⓐ」や「Ⓑ」のように、具体例を上げて「格差社会」を考えてみると、「教育の機会均等」が定められた第一の理由は、憲法に示される基本的人権を、教育の面から、保障するためだと思います。

いくら努力しても報われず、下層階級として（貧乏人は貧乏人として）、固定化されるような社会になると、犯罪が多発する社会になります。第二の理由は、オカシナ社会をつくらないように、すべての国民が教育を受けて、すべての国民が民主的社会の主体的形成者となるためだと思います。

貧乏人であっても、金持ちであっても、個人としては、尊重されなければなりません（**憲法第13条　すべて国民は、個人として尊重される。生命、自由及び幸福追求に対する国民の権利については、公共の福祉に反しない限り、立法その他の国政の上で、最大の尊重を必要とする**）。個人の能力を生かさないと国家としては損失です。「教育の機会均等」が定められた第三の理由は、すべての国民が教育を受けて、個人の能力を最大限に発揮すると同時に、社会の発展に寄与するためだと思います。

1980年代に入り、世界各国が、「レーガノミックス、サッチャリズム、中曽根臨調」路線を進み、いよいよ新自由主義が闊歩するような時代になりました。そして、日本では、「小泉―竹中」の聖域なき構造改革路線で、総仕上げが行われました。その後、何代かの政権が交代しましたが、基本的な路線は変わっていません。新自由主義が闊歩する時代に入ってから、ますます、「教育の機会均等」がおろそかになってきたように感じます。

「奨学金をもらって遊んでいる」、「奨学金を遊びに使っている」という人がいます。しかし、本当に、みんなが、そうであるか？ よく調べてみて下さい。こんなことを言う人の多くは、「『奨学金制度を利用する』ことが『悪』である」と思わせて、「教育の機会均等」を保障する制度をナイガシロにすることを企んでいると思います。

裕福な家庭に生まれた人は、よく「生活保護をもらって、働かないで、遊んでいる」と宣伝して、生活保護を受けている人全体を批判します。確かに、一部には、そんな人がいるようですが、圧倒的多数は、生活保護を受けられないで苦しんでいる人です。一部が全体であるかのように宣伝し、弱者同士を争わせているのです。これは、強者が弱者をだます論理です。強者は、弱者を見くだして、あざけ笑っています。いかにも、「『生活保護を受ける』ことが『悪』である」と思わせて、生活保障制度をナイガシロにすることを企んでいるのです。「奨学金をもらって遊んでいる」、「奨学金を遊びに使っている」と宣伝するのと全く同じです。

私たちは、いつまでも、だまされ続けるわけにはいきません。これでは、「教育の機会均等」が保障される社会にはなりません。

憲法25条から28条までに、「生活権（一般的には「生存権」と言われますが、私は「生活権」です）、教育権、労働権」という基本的人権としての社会権が定められています。これらは、アシナガおじさんが善意でやるようなものではありません。立憲主義の憲法にもとづいて、政府や地方公共団体が実施すべきものです。「教育の機会均等」を保障させるためには、社会教育を受けて、社会の主体的形成者となった一人ひとりが、声を上げて、政府を動かすことが大切だと思います。

これまでの素人の私の説明で、「『教育の機会均等』」とは何か？」が、少しは分かって頂けたと思います。

「教育」について

次の話題の「そもそも、『教育』って、どういうこと？」について考えてみます。「教育」とは、文字どおりには、「教え育てること」です。しかし、これでは答えになりません。ここから先も、教育に関しては素人の私の持論です。私は、「教育」とは、大雑把に、一言でいうと、「知識を次世代に伝えること」だと思います。

「知識」と同じような言葉に「認識」や「経験」があります。「知識」は、知り得た「成果」を意味し、「認識」は、「認める（把握する）」という脳の作用を意味します。「経験」は、「あらゆる『もの』『こと』の直接的把握」であり、「認識」の初期の段階です。

「知識を次世代に伝えること」とは、「『自分が勉強して知り得た成果』や『他の人から教えて頂いた知識』を引き継ぐ」ということです。なぜ、「知識を次世代に伝えるか？」というと、人間社会の主体的形成者として、社会を継続的に発展させるためです。

生まれたばかりの子どもは、知識をもっていません。人類は、まだ知識をもっていない次世代（後継者）に対し、知識を伝えて（教育をして）、社会を継続的に発展させてきました。この場合の人類とは、いつの頃を指しているか？ と言うと、「人科 → ホモ属 → サピエンス種」と進化しましたが、今から約200万年前のホモ属が誕生した頃です。一世代を20年とすると、ホモ属が誕生してから、人類は、「教育を行う」ことによって、10万世代が交替して、社会を進化・発展させてきたことになります。

次世代ではなく、同世代に対して知識を伝えることも「教育」です。ただ、「『同世代』を『教え育てる』」とすると、少しヤヤコシクなるから、次世代としているだけです。知識を伝えることだけが、「教育か？」と言うと、そうではありません。新たな知識を獲得することを手助けすることも「教育」です。自然現象や社会現象を理解するのを手助けすることも「教育」です。さらには、自然現象や社会現象など、いろいろな事象に興味をもたせることも「教育」です。

それでは、技能を身に付けさせたりすることは、どうでしょうか？私は、これは、少し違うのではないかと思います。これらは、訓練（継続的に練習を通して体得させること）と呼ばれており、私の持論では、「教育」の範疇（はんちゅう）には入りません。しかし、「なぜ、技能を身に付けなければならないか？」を教えることは「教育」です。

礼儀作法などの個別的な躾（しつけ）を身に付けさせることは、どうでしょうか？　これは、訓練に該当するので、「教育」ではありません。訓練は、人間だけではなく、他の動物にも見られます。しかし、「躾とは何か？」を教えることは「教育」です。

素人の私が色いろと説明してきましたが、ここで、「『教育』って、どういうこと？」をまとめておきます。

＊「教育」とは、社会の主体的形成者としての資質を養い、社会を継続的に発展させるために、身に付けた知識を次世代に伝えることです。

社会権について

ここまで、「教育権」に関することを記述しましたので、ついでに、他の「社会権」との関連について、まとめておきます。

「社会権（社会の主体的形成者としての権利）」は、日本国憲法では、第25条から第28条までに、「生活権（生存権）（憲法第25条）」「教育権（憲法第26条）」「労働権（憲法第27条）」「労働三権（憲法28条）」として定められています。

人間の生存活動は、「『働く』ことと『生活する』ことの循環」です。「働く」とは、みんなの生活に必要なものをつくり出すことです。「生活する」とは、それを消費することです。それでは、何のために「生活する」のでしょうか？ それは、明日「働く」体力を養うためです。十分な栄養をとって、十分な睡眠をとって、また、ときには趣味を謳歌（おうか）しないと、明日「働く」体力が身に付きません。以上の説明で、人間の生存活動が、「『働く』ことと『生活する』ことの循環である」ことが、分かると思います。

人間以外の他の動物も、「働いてエサを獲得し、それを食べて生活する」という生存活動を行っています。しかし、人間が他の動物と決定的に異なることは、人間は「社会」をつくって生存活動をしていることです。

人間は、200万年も前から、ずっと、社会をつくって生存活動を続けてきました。これから先、人間社会は、何万年、何億年続くか分かりませんが、生活様式や生産様式などの社会の形態は、時代とともに変化します。しかし、社会の主体的形成者として、社会をつくって、「働いて、生活する」という人間の生存活動は、変化しません。何万年、何億年が経過しても、きっと、人間は、働いて生活しています。

私なりに、日本国憲法に定められた「社会権」を整理すると、次のようになります。

＊社会をつくって、「働いて、生活する」という生存活動を続ける権利（義務でもある）（「生活権（生存権）（憲法第25条）」「労働権（憲法第27条）」「労働三権（憲法28条）」）

＊社会の主体的形成者としての資質を養い、身に付けた知識を次世代に伝える権利（義務でもある）（「教育権（憲法第26条）」）

この「社会権」は、世界的には、第一次世界大戦後のドイツのワイマール憲法（1919年制定・公布・施行）で初めて認められた権利です。「社会権」は、基本的人権の「自由権（国家権力によって制限されない思想・信仰の自由など、法の下の平等・生命身体の安全、言論・出版・集会・結社の自由などの権利のこと）」と比べて比較的に新しいことから、20世紀的人権とも呼ばれています。

200万年も前から、人間は、社会をつくって生存活動を続けているのに、「社会権」が確立されたのは、たった100年前のことです。「社会権」は、いかにも権利のごとき銘打（めいう）っていますが、私は「義務」でもあると思います。つまり、「社会をつくって生存活動を行い、次世代をつくってバトン（タスキ）を渡す」ことは、個別人間としては「権利」ですが、いまを生きている類的人間（人類＝ホモ・サピエンスの一人）としては「義務」であるということです。

おわりに

憲法第26条の第1項では、「……その能力に応じて、ひとしく教育を受ける権利……」と規定されています。みなさんもそうだと思いますが、私には、この条文の「その能力に応じて」のところが「教育の機会均等」と矛盾しているようで、もの凄い違和感がありました。ところが、「能力に応じて」を「その人の能力が、発揮できる分野で、必要に応じて」と解釈するようにしたら、この違和感（モヤモヤ）は解消されました。

第26条　すべて国民は、法律の定めるところにより、その人の能力が発揮できる分野で、必要に応じて、ひとしく教育を受ける権利を有する。

ところで、裕福な家庭に育ち高度な教育を受けたが、それほどの知識を身に付けなかった人、また、留学して専門知識を身に付けたフリをしている人は、この「能力に応じて」を、どのように解釈しているでしょうか？　ぜひ一度、聞いてみたいと思っています。

地球って誰のもの？
地球をこわすな！

2015年（平成27年）2月頃記述

はじめに

『あなたが世界を変える日』（セヴァン・カリス＝スズキ著、辻信一、中村隆市編訳、学陽書房）という本があります。この本の中には、ブラジルのリオ・デ・ジャネイロで行われた国連の地球サミットで、セヴァン・カリス＝スズキさんが話し、「リオの伝説のスピーチ」と呼ばれるようになった「文章―スピーチ全文」が記載されています。

私が、この文章に出会ったのは、2014年（平成26年）の10月のころです。「もっと早くに、出会っていたらなぁ！」と、悔やんでいます。こんな感動的な文章には、一生のうちで何度も出会えるものではないから、早いに越したことはありません。この文章に出会って、半年も経ってはいませんが、もう5回以上は読んでいます。何回読んでも、「胸にジ～ン！」と、くるものがあります。

この文章に出会ったときが、不逞（ふてい）の輩（やから）（人の道を外した困った連中のこと）が九州電力の川内（せんだい）原発再稼働を企んでいる時期と、ほぼ同じころでした。そこで書いてみようと思い立ったのが、表題を「地球って誰のもの？ 地球をこわすな！」としたエッセイです。

伝説のスピーチ

次の「ゴシック体」で示した文章を、読んでみて下さい。この文章が「リオの伝説のスピーチ」と呼ばれるようになったもので、当時12歳であったセヴァン・スズキさんの国連地球サミットでのスピーチです。

◇スピーチ全文

こんにちは、セヴァン・スズキです。エコを代表してお話しします。エコというのは、子ども環境運動の略です。カナダの12歳から13歳の子どもの集まりで、今の世界を変えるためにがんばっています。あなたたち大人のみなさんにも、ぜひ生き方を変えていただくようお願いするために、自分たちで費用をためて、カナダからブラジルまで1万キロの旅をしてきました。

今日の私の話には、ウラもオモテもありません。なぜって、私が環境運動をしているのは、私自身の未来のため。自分の未来を失うことは、選挙で負けたり、株で損したりするのとは、わけが違うんですから。

私がここに立って話をしているのは、未来に生きる子どもたちのためです。世界中の飢えに苦しむ子どもたちのためです。そして、もう行くところもなく、死に絶えようとしている、無数の動物たちのためです。

太陽のもとに出るのが、私はこわい。オゾン層に穴があいたから。呼吸をすることさえこわい。空気にどんな毒が入っているかもしれないから。父とよくバンクーバーで釣りをしたものです。数年前に、体中ガンでおかされた魚に出会うまで。

そして今、動物や植物たちが、毎日のように絶滅していくのを、私たちは耳にします。それらは、もう永遠に戻ってはこないんです。

私の世代には、夢があります。いつか、野生の動物たちの群れや、たくさんの鳥や蝶が舞うジャングルを見ることです。でも、私の子どもの世代は、もうそんな夢をもつことも、できなくなるのではないか？　あなたたちは、私の歳ぐらいのときに、そんな心配をしたことがありますか？

こんな大変なことが、ものすごい勢いで起こっているのに、私たち人間ときたら、まるでまだまだ余裕があるような、のんきな顔をしています。

まだ子どもの私には、この危機を救うのに、何をしたらいいのか、はっきりわかりません。でも、あなたたち大人にも、知って欲しいんです。あなたたちも良い解決法なんて、もってないっていうことを。

オゾン層にあいた穴をどうやって防ぐのか、あなたは知らないでしょう。死んだ川にどうやってサケを呼び戻すのか、あなたは知らないでしょう。絶滅した動物をどうやって生き返らせるのか、あなたは知らないでしょう。そして、今や砂漠となってしまった場所に、どうやって森をよみがえらせるのか、あなたは知らないでしょう。どうやって直すのか、わからないものを、こわし続けるのはもう止めてください。

ここでは、あなたたちは、政府とか企業とか団体とかの代表でしょう。あるいは、報道関係者か政治家かもしれない。でも本当は、あなたたちも、誰かの母親であり、父親であり、姉妹であり、兄弟であり、叔母であり、叔父なんです。そして、あなたたちの誰もが、誰かの子どもなんです。

私は、まだ子どもですが、ここにいる私たちみんなが、同じ大きな家族の一員であることを知っています。そうです、50億以上の人間からなる大家族。いいえ、実は、3千万種類の生物からなる大家族です。

国境や各国の政府が、どんなに私たちを分け隔てようとも、このことは変えようがありません。私は子どもですが、みんながこの大家族の一員であり、一つの目標に向けて、心を一つにして、行動しなければならないことを知っています。

私は怒っています。でも、自分を見失ってはいません。私はこわい。でも、自分の気持ちを世界に伝えることを、私はおそれません。

私の国でのむだづかいは、大変なものです。買っては捨て、また買っては捨てています。それでも物を浪費し続ける北の国々は、南の国々と富を分かち合おうとはしません。物があり余っているのに、私たちは、自分の富をほんの少しでも、手ばなすのが怖いんです。

カナダの私たちは、十分な食べものと水と住まいをもつ、恵まれた生活をしています。時計、自転車、コンピューター、テレビ、私たちのもっているものを数えあげたら、何日もかかることでしょう。

2日前、ここブラジルで、家のないストリートチルドレンと出会い、私たちはショックを受けました。一人の子どもが、私たちにこう言いました。「僕が金持ちだったらなぁ。もしそうなら、家のない子すべてに、食べものと、着るものと、薬と、住む場所と、やさしさと愛情をあげるのに」

家も何もない一人の子が、分かちあうことを考えているというのに、すべてをもっている私たちが、こんなに欲が深いのは一体どうしてなんでしょう。これらの恵まれない子どもたちが、私と同じくらいの歳だということが、私の頭をはなれません。

どこに生まれついたかによって、こんなにも人生が違ってしまう。私がリオの貧民街に住む子どもの一人だったかもしれないんです。ソマリアの飢えた子どもだったかも、中東の戦争で犠牲になるか、インドで物乞(ものご)いをしていたかもしれないんです。

もし戦争のために使われているお金をぜんぶ、貧しさと環境問題を解決するために使えば、この地球はすばらしい星になるでしょう。私はまだ子どもだけど、そのことを知っています。

学校で、いや幼稚園でさえ、あなたたち大人は、私たち子どもに、世の中でどう振る舞うかを教えてくれます。たとえば、争いをしないこと、話し合いで解決すること、他人を尊重すること、散らかしたら自分で片付けること、他の生き物をむやみに傷つけないこと、分かち合うこと、そして欲張らないこと。

ならば、なぜ、あなたたちは、私たちにするなと言うことをしているのですか。なぜ、あなたたちが今、こうして会議に出席しているのか、どうか忘れないで下さい。そして、一体誰のためにやっているのか。

それは、あなたたちの子ども、つまり私たちのためです。みなさんは、こうした会議で、わたしたちが、どんな世界に育ち、生きていくのかを決めているんです。

親たちは、よく、「だいじょうぶ。すべてうまくいくよ」と言って、子どもたちをなぐさめるものです。あるいは、「できるだけのことは、してるから」とか、「この世の終わりじゃあるまいし」とか。

しかし、大人たちは、もうこんななぐさめの言葉さえ、使うことができなくなっているようです。お聞きしますが、私たち子どもの未来を真剣に考えたことがありますか？

父はいつも私に不言実行、つまり、何を言うかではなく、何をするかで、その人の値うちが決まる、と言います。しかし、あなたたち大人が、やっていることのせいで、私たちは泣いています。あなたたちは、いつも私たちを愛している、と言います。

しかし、言わせて下さい。もしそのことが本当なら、どうか本当だということを、行動で示して下さい。

最後まで私の話を聞いてくださって、ありがとうございました。

（漢字、平仮名の使い分け、振り仮名の使用は本の原文とは異なる）

◇伝説のスピーチに対して

この本の編訳者（辻信一さん、中村隆市さん）の「あとがき」に、次のような記述があります。

「私の話には、ウラもオモテもありません」、居並ぶ世界のリーダーたちを前に、12歳のセヴァン・カリス＝スズキは、こう話し始めました。場所はブラジルのリオ・デ・ジャネイロで行われた国連の地球サミット、1992年の6月11日のことです。

それから、わずか6分間スピーチが、世界を、たしかに、変えるこ

とになりました。リーダーたちは、立ち上がってセヴァンを祝福します。涙を流しながら、それを拭おうともしない人たち。ロシアの前大統領ゴルバチョフが、あとにアメリカの副大統領になるアルバート・ゴアが、かけよって、サミットで一番のスピーチだったと褒めたたえます。

その場にいた人々の心をつかんだセヴァンの言葉は、その後、活字となって、映像となって、世界中を駆けめぐります。

このスピーチの文章は、大人が準備したものではありません。リオ滞在予定の最終日に、セヴァン・スズキさんたちに、発言するチャンスが与えられることになり、仲間５人が、サミットの会場に向かう途中でつくったものです。『あなたが世界を変える日』の本には、「**世界のリーダーが集まる地球環境サミット政策会議の会場に向かって、ガタガタゆれるタクシーのなかで、半狂乱になってスピーチの原稿をなぐり書きしたことを今でも覚えています**」と記述されています。私は、驚きの連続でした。

地球は誰のもの

◇生物の一生

動物や植物を総称して生物と呼んでいます。約46億年前に地球が誕生し、約38億年前に、海のなかで、全ての生物の共通の祖先である一つの生命体（原始生命体）が誕生しました。その後、その子孫たちが増殖し、自己複製することで「種」の保存がなされ、また、自己複製する際の遺伝子に、様ざまな変異が生じることで、進化が起こって、多種多様な生物が誕生しました。こうして長い期間を経て、現在のような3,000万という生物種が生息する地球になりました。

生物の個体は、自己複製により、その祖先（親）から誕生し、ほとんどは、生体環境を正常な状態に保つことができなくなって、つまり、個体としては、寿命を迎えて死に至ります。生物の個体は、生きている期間内は、外部から物質を取り入れ、体内で化学変化させ、生じるエネルギーで自らの体の状態を一定に維持し、あるいは発展させ、不用な物質を外に捨てる「代謝」を行っています。

この「代謝」の働きと、遺伝子による「遺伝」の働きが、○○生物種が○○生物種であることを維持（種の保存）するための仕組みとなっています。生物の個体には、「一生（生命、生死）」があります。生物の個体の「一生」とは、発生してから、「生存（代謝）、世代交代（遺伝）」をして、死に至るまでのことです。

私たちホモ・サピエンス種（人類）の個人は、親から誕生し、「一生懸命に生きて（代謝）、次世代にバトンを渡して（遺伝）」、最後には、代謝ができなくなって死に至ります。これが、私たちホモ・サピエンス種個人の「一生」であり、「人生」です。

個体の「一生」は、一つの生物「種」としてみれば、その「種」を維持（種の保存）するための一世代になっています。つまり、その「種」の永遠の生命をつなぐ一区間になっているわけです。私たち一人ひとりの「人生」は、人類という永遠の生命をつなぐ（種の保存）役割を担っているのです。

個体の「一生」によって、種の保存がなされます。裏の方から言うと、大変に酷な言い方ですが、個体に「一生（生死）」がないと、種は保存されません。個体に「一生」があるのは、次々と世代交代をしないと、環境の変化に追従できずに、絶滅してしまうからです。ホモ・サピエンス種だって、寿命が200年もあって、世代交代をしないでいると、環境の変化に追従できずに、絶滅しますよ！

キレイすぎる言い方ですが、個人の人間に「一生」があるのは、「人類の未来（種の保存）のため」です。みなさん一人ひとりは、それぞれ生きる目的は違うと思います。しかし、個人ではなく、人類という側面から、生きる目的を考えると、「人類の未来（種の保存）のために生きている」になるはずです。○○種という生物種の個体は、○○種の未来のために生きています。「『種』の未来のために生きて、次世代をつくって交代する」ことが、あらゆる生物の本能です。

◇現存する「種」は、進化の最先端

生物の特徴の一つは、それぞれの個体が、○○種と呼ばれるグループを形成して現存していることです。「種」の違いを見分ける作業を分類と呼んでいますが、分類には何段階かのカテゴリー（区分）があり、外延（括る範囲）の広い方から順に、「界・門・綱・目・科・属・種」となっています。現在分類されている「種」だけで、200万種と言われています。また、未知の生物種を含めると、3,000万種とも言われています。

現存する人類、つまり、ホモ・サピエンス種は、チンパンジーから進化したという説が有力です。ホモ・サピエンス種は、「動物界—脊椎動物門—哺乳綱—霊長目—ヒト科—ホモ属—サピエンス種」と分類され、チンパンジーは、「—霊長目—ヒト科—チンパンジー属—チンパンジー種」と分類されます。アフリカのコンゴの熱帯雨林の森には、チンパンジーより人間に近いとされる「ボノボ」という生物種が棲んでいます。このボノボは、「霊長目—ヒト科—チンパンジー属—ボノボ種」

と分類されます。

チンパンジー種もボノボ種もホモ・サピエンス種もヒト科の仲間です。ヒト科の仲間ですが、チンパンジー種やボノボ種は、もう、いくら頑張っても、ホモ・サピエンス種には追い付けません。ホモ・サピエンス種が、チンパンジー種を、置いてきぼり（置き去り）にしたのではありません。それぞれが違った「種」に進化したのです。

それぞれの個体は、○○種を形成して現存していますが、それぞれは、進化の最先端に立って現存しています。「チンパンジー」だって、「サル」だって、「サカナ」だって、「ミミズ」だって、「バクテリア」だって、現存する全ての「種」の個体は、進化の最先端に立っているのです。

こうして、地球には、バクテリアからホモ・サピエンス種に至る生物種の多様性が生まれ、セヴァン・スズキさんの言葉を借りれば、「3000万種類の生物からなる大家族」になります。

◇生物と環境

今から、おおよそ6500万年前に、ユカタン半島（メキシコ湾とカリブ海との間に突き出ている半島）付近に、巨大な隕石が落下しました。それが原因で地球自身の環境が急激に変わり、巨大生物である恐竜がその影響を受けて絶滅しました。

恐竜が絶滅するまでの中世代（今から、おおよそ6500万年前～2億5000万年前）の哺乳類は、地上で、「うさぎ」「ねずみ」のような小さな体で生存していたわけですが、嗅覚を発達させた群れでした。地上生活では、移動ルートや移動した時間を臭いの情報として残すために、様ざまなマーキング行動が使われていました。

恐竜の絶滅後、「うさぎ」「ねずみ」のような哺乳類から進化した霊長類の生息環境は、地上から樹上へと変化しました。樹上生活では、同じ枝を他のものが通るとは限りません。また、枝はすぐに朽ちて落ちてしまいます。このように樹上生活になると、臭いの情報は役に立たなくなります。そこで進化した霊長類は、嗅覚（長い筒の鼻）を退化させ、平たい顔になりました。

樹上生活で必要な機能には、立体的にものを見る能力、あるいは、距離感を判断する能力があります。手・足で枝を握れても、枝までの距離を測り間違えば、空振りして墜落死してしまいます。そこで、霊長類は、立体的にものを見るために、両眼が顔面の前方に並んで位置し、退化した鼻を挟(はさ)む形となりました。

その後、霊長類は、長い間、樹上で生息するようになり、最初のヒト科の仲間である類人猿（チンパンジー、ゴリラ、オランウータンなど）にまで進化しました。さらに、その後、気候の変化によって熱帯雨林が減少したため、一部の類人猿は樹上から降りて、サバンナの草原で生活するようになりました。

それに対応するように、樹上から降りた類人猿は、直立二足歩行を開始しました。そして、草原に出た私たちの祖先は、ヒトを襲う肉食獣から身を守るために、また、栄養の摂取を容易にするために、「火」を使用するようになりました。さらには、集団で狩りをするために、また、集団でものづくりをするために、「言葉」を使用するようになりました。

このように、全ての生物種は、自らとお互いの存在、さらには地球環境との交互作用を通じて進化し、互いに複雑な関係で結ばれる生物圏を形成するに至っています。

ここで大切なことは、私たちは、「他の生物種とお互いに影響しあって、共に生きていること」を理解することです。そして、地球号は、「3,000万種類の生物のものであり、ホモ・サピエンス種だけのものでないこと」を理解することです。ホモ・サピエンス種が自分勝手に、他の生物種を絶滅に追いやるなんて、トンデモナイことです。

地球をこわすな！

◇原発再稼働のたくらみ

2011年（平成23年）3月に、東京電力福島第一原子力発電所で大変な人災事故を起こしました。それにも拘わらず、原発を推進しようとしている不逞（ふてい）の輩（やから）がいます。不逞の輩は、全国の原発再稼働の突破口として、九州電力川内（せんだい）原発の再稼働を進めようとしています。しかし、巨大噴火への備えがありません。まともな避難体制もできていません。

福島原発の大事故から、3年11カ月（2015年2月現在）が経過しますが、今でも12万人を超える人たちがふる里に戻れず、避難生活を余儀なくされています。福島原発は、事故の収束もできず、原因究明もできていません。このような状況のもとで原発再稼働など、トンデモナイことです。

日本のすべての原発が停止して、1年5カ月が経過します（最後の稼働停止は、2013年9月15日の大飯（おおい）原子力発電所の4号機）。それでも電力不足は、どこにも起きていません。この間、国民も、企業も、節電と省エネに努力し、電力消費を減らしてきました。これに加え、再生可能エネルギーを普及すれば、原発を再稼働しなくても、電力不足にはなりません。充分にやっていけます。

世界をみると、「原発ゼロ」に踏み出したドイツでは、再生可能エネルギーによる電力が、一番の主要電源になりました。再生可能エネルギーによる電力は、2000年には全体の6%にすぎませんでしたが、2014年の上半期には28.5%まで、急速に伸びたのです。

この経験は、政治が「原発ゼロ」を決断すれば、再生可能エネルギーへの転換への道が開かれることを示しています。日本でそれができないのは、不逞の輩が、先のない原子力発電にしがみついているからです。

政府自民党や電力会社は、原子力発電を「ベースロード電源」と位置付けています。ですから、不逞の輩（政府自民党や電力会社のほとんどの人はこの中に入る）に、「原発ゼロ」を期待するのは、無理というものです。

民主党は、「2030年代に原発稼働ゼロ」という政策を掲げています。しかし、そこに至るまでの道筋は、なに一つ示されていません。このまま進めば、2039年12月31日まで言い続け、2040年1月1日になって、「原発稼働ゼロは無理でした」と言って、放り投げるのが、関の山です。

2009年8月30日投票となった総選挙のときに、民主党は、沖縄の普天間基地の移設問題で、「できれば国外、最低でも県外」と言って、政権をとりました。その後、アメリカと交渉するでもなく、放り投げておいて、最後になって、「ヤッパリ無理なのが分かりました」と言ったのが、第93代総理大臣になった民主党の鳩山由紀夫氏です。こんな民主党ですから、「2030年代に原発稼働ゼロ」という政策も、「推して知るべし」です。これは、裏の方から言うと、「2030年代までは、原発を推進する」政策です。

◇原子力発電とは

人類は1930年代に「第二の火の発見」とか、「人類史的な大発見」

と呼ばれたほどの巨大な核エネルギーを発見しました。当初は兵器目的ではなく、潜水艦の推進などに使うエネルギーを得るために開発されました。酸素がなくても核分裂によってエネルギーを得ることができるため、何カ月もの間、海中に潜り続ける潜水艦には、ある意味では適していました。ところが、1939年の9月に第二次世界大戦が勃発すると、兵器として原子爆弾を開発するようになりました。そして、最初の原子爆弾が1945年7月に完成し、8月6日・9日に、広島と長崎に投下されました。

戦後は、この核エネルギーを商業用に利用するということで、原子力潜水艦に使われている原子炉を大型化し、原子力発電として使用するようになりました。せっかく見つけたエネルギーだからということだけで、環境への影響や安全性が確認されないまま実用化してしまったのです。人類は、このときに原発に踏み切るべきではなかったと思います。踏み切らなければ、スリーマイル島の原発事故も、チェルノブイリの原発事故も、福島の原発事故も、なかったはずです。

このように言うと、「現在のように、生活が豊かになり、利便性が高まったのも原発があったからだ！」と批判する人もいると思います。しかし、私は、「原発に踏み切らなければ、もっと再生可能エネルギーの研究や技術は進んでいたはずだ！」と考えますが、どうでしょうか。こっちの方だって否定できないでしょう。

もう一つの批判として、「犠牲者が出ても、それを上まわる利便性があれば、良いではないか！」という功利主義的な思想があると思います。これはアメリカなど（日本やイギリスでも、この思想がある）で息を吹き返している思想です。しかし、今から100年も経過すれば「一人の犠牲者も出してはいけない！」という、人間主義の思想が主流になると思います。

◇原子力発電の欠陥

原子力発電には、二つのトンデモナイ欠陥があります。原子炉内では、核エネルギーを取り出す過程で、放射能を生み出しています。欠陥の一つ目は、人類は、何か起こったときに、この放射能を原子炉の内部に閉じ込める技術を、開発できていないことです。一旦燃やした後の核燃料は、大量の放射能を絶えず出し続ける危険なものです。欠陥の二つ目は、人類は、この使用済み核燃料を後始末する技術を、開発できていないことです。

使用済み核燃料は、大量の放射能を絶えず出し続ける放射性物質です。放射性物質の中には、半減期が極めて長いものもあります。間違って捉えている人が多いようですが、半減期の2倍の期間が経過すると放射性物質が無くなるわけではありません。例えば、ウラン235の半減期は約7億年です。ウラン235を考えると、7億年後に50%、14億年後に25%、28億年後に12.5%、56億年後に6.25%、112億年後に3.125%、224億年後に1.5625%というように減っていくということです。

ヒト科の仲間が誕生したのが、今から約700万年前、ホモ属の仲間が誕生したのが約200万年前、ホモ・サピエンス種が誕生したのが約5万年～20万年前とされています。○○万年に対して○○億年ですから、ホモ・サピエンス種の時間感覚からすると、ウラン235の崩壊は永遠に続くということになります。

放射能を出し続ける使用済み核燃料を、「地下数百メートルのところまで穴を掘って埋め込んで管理する」なんて、言っていますが、トンデモナイことです。約46億年前に誕生した地球は、あと何億年続くか分かりません。ヒョットすると、地下数百メートルにある使用済み核燃料は、地球が滅びた後でも、どこかで放射能を出し続けているのかな！

◇ホモ・サピエンス種は地球をつくれない！

地下数百メートルのところまで穴を掘るにしても、数千メートルまでにしても、数メートルまでにしても、私は、これは、「あとはどうなっても構わない」という「対策」だと思います。いや、「対策」ではなく、あとのことを考えないで、ただ放り投げるだけですから、「無策」と呼ぶ方が妥当です。これは、突き詰めて考えてみれば、ホモ・サピエンス種の自分勝手な、地球をこわす活動です。

二つのトンデモナイ欠陥があることを述べましたが、これは、実用化する段階から、もともとあった欠陥です。それ以後、私たちは、原発という欠陥商品を、何の解決策も見出さないまま、使用し続けているわけです。本当に、恐ろしいことです。「使用し続けている」と表現しましたが、不逞の輩によって、原発の危険性が隠され、電力不足になると脅されているのですから、「使用させられ続けている」と言う方が適切です。

不逞の輩は、九州電力川内原発の再稼働にあたって、「世界最高水準の安全基準をクリアした」と説明しています。原子力規制委員会の新安全基準には、「原子力にかかわるものはすべからく高い倫理観をもち、常に『世界最高水準の安全』を目指さなければならない」とありますが、言葉だけでは意味がありません。そこで、不逞の輩にお聞きします。その一つは、「福島原発の大事故が起こるまでの安全基準は、世界で何番目だったのですか？　世界最低水準だったのですか？」ということです。二つ目は、「安全基準のどこを、どのように変えて、世界最高水準になったのですか？」ということです。

不逞の輩は、「『原子力村ペンダゴン』さえ良ければ、あとは、どうなっても構わない」と思っているのでしょう。ペンダゴンとは、5角形のことで、原発を推進することによって、互いに利益を得てきた「財界中枢大企業」「政治家」「特権官僚」「御用学者」「巨大メディア」の5集団を意味しています。この5集団は、すべからく低い倫理観をもち、世界最高水準の極悪非道性を目指した人たちの集りです。「大洪水よ、わが亡きあとに来たれ」の考えは、もう止めましょう。3,000万種類の生物からなる大家族の地球号には、原子力発電が相応しいとは思えません。

不逞の輩に申し上げます。原発の二つの欠陥を、どうやって解決するか、あなた方は知らないでしょう。もう地球をこわし続けるのは止めてください。どうしても、こわし続けたいのなら、もう一つ地球をつくって、そっちに移り住んで、そっちの地球で勝手にやってください。

何ですって！ 地球のつくり方を知らない？ それなら、止めるべきです。この地球は、3,000万種類の生物にとって、かけがえのない地球です。

「見る目」を養う

「目」の話から「社会現象」の捉え方まで

2015年（平成27年）9月頃記述

はじめに

なぜ、この表題でものを書くようになったのか？ について述べておきます。私たち人間も含めて動物は、周囲の環境（外界の情報）を、視覚・嗅覚・聴覚・味覚・触覚などの五つの感覚器官を介し、それを脳に伝えて行動しています。つまり、動物は周囲の環境を察知して生きているわけです。ここでいう周囲の環境とは、自然的環境のほか、人間の場合には、社会的環境も含んでいます。「周囲の環境を察知して生きる」という命題を、論理学で言う「逆・裏・対偶」の「裏」の方から言うと、「周囲の環境を察知しないと、生きていくことができない」となります。

例えば、草食動物は、「肉食動物である捕食者（敵）を、いち早く、察知して逃げないと、餌食（えじき）になってしまって、生きていくことができない」ということです。人間社会についても、同様のことが言えます。私たち人間も、周囲の自然的・社会的環境を察知しないと、自由に生きていくことができません。

人間は、生態系の頂点に立っているので、他の動物の餌食になるようなことはありません。しかし、現在のような弱肉強食の社会では、強者（支配者）の意のままの社会がつくられて、人間的な生活が奪われてしまいます。非人間的な生き方を余儀なくされるなんて、これでは、強者の餌食になったも同然です。

強者の餌食にならないためには、周囲の環境を察知して、自然的現象・社会的現象について「見る目」を養うことが必要になります。このような理由から、「見る目」について、考えてみようと思うようになったわけです。その前に、「目の進化」「動物の目、人の目」など「目」に関することを述べておきます。

目の進化

中世代（おおよそ6億5000万年前～2億5000万年前）は、恐竜が繁栄し、昼間に闊歩（かっぽ）していた時代です。この時代は、私たちの祖先である哺乳類は、恐竜に隠れて、ウサギやネズミのような小さな体で、地上で生活していました。そこでは、天敵の恐竜から逃れるために、夜行性になることを余儀なくされました。

夜は、光が環境を察知する手がかりとはなりません。色の違いを見分けるには、多くの光を必要としますが、夜行性動物には、この機能は、進化しませんでした。代わりに微量の光を集める機能が進化しました。夜道を横切るネコの目が暗闇（くらやみ）でキラッと光るように、夜行性の動物は暗闇で光に反射すると、光る目をもっています。光を反射させることによって、わずかな光を倍増させ、うす暗い光のなかでも、ものが見えるようになります。

ただし、その反射によって、世界が二重になったように、多少ぼやけて見えます。野生の生活では、夜行性の動物たちは、静止したものを見る必要がないので、世界が多少ぼやけて見えても問題ありません。しかし、その代わりに、動くものに反応する動体視力は優れています。

その後、恐竜が絶滅して、新生代に入ると、恐竜に隠れていた哺乳類のある種のものが、樹上生活を送るようになり、霊長類に進化しました。樹上生活で必要な機能には、立体的にものを見る能力、あるいは、距離感を判断する能力があります。手・足で枝を握れても、掴（つか）もうとする枝がぼやけて見えたり、枝までの距離を測ることができないと、空振りして墜落死してしまいます。

そこで、霊長類は、微量の光の明暗を集める機能を退化させて、色の違いを見分ける機能を進化させました。さらに、立体的にものを見るために、両目が顔面の前方に並んで位置し、退化した鼻を挟む形となりました。

さらにその後、今度は、霊長類のある種のものが、樹上生活をやめて、地上にて直立二足歩行を開始しました。ヒトの誕生です。手を自由にして自然的環境に働きかけて、再び地上での生活を始めたのです。

ヒトに成りたてのころは、ヒトは、生活に必要なものを自然界からとり出していました。やがて、ヒトから進化した人間は、生活に必要なものを、自然界を利用して、自らつくり出すようになりました。これが、人間による「ものづくり」です。人間の「ものづくり」の特徴は、「見えないものを見る」ことです。つまり、人間は、これから、つくろうとするものを大脳に映して、それを見ます。昆虫の蜂やクモは、芸術的な巣をつくりますが、蜂やクモは、つくる前に、脳のなかにつくることはできません。

人間の目は、大脳の発達と相まって、「立体的にものを見ること」、そして「見えないものまで見ること」ができるようになりました。

動物の目、人の目

眼球の色がついている黒目の部分を「虹彩」と言い、そのなかにある、さらに黒い部分を「瞳孔」と言います。この瞳孔は、暗いところでは大きくなったり、明るいところでは小さくなったりして、光の量をコントロールしています。

瞳孔の形は動物によって異なります。人間をはじめ多くの動物の瞳孔は丸い形をしています。しかし、キツネやネコの瞳孔は、明るい場所では、素早く瞳孔を縮められるように、縦長になっています。明るい場所では感受性の高い網膜を守ることができ、夜間の行動に適していると考えられています。

一方、ウシやウマ、ヤギ、ヒツジなどは、横に細長い楕円形のような瞳孔をもっています。このような草食動物は、いち早く敵（捕食者）を確認するために、目が顔の横についていて、広い視野で周囲を見ることができます。同じ理由で、瞳孔も縦長ではなく、横長になっていると考えられています。

人間は、赤・緑・青の３原色で見ていると言われていますが、鳥類は紫外線も見ることができて、４原色に基づく世界を見ていると言われています。そのため、鳥たちには世界がもっと鮮やかに見えていると思います。テレビなどで、空を飛ぶ鳥が、急転直下して、小魚を捕らえる様子を見たことがあると思います。昼間に、遠いところから小さいものを見る鳥類の能力（視力）は、人間よりも優れています。

「鳥目」（視覚障害者に対する差別用語ですから、使いたくないのですが、チョットだけ使わせて下さい）という言葉がありますが、これは、鳥類の多くが、夜目（よめ）がきかなくなって、視力が衰えてしまうところに由来しています。このように、鳥たちは、暗闇での生活を犠牲にし、明るいところでの生活に特化して、鋭い目をもつに至ったのだと思います。

「猫の目」という諺（ことわざ）があります。これは、「ものごとがめまぐしく変化する」ことのたとえです。猫の目は、明暗によって瞳孔が素早く伸縮します。この諺は、猫の目のように形や大きさが素早く変わることに由来しています。また、「『鬼の目』にも涙」という諺があります。これは、「冷酷で無慈悲な人でも、ときには同情や憐れみを感じて涙を流す」ということのたとえです。ですから、「鬼の目」とは、冷酷で無慈悲な人の目となるでしょう。「動物の目」に関する諺には、さらに、「鵜の目鷹の目」というのもあります。これは、「熱心にものを探す様子。また、そのときの鋭い目つき」を指しています。

「夜行性動物の目」、「草食動物の目」、「鳥（の）目」、「猫の目」、「鬼の目」、「鵜の目鷹の目」などについて、記述してきました。こうして、「動物の目」を見てくると、「人の目」とは、果たして、どのような目と考えればよいのでしょうか。

人間の目には、白目（強膜）と黒目があります。ところで、白目が大きく出ているのは、霊長類のなかでも、人間だけです。ほとんどの動物は、人間のように白目を外から見ることができません。人間以外の霊長類（例えば、ゴリラやチンパンジー）の目は、多少とも人間に近く、横を向いた一瞬だけ白目を見せることがあります。

生態系の頂点に立った人間が、常日頃から、どうして白目を見せるように進化したのでしょうか。白目と黒目がはっきり外から見えていると、視線がどこを向いているかが分かりやすくなります。野生動物の場合、獲物となる動物に対しても、天敵となる動物に対しても、相手に気づかれずに動く必要があるため、自分の目の位置や見ている方向を知られない方が有利です。

人間の祖先は直立二足歩行をすることで手の利用が高まり、それと並行して、大脳が大きくなりました。初期の人類は、ほかの霊長類と同じように群れで生活をし、狩りのとき大きくなった大脳を使い、役割分担や協力行動を示すようになりました。狩りのときに誰が何を見ているかという情報が重要になり、「白目と黒目」を用いたコミュニケーションが進化しました。つまり、「白目と黒目」の動きによって、相手が何を目的として、次に何をするのか、というのをお互いに分かるようになり、それに伴って、集団で獲物を狩る能力が高まったのです。

このようなコミュニケーションの発達のおかげで、白目による黒目の強調という特徴がさらに顕著になっていきました。そして、最終的には、捕食者や被捕食者などに自分の目の位置を知らせてしまう短所よりも、協力して、お互いの知識や目的を共有する方が優位にはたらき、現在の私たちがもっている「人の目」になりました。これが、人間が白目を見せるように進化した理由だと言われています。

「人の目」の特徴を記述してきましたが、この辺りで、「人の目」の項のまとめにしたいと思います。

まだ完全に人間になる前のヒトたち（ホモ属の頃で、大脳の大きさは50万年～200万年前にかけて急激に大きくなったと言われている）が、「集団で大型肉食獣を仕留めようとする様子」を想像してみて下さい。そこでは、発達しつつある大脳を使って、大型肉食獣の行動の先を予想し、そして、これからやろうとする互いの行動（役割分担）を、白目（強膜）を使って確認していたはずです。こうしたことから想定すると、「人の目」とは、みんなで行動して成果を上げるために、見えていない「ものごと（物や事）の先」を見るということができます。諺の「鬼の目」が、「冷酷で無慈悲な人の目」であるなら、「人の目」とは、「先をみる目」となるでしょう。

鬼の目

2014 年（平成 26 年）7 月 1 日に、自民・公明連立政権は、現在の憲法のもとでも、「集団的自衛権が行使できる」ことを閣議決定しました。これにもとづいて、2015 年の統一地方選挙が終わった 5 月下旬の頃に、政府は通常国会に「戦争法案（政府は安全保障法案と言って中身を隠している）」を提出しました。その後、衆議院で強行採決されて、現在（2015 年＝平成 27 年 8 月下旬）は、参議院で審議されている段階です。

この間にも、安倍晋三首相（当時）のお友達が、トンデモナイ発言を繰り返しています。トンデモナイ発言は数多くありますが、その内の三つを紹介しておきます。

一つ目は、作家の百田尚樹氏（1956 年生まれ、2013 年 11 月～ 2015 年 2 月、NHK 経営委員）が、講演会で、「沖縄の二つの新聞社（琉球新報、沖縄タイムス）はつぶさないといけない」と述べたことです（2015 年＝平成 27 年 6 月 25 日）。これは、「政府に反対する意見を記載する新聞社はつぶせ」といっているわけです。

二つ目は、参議院議員の磯崎陽輔氏（大分県選挙区選出、自民党所属、1957 年生まれ）が、大分市での講演会で、「法的安定性なんて関係ない」

と述べたことです(2015年＝平成27年7月26日)。「法的安定性」とは、「法律の解釈や適用が一義的で安定していること」を意味する言葉です。つまり、この発言は、「法律の解釈や適用は、そのときの強者（支配者）の判断で、変えてもよい」といっているのです。

三つ目は、衆議院議員の武藤貴也（むとうたかや）氏（滋賀4区から選出で自民党所属、1979年生まれ）が、ツイッターで、「『戦争に行きたくない』という極端な利己的考え」と発信していることです（2015年＝平成27年7月30日)。これは、「国家のために戦争に行け」といっているのです。(武藤貴也氏は、このツイッターとは別に、「未公開株を『国会議員枠で買える』」と知人にもち掛けたが、株は購入されず、出資金の一部は戻っていない」という『週刊文春』の報道によって、8月19日に自民党を離党している。)

ネオナチ（極右・新民族主義）のお友達が集まったときに、常日頃からこんなトンデモナイことを平気で言っているから、講演会の場所でも発言するのです。ですから、これらの発言は、失言でも何でもありません。国会では、失言だといって陳謝したり、発言を取り消したりしますが、本当はどうなんでしょうか。普通は、常日頃は、仲間たちで集まると、ホントのことを話しますから、国会で話すのはウソのことです。

礒崎陽輔氏は、大分市で行われた講演会では、メモを見ないで話していました。しかし、国会で「陳謝」したときは、メモを読み上げていました。誰もそうだと思いますが、「自分の想い（本音のこと)」は、メモを見なくても話せますが、「ウソ（本音ではないこと)」は、メモ無しでは、話せません。ですから、礒崎陽輔氏の国会での「陳謝」の中身は、ウソだということがよく判ります。礒崎陽輔氏を始めとした三つのトンデモナイ発言は、「強者であれば、何を言っても自由」とする強者の論理です。もっといえば、独裁者の論理です。

中曽根康弘内閣の1980年代の半ばの頃から、「ネオリベラリズム（新自由主義）」が台頭し、21世紀に入った小泉純一郎内閣の頃に、総仕上げが行われました。新自由主義が台頭する前は、弱者を守るために、強者に対して「規制」を加えていました。簡単にいうと、弱者を守るために、強者を檻の中に閉じ込めていたのです。ところが、政府は、「民営化！ 規制緩和！」と叫んで、弱者を強者の前に差し出したのです。弱者を守るのが、政府の役割ですが……。

強者である肉食動物が、弱者である草食動物を容易に餌食にするのは、分かりきったことです。ところが、政府は、「どんな動物でもエサを食べて生きていく権利をもっている。どんな動物でも、檻の外で生きていく自由がある」といって檻を取り払いました。要するに、草食動物というエサを、肉食動物の前に差し出したわけです。こうして、強者の論理が罷り通る格差社会がつくられました。

その後、時が流れ、2012年（平成24年）12月16日の総選挙の結果、第二次安倍内閣が成立しました。さらに、その後2014年（平成26年）12月14日総選挙の結果、第三次安倍内閣が成立しました。いずれの選挙でも、自民党単独で60％以上の議席を占めるようになった安倍内閣は、公明党と組んで、ネオナチズム（極右・新民族主義）を加速させています。こうした中で起きたのが、三つのトンデモナイ発言です。「気に入らない新聞社はつぶせ」「国家のために戦争に行け」などは、もう「オレに従え」とする独裁者の論理です。

日本社会は、弱肉強食の「強者のための社会」に変わり、さらに、「独裁者のための社会」にまで変わってしまいました。かつて1970年代の頃までの日本社会には、細かい「網の目」をもったセーフティーネットが張り巡らされていました。この「網の目」の大きさが、ドンドンと広がっています。それまでは、社会の富を全員で分け合っていましたが、現在では、広がった「網の目」から弱者を篩(ふる)い落とし、篩(ふるい)に残った強者だけで、社会の富を分け合っています。「網の目」を広くして、篩い落とせば落とすほど、強者の分け前が多くなる仕組みだからです。

強者や独裁者がもっているのは、冷酷で無慈悲な涙を流さない「鬼の目」です。強者や独裁者は、面(めん)と向かって、「私は『鬼の目』をもっています」と言いません。ですから、私たちは、強者や独裁者の餌食にならないためにも、こうした社会から抜け出すためにも、「見る目」を養う必要があります。

「見る目」を養う

自然や社会は、いろいろな法則（理性）をもって、自己運動をして進化（発展）しています。地球が365.25日をかけて、太陽の周りを公転しているのも、24時間かけて自転しているのも自己運動です。現実に、存在しているものは、ある日突然にできたものではありません。互いに関連し合いながらの進化の過程で、できたものです。私たちが見ている自然現象や社会現象は、ものの自己運動が現実に表れている姿、つまり進化の過程です。

自然現象や社会現象は、ある法則をもって理性的に自己運動している過程ですから、「偶然的」ではなく「必然的」に展開しています。ある現象が、「必然的」であれば、それを引き起す「原因」があるはずです。

自然現象はそうですが、人間の意志が左右する社会現象には、法則性は当てはまらないと思われる人は多いでしょう。しかし、社会現象にも法則性があります。社会現象とは、自然的人間の生存活動が、社会に表れ出ている姿のことです。

社会現象というのは、自然的人間の生存活動が基礎になっています。自然的人間の意識やものの考え方は、その時どきの社会現象に左右されます。自然的人間の「働いて、生活する」生存活動が、意識やものの考え方の基礎にあるから、社会現象にも法則性があるのです。人間の勝手気ままな意識の表れが社会現象ではなくて、自然的人間の生存活動の表れが社会現象だということです。

先に述べた独裁者（強者）トリオのトンデモナイ発言にも必然性があるはずです。どういう場所で発言しているか？　その人は、日頃どういう発言をしているか？　全体として何を言いたいのか？　等をもとにして、なぜ「法的安定性なんて関係ない」を発言したかを推理すれば、その発言が本音かどうかが判ります。そして、「あの独裁者（強者）なら、そんなことを言って当然でしょう！」ということが判ります。

いま起きている物や事（ものごと）の自然現象や社会現象、いま私たちが見ている物や事（ものごと）の自然現象や社会現象は、常に変化しています。そして、その変化には必然性があります。「『見る目』を養う」にあたって、大切なことは、自然現象や社会現象として起きている物や事（ものごと）を、偶然性を取り払って、必然的な現象として捉えることです。

おわりに

満65歳になる少し前に、私のところに、仙台市から「豊齢カード」

なるものが送られてきました。このカードを使えば、市営の施設などへの入場料がタダになります。この「豊齢カード」を無性に使いたくなって、2015年（平成27年）6月21日（日）に仙台市太白（たいはく）区にある八木山動物公園に行きました。

無性に使いたくなった理由を話します。2015年のゴールデンウィーク前半の5月1日（金）に、広島市安佐（あさ）北区にある安佐動物公園に行きました。安佐動物公園では、生きた化石といわれるオオサンショウウオが飼育されています。私は、通算すると広島に、14年間も住んでいましたが、オオサンショウウオを見たことがありません。今回、広島に立ち寄ったついでにと思って、安佐動物公園に行ったのです。そこで、「豊齢カード」を使って、タダで入場している人を見たときに、仙台に戻ったら、私も是非使ってみようと思いました。これが、「豊齢カード」を無性に使いたくなった理由です。

その後、八木山動物公園と前後して、6月6日（土）に東北歴史博物館（宮城県多賀城市）に行き、7月12日（日）には、歴史民俗資料館（仙台市宮城野区）に行きました。

話を元に戻しますと、八木山動物公園に行ったときに、そこでは、チンパンジーに会うことができませんでしたが、ゴリラには会うことができました。ゴリラは横向きに、私の方を見ましたが、距離があったので、白目の有無を確認することができませんでした。白目と黒目を確認できなかったのですから、「私の方を見た」というより、「私の方に顔を向けた」という方が正確な表現でしょう。一度でいいから、ゴリラやチンパンジーの白目を見てみたいと思います。

それと、もう一つオモシロイものを見つけました。動物園に行くと、檻（おり）の前に、その中にいる動物の名前（例えば、○○目○○科○○属○

◯種などの名前）と、その動物の特徴を記した案内板が掲げられています。見つけたのは、人が自由に出入りできる「檻のようなもの」が作ってあって、その前に次のように記されていた案内板です。人が檻の中に入って、他の人が外から、この案内板と檻の中の人を入れて、写真が撮れる仕組みになっています。

ヒトとは……
道具を使い、高い知能を持った高等な動物である。しかし、その知能と道具を使い、他の動物たちを危険な目にあわせることもある。

これは、これで、微笑（ほほえ）ましかったのですが、看板を作り変えて、独裁者を入れてみたくなりました。そして、その案内板は……？

独裁者とは……
大した高い知能を持っていない下等で悪質な者である。人の意見を聞かないで、権力をカサに、人を騙すことを常套（じょうとう）手段とし、常日頃から独善的な言動をとって、他の人を危険な目にあわせる。

憲法が危ない

2016年（平成28年）9月頃記述

はじめに

2016年（平成28年）7月10日投票の参議院選挙の結果、その後、8月3日の安倍晋三改造内閣の閣僚の顔ぶれをみて、「憲法改正」（憲法改悪）の危険性が迫ってきていることを強く感じます。これから先、憲法改悪の動きが出てくると思いますが、憲法の中身の話をしないで、ただ、「憲法改悪反対」と叫ぶわけにはいきません。

そこで、自民党の**「憲法改正草案（2011年＝平成23年12月22日）」**に目を通して、「どのような悪い憲法になるのか？」について、私なりに、簡単にまとめてみようと思いました。それが、「憲法が危ない」と題して記述するこのエッセイです。

歴史修正主義者の台頭

7月10日投票の参議院選挙で、安倍晋三政権（当時）は「この道しかない（実際には、どの道か、誰にも分かりませんが）」と国民の目をくらまして、「改憲勢力が3分の2以上」という結果を得ました。これを受けて自民党は、憲法改正について「『憲法審査会』で議論を開始する」と言い始めました。「憲法審査会」とは、「国民投票法」の成立後、2007年（平成19年）に衆参両院に設置された機関のことです。参議院選挙では、「憲法改正」を争点にしていませんでしたが、選挙が終わった途端に言い始めました。

安倍首相のことですから、国会議員の数を頼りにして、無理やりに「憲法改正」を進めると思います。第三次安倍第二次改造内閣（平成28年8月3日発足）の閣僚は、戦前回帰の右翼的な輩（やから）が多く、良識的な人が少ないようです。安倍首相にしても、「私は行政府の長だ！」ならまだしも、「私は立法府の長だ！」とまで言い、村山談話を見直しナショナリズムを煽（あお）る右翼的独裁者です。安倍首相の独裁性をみると、強引に憲法をつくり変える危険性を感じます。「憲法改正」とは名ばかりで、実質的には憲法改悪です。

ここで、安倍首相の右翼性をみるために、「村山談話」を紹介します。これは、1995年（平成7年）の村山内閣総理大臣（当時）の「戦後50周年の終戦記念日にあたって」という談話のことです。

次の「 」内のゴシック体の文章は、「村山談話」を抽出したものです。

「わが国は、遠くない過去の一時期、国策を誤り、戦争への道を歩んで国民を存亡の危機に陥（おとしい）れ、植民地支配と侵略によって、……多大の損害と苦痛を与えました。敗戦の日から50周年を迎えた今日、わが国は、深い反省に立ち、独善的なナショナリズムを排し、責任ある国際社会の一員として国際協調を促進し、それを通じて、平和の理念と民主主義とを押し広めていかなければなりません。」

「村山談話」は、簡単にいえば、「日本は、過去の侵略戦争を反省し、平和と民主主義を押し広める」と内外に表明したものです。これに対して、安倍首相がいう「戦後レジームからの脱却」とは、「侵略戦争の反省なしに、戦前に回帰する」ことです。要するに、「村山談話」を否定すること、つまり、侵略戦争を肯定する歴史修正主義です。安倍首相が目論む「憲法改悪」は、歴史修正主義者の戦前回帰政策です。

憲法改正の対案を出せ

安倍政権（自民・公明連立政権）与党と、その仲間たちは、ことあるごとに、「対案を出せ！」と言って、他の野党に迫ります。2015年（平成27年）の「戦争法案」のときもそうでしたし、今回の「憲法改正」に関してもそうです。

すでに、自民党は、「憲法改正草案」をつくっていて、「憲法審査会」で議論するから「対案を出せ！」と野党を威圧しています。自民党内には、憲法改正推進本部という組織があって（2009年＝平成21年12月4日設立）、そこで、2011年（平成23年）12月22日に「憲法改正草案」を起案しています。ここから、「対案を出せ！」という威圧語（威圧詞（ことば））を考えてみたいと思います。

この威圧語は、新自由主義的政策を無理やり推し進めるための最大の武器になっています。最近では、日常生活やビジネスの場でも、この威圧語が平気で使われるようになりました。「現状のままでは駄目だ！」「改革が必要だ！」「オレらはすでに改革案を出している！」「対案を出せ！」といった具合に、威圧するわけです。

この「対案を出せ！」は、裏の方から言えば、「対案を出せないならば、反対するな！」と威圧する語句です。威勢のいい言い方であり、国民の目には、対案を出した方が、いかにも、改革に前向きに取り組んでいるように映ります。反対に、対案を出さないのは、改革に前向きではないように映ります。この「対案を出せ！」「対案を出さないなら反対するな！」は、本当に正しいのでしょうか？

もともと、「対案を出せ！」が成り立つには、「何らかの改革が必要だ！」ということで、意見が一致しているのが前提です。「憲法改正」に関して言えば、「○○条項について改正が必要だ！」ということで、意見が一致していなければなりません。○○について立法化するための必要な科学的事実（立法事実という）があるから、それについて起案をするのであって、もともと、その必要がないなら、対案の出しようがありません。

○○条項についてではなく、もっと、具体的に言います。例えばですが、現憲法の**「第１条　天皇は、日本国の象徴であり……」**に対して、自民党の憲法改正草案では、**「第１条　天皇は、日本国の元首であり……」**になっています。「第１条の『天皇の条項』は、今の『象徴』のままで良い」と考えている人に対して、「第１条の『天皇の条項』をどうするか？ について、対案を出せ！」と言っても、対案を出せるわけがありません。「憲法改正の必要はない」と考えている人は、「今のまま」が対案であり、「対案を出さない」のが対案です。

「対案を出せ！」と威勢よく言いますが、少し考えてみれば、「『対案を出さない』のが対案だ！」ということは、小学生でも判ります。小学生でも判るのに、あえて「対案を出せ！」と威勢よくいうのは、改革に前向きであるとの単なるパフォーマンス（人目を集めるためだけの中身のない行動）です。

それにしても、自民党の憲法改正草案の**「第１条　天皇は、日本国**

の元首であり……」をみると、戦前回帰の右翼性が読みとれ、呆れてしまいます。戦前の大日本帝国憲法の「**第１条　大日本帝国は万世一系の天皇これを統治す。 第３条　天皇は神聖にして侵すべからず**」より、まだマシですが、時代錯誤もいいところです。

立憲主義

自民党の「憲法改正草案」は、そもそもが、立憲主義に反しています。立憲主義とは、「為政者（統治者）は、憲法に基づいた統治を行わなければならない」と主張する考え方です。憲法を守らなければならないのは、国民ではなく為政者（統治者）です。ここを間違って捉えては困ります。このことは、現在の日本国憲法第 99 条をみればよく判ります。

日本国憲法第 99 条では、次のように示されています。

《現在の日本国憲法》
第 99 条（憲法尊重擁護義務）　天皇または摂政及び国務大臣、国会議員、裁判官その他の公務員は、この憲法を尊重し擁護する義務を負ふ。

このように、立憲主義とは、国民を縛るのではなく、国務大臣や国会議員などの為政者（統治者）を縛るものです。ところが、自民党のみなさんは、憲法に縛られたくないのか、それとも、憲法の上に立っていたいのか、分かりませんが、「憲法改正草案」では、次のように、国民を縛るものになっています。

《自民党の「憲法改正草案」》

第102条（憲法尊重擁護義務）　全て国民は、この憲法を尊重しなければならない。

２　国会議員、国務大臣、裁判官その他の公務員は、この憲法を擁護する義務を負う。

現在の憲法を「尊重する」「擁護する」と言って、いつまでも憲法に縛られていたら、永遠に憲法改正ができないと反論するかも知れません。私は、「何が何でも憲法改正が駄目だ！」というのではありません。憲法の悪い部分があれば、また、本当に時代にソグワナイなら、当然、改正が必要になるでしょう。しかし、必要性がないのに政治家が先に憲法改正を口に出すのは、立憲主義に反するし、憲法第99条に違反しています。憲法を守る義務がある国会議員が、「理由もなく、この憲法は駄目だから改正しろ！」というのは、どう考えても憲法第99条に違反しています。

それにしても、「何が何でも憲法を改正する！」という不逞（ふてい）の輩（やから）が多すぎます。「国会の衆参両院に『憲法審査会』を設置して、開店休業になっているから、『憲法改正』について議論する」なんていう輩がいますが、話になりません。「改正しやすいところから改正する」なんていう輩もいますが、これも話になりません。なぜ話にならないかというと、「現憲法のどこが、どう悪いか？」という現憲法の個別的な条項の中身の話が何もないからです。

「GHQ（連合国最高司令官総司令部）あるいはアメリカから押し付けられた憲法」であって、「自前の憲法」ではないから「改正」すると言います。これも、個別的な条項の中身の話がありません。中身の話をすれば、私は、GHQ が押し付けたのは、「国民主権、基本的人権の尊重、平和主義の３原則」だと思います。

終戦を迎えて、当時の政府がつくった憲法草案は、明治時代の大日本帝国憲法に、少し手を加えた程度のものです。日本には、戦前の絶対主義的天皇制のもとでは、民主主義が育つ土壌がありませんでした。情けないことですが、当時の日本社会は、今の憲法をつくるだけの実力をもっていなかったのです。ですから、私は、「よくぞ、良い憲法を押し付けて頂きました」と感謝しています。

話を元に戻しますが、最近、国会中継やテレビのニュースを見ていて、立憲主義（立憲制）を正しく理解していない国会議員が多いのにビックリします。ここからは、再び「立憲主義（立憲制）とは何か？」について考えてみたいと思います。

「立憲主義」という言葉は、あまり聞きなれていないかも知れませんが、「立憲君主制」という言葉はご存じだと思います。立憲とは、憲法に基づいた統治（まとめ治める）のことで、君主とは、国王（王様）のことです。ですから「立憲君主制」とは、「国王（王様）は、憲法に基づいた統治を行わなければならない」という意味になります。

ここで問題にしたいのは、「立憲」という言葉は、「君主制」と結び付いた言葉であると、勝手に解釈している不逞の輩がいるということです。憲法で、君主（国王＝王様）を縛るのが、「立憲君主制」であり、君主（国王＝王様）がいない社会では、「立憲」という言葉は意味をもたないと勝手に解釈しています。日本の場合でいうと、戦前ならともかく、戦後は、国民主権となって、為政者（統治者）を、国民が選挙によって選んでいるのだから「立憲」は意味をもたないと勝手に解釈しているわけです。

「立憲」の意味を正しく理解しないと、そのうちに、憲法をナイガシロにし、専制君主制（独裁体制）になってしまいます。このことに関しては、ドイツの歴史をみて頂きたいと思います。帝政ドイツが崩壊したのちに、ドイツは、第一次世界大戦後の1919年に、ワイマール憲法（基本的人権を自由権だけでなく、社会権まで広げた先進的な憲法）を制定していました。独裁者として名高いナチ党のヒトラーは、ナショナリズム（他国を軽蔑視する愛国主義＝国粋主義）を煽り、自由主義者を抹殺して、全権委任法を成立させました。この全権委任法によって、ヒトラーが率いる政府に、ワイマール憲法に拘束されない立法権を与えました。こうして、ワイマール憲法を事実上停止させ、ナチス・ドイツの独裁体制を確立しました。

君主（国王＝王様）がいないから、「立憲」という言葉は意味をもたないとは言えません。当時のドイツだって君主は（国王＝皇帝、王様）はいません。しかも、ドイツのナチ党の議員は、選挙で選ばれていました。「立憲」を正しく理解しない日本の不逞の輩を見ていると、どうしても、第二次世界大戦前のドイツを思い起こします。

そこで、天皇、国務大臣、国会議員、裁判官その他の公務員に申し上げたいと思います。あなた方は、この憲法を尊重し擁護する義務を負っているのですよ！　あなた方は憲法の下にいて、憲法に縛られているのですよ！　「憲法を守る」立場の人間が「憲法改正」を叫ぶなんて、笑われますよ！

最後に、為政者（統治者）を縛っている条項が理解できる例として、日本国憲法の第25条（「生存権」と呼ばれいる）を掲げておきます。憲法は、「国民を縛るものではない」ということがよく判ると思います。

第25条をみれば、第2項で「国を縛っている」のが判ります。

第25条　すべて国民は、健康で文化的な最低限度の生活を営む権利を有する。
2　国は、すべての生活部面について、社会福祉、社会保障及び公衆衛生の向上及び増進に努めなければならない。

硬性憲法

「硬性憲法」とは、憲法改正について、通常の法律の改正の場合より、困難な手続きを要求しているのを言います。反対に、憲法改正に通常の法律の改正の場合と同じ手続きであるのを「軟性憲法」と言います。今日のほとんどの国の憲法は「硬性憲法」であり、憲法改正には、議会の特別多数決を要求するほかに国民投票に付すという方法をとっているのが一般的です。

日本国憲法は、憲法第96条に示されるように、各議員の3分の2以上の賛成が必要ですから、「硬性憲法」に分類されます。「硬性憲法」をもつ国の中でも、国民投票に、最低投票率や最低有権者比率などを設けている国もあり、硬性の度合いは国によってマチマチです。

《現在の日本国憲法》
第96条　この憲法の改正は、各議員の3分の2以上の賛成で、国会が、これを発議し、国民に提案してその承認を経なければならない。この承認には、特別の国民投票又は国会の定める選挙の際行なはれる投票において、その過半数の賛成を必要とする。

２　憲法改正について前項の承認を経たときは、天皇は、国民の名で、この憲法と一体を成すものとして、直ちにこれを公布する。

しかし、自民党の「憲法改正草案」では、憲法の改正手続きを緩和しています。

《自民党の「憲法改正草案」》

第100条　この憲法の改正は、衆議院又は参議院の議員の発議により、両議院のそれぞれの総議員の過半数の賛成で国会が議決し、国民に提案してその承認を得なければならない。この承認には、法律の定めるところにより行われる国民の投票において有効投票の過半数の賛成を必要とする。

２　憲法改正について前項の承認を経たときは、天皇は、直ちに憲法改正を公布する。

自民党の「憲法改正草案」のように、改正しやすいような「軟性憲法」にしたら、そのときどきの政権によって、日本国の理念がコロコロ変わることになります。変えやすい憲法になると、為政者は、次第に、国民を縛る憲法につくり変えます。国民（市民）のための憲法が、為政者のための憲法に変わってしまったら、国民はたまったものではありません。これでは、もう国民主権の憲法ではありません。

憲法を変えたがっている不逞の輩は、「諸外国は、憲法を何回も改正している。日本は憲法施行後70年（1947年＝昭和22年5月3日施行）になろうとしているが、まだ一度もないのはオカシイ」と言います。改正の中身を見ないで、回数だけを問題にすることは、正しくありません。例えば、スイスの憲法は、1874年に全面改定してから、現在まででで140回以上も改正しています。ほぼ1年に1回のペースです。スイスは連邦国（26の州から成り立つ）であり、各州間の調整など、細目まで憲法で規定すると、当然のこととして憲法の改正が必要になります。不逞の輩は、「どこを、どのように改正したか？」の中身を隠して、単に「憲法改正」の言葉だけを煽ります。

危ない自民党の「憲法改正草案」

現在の日本国憲法の第9条を掲げます。この第9条の第1項が「戦争放棄」の項で、第2項が「戦力の不保持」の項とされています。

第2章　戦争の放棄

第9条　日本国民は、正義と秩序を基調とする国際平和を誠実に希求し、国権の発動たる戦争と、武力による威嚇又は武力の行使は、国際紛争を解決する手段としては、永久にこれを放棄する。

2　前項の目的を達するため、陸海空軍その他の戦力は、これを保持しない。国の交戦権は、これを認めない。

自民党の憲法改正草案では、次のようになっています。私は、自民党の「憲法改正（改悪）」の本丸が第9条だと思っています。

第2章　安全保障

第9条（平和主義）　日本国民は、正義と秩序を基調とする国際平和を誠実に希求し、国権の発動としての戦争を放棄し、武力による威

嚇及び武力の行使は、国際紛争を解決する手段としては用いない。

２　前項の規定は、自衛権の発動を妨げるものではない。

第９条の２（国防軍）　我が国の平和と独立並びに国及び国民の安全を確保するため、内閣総理大臣を最高指揮官とする国防軍を保持する。

２　国防軍は、前項の規定による任務を遂行する際は、法律の定めるところにより、国会の承認その他の統制に服する。

３　国防軍は、第一項に規定する任務を遂行するための活動のほか、法律の定めるところにより、国際社会の平和と安全を確保するために国際的に協調して行われる活動及び公の秩序を維持し、又は国民の生命若しくは自由を守るための活動を行うことができる。

４　前二項に定めるもののほか、国防軍の組織、統制及び機密の保持に関する事項は、法律で定める。

５　国防軍に属する軍人その他の公務員がその職務の実施に伴う罪又は国防軍の機密に関する罪を犯した場合の裁判を行うため、法律の定めるところにより、国防軍に審判所を置く。この場合においては、被告人が裁判所へ上訴する権利は、保障されなければならない。

「自衛権があるから自衛のための国防軍をつくる」という論調ですが、かつての侵略戦争の反省なしに、極めて危険な憲法に、つくり変えていくように感じます。

日本は、かつて「十五年戦争（アジア・太平洋戦争）」という戦争をしました。この戦争は、満州事変（1931 年＝昭和 6 年 9 月 18 日に関東軍が、南満州鉄道の線路を爆破した事件）から始まり、1945 年（昭和20年）に終った戦争ですが、「大東亜共栄圏（東アジア、東南アジア）」を米国･英国から解放する（守る、自衛する）という名目で行われました。しかし、これは、実質的には、日本が、満州、中国、東アジア、東南アジアを植民地にすることを企んだ侵略戦争です。日本は、「大東亜共栄圏」を解放するといって、軍隊を派遣しました。「大東亜共栄圏」を解放するために派遣された軍隊は、「大東亜共栄圏の人間」を殺しました。これが自衛のための戦争ですか？　本当にオカシイと思います。

自民党の「憲法改正草案」での「自衛権」には、「個別自衛権」だけではなく「集団的自衛権」も含まれています。日本と同盟関係にある米国を守るために、地球の裏側まで行って、戦争をすることになります。「そこまでには、ならないだろう」と感じる人は多いと思いますが、いま、着々とその準備をしているところです。

その準備とは、2013年（平成25年）12月6日「特定秘密保護法」の制定、2014年（平成26年）「集団的自衛権」の行使を容認する閣議決定、2015年（平成27年）9月19日未明「戦争法案」の強行採決、そして、いま企んでいる「憲法改正」です。

日本国憲法の誇れるところは、第9条2項の「戦力の不保持」です。第9条1項の「戦争をしない」という目的のために、その手段として第9条2項「武力をもたない」を位置付けています。世界に誇れる「日本国憲法の平和主義」は、この第9条2項の方ですが、これが安倍首相の「積極的平和主義」になると、まったく、異なったものになります。

安倍首相の「積極的平和主義」とは、「戦争しないために（戦争放棄のために）、相手を威嚇する」、そして、「相手を威嚇するために、相手以上の武力をもつ」ということです。これは、世界に対して、「軍拡競争」をやり続けることを意味します。ところが、世界の情勢を全体的にみると、特にソ連が崩壊してからは、東西冷戦構造が解けて、世界は軍縮の方向に進んでいます。いま世界に残っている軍事同盟は、「日米安全保障条約（日米軍事同盟）」「北大西洋条約機構（NATO：アメリカ、カナダ、ヨーロッパ諸国）」「米韓相互防衛条約」「米比（フィリピン）相互防衛条約」「太平洋安全保障条約（アメリカ、オーストラリア、ニュージーランド）」の五つです。いずれの軍事同盟もアメリカが中心です。この五つの軍事同盟のなかで、強化する方向に進んでいるのは日米軍事同盟だけです。他の軍事同盟は、年々弱体化しています。安倍首相とその仲間たちは、仮想敵国をつくって、ことあるごとに、「日米同盟が基軸」「日米同盟の強化」を叫んでいます。これは、軍事同盟から手を引こうと思っている国からみれば滑稽（こっけい）です。

現在、国連に加盟しているのは、193ケ国（2016年＝平成28年1月）です。現在でも、日本は、「政治的には後進国である」と言われています。安倍首相の「積極的平和主義」を続けていくと193ケ国中で、193番目の後進国になってしまいます。

自民党の憲法改正草案にある国防軍は、アメリカから「金だけではなく軍隊を出せ」と脅されてつくるものです。アメリカから押し付けられた憲法をアメリカから脅されて「改正」しようと企んでいます。これも滑稽です。

安倍首相とその仲間たちは、「軍拡競争をやる」こと、また、「国防軍をつくって、海外に軍隊を派遣する」ことを「積極的平和主義」と主張します。私は、現在の日本国憲法第9条を守ることを「平和主義」と主張します。どうしても「積極的」という言葉を付けるなら、現在の日本国憲法第9条を、世界の国々に押し付けることを「積極的平和主義」と主張したいと思いますが、如何でしょうか？

オリンピックを政治利用

第31回夏季オリンピック・リオジャネイロ大会（リオ五輪）は、2016年（平成28年）8月5日（日本時間6日）から8月21日（日本時間22日）までの17日間にわたって行われました。このリオ五輪の閉会式で、2020年（平成32年）次期開催都市である東京のプレゼンテーションで、土管からマリオのコスプレをした安倍晋三首相が出てきました。

以前から次期開催都市のプレゼンテーションでは、その国を代表するスポーツ選手（アスリート）が主役でした。今回の東京開催のためのプレゼンテーションにも、日本を代表するスポーツ選手が抜擢されるのだろうと思われていました。ところが、登場してきたのは、安倍首相です。アスリートを押しのけて主役として登場したのです。安倍首相が派手な姿で突然現れたときに、私は「安倍政権は、オリンピックを政治的に利用するつもりだな！」と感じました。

次期開催国の首相が次期開催都市のプレゼンテーションに登場するのは異常です。安倍首相が派手な姿で現れたときは、私は、一瞬、ナチス・ドイツのヒトラーかと思いました。オリンピックを政治的に利用することは、「オリンピック憲章」で禁止されています。今回のような、派手さだけがあって、中身のないプレゼンテーションが、直ちにオリンピック憲章に違反しているかどうか？ といえば、ハッキリと「クロだ！」とはいえません。しかし、一国の首相が主役として登場するわけですから、少なくとも、黒味（くろみ）を増したグレー（灰色）になっていると思います。

オリンピックの政治的利用に関しては、オリンピック憲章（1996年版）で、「61. 宣伝と広告」において、以下のように定めています。

1．オリンピック・エリアにおいては、いかなる種類のデモンストレーションも、いかなる種類の政治的、宗教的もしくは人種的な宣伝活動は認められない。オリンピック施設の一部であると考えられるスタジアム、およびその他の競技エリア内、およびその上空では、いかなるかたちの広告も許可されない。スタジアム内、あるいは、その他の競技グラウンドでは、商業目的の装置や広告用の看板などの設置は許可されない。
2．何らかのかたちでの宣伝や広告を許可する権限は、IOC 理事会だけがもつものとする。

オリンピックを政治的に利用した例として、よく言われるのは、1936年の第11回オリンピック・ベルリン大会です。ナチス・ドイツは、オリンピックをプロパガンダ（特定の方向に思想統一する宣伝）の目的に利用しました。ヒトラー政権は、人種差別主義や軍国主義の性格を隠蔽しました。オリンピックを利用して、反ユダヤ主義政策や領土拡大計画を緩和し、外国人の観衆や報道記者に平和で寛容なドイツのイメージを印象付ける政策を採ったのです。アメリカを始め、ボイコットを予定していた国があったのですが、結局はヒトラー政権に騙されて、ベルリン大会が開催されました。そして、ヒトラー政権は、オリンピック終了と共に、ユダヤ人迫害、領土拡大を加速して、ついには、1939年9月に第二次世界大戦に突入していきました。

1936年に国際オリンピック委員会（IOC）は、1940年に「第12回オリンピック東京大会」の開催を決定しました。これも、日本が、ドイツのようにオリンピックを政治的に利用しようとして、招致合戦に勝利した結果です。それが、こともあろうに、日本は、1938年に東京大会を返上したのです。その結果、開催地は、東京からヘルシンキ（フィンランドの首都）に変更になりました（結局は、第12回オリンピックは、第二次世界大戦のために中止）。返上した理由は、各国が東京大会をボイコットするのを自ら回避したためと言われています。それだけ、日本は世界から嫌われていたのです。

「2020年東京オリンピックの成功！」と叫ぶこと、また、「リオ五輪以上のメダル獲得！」と叫ぶことは、それだけでは、オリンピックを政治的に利用しているとは言えません。しかし、これらを叫んで、ナショナリズムを煽り、それを隠れ蓑にして、憲法改悪を押し進めるのは、政治的に利用していると思います。

マスコミは、こぞって「2020年東京オリンピックの成功！」「リオ五輪以上のメダル獲得！」と叫びます。そこでは、何かものを言うと「お前は、東京オリンピックに反対するのか！」「東京オリンピックに協力しろ！」「政府に協力しろ！」と袋叩きにあいそうです。何かものを言うと「国賊」扱いされそうです。このように、オリンピックは、ナショナリズムを煽り、政府に協力する雰囲気をつくり出す宣伝に利用されます。

最近（2016年＝平成28年9月1日）、「日刊ゲンダイ」で知ったのですが、安倍政権は、過去に3回廃案になっている「共謀罪」を、チョット手直ししただけで、9月に召集される臨時国会に提出するようです。共謀罪とは、「重大な犯罪」を実際に実行に移す前に相談しただけで処罰するものです。「重大な犯罪の相談」かどうかを判断するのは、為政者（統治者）ですから、日常的な会話でも、「重大な犯罪の相談」と判断されれば、処罰されます。だから、過去に3回も廃案になっている悪法なのです。

2020年東京オリンピックを控えて、テロ対策を強化するとして、四たび法案の提出を企てています。廃案になった法案とほぼ同じ内容のものを、この期にと、国会に提出すること自体が、オリンピックを政治的に利用していることだと思います。「2020年東京オリンピックの成功！」と叫んでいるうちに、法案が成立してしまうのでしょうか！

＊共謀罪は、2017年（平成29年）6月15日に、「テロ等準備罪」として第193回通常国会で成立し、7月11日に施行されました。（＊この記述は2017年7月）

おわりに

私は、自民党の「憲法改正草案」の特徴は、次の三点に帰着できると思っています。

①「中身」ではなく、「表現法」、分かりやすく言えば、「字面」に拘っている
②立憲主義をナイガシロにしている
③大きな改悪事項では「国防軍」を新設している

自民党は、2009年（平成21年）12月4日に、憲法改正推進本部を設立し、2011年12月22日に「憲法改正草案」を起案しています。「憲法改正草案」は、「◇マトモでないメンバーが、◇マトモに議論しない

で、◇マトモでない期間（短期間）」でつくったシロモノです。

押し付けられた憲法であるからと言って、「憲法改正」を主張しているわけですが……。「押し付けられた」ことを、「憲法改正」の根拠にするなら、押し付けられたどこが悪いのか？ があってしかるべきです。

字面をいじっただけで、自分たちがつくった憲法ですって？ 自民党の「憲法改正草案」のレベルの低さに、ビックリします。中学生が討論会を行ってまとめた「模擬憲法改正草案」としか感じられません。

Ⅲ

雑　感

私にとっての「本」

2011年（平成23年）9月頃記述

私の趣味は、「囲碁」と「読書」です。ここでは、私が「本」というものをどのように考えているか？について、記述してみたいと思います。まずは、読む本をどのようにして手に入れるかということです。私は、「新聞などでの新刊案内」を見て、また、「出版社の図書目録」を見て、本屋さんに注文して手に入れるのがほとんどです。

広島には、「フタバ図書」という本屋さんが、市内の各所にあります。いま住んでいる広島市西区横川町にも、JR横川駅の前に「フタバ図書」があり、ここで読みたい本を注文して手に入れます。「フタバ図書」には、本を10万円買うと満点になるポイントカードがあります。平成14年4月に広島に再び赴任してきて、現在、平成23年の8月ですから、9年5ケ月の間、広島に住んでいます。いま14枚目のポイントカードを使用しており、それも半分位までに達しているので、約10年間で約140万円分の本を「フタバ図書」から買っていることになります。

よく行く本屋さんは、JR広島駅の横にある「フタバ図書」、JR広島駅前の百貨店「福屋」内の「ジュンク堂」、紙屋(かみや)町の百貨店「広島そごう」内の「紀伊国屋書店」です。「専門書」とか「少し学術的な本」は、「ジュンク堂」か「紀伊国屋書店」で買うことが多いと思います。囲碁の雑誌で、日本棋院が発行している『碁ワールド』は、毎月欠かさずに買います。専門雑誌で、農業農村工学会発行の「水土の知」と全国農村振興技術連盟発行の「農村振興」も毎月欠かさずに買っています。新聞もとっていますから、新聞や本代に、この10年間で200万円位を使っているのではないかと思います。61歳になりましたが、単身赴任の生活が始まった40歳のときから、このペースですので、40歳から今までで400万円位、20歳から40歳までの間は、その半分としても200万円位、今までで通算すると、600万円位の金額を使って「読みもの」を買ったことになります。

これが、多いか少ないか判りませんが、飲んだお酒を金額に直すと、もっと多いと思います。若い頃、お酒はほとんど飲めませんでしたが、1983年（昭和58年）から飲めるようになってきました。なぜその時期をそこまではっきりと言い切れるかというと、次のような理由からです。1982年（昭和57年6～8月頃）に、肺炎に罹って1ケ月以上会社を休んだことがあったのですが、このときには、お酒は飲めませんでした。しかし、母親が亡くなった1984年（昭和59年2月）には、いつの間にか、普通程度には飲めるようになっていました。ですから、ほとんど間違いありません。

現在2011年（平成23年）ですから、お酒を飲み始めて28年になりますが、1ケ月に3万円位（食事代は除いてビールジョッキ2杯程度／日と想定）は使っていたと思います。こうしてみると、今までで通算して、酒代に1,000万円（3万円／月×12月／年×28年＝1,008万円）以上は、使ったと計算されます。

「これだけのお金を、『読みもの』や『飲みもの』に使わなかったら、他に何を買えただろうか？」なんて、話はやめましょう。「お金の使いみちを誤った」とは決して思いません。満足しています。それよりも、この年（満 61 歳）になっても、40 歳代と変わらないほどに、元気で仕事ができ、読書欲も人一倍あり、適度に酒を飲める身体に生んでくれた両親に感謝したいと思います。60 歳を過ぎると、同級生でもポツポツと病気等で亡くなる方がいますので、こんなことを書いてしまいました。本の話に戻します。

私は、「新聞などでの新刊案内」や「出版社の図書目録」で判断して、本を注文するものですから、失敗することもあります。その一つは、「気に入らない本」を買ってしまうという失敗です。私が本を注文するときには、便箋に「『題名』―『著者名』―『出版社名』」の事項を記載して「フタバ図書」の店員さんに渡します。本の「著者」を知るのは勿論のこと、「あらすじ」とか、「本の推薦文・感想文」とかを読んで、「この本を読んでみたい」と判断してから注文するのです。手にして、実際に読んでみると、予期していたものと違った方向から論じた本であったり、「題名やあらすじ」は砕けているのに、本文は妙に格式ばっていたり、何でもやたらと難しく記述している本などがあります。こうした本は、読むのが辛くなります。読み始めると、直ぐに眠くなってきたりする本もあります。極端な本になると、「『はじめに』と『目次』と『本文の数ページ』」を読んで、あとは読むのをやめてしまうものもあります。20 冊に 1 冊位の割合でこんな本を買ってしまうことがありました。

二つ目には、「以前に買った同じ本」を再び買ってしまうという失敗です。普通には、5 年とか、10 年とかの長い年月を経過すると、読んだ本の内容を忘れてしまうと思います。私の場合には、数ケ月も経つと、内容のほとんどを忘れる本もあれば、数年経っても、記憶に残っている本もあります。同じ本を二度買うのは前者の方です。それでも数ぺージ、十数ページと読んでいくうちに、記憶がよみがえり、「どこかで読んだことがあるぞ！」と思い始めます。そして、あとで調べてみるとそのとおりです。あとで調べるのは、読んだ本の大半は静岡県磐田市の田舎にあるからです。東京の家も、広島の現在住んでいるところも、本を置いておくには狭すぎます。この失敗は、4～5冊位あったと思います。

「なぜ本を読むか？」ということですが、それは、下記の二つのことに起因していると思います。

① 本を読むのが好きだから

② 自分としての考えを整理してもっていたいから

①から述べていきます。「好きだから本を読む」と答えると、今度は、「なぜ好きか？」と質問したくなる人もいると思います。それには、「知らないことを知ることができるから」と答えます。この中には、まったく新しいことを知るだけでなく、「一見して関係のないある事象と、ある事象がつながること」「それの因果関係が理解できること」なども含みます。「なるほど！」と納得したときの一瞬はたまりません。充実感というか、幸福感というか、その一瞬は、なんとも言えない何かを味わうことができるのです。囲碁のことですが、時々「詰め碁」の問題を解くことがあります。数時間考えて解けない「詰め碁」の問題が、別の日には、同じ問題でも、数分も経過しないうちに解けることがあります。「詰め碁」だけではなく、「パズル」を解くときも同じで、何かの瞬間にパッと解けることがあります。こうしたときにも、似たような感覚を味わうことができますが、「本」でのそれは格別です。

「本」「雑誌」「新聞」など、読むものは、色いろとあります。「テレビ」

「ラジオ」など、見るもの･聞くものを加えれば、さらに沢山になります。知らないものを知ろうとするなら、「インターネット」で検索することも加えることができます。それらの中でも「本」は独特です。それは、「自分から求めて読む」からだと思います。自分から求めるといえば、「インターネット」で検索することもそうです。しかし、「本」と「インターネット」では、その一瞬で味わう何かの重みが違い過ぎます。

②について述べます。東京電力は福島の原子力第一発電所で、大変ショックな原発事故を起こしました。三大新聞（発行部数の順から「読売新聞―約1,000万部」「朝日新聞―約800万部」「毎日新聞―約400万部」）の各社は、事故発生からは、チョット変わったように感じますが、それまでは、「原発推進」の報道一本槍でした。新聞各社は、なぜ「原発推進」一本槍の報道をしたのでしょうか？　それは、電力業界が「朝日」「読売」「毎日」の順番で、三大新聞社を次々に買収したからです。少し長くなりますが、この辺りのところを記述します。

電力10社で構成する電気事業連合会で、広報部長を務めた「鈴木建氏」の回顧録『電力産業の新しい挑戦 ― 激動の10年を乗り越えて』（日本工業新聞社、1983年）と題する本がありますが、このなかに、買収していった経過が記述されています。

読者にインテリ層が多いとみられている朝日新聞から始まりました。1974年7月から、月1回、10段の原子力PR広告が、「朝日」に掲載されるようになります。次は「読売」です。「読売」の広報担当者は、電力業界に「原子力は、私どもの社長の正力松太郎さんが導入したものである。それをライバル紙の『朝日』にPR広告をやられたのでは、私どもの面目が立たない」と要請しました。（正力松太郎氏は、原発推進を国策として決めたときに設置された『原子力委員会（1956年1月設置）』の委員長です。）

こうして「読売」にもPR広告が載るようになりました。「朝日」「読売」と続くと、次は「毎日」です。しかし、「毎日」は当時、原発に反対するキャンペーン記事を掲載していました。「鈴木建氏」は、「御社ではいま、原子力発電反対キャンペーンを張っている。それは御社の自由である。……反対が天下のためになると思うのなら、反対に徹すればいいのではないですか。広告なんてケチなことは、どうでもいいではないか」と脅しました。「毎日」は「原子力発電の記事の扱いにも慎重に扱う」と約束し、「毎日」にもPR広告が載るようになりました。こうして新聞各社は「原発推進」一本槍の報道になっていきました。

読売新聞社の元社長の「正力松太郎氏」の名前が出ましたので、ちょっと横道にそれます。この人は、A級戦犯（「平和」に対する罪）の容疑者の一人で、戦前に各種の民主的な運動に弾圧を加えた酷い人だと知りました。これを知ったのは大学時代のときで、「正力松太郎氏」は、亡くなっていて、読売新聞社の社長は、息子の「正力亨（とおる）氏」になったところでした。それまでは、「長嶋」「王」がいた「読売ジャイアンツ」が好きでしたが、このときに、「読売ジャイアンツ」から離れていきました。しかし、決定的に嫌いになったのは、それから10年くらい経過した「江川事件」です。それ以来、セリーグでは、「読売ジャイアンツ」以外の5球団の中で、その年の最も強い球団を応援しています（2011年8月現在は、ヤクルトを応援）。因みに、パリーグは、毎年ロッテを応援します。

「読売ジャイアンツ」だけではなく、「読売新聞社」も、あまり好きではありません。理由の一つは、新聞報道の内容についてですが、三大新聞のなかでは、もっとも右傾化しているように感じるからです。二つ目には、お金の力を利用して、「業界トップの地位」を奪い取り、遮二無二保持しようとする姿勢を感じるからです。プロの囲碁の世界には、比較的大きなタイトル戦として「棋聖戦」「名人戦」「本因坊戦」「天元戦」「王座戦」「十段戦」「碁聖戦」というタイトル戦があります。スポンサーは全て新聞社ですが、そのうちの上位の三大タイトル戦のタイトル料（タイトルを取った棋士への賞金）と新聞社（スポンサー）名を次に示します。タイトル戦は各新聞社がそれぞれ独占しており、例えば、朝日新聞は棋聖戦の棋譜（囲碁の対局の手順を示した記録）を載せることはできません。

第一位……「棋聖戦―4,500万円―読売新聞」

第二位……「名人戦―3,700万円―朝日新聞」

第三位……「本因坊戦―3,200万円―毎日新聞」

一番歴史が古いのは、「本因坊戦」です。（1936年までは「本因坊」の名跡を継承する本因坊家の選手権戦でしたが、1937年から現在のような「本因坊戦」の第1回目が始まっています。「本因坊戦」が、昭和20年8月6日に、広島市の五日市で行われていたのは、「原爆下の対局」として有名な話です。）読売新聞社は、○○新聞社がもっていた「本因坊戦」を奪ったり、今度は、それを奪い返されると「本因坊戦」に対抗して「新しい高い料金のタイトル戦」をつくっています。こうして、常に「一番高い料金のタイトル戦」を保持していたようです。

プロ棋士にとって、このタイトル料の序列による様ざまな扱いは、私たちが思っている以上に厳しく、何をやるにも、まずはタイトル料金の高い「棋聖戦」のタイトル保持者（チャンピオン）だそうです。

何を話していたか、分からないほど横道にそれてしまいましたが、話を元に戻します。みなさんは、三大新聞社の記事といえば、相当リベラルなものと思っているでしょう。しかし、全てではありませんが、前述したようなことが実態としてあるのです。新聞社は読者の購読料で成り立っているのではありません。もちろん新聞社の収入の一部にはなっていますが、それよりも大きいのがスポンサーからの広告料です。「テレビ放送」も全く同様です。視聴率を稼ぐために、放送局間で競争して、興味本位なことを報道しています。なぜ視聴率を高めるための競争をするのか？といえば、それは、視聴率が高いほど、高い広告料をとれるからです。「雑誌」についても同様に、販売部数を上げるために興味本位なことを書きます。そして、「週刊○○」などの雑誌は、多くの部数が売れると思えば、前もって製本部数を多くして、駅の売店や本屋さんの店頭などに並べます。私が評価する興味本位の酷さの順番は、総じて「雑誌」—「テレビ」—「新聞」です。

こうした報道には、「真実は何か？」とか、「この問題はこうあるべきだ！」とかの視点はありません。あるのは、「この問題では、このようにした方が、視聴率を稼げる。あるいは、販売部数を稼げる」の視点だけです。視聴者・読者のために「興味深く」だけでは、駄目です。何と言っても「信念に基づく報道を！　真実の報道を！」が中心とならなければなりません。

TPP（環太平洋経済連携協定）に対しての報道も、原発と同じことが言えるのではないかと思っています。けっこう多くの地方議会で、TPPに反対する決議が上がっています。ところが、三大新聞の論調は、TPPを推進する立場になっています。TPPを推進しようと画策しているのは、輸出大企業です。輸出大企業からの広告料を気にして、TPP

に反対する記事を書けないのでしょうか？（TPPの方は、原発問題と違って、私の想像です。）

こうした報道を一方的に聞いて、あるいは見て、「自分としての考えを整理してもつ」わけにはいきません。「三大新聞の報道なら間違いない！」なんて思っていたら、知らず知らずのうちに、マインドコントロールされているかも知れません。ですから、「自分から求めて、求めた本を読んで」、「自分としての考えを整理してもつ」しかないのです。

「この問題」あるいは「この事件」について、「あなたはどのように考えますか？」と質問されたとします。このときに、「テレビではこのように報道されていました」では、自分自身がなさけなくなります。テレビや新聞などの報道を参考にしますが、やはり、常に「自分としての考えを整理してもっていたい」と思います。私にとって、「自分としての考え」をもたせてくれるのが、「本」なのです。

読書に関わるエピソード

最近、あるところから、「○○技術・基準書」の査読を頼まれました。期間は20日間弱でした。会社から家に帰って、この「○○技術・基準書」を読み始めると睡魔が襲ってきます。眠ろうとしてベッドに横になると、今度は「早く読み進めなければ『査読』が終わらない！」と、気になって眠れなくなります。眠れないものですから、再び起きて、読み始めると、また直ぐに睡魔が襲ってきます。一晩に、こんなことが2～3回も繰り返され、しかも、これが一週間ほど続きました。

夜になって「本」を読むことは、初中終（しょっちゅう）ありますが、普通は、「本」を読んでいて眠くなり、ベッドに横になれば、そのうちに眠れます。「自分で求めた本」と、「求めずに与えられた本」との違いかな！とも思いました。

もう5年以上も前になりますが、その頃は、土曜日・日曜日に碁会所に行って、碁を打つことがよくありました。多いときには、一日に（と言っても午後の13時から21時までの8時間位）、10局くらい打つときもあります。碁会所から家に帰り、焼酎を少し飲みながら食事をしたあと、ベッドに横になって、「本」を読んでいたときのことです。

このときに、「漢字が黒石（くろいし）に」見えて、「平仮名が白石（しろいし）に」見えてきたことがありました。「いま本を読んでいるのだぞ！」と自分に言い聞かせて、再び読むのですが、しばらくするとまた、黒石と白石が登場してくるわけです。頭の中では、いつまでも碁を打っていたのですかね！

ベッドに横になって、「本」を読んでいてこんなこともありました。或ることを気にして、「本」を読んでいて、字面（じづら）を追うというか、字だけを読むというか、とにかく頭の中に内容が全く入らないで、数行進むときがあります。このときにも「本に集中しなさい！」と自分に言い聞かせて、再び読むのですが、これも繰り返します。

何回、言い聞かせても、駄目なものは駄目で、聞き入れてくれませんでした。

学生寮生活の思い出

2012年（平成24年）6月頃記述

はじめに

今年(2012年＝平成24年)も6月の初めに、茨城大学農学部卒業の「仲間の会」の集まりがありました。この「仲間の会」は、農学部の学生時代に、よく集まって話をした仲間です。「仲間の会」を発起したのが、昭和48年（1973年）卒業の人たちでしたので、「仲間の会」も、昭和48年卒組が中心になっています。先日、つくば市で行われた「仲間の会」の集まりに出て、そのあとで、広島の家に帰ってから、学生時代のときに過ごした寮生活のことを思い出しました。そこで思い出したことを記録しておこうと思って、この「学生寮生活の思い出」を書くことにしました。

茨城大学農学部・霞光寮

私が茨城大学に入学したのは、昭和44年（1969年）4月で、卒業したのは、昭和48年（1973年）3月です。当時の茨城大学には、人文学部・教育学部・理学部・工学部・農学部の5学部がありました。大学本部や教養部、人文・教育・理学部は、茨城県の県都である水戸市の郊外にありました。農学部は、稲敷(いなしき)郡阿見(あみ)町というところにあり、日本で二番目に大きい湖である霞ヶ浦の西側に位置しています。茨城大学農学部に入学すると、一年間は、水戸の教養部で勉強して、二年生になると阿見町に移って、農学部で専門課程を勉強することになっていました。

地方の国立大学というのは、大都市にある大学と違って、広い大学構内の敷地面積をもっています。講義室や研究室などの建物も林立しているのではなく、かなり、まばらに建てられていて、大学構内には緑豊かな空間が広がっています。

農学部のある阿見町の当時の人口は、3万人弱程度でした。町としてみると、人口は多い方ですが、店屋さんが並んでいるような街はなく、農学部のまわりも、田んぼや畑が広がっているような状況でした。茨城大学農学部は、本当に田園のなかにあったものですから、「広々した大学だ！」と実感することができました。農学部の構内敷地は、農場を別にしても「600m × 600 m」ほどの広さをもっていたのではないかと思います。農学部生が水戸での教養部を終えて、農学部のある阿見町に移って学生生活を送ることを、大学本部のある水戸の学生は、「阿見ボケ」と言って冷やかしていました。茨城大学農学部は、それほど「のどかで、のんびりとした」雰囲気を醸し出していた学部だったのです。

この広い農学部の構内敷地を二分するように県道34号線が南北に走っていました。この県道は、車道の幅員も、歩道の幅員も極めて広かったように思います。車の通行は少なく、信号機もほとんどなく、ただただ広い道路であったことが、記憶に残っています。

県道を隔てて、西側には、農学部の学生課などの事務本部や研究室がありました。東側には、講義室・講堂や運動場があり、運動場の北側に「霞光寮」と呼ばれている学生寮がありました。水戸での教養部を終えて、大学２年生になり、農学部に来てから卒業するまで「霞光寮」に入っていましたから、３年間は、ここで過ごしていたことになります。寮費は100円／月、食費は１日３食で4,000円／月程度であったと記憶しています（因みに大学の授業料は1,000円／月）。

霞光寮は、もともとは、霞ヶ浦海軍航空隊の予科練生の寮だったと聞いていました。軍歌として有名な「若鷲の歌」は、霞ヶ浦海軍航空隊の予科練生の歌です。「若鷲の歌」は、「……七つボタンは桜に錨、今日もトブトブ霞ヶ浦ニャ……」という歌詞です。第二次世界大戦の開戦当時、元帥海軍大将であった「山本五十六」が、この霞光寮に住んでいたこともあったようです。

霞光寮は木造二階建ての４人部屋で、一部屋は、卓球ができるほどの大きさをもっていました。寮の建物は二階建てですが、建物の高さは、現在の三・四階建てのマンションの高さに相当していたと思います。

部屋の左右には、二段ベッドがありました。現在市販されているような二段ベッドを思い出してはダメです。ベッドの広さは、幅が1.3m位あり、長さは3.0m以上もあるような大きなものです。これに、さらに押入れが付いていますから、想像を絶する大きさです。ベッドには、勉強する机を置くことができ、フトンが敷けて、衣服や本は押入れに片付けることができました。ベッドの高さは十分にあり、普通の身長の人であれば、腰を曲げなくても直立することができました。カーテンで囲えば立派な個室です。また、部屋の一角には、間仕切りはされていませんでしたが、共用の四畳半の畳の間がありました。

寮生時代のイタズラ

農学部のある阿見町には、いわゆる商店街がありません。「本屋」も「いっぱい飲み屋」も「デパート」もありません。何かを求めて買い物をするには、「土浦市」まで出なければなりませんでした。土浦市は、上野駅から常磐線の特急電車で50分位、普通電車で70分程度のところにある茨城県で三番目に大きい「市」です。その土浦市に出かける交通手段は、「バス」であり、15～20分ほどの時間を要します。当時はまだ、学生が「バイク」や「車」をもつ時代ではなかったので、唯一の交通手段がバスでした。一般の人だって、通勤に車を使う人は、少なかった時代です。

農学部の構内を二分している県道34号線沿いに、土浦市に近い方（北）から「東京医大付属病院前」「農学部前」「協和発酵前」という三つのバスの停留所がありました。それぞれのバス停は300m程度の間隔で位置していました。大学の先生や職員、また、自宅から通っている学生は、真ん中のバス停の「農学部前」を利用していました。

霞光寮に一番近いバス停は、距離からすると「農学部前」でした。しかし、寮生のバス利用は「土浦市方面への利用」が圧倒的に多いので、寮生の最寄（もより）のバス停は、土浦市に近い「東京医大付属病院前」となっていました。一番南に位置する「協和発酵前」のバス停を利用する人は、農学部関係者では、ほとんどいませんでした。

ここで霞光寮生のイタズラを紹介します。寮生が土浦市に外出して、寮に帰るのが便利なようにと、バスの停留所の標示柱看板（バス停標識）を、勝手に移動するイタズラです。バス停標識には、停留所の名称、バスの行き先や到着時刻が表示されています。バス停標識の下部には、標識が倒れないように、土台となるコンクリートブロックが作り付けてあります。相当に重たいと思いますが、20 歳前後の若者であれば、何とか一人で持ち上げることができます。

土浦市からバスに乗って帰ってくると、「東京医大付属病院前」のバス停で降りて、降りた方の歩道を進行方向（南）に、150 mほど歩いて大学構内に入ります。そして、大学構内を 100 mほど歩くと「365日・24 時間、開キッパナシの霞光寮の玄関」がありました。

バスを降りてから寮までの距離を短くするために、バス停標識を、霞光寮の方向に勝手に移動するのです。バス停標識を持ち上げて、本来の「東京医大付属病院前」の場所から、県道 34 号線の沿いの「霞光寮の構内入口」の方に、移動させてしまうわけです。一回に 50 ～60 mを移動させる寮生もいれば、一回に数mずつ移動させる寮生もいました。こんなことを何回もやりましたが、結局のところ、「霞光寮の構内入口」に、バス停の看板が立つことはありませんでした。移動しても移動しても、その看板は、いつの間にか、本来の「東京医大付属病院前」の位置に戻っていました。それでも、看板が、本来の位置に立っているのを見たのは、それほど多くはなかったと思います。とすると、バス停標識は、「本来の位置」と「霞光寮の構内入口」との間を、初中終（しょっちゅう）移動していたことになります。イタズラ好きの寮生が移動させて、マジメな寮生が戻すなんて考えられません。バス会社の人が戻しに来たのでしょうか。

バス停の看板が戻されないように、停留所の名称そのものを「ペンキかマジックで、『東京医大付属病院前』から『農学部霞光寮前』に変えてしまおうか！」との意見もありました。しかし、これは「刑法の『器物損壊罪』」に当たり犯罪になります。ということで、これを実行する寮生は現れませんでした。

棲（住）んでいた「猫」との寮生活

大学２年になり、専門部に移って、農学部の学生寮の霞光寮に入ったときには、既にそこに、一匹の白黒の猫が住（棲）みついていました。最初のころは、猫も特定の部屋を棲みかにしてはいませんでした。入寮後しばらくして、猫が私の部屋にやってくると、畳の間のコタツのなかに入れてやったり、食べ物の余りものを与えたり、私が寝るときには、フトンの上に迎えたりしたものですから、いつの間にか、私の部屋に住（棲）みつくようになりました。霞光寮の○○号室の住人ならぬ住猫です。定期的に、食事（エサ）を与えていませんので、私が飼っていたわけではありません。しかし、私の部屋の住人（住猫）ですので、「谷野の猫」と呼ぶ寮生もいました。

この猫は、少し太りぎみで、俊敏性に欠けていました。猫を仰向けにして持ち上げて、50cm 位の高さから放すと、普通は、クルッと半回転して、手足から着地（着畳）します。この猫は、鈍感で普通ではないものですから、そのまま背中から着地（着畳）します。何回訓練してもダメで、最後まで、手足から着地（着畳）することができませんでした。この猫は、「普通の猫」になる努力を怠っていたようです。

私はこの猫に、大変お世話になりました。猫を宣伝隊として使ったこともあったのです。猫の体に新聞紙を巻きつけてセロテープで固定し、新聞紙が猫の体から外れないようにします。巻きつけた新聞紙に、マジックで、その時々の政治的・社会的課題、例えば「学費値上げ反対！」などと書きます。そして、これが寮生や他の学生に見えるように、猫には外で歩きまわってもらうわけです。こうして、宣伝隊員として協力してもらいました。

政治的・社会的課題に対しての寮生の意見は様ざまです。寮生のなかには、どんな課題に対しても、何に対しても、ことごとく反対する一部の数人のグループがいました。聞いたところによると、そのなかには、猫を虐待する（いじめる）ヤツもいたようです。この鈍感な猫は、いじめられても、めげずに、必死に体を張って私に協力してくれました。猫には、かわいそうなことをしました。鈍感な猫だっただけに、余計にいじらしく感じます。鈍くさい猫ちゃん！ゴメンナサイ！

真面目な寮生活

農学部学生寮の霞光寮での寮生活で、よく思い出すのは、寮生がよく集まって、何かにつけ、夜遅くまで討論したことです。同じ部屋の人とはもちろんのこと、他の部屋の人ともよく討論しました。論議した内容はよく覚えていませんが、政治的なものだけでなく色々な分野にわたっていたと思います。夜遅くまでというより、ときには、夜明けまで討論したこともありました。夜明けまで討論したときなどは、朝起きられないばかりか、昼になっても起きられないことがありました。

たしか、大学２年のときだったと思いますが、13時から16時まで測量実習という科目がありました。夜明けまで討論したために、起きられないで寮で寝ていると、「実習に出るように」と起こしに来てくれた先生がいました。これほどまでに、学生の面倒をみる先生が、茨城大学の農学部の先生のなかには多くおりました。

霞光寮に入ってから間もなくして、寮生の食事を作る料理人さんと親しくなっていました。授業がないときなどに、寮の食堂に行って、料理人さんと話をすることが多かったからだと思います。霞光寮の朝食は決まっていて、納豆と漬物と味噌汁です。昼食と夕食は、その日によって違います。いつからか、料理人さんは、私がカレーライス好きであることを知っていました。昼過ぎまで寝ていても、その日の昼食が、カレーライスのときには、料理人さんが起こしに来てくれました。

夜遅くまで、あるいは、夜明けまで起きていると、お腹が空(す)いてきます。お腹が空いてきたときには、よくインスタントラーメンを作って食べました。寮では、サンヨー食品のインスタントラーメン「サッポロ一番しょうゆラーメン」「サッポロ一番みそラーメン」「サッポロ一番塩ラーメン」を共同で購入・販売をしていました。インスタントラーメンは一つを15円で売っていたと記憶しています。

霞光寮では、このインスタントラーメンを作るのに、ニクロム線の電気ヒーターコンロが使われていました。電気コンロは火力が弱くて、インスタントラーメンを作るのに途方もない時間が掛かります。電気コンロを使用するために順番を待って、3～4人が並ぶこともありました。このため、大学の学生課に、電気コンロからガスコンロに変える要求を出しました。しかし、「学生寮でガスコンロを使用するのは危険だ」ということで認めてもらえませんでした。寮の建物は燃えやすい木造です。ガスコンロを扱う人間は、まだ社会人としての常識に乏しい寮生です。ですから、ガスコンロにしたときの火災の危険性は、極めて高かったと思います。よく考えてみれば、学生課が認めないのは理解できます。

私が霞光寮に入ったのは、昭和45年（1970年）年4月で、寮を出たのは、昭和48年（1973年）年3月です（その後、昭和48年の4月から社会人として働く）。第一次オイルショックの影響が、日本に出始めたのが昭和48年11月の頃ですから、寮生時代を過ごしたのは、第一次オイルショックの直前であり、まだ高度経済成長の時代と言うことができます。この時代は、賃金も上がっていましたし、物価も上がっていました。昭和40年代の前半から中ごろにかけての物価上昇は5％を超え、後半に至っては10％を超えた年もあったと思います。ですから、「賃金や物価が上がるのは当たり前」と思うのが普通の時代でした。

昭和46・47年（1971・1972年）の頃だったと思いますが、寮の食費を4,000円/月から、幾らか値上げをするということで、寮生が食堂に集まって、討論した記憶があります。食事を作るということは、食材（食事の材料）を買ってきて、それを加工することです。当時は、食材費は寮生の負担でしたが、加工する費用（料理人さんの人件費、ガス・水道・電気の料金、鍋釜などの消耗品費（会計上は消耗品ではないと思う）は、大学側の負担になっていたと思います（大学側の負担といっても、原資は国民の税金）。

食材費が値上がりしてきているので、このままでは、食事の質を落とすことになってしまいます。「食事の質を落としても我慢する」「値上がり分は寮生が負担する」「値上がり分を大学側に負担させる」のうちのどれを選択するかを討論したはずです。結論はどうなったか思い出せませんが、寮生が食堂に集まって、みんなで討論したことは、私の記憶のなかに鮮明に残っています。

寮の食費の4,000円/月は、決して高くはありません。一日にすれば、

135円程度です。この頃のラーメン（しょうゆ味のちぢれ麺で、上に焼き海苔、スライスしたゆで卵や鳴門巻き、メンマを乗せた昔の中華そば）一杯の値段は100円位だったと思います。ラーメン一杯より少し高い金額で、１日３食の食事を賄ってもらえるわけですから、高いと思う方がオカシイのです。このときには、値上げするといっても、１日の食費に15～20円を上乗せする程度だったと思います。値上げが当たり前の時代で、しかも、大した料金の値上げではないのですが、こんなことでも、よく真剣に討論していました。

外食時の出来事

「食事の『量』と『質』」の話

2012年（平成24年）10月頃記述

はじめに

私は、どちらかというと、「食が細い」部類に入ると思います。大学生になった若い頃から、普段は、朝は食べません。朝は、お茶とかジュースなどの飲み物が300ccほどあれば、それで十分です。例えば、何かの拍子に食べたとしても、茶碗に4分の1くらいのご飯と、ほんの少しのおかずと、お椀にかるく1杯の味噌汁で、十分になります。

昼もそんなに沢山食べません。ラーメン1杯では量が多すぎます。半分くらいが適当な量だと思います。ザルそば、ザルうどんの1人前がやっとでしょう。ですから、定食1人前を食べることができません。無理をすれば、食べきれないわけではありませんが。しかし、無理して食べても、食後、2～3時間くらいは、胃がもたれ、苦しい状態が続くだけです。何もそこまで無理して食べる必要はないでしょう。

食べもの屋さんに入ると、「ラーメン大盛り！」「ラーメン二玉！」「ご飯大盛り！」「ご飯お替わり！」などと注文をする人がいます。この言葉を聞いた瞬間に、どういう人だろうと、思わずその人の顔を見てしまいます。そして、注文したもの、例えば、「どんぶりに山盛りになったご飯」を見た瞬間に、それだけで、私のお腹が一杯になってきます。

このエッセイでは、食べものの「質と量」を中心的な話題にして、体験した外食時の出来事を記述します。

「○○定食１人前」の話

ここから、しばらくの間、いろいろな食べもの屋さんで遭遇した、○○定食１人前のご飯の量の話をします。

普通に何も特別なことを言わないで、「○○定食１人前！」と注文すると、私には食べきれないほどの量のご飯をもってきます。その時には、店員さんに、「少し多すぎますから減らして下さい！」と注文を出します。そうした時の店員さんは、ほとんどの場合、次の三つのような応対です。

①どれくらいにしましょうか。

②食べきれなかったら残してもいいです。

③食べきれなかったら残して下さい。

最も普通で一番多い応対は、「①どれくらいにしましょうか？」です。そこで、また、「半分以下にして下さい！」と注文を出します。大体の場合は、少し減らして、元の量の７～８割程度にしてもってきます。そのときにいう言葉は、「これくらいでよろしいでしょうか？」とか、「減らしてきました。どうぞ！」などです。ご飯の量は、まだまだ多くて、私にとっての要求は、満たしてはいませんが、「あまり減らしすぎてはいけない！」と、店員さんの気を使っての応対であると思いますので、これ以上の注文は控えるようにしています。たまに、「これでもまだ多いですか？」「もう少し減らしますか？」と言って、もってくる場合があります。そのときには、「その半分くらいにして下さい！」と再注文を出させてもらいます。

次に多いのは、「② 食べきれなかったら残してもいいです」という応対です。「食べきれなかったら、どうすればいいか？」と聞けば、それの応対として、「②–1 食べきれなかったら残してもいいです！」、「②–2 食べきれなかったらもち帰ってもいいです！」などがあります。「少し多すぎますから減らして下さい！」と注文を出しているのであって、食べきれなかった場合の対処方法を聞いているわけではありません。ましてや、「残してもいいかどうか？」の判断を仰いでいるわけではありません。ですから、これらの応対は、応対になっていません。

①や②の応対と比べると少なくなりますが、「③食べきれなかったら残して下さい！」という応対もあります。こちらが「減らして下さい！」とお願いしているのに、逆に「残して下さい！」と、お願いされているわけです。ここで、お願いされては困ります。この応対も応対になっていません。

「○○定食１人前」をもってきたときに、「ご飯の量を減らして下さい！」ではなく、「半分くらいにして下さい！」と、ご飯の量を指定して再度注文を出すこともあります。この場合にも、注文に応対してくれる場合と、そうではなく「②食べきれなかったら残してもいいです。」「③食べきれなかったら残して下さい。」と応対になっていない応対をする場合があります。

いずれの場合にも、「②の応対」と「③の応対」は、応対になっていません。店の側から考えると、お客さんの注文の一つひとつに応対するより、注文を適当にあしらっておく方が楽でしょう。炊いたご飯が、お客さんの胃袋の中に入ろうが、残飯として捨てられようが、店にとっては大した問題ではありません。客の側からしても、注文してご飯の量を減らしても、無理して食べても、残しても、支払う料金には違いはありませんから、普通は問題にしません。

店の側から考えても、客の側から考えても、それが問題なければ、どちらでもいいことかも知れません。しかし、残すのはモッタイナイことです。私が小さい頃は、麦が沢山入っていて、パサパサとした麦ご飯を食べていました。10歳（1960年）の頃になって、ようやく、ご飯の中から麦が消えていきました。その頃は、母から「ご飯粒を残すと目がつぶれる！」とよく聞きました。

もう日本はそんな貧しい時代を経験した人も少なくなって、多くの人は呑気に生活しています。しかし、世界に目を向けると、世界の人口は70億人を超えていますが、その内の10億人の人は、今でも飢餓に苦しんでいます。「人類のため」とか「世界飢餓に対するため」を深く考えなくとも、「ご飯を平気で残す」、「残飯として平気で捨てる」などの感覚は、捨てたいものだと思います。

偉そうなことを言いましたが、私も、時間が制限された日本食の宴会の席などでは、出される食べ物をよく残してしまいます。宴会の制限時間は、普通は2時間から2時間半くらいです。その間に、2・3種の品の突き出しから始まって、刺し身、煮もの、焼きもの、揚げものなどが、次々に出てきます。そして、ころあいを見はからって、小さな鍋の下の固形燃料に火が付けられます（あまり美味しいとは思いませんでしたが、この形式の鍋料理は、結構メニューに入っていました）。

出された料理品は食べないでそのままにしておくと、次の料理品がお膳に乗らないものですから、直ぐに片付けられてしまいます。「早く食べないと、出された料理が片付けられてしまう」と、常に意識していないと、結局のところ、食べ残すことになります。ですから、次々に出された料理品は、次々に食べなければなりません。このときは、「次々に食べる」という感覚ではなく、「次々に胃袋の中に流し込む」という感覚です。そして、最後の方になると、またまた、「これを胃袋の中に流し込んで早く帰って下さい！」と言わんばかりに、ご飯、漬け物、味噌汁、デザートが出てきます。

飲み物を含めてですが、宴会の費用は、1人当たり5～6,000円の値段です。誰も、高い料金を払って、「胃袋の中に流し込む」などの苦しい思いをしたくはありません。十数人以上が参加し、「○○の間」で行われる宴会では、ほとんどの場合は、沢山の料理品を残します。何ともモッタイナイことです。宴会の形式や制限時間、料理品の質や量など、いろいろな問題があると思いますが、食べ物を残してしまうことに関しては、少なくとも罪深さを感じます。

食べ残しの話は止めて、店員さんとのやり取りに話を戻します。一度、注文した品物を出してから、再度注文を出されては、店の側からすると厄介なことです。それがご飯の量という小さなことであってもそうです。そのため、50歳代の前半のころからは、「○○定食1人前」を注文するときに、「私は沢山食べる方ではないので、ご飯の量は、半分以下にして下さい！」と店員さんに言うことが多くなりました。

このときに、多くの店員さんは、厨房で盛り付けをしている人に、「○○定食1人前！ご飯を少な目に！」と言って伝えます。ご飯の量が、「半分以下」から「少な目」に変わっています。わざわざ、「半分以下」と量を分かりやすく言っているのに、ほとんどの店では、このように「少な目」に変わってしまいます。

そして、店員さんは、「ハイ！○○定食ですね！ご飯を少な目にしてお持ちしました！」と言って、平気でもってきます。「『半分以下』と注文したのに！」と文句をいうと、「ですから『少な目』にしてきました！」と言い返されます。私の頭のなかでは、火花が散っていて、「半分」とか「50％」とか「5割」という「数や量の概念」が解らない人が多いのかと呆れてしまいます。

店員さんとの「半分以下」「少な目」の問答は、周りの人から白い目で見られるので、やらないようにしています。理屈は私の方が正しいのですが、何でこの人は、「ご飯の量のことで、こんなにムキになるのだろう」と思われるからです。

そして、もってきたご飯の量が、「少し時間をかければ、食べられるな！」と思えば、それを受け取ります。そうでなければ、「ご飯の量をもう少し、少なくして下さい！」とか「それの半分くらいにして下さい！」などと再注文を出します。

最近ではこんなことも多くなりました。それは、店員さんに、「私は沢山食べる方ではないので、ご飯は、100粒くらいにして下さい！」と注文することです。暇をもて余して、お米を炊く前に数回数えてみましたが、1合のご飯のなかには、おおよそ7～8,000の米粒（こめつぶ）が入っています。1合の（お米を炊いた）ご飯の量というと、少し大き目のどんぶり1杯分に相当します。にぎり鮨（すし）一つひとつの大きさは様ざまですが、小さいにぎり鮨をとり出しても、そのなかには300以上のご飯粒が入っているでしょう。ですから、お米100粒のご飯の量というと、だれでも、容易に、ひと口で食べることができるほどの少量です。

定食1人前のご飯の量は、店によって異なりますが、普通は「茶碗に1杯分～どんぶりに少な目に1杯分」程度です。少なくて3勺（しゃく）（1勺は1

合の10分の1）程度、多くて7勺程度ということになります。私が本当に注文したいご飯の量は、茶碗半分よりチョット多目（おおめ）の量です。2勺程度で、ご飯粒にすると、多分1,500粒程度になるでしょう。

「ご飯は、10粒くらいにして下さい！」と注文すると、本当に数えてもってくるかも知れません。また、「ご飯は、1,000粒くらいにして下さい！」と注文すると、それが多い量なのか、少ない量なのかが見当が付きませんので、店員さんは迷われます。そこで、「ご飯は、100粒くらいにして下さい！」と注文するようにしているのです。

このように注文すると、店員さんに、「このお客さんは、本当に少ないご飯の量を望んでいる」ということを分かってもらえます。裏の方から言えば、「ご飯は、100粒くらいにして下さい！」と言わないと分かってもらえないということです。「半分以下」を勝手に「少な目」に変えるのですから。それなら、最初から「茶碗半分よりチョット多目にして下さい！」とか、「茶碗半分くらいにして下さい！」と、注文すればいいと思うでしょうが、それでは、何のオモシロミもありません。

こうすると、店員さんがもってくるご飯の量は、茶碗半分よりチョット多目になり、私の要求は、ほぼ満たされます。この時に店員さんは、大体は次のような言葉で応対してきます。

①こんなに少なくてよろしいですか。足りなかったら言って下さい

②ご飯粒は、数えてきませんでしたが、これくらいでよろしいでしょうか

これに対して、私の方からは、「これくらいで十分です。ありがとう」とか「分かりました。ありがとう。ご飯粒を数えながらゆっくり食べます」などの言葉で応対します。

「麺の本数」の話

ご飯粒を数えながら食べる話になりましたが、ここからは、「ご飯粒の数」ではなく、「数」に関連して、「麺の本数」の話をします。

島根県の出雲空港近くに「○○屋」というそば屋さんがあります。出張して昼食のときに、何回か行きましたが、私は、そばよりもうどんの方が好きなので、よくザルうどんを注文しました。

数回その店に行って、ザルうどんを食べていたときに、1本のうどんの長さが非常に長いことに気付きました。その長さは、優に60、70cmは超えていたと思います。1本のうどんの長さが長ければ、当然1人前のうどんの本数は少なくなります。そこで、次回きたときには、ザルうどん1人前のうどんの本数を数えてみようと思いました。

「少なくとも、15本くらいはあるだろう」などと予想しながら、その機会を楽しみにしていました。そして、いよいよ、ザルうどん1人前のうどんの本数を数えながら食べるときがやってきました。結果は、予想よりも少なくて、うどんの本数は9本でした。それから、数ケ月後に、また、「○○屋」に行く機会がありました。同じように数えて食べてみましたが、今度は11本でした。そのときに、次にこの店に来るようなことがあったら、今度は、「ザルうどん1人前！」と注文するのではなく、「ザルうどん10本！」と注文しようかなと思いました。しかし、それからは、「○○屋」に行く機会に恵まれず、そのうちに、仙台に転勤になってしまいました。

「ステーキの量」の話

うどんの本数の話はここで止めます。話を変えて、別の店の「食事の『量』と『質』」の話にします。広島市西区の福島町に「○○」というステーキ屋さんがあります。西区横川町二丁目に住んでいた私のマンションから歩いて30分くらいで、距離にすると3km弱くらいのところにあります。「○○」というステーキ屋さんは、2005年（平成17年）の頃、散歩をしているときに、偶然に見つけた店です。

2002年（平成14年）4月に、広島に二度目の単身赴任をしましたが（広島が二度目）、そのころは、健康のために、1週間に2回くらいのペースで、朝または夕方に、少し早足で散歩をしました。太田川放水路（広島市街の西側を南北に流れる川）の左岸側の河川敷を散歩することも多かったのですが、そのときには、往きは太田川放水路、帰りは街のなかの道路というパターンがほとんどでした。

ある日の夕方、太田川放水路の河川敷を下流（南）に向かって早足で歩き、帰りは街のなかの道路を北に向かってゆっくりと歩いていました。そのときに、1軒のツタのからまる木造の古い平屋の建物があって、入口に数人の人が並んでいるのを見つけました。散歩の足を止めて、その入口に行ってから、それがステーキ屋さんであることが分かりました。

「あれだけの人が並んで待っている店なら、きっと美味しいものを食べさせてくれるだろう」と思って、数日後の土曜日か、日曜日の夕方に、さっそく行ってみました。ビールとワインとステーキを注文しましたが、その味は、予想通り満足できるものでした。

それ以降は、一人で行くこともあったし、広島の社員の人と行くこともありました。一緒に行った人に、「味はどうだった？」と聞くと、誰もが「美味しかった！」と答えてくれました。今思えば、この「○○」という店には、１年間に２～３回くらいの比較的に頻繁なペースで通ったと思います。それほどに、美味しいステーキ屋さんでした。カウンター席があるので、一人で行っても、相席になることはありません。そのため、いつ行っても、気兼(きが)ねせずにゆっくりと食事ができました。

この店のステーキのメニューは、次のように量で区分されていました。値段の方は、トリプルステーキでも3000円以下と高くはありませんでした。

◇シングルステーキ…220ｇ　◇ダブルステーキ…320ｇ
◇トリプルステーキ…420ｇ

体が小さく、小食と思われる人、特に、女性などには、420ｇのトリプルステーキを勧めました。図体(ずうたい)が大きく、見るからに食べきれると思われる人には、勧めても、何のオモシロミもありませんから、勧めませんでした。

「果たして食べきれるかどうか？」と思っていた人でも、見事に食べて頂けました。「肉を400ｇ以上！」と聞いたときには、不安だったようですが、食べてみると意外とスンナリと食べることができたようです。

意外とスンナリと食べることができる理由の一つは、実際には、オドロクほどの量ではないからです。私たち日本人は、肉を中心にした食文化のなかで、育っていませんので、「肉420ｇ」と聞いた瞬間に、ただそれだけで、「沢山の量」だと思い込んでしまっているのです。主要なエネルギー源を肉から採っているような食文化の国で育てば、「肉420 g」と聞いても、「なんだ、そんな量か！」と思うはずです。

もう一つの理由は、その人の身体がステーキを美味しく食べることができる状態になっているためだと思います。例えば、前日に、油っぽいものを沢山食べていたら、美味しく食べることができる状態ではないと言えます。

私がこの店で注文するのは、いつも320 gのダブルステーキです。多分注文すれば、トリプルステーキの420 g程度までは食べることができます。ダブルステーキを食べ終わると、いつも、「美味しく食べることができるのは、あと数十gだろうな」という感覚になっています。トリプルステーキを注文しないのは、最後は、「胃袋の中に流し込む」状態になりそうだということが分かっているからです。美味しいステーキを、美味しくないと思わせる身体の状態で食べるのもモッタイナイことです。

美味しく食べることができる限度量というのは、20、30歳代、人によっては40歳代前半をピークに、徐々に少なくなってきます。そのため、トリプルステーキでも、働きざかりの年齢であれば、苦もなくスンナリと食べることができるのだと思います。もちろん、美味しくなければ別ですが。

ここで、何を言いたかったかというと、「美味しいものでも、量はほどほどに！　美味しいと思わせる身体の状態で、頂きましょう！」ということです。

「一風変わった天丼」の話

もう一つ、広島の別の店の「食事の『量』と『質』」の話をします。

広島市街の「本通り」を少し脇に入ったところに「宝」という料理屋さんがあります。この店は、会社のある南区稲荷町から、私が住んでいた西区横川町二丁目まで、歩いて帰る途中で、寄り道して見つけました。会社と住んでいたところの距離は、私の歩測（歩幅で距離を測ること）によると、3.5km くらいです。この辺りが中間点かなと思いながら、ブラブラと歩いているときに寄り道した店が「宝」です。

この「宝」という店は、昼は、天丼・うな丼などの丼もの、夜は和食のおまかせ料理（コースメニュー）を食べさせてくれます。おまかせ料理には､「松竹梅の３コース」と「天ぷらコース」がありましたが、よく注文したのは、「天ぷらコース」です。この「天ぷらコース」は、小鉢に少々の突き出し三品、刺し身、10 種ほどの天ぷら、最後に、ご飯、漬け物､味噌汁､デザートです。天ぷらは一度に揚げて出すのではなく、店の大将が、食べる頃を見はからって揚げてくれるのです。ですから、いつでも、カラッと揚がった天ぷらを食べることができます。天ぷらは揚げて時間が経つと、ベチャとなって、美味しくなくなります。「天つゆ」と「おろした大根」も、自由です。濃い味が好きな人は、おろした大根に天つゆをしみ込ませ、少し大根を多めにして天ぷらと一緒に食べればよいわけです。「天つゆ」でなくても、塩・コショウでも大丈夫です。

何といっても良かったのは､お酒（ビールが多かった）を飲みながら、揚げたての天ぷらをゆっくりと食べることができたことです。この表現ではなく、「揚げたての天ぷらを食べながら、ゆっくりとお酒を飲むことができた」の方が正確でしょうか。

「宝」で、最も特徴的なのは、お昼の天丼です。普通の店に入って天丼を注文すれば、ご飯の上に、天つゆをしみ込ませた２・３尾のえびの天ぷらを乗せ、それらに少々の天つゆをかけたものが出されます。

ところが、「宝」の天丼は違います。大き目のどんぶりに少な目のご飯、その上に乗っているのは、カマス一匹、穴子半身、えび一尾などの魚類と、なす、にんじん、マイタケ、などの野菜類の天ぷらです。合計で8～10種の具の天ぷらです。一つひとつは小さ目ですが、これだけの種類になると、ご飯の上に乗せてあるという感じではなく、どんぶりの中の少な目のご飯に、縦につき刺さっているという感じです。刺さった天ぷらがひしめき合って、どんぶりからこぼれ落ちそうです。これに、漬け物（小皿に少々）と味噌汁（小さめのお椀）が付いて、値段は1人前で800円（2012年＝平成24年当時）だったと思います。

さらに普通の店と違っているところがあります。これらの天ぷらは、どんぶりの中のご飯に刺さっているだけであって、「天つゆ」と「おろした大根」が、別々に出てくるところです。天つゆをかけて「『天丼』風」にしても、かけないで「『天ぷら定食』風」にしても、食べる人の自由です。どちらにしても、美味しく頂けると思います。

広島の社員の人と行くこともありましたが、一人で行くことの方が多かったと思います。初めて、昼食時に、一緒に行った人には、必ずこの天丼を勧めました。私には量が多くて食べきれませんので、昼は「ご飯半分（ご飯の量は3～4勺程度にしてもらいました）の『うな重』」、夜は「天ぷらコース」を注文しました。この「天ぷらコース」も食べきることができませんでした。いつも途中でリタイアです。店の大将に、もう食べられないから、「あとは『貸し』にしておく」と言って終わりにしました。

この「貸し」は、珍しいもの、例えば「スッポンの血」を飲ませてもらったり、魚の美味しいところを食べさせてもらったりして、返して頂きました。太刀魚のハラモ（ハラスとも言って、内臓を囲むお腹のところの肉で、マグロで言えばトロにあたる部位）の天ぷらなどは、最高でした。珍しいものを出して頂くときに、いつも、大将から「これは何だか分かりますか？」と質問されましたが、一度も当てることができませんでした。それほど珍しいものであったり、特殊な部位であったりの料理品でした。

転勤で仙台にきた数日後に、「仙台の新住所」を、「宝」の大将にメールしたら、「体に気を付けて頑張って下さい。広島に来られたら、必ず、必ず、お立ち寄り下さい」とのメールが返ってきました。

ガンコな大将！　美味しいものを食べさせて頂きありがとうございました！

「バイキング」の話

「食事の『量』と『質』」に関連して、バイキングの話をします。最近は、ホテル内のレストランで、食事にバイキング形式（バイキング形式とは、「セルフ方式で食べ放題」の形式のこと）を採用しているところが多くなっています。以前から、宿泊客を対象にして、朝食だけにバイキング形式を採用していたホテルはよくありました。ところが、最近は、宿泊客以外も対象として、昼食や夕食にもバイキング形式を採用しているホテルが多くなっているようです。食事だけではなく、飲み放題・食べ放題をやっているホテルのレストランもあります。

バイキングに出されているものは、お総菜は、普通は、20種類以上の品数があり、ご飯、パン、スープ、味噌汁、吸い物、お茶、ジュース、コーヒーなどは揃っています。カレー、スパゲティ、ソバ、ソーメンなどが出されているところもあります。

これだけの品数がありますから、一品のほんの少しの量をお皿に盛っても、ひと回りすると、最後は大変な量になっています。ほんの少しの量というのは、軽く一口で食べることができるような少量で、ギョウザやシュウマイでいうと小さ目のものが一つです。この料理品は好きだからと思って、多めに盛ると、あとのものが食べられなくなります。

バイキング形式で食事をした最初の頃は、よく失敗しました。いつも、最後は、「胃袋の中に流し込む」状態になりました。「食べ残さない」と「一度、テーブルまで運んだものは戻さない」というのは、バイキングのルールです。最初は、必ず食べることができると思う量より少ない量をお皿に盛ることです。食べてみて少し不足と思えば、再び取りに行けばよいわけです。考えてみれば簡単なことです。しかし、その当時は、沢山食べた方が得だと思っていたのか、この簡単なことができませんでした。

バイキング形式とは、「セルフ方式で食べ放題」の形式のことです。この「食べ放題」ということは、本来は、好きなものを腹一杯に食べることができるという意味です。量的にも質的にも「食べ放題」だということです。しかし、ある年齢になって、この「食べ放題」が、「量的な食べ放題」から、出されている料理品であれば、どんな種類のものでも食べることができるという意味での「質的な食べ放題」に変わりました。

焼肉店でも、2時間とかの時間制限で、バイキング形式を採用しているところがありました。40歳代の前半のころまでに、3～4回程度、誘われて行った記憶がありますが、現在は誘われても断ると思います。

もう62歳ですから、「量」を食べないで、「質」を食べることにします。

「若い女性社員」との秘話

最後にもう一つ、食事の量に関して、私にとって、とても愉快であった思い出話をします。平成12年（2000年）か、13年の年度末の頃のことで、当時の私は、東京支社長（当時の太陽コンサルタンツの東京支社長）をやっていました。そのときに、東京支社に所属していたある女性社員が転勤をすることになりました。この女性社員は、○○大学を卒業して、平成9年4月の入社でしたから、彼女にとっては、入社後、3～4年が経過した頃の転勤です。平成7・8年の頃からでしたが、大学を卒業して、技術系の女性社員が入社することが多くなりました。彼女もそのうちの一人です。女性社員の入社が多くなったといっても、まだまだ、何をやるにしても、周りは男だらけです。入社後3～4年といえば、仕事にも、ようやく慣れ、周りにも、それほど気兼ねしなくてもいい状況になり始める頃です。

入社後十数年のようなベテラン社員ならともかく、まだまだ、入社後3・4年の女性のシンマイ社員です。どんな事情があったにしても、たとえ自分から希望したとしても、新転地に行って、人付き合いが変わり、そこでまた新たな生活をやり始め、仕事をすることは、大変なことだと思います。

ところで、彼女と同じ部署で仕事をすることなったのは、私が広島の中四国支社から東京支社に戻った平成10年の4月からです。ですから、彼女とは同じ部署で2～3年間、一緒に仕事をしたことになります。当時の東京支社には、彼女を含めて、4人の技術系の女性社員がいました。その中でも、彼女は、相当頑張って仕事をしていた方です。

そこで、新たな部署に移っても、頑張ってもらうために、「○○寿司」で、鮨をご馳走してやることにしました（回転寿司ではありません）。「お金は私が払うから、『気』も『お金』も使うことなく、大トロでも、中トロでも、どんな種類のものでも、どんなに沢山食べてもいいよ！」と約束しました。そして、約束の日の2、3日前に、腹一杯食べられるように、「**『パンツがずり落ちる』くらいに腹を空かしておいで！**」と言ってやりました。まだ、26、27歳の若い女性に対してですから、少しセクハラかも知れませんが。

もう10年以上も前のことですので、何をどれくらい食べたのかは、ハッキリとは覚えていません。しかし、「ビックリするような料金は払っていない」こと、「私は酒が主で、彼女は鮨が主であった」こと、そして、「彼女に満足してもらえた」ことは、かすかに、記憶に残っています。

相当な時間が経過すると、彼女も「にぎり鮨」を注文する速度が遅くなってきました。顔をみると彼女の顔も満足げな顔に変わってきていました。そこで、彼女に「腹一杯になりましたか？」と聞きました。すると、「**『パンツのゴムが身体にくい込む状態**』になってきました！」と言い返されました。私は、ふき出すところでした。

年が明けての彼女からの年賀状には、「美味しいお鮨をありがとうございました」と記されていました。

早足で歩く運動……歩測の訓練

2012 年（平成 24 年）12 月頃記述

健康のための早足で歩く運動

今年（2012 年＝平成 24 年）の 7 月に、広島から仙台に転勤してきました。仙台に住むようになってからも、月に数回のペースで、朝か夕方に、早足で歩く運動を行っています。いま思い起こせば、早足で歩く運動は、ちょうど 10 年前の 2002 年の転勤で、広島に住むようになった秋頃から始めました。

この運動のおかげで、65kg程度あった体重も、57 ～ 58kgに減らすことができました。もちろん運動だけではなく、食事にも気を付けました。もう 10 年も前のことですが、お腹の周りのぜい肉が落ちて、体を動かすのが楽になったのを覚えています。それからは、少し油断していると、60kg を超えることもありましたが、大体は 60kg 以下で推移しています。早足で歩く運動は、広島に住んでいたときには、一週間に一、二回くらいのペースでしたが、仙台に移ってからは、月に数回と少しペースが落ちています。しかし、意識してやるように努力しています。

標準体重というのがあって、それを保っていれば、病気に罹る確率は少なくなるようです。標準体重は、次のような式で計算されます。私は、身長が1.60 mですので、標準体重は、56.3kgになります。肥満度は、標準体重との差をパーセントで表したものです。例えば、私の体重が65kgであったときの肥満度は、プラス15.5%です。

（式）…標準体重（kg）＝身長（m）^{2} × 22
＝（1.60）^{2} × 22 ＝ 56.3kg

（式）…肥満度（%）＝［{(65kg − 56.3kg）／56.3kg} × 100］
＝（+）15.5%

広島に赴任したときは、年齢は52歳になっていました。もう年齢が年齢ですから、激しい運動はできません。また、激しい運動は長続きしません。そこで始めたのが早足で歩く運動です。早足で歩くといっても、競歩のような運動をイメージしてもらっては困ります。普通よりも少しだけ早足で歩く運動です。この運動は、私にとっては、激しい運動ではなく、心地よい運動になっています。心地よい運動でも、20分も歩けば、汗が滲(にじ)み出てきます。1回の運動時間は、1時間から1時間半程度ですが、それほどキツイと感じたことはありませんでした。歩かないで、ただ立っているだけの方が、よほどキツイと思います。

歩測の訓練

運動時間の1時間～1時間半を、ただ早く歩いていても、退屈で仕方がありません。それならと思って始めたのが「歩測」の訓練です。歩測とは、一定の歩幅で歩いて、その歩数で距離を測ることです。すなわち、「歩幅×歩数」で距離を測量することです。歩測ができれば、何かと便利です。距離を測るのに巻尺が不要です。

「歩幅×歩数」で距離を測るわけですから、歩幅が一定でないと正確な距離にはなりません。歩幅を一定にするためには、歩く速度を一定にすることが必要になります。歩幅は、早く歩くときとゆっくり歩くときでは異なります。意識しなければ、「早く歩くと、歩幅は広がり」、「ゆっくり歩くと、狭まる」傾向にあります。もちろん、意識すれば、無理をして、広い歩幅でゆっくり歩くことも、狭い歩幅で早く歩くこともできます。

歩く速度（歩数／一定時間）を一定にすると、「歩数ではなく、歩いた時間で距離を測る」という利点があります。

○○分間歩いた →（だから△△歩を刻（きざ）んだはず）

→ だから距離は□□mとなる

上記の（ ）内の「だから△△歩を刻んだはず」を省略して距離が計算できます。私の場合ですと、後述しますが（1分間に120歩を刻み、歩幅は80cmであることを後述）、「1分間歩いた」→「だから距離は96 m（120歩× 0.8 m ／歩）となる」と、歩数を数えなくても計算できます。すなわち、「だから120歩を刻んだはず」を省略できるようになります。

◇1分間当たりの歩数について

「一定の時間内に一定の歩数で歩く」ことを訓練するために、まずは、100円ショップでストップウォッチを買って、いろいろと試してみることにしました。最初に試したのが、1分間に最大どれくらいの歩数で歩くことができるかです。その結果は、1分間に150歩程度が限界でした。訓練すれば、もう少し歩数を多くすることができるかも知れません。しかし、太股から下の脚の筋肉が、張ったようになり、いかにも、脚に異変が起こりそうで危険です。止めた方がよいでしょう。このときの歩幅は、無理をして、普通に歩くときの歩幅より狭くしていました。逆に言うと、意識して歩幅を狭くしないと1分間に150歩程度にはなりません。歩幅に関係なく、一定の時間内に、ただ単に、どれだけの歩数を刻むかを競争するだけなら、歩幅は狭くするでしょう。早く歩いて前に進むということではなく、その場での足踏み競争のような状態になるでしょう。

次に、普通に歩いているときの歩数を測ってみました。1分間に115歩程度でした。今度は、ゆっくり歩いてみようと思って、その歩数を測ってみました。1分間に105歩～110歩でした。人間って、意外と早い速度で歩数を刻んで歩いているなと思いました。1分間に100歩以下で歩くとは、どういう感覚かなと思って試してみました。出した足をできるだけ遅く着地するように意識しないと、1分間に100歩以下にはなりませんでした。妙な感覚ですが、上半身をできるだけ前に移動させないような感覚です。

今度は街に出て、歩いている人の歩数を数えてみました。自分の歩数を測るときには、ストップウォッチを見ながらできました。他人の歩数を測るときには、その人の歩く姿を見ていなければなりません。そして、ストップウォッチも見ていなければなりません。しかし、ストップウォッチの方は、常に見ている必要はありません。必要なことは、ストップウォッチを見て、1分間が経過した瞬間を見極めることです。歩いている人は、その人なりに、正確なペースを守って歩いていますから、少しくらい目を逸らしても大丈夫です。歩いている人の歩数を自分の頭で数えながら、ときどき、ストップウォッチの方を見て、1分間が経過する2～3秒前に、ストップウォッチの方に集中します。目でストップウォッチの1分間が経過する瞬間を確認したときの「頭で数えている歩数」、これが、1分間に歩く歩数になるわけですから、容易に数えることができます。

こうして、ストップウォッチで測った結果は、90％以上のほとんどの人は、1分間に105歩～130歩で歩いていました。その中でも多かったのは、115歩～120歩で歩く人です。統計をとったわけではないので、正確ではありませんが、おそらく50％以上の人がこの範囲に入っていたと思います。実際に、歩数を数えてみて、1分間に105歩は、相当ゆっくりで、1分間に130歩は、相当早いことが分かりました。人によって、もっとバラバラかなと思っていましたが、意外と歩数に違いはありませんでした。大ざっぱには、「ヒトが歩くときは、だれでも、一定時間内に一定の歩数を刻む」と言えるのではないでしょうか。

広島の街で、気が向いたときに、遊び半分で歩く人の歩数を測っていました。仙台に転勤してきてからも、つい最近（2012年＝平成24年8～10月頃）、街で測ってみましたが、結果は変わりません。「広島や仙台ではそうかも知れないが、東京や大阪のような大都会の人は、セカセカしているから、もっと早く歩いているぞ！」と言う人もいるでしょう。なるほど、そうかも知れません。しかし、まだ、「ヒトやホモ・サピエンス」の歩く早さを研究している途中ですので、厳しい指摘はしないで下さい。

広島でも仙台でもそうでしたが、朝の通勤時間帯は、みなさん、セカセカと歩いていたように思います。歩数を測る対象者は、朝の方が圧倒的に多かったから、そのような感覚をもったのかも知れません。右を見たり、左を見たりして、何かを探し求めながら歩く人を、歩数を測る対象者にはしませんでした。話しながら歩いている人も対象者にはしませんでした。朝歩いている人の中には、このような人はあまりいませんでした。夜になると、酔っぱらって、チドリ足で歩くような人を見かけますが、このような人を、歩数を測る対象者にすることは論外です。

私が選定した歩数を測る対象者は、「特定した場所に向かい、二本脚（足）を使って、身体を移動させることを目的とした人」でした。もっと具体的には、○○駅という特定した場所に向かって歩いている人、勤めている□□会社という特定した場所に向かって歩いている人、通学している△△学校という特定した場所に向かって歩いている人のことです。要するに、特定した場所に向かって、「ひたすら」「見向きもせず」「まっしぐらに」歩いている人です。

歩いている人に、「何のために歩いているのですか？」などと質問したことはありませんが、おそらく、そのような人が対象になっていたと思います。当たり前過ぎるため、普通はだれも深くは考えませんが、ヒトが歩く本当の目的は、「身体を移動させる」ことです。霊長類から分かれて、直立二足歩行を開始したのが、人類（約700万年前に誕生）の始まりです。このときに、二本の脚（足）は、身体を移動させる機能を引き受けたのです。「身体を移動させる目的で歩く」ということが、当たり前過ぎるから、それを意識して歩いている人は、一人もいないのでしょう。

街に出て、歩いている人の歩数を数えてみると、いろいろな人がいました。急に路地に入っていく人や急に立ち止まって何かをする人などです。真面目に歩いている人だと思って、歩数を測る対象者に選定したのに残念です。折角、ストップウォッチを押したのに、ダイナシです。その人のところに行って、「何で、真面目に歩かないのですか！」と文句を言いたくなるほどでした。

直立二足歩行を開始したヒトの脚（足）に、「身体を移動させる機能」が備わりましたが、同時に、「早く歩く」とか「ゆっくり歩く」という「移動時間を調節する機能」も備わりました。そして、これらの機能を利用して、「歩測」ができるようになったわけで、「歩測」のことを考えると、何とも言えない興味深さがあります。

ところで、一般的には、「直立二足（にそく）歩行」という言葉が使用されていますが、私は、「直立二脚（にきゃく）歩行」の方が正しいように思います。「脚（あし）」は、太股からクルブシまでを言い、「足」はクルブシから下を言いますから、ヒトが獲得した「身体を移動させる機能」という点から考えると、そのように思います。しかし、「脚」と「足（あし）」の両方がなければ、歩けませんので、どちらでも、よいことかも知れません。

ここで、脚（足）の話は止めて、チョットのあいだ「手」の話をします。直立二足歩行を開始するまでの霊長類は、四つの手足を使って身体を移動させていました。ヒトになるときに、二つの脚（足）は、身体を移動させる機能を引き受けましたが、移動機能から解放された「二つの手」が、どのようになったかについても興味があるところです。

解放された「二つの手」は、ヒトにとって新たに必要となった「ものづくりを行う機能」を引き受けたのです。解放された「手」の指は、ものづくりを行うことによって、拇指（ぼし）対向性を強めました。拇指とは親指のことで、拇指対向性を強めるとは、親指が他の４本の指と向きあう状態になっていくことです。そして、拇指対向性を強めた手は、ますます器用にものづくりを行うようになりました。またまた、器用にものづくりを行うようになった手は、さらに、拇指対向性を強めました。これを繰り返しているうちに、ヒトの手は、現在、私たちが持っているような手になったのです。ヒトになった最初の頃には、そのヒトの手は、掴む（握る）ことしかできませんでした。それが、いつの間にか、指で摘むことができるようになりました。

ところで、赤ちゃんは、生まれて直ぐでも、細い棒を掴んでぶら下がることができます。生まれたばかりの赤ちゃんの手は、まだ掴むことしかできません。拇指対向性を活かす筋肉（親指の付け根のところの筋肉）が発達していないため、指で摘むことができないわけです。まだ、霊長類の手であって、ヒトの手になりきってはいないのです。しかし、暫くすると一旦は、手の握力は衰えはじめます。そして、ヨチヨチ歩きが始まるころから漸くヒトの手が形成され始めます。しかし、まだ、ヨチヨチ歩きのころに、食事をさせるために赤ちゃんに箸を持たせても、チンパンジーの掴み方とあまり変わらないと思います。本当にヒトの手になるには、もう暫らくの年月が必要です。

今度は、赤ちゃんの手ではなく、ホモ・サピエンスの母親の手の話です。「脳」は、ものづくりを行うことにより大きくなったわけですが、大きくなった「脳」のことを考えると、新生児を「小さく産む」ことが必要です。そして、新生児に脳性マヒを起こさないようにするためには「産まれた直後から、脳を早く大きく育てる」ことが必要になりました。出産後の急激な脳の成長を考えると、現在の人間は、12ケ月程度は早く生まれているようです。つまり、本来なら、子宮内での9ケ月プラス12ケ月が、現代人の妊娠期であるはずです。しかし、それほど長く母体内に居据わるのは、妊婦さんにとって大きなハンディです。ですから、人類は、脳の小さいうちに「早産」するようになりました。そして、その後は、直立二足歩行により移動機能から解放されて自由になった母親の手で、乳児を抱きかかえて育てるようになったと考えられています。チンパンジーは、生まれた直後の乳児であっても、自分で母親の体毛を掴めますから、チンパンジーの母親はホモ・サピエンスのような抱っこをしないで済みます。ところが、ホモ・サピエンスの母親には、赤ちゃんが掴めるような体毛がありませんので、自由になった母親の手が必要になりました。直立二足歩行を開始し、「二つの手」を移動機能から解放して、ものづくりを行い始めたことが、人間にとって、いろいろな意味で革命的な出来事だったのです。

手の話はここまでとして、脚（足）の話に戻ります。歩測を行うためには、1分間の歩数を、できるだけキリのよい数値に決める必要があります。人間が1分間に歩く歩数は115歩～120歩でした。私が歩く目的は、歩測の訓練ではなく、そもそもは、運動することでした。ですから、少しだけ身体にキックなるように、1分間に120歩の歩数で歩くことを目標にして訓練をすることにしました。1分間に120歩は、1秒間に2歩、1時間に7200歩であり、キリのよい数値だと思います。

それからは、ストップウォッチを持って、よく訓練をしました。よくやったのは、600歩を歩いたときに、果たしてどれほどの時間を要したかという訓練です。ストップウォッチを押して、頭で歩数を数えながら歩き始め、歩数を600数えたときにストップウォッチを止めて見ます。訓練を始めて1年も経過すると、何時、測っても「5分±5秒」の範囲内になりました。数ケ月の間、訓練をサボっていても、数分間訓練すれば、感覚が戻ります。例えば、1分間歩いて、その歩数をみれば、直ぐに修正ができて、感覚が戻ります。これまでの訓練によって、「『1分間に120歩』、『5分間に600歩』で歩くこと」を身体が覚えているのだと思います。少しだけ身体にキツクなるように歩くという、この「『少しだけ』が、どれくらいなのか？」が、感覚として戻るのです。

ストップウォッチを持って訓練をしていて、600歩を歩いたときに、時間の誤差が3秒以上になると少し悔しくなります。反対に、誤差が1秒以内であれば嬉しくなります。「○○：○○ ○○」のような表示のストップウォッチでしたが、「5：00 00」となったことが一度だけありました。誤差が少なくなったということではありません。こんなことは偶然です。

歩測の訓練をしていますので、マラソンの選手が、1.0kmを3分00秒で正確に走るのも何となく理解できるようになりました。マラソンの選手に、「いまの1.0kmを何分で走ったか？」と聞いたときに「○分○○秒で走った！」と答えたとします。このときの誤差は、おそらく2～3秒だと思います。35.0kmを過ぎてヘトヘトの状態になると別ですが、余裕をもって走っているうちは、おそらくそうでしょう。

◇歩幅について

今度は、歩数ではなく歩幅のことです。広島市内の城南通りに、旧太田川に架かる空鞘（そらざや）橋という橋があります。原爆ドームのところの相生（あいおい）橋の一つ上流の橋で、橋の右岸側（川の下流を向いて右側）は中区寺町で、左岸側が中区基町です。この橋の右岸上流に石碑が建てられていて、そこに、空鞘橋の由来やこの橋の長さが125ｍであることが刻まれています。空鞘橋は、住んでいたところから歩いて10分くらいで、会社に歩いて通勤するときにも（通常の通勤はJRを利用したので別ルート）、繁華街にでるときにも、通り道にありました。長さも

125 mとテゴロであったので、この空鞘橋が歩幅の訓練の絶好の場所になりました。

ここでも、少しだけ早足で、この橋の歩道を歩いてみました。その結果は160歩程度でした。160歩とすると、歩幅は78.1cm（12,500cm÷160歩）になります。ところが、歩幅が78.1cmでは、これもまた中途半端な数値です。歩幅を75cmにするか、80cmにするか、迷いました。これも少しだけ身体にキツクなるように、歩幅を80cmにして歩くことを目標にして訓練するようにしました。125mを歩幅80cmで歩くと、156.25歩（125 m÷0.8 m／歩）になります。

以後この橋の上を、歩数を数えながら、何回歩いたか分かりません。数百回以上、1日に2、3往復することもあったから、1,000回近くは歩いたのではないかと思います。初めの頃は、少し誤差も大きかったのですが、何十回か歩いたあとは、誤差が少なくなり、(156 ± 2）歩の範囲を出たことはありませんでした。± 2歩の誤差といえば、± 1.3％（2/156.25）の誤差です。100 mの距離を歩測すれば、その結果は、98.7 m～ 101.3 mの範囲に収まるということです。

広島の会社は、「南区稲荷町○番○○号」にありました。会社の西側には京橋川が流れていて、そこに、柳橋（やなぎばし）という人道橋（歩道橋）が架けられています。この橋を渡ると中区に入り、暫く行くと広島で一番の繁華街になります。この橋も数え切れないほど渡りましたが、ゆっくり歩いて渡ることがほとんどでした。それでも、何回か真面目に歩き、その結果は、ほとんどが116歩～ 117歩でした。平均すると116.5歩、58.25秒ですので、歩測で計算すれば、橋の長さは、93.2 m（116.5歩× 0.8 m／歩）になります。± 1.3％の誤差を許容するなら、92.0 m～ 94.4 mです（橋の左岸側の方が縦断勾配が、少しだけ急になっていたので、もう少し誤差を許容してもらいたいのですが)。会社のすぐ横にあった橋ですから、いつでも長さは巻尺で測れると思って、そのままにしておきました。しかし、そのうちに、広島から仙台に転勤になってしまい、歩測の正確さを実証することができませんでした。

◇歩測の訓練

1分間に120歩、歩幅が80cmですから、速度は、96 m / 分で、時速にすると5.76km/ 時です。歩く運動では、「90 m / 分～ 100 m / 分がよい運動だ！」とも言われていますが、時速にすると、5.4km/ 時～6.0km/ 時になります。私が、歩測で訓練しているのは、まさしく、この辺りの速度です。この辺りの速度が、運動に適した速度であって、普通よりも少しだけ早足で歩く速度です。

ところで、歩測の訓練のときは、履物は、運動靴でなければなりません。サンダルは駄目です。革靴でも、靴のなかで微妙に足が滑って駄目です。バッグのなかにストップウォッチを入れていますので、いつでも歩測の訓練ができます。私は、スーツを着るときは、必ず革靴を履きます。ですから、このときには、歩測の訓練はできません。

歩く姿勢も重要です。直立して正面を向いてあごを引いて歩くことです。手の振りは余り関係ありません。関係ないといっても、何か重いものや嵩張(かさば)るものを持っていては駄目です。片手に多少の何かを持っていても、バッグなどを肩に掛けていても、もう一方の手を自由に振ることができれば問題ありません。それから、キツイ勾配の道は駄目です。歩数はあまり問題になりませんが、歩幅の方が下り勾配の道ですと広くなり、上り勾配の道ですと狭くなってしまいます。また、石が転がっている道、砂利が多い道、凹凸が多いため下を見て歩く道などは、歩測の訓練には向きません。

広島から仙台に転勤してきて、またまた、歩測の訓練を始めました。歩数の方は、ストップウォッチを持っていれば、いつでもどこでも訓練はできますが、歩幅の方は、そう簡単にはいきません。真っすぐで、平坦で距離が正確に分かったところでないと駄目です。その距離にしても 20 mや 30 mのような短い距離では駄目ですから、80 m～ 150 mくらいの距離が必要になります。

私の場合には、120 mの距離であれば、150 歩で歩かなければなりません。2、3 歩が許容誤差だとすると、155 歩で歩いた場合には、やり直しが必要です。直ぐに修正しなければならないので、あまり長い距離のところを、訓練の場にすることはできません。もう、相当訓練していますから、「訓練の場」というよりは、歩測の能力が維持されているかどうかを「検定する場」になると思います。仙台に転勤して来て 5 ケ月が過ぎましたが、「検定の場」を早く見つけなければなりません。

書き留めておきたい「伊能忠敬」と「カント＝ドイツ古典哲学」のこと

こうして、広島に住んでいたときに、本格的（？）に訓練をした結果、「歩幅は 80cm」「歩数は 1 分間に 120 歩、距離は 96 m」を正確に歩くことができるようになりました。ですから、いつの間にか、私のことを「平成の伊能忠敬（いのうただたか）」とか「日本のカント」と呼ぶ人が現れました（これは冗談です。こんなことを言うと、「伊能忠敬」や「カント」に怒られます）。

伊能忠敬（1745 ～ 1818 年）は、江戸時代の商人であり、歩測によって、初めて日本の実測地図を完成させた測量技術者でもあります。イマヌエル・カント（1724 ～ 1804 年）は、通称「カント」と呼ばれているドイツの哲学者で、ドイツ古典哲学の始祖とされています。カントが、毎日規則正しい生活をしていたことは、有名な話です。カントは、毎日同じ時刻に同じところを散歩していました。町の人が、散歩するカントを見て、時計を合わせるくらい、正確だったそうです。これも、有名な話です。

伊能忠敬も、カントも、名前くらいは、聞いたことがあると思いますが、この人たちに関連して、少し書き留めておきたいことがあります。

伊能忠敬は、1800 年から 1816 年まで、17 年をかけて全国を測量し、日本の実測地図を完成させ、初めて日本の国土の正確な姿を明らかにした人です。日本では、樺太（サハリン島）とユーラシア大陸の間の海峡を間宮海峡と呼んでいます。この間宮海峡を発見した探険家の間宮林蔵（1780 ～ 1844 年）は伊能忠敬の弟子です。

伊能忠敬は、1762 年の 18 歳のときに、現在の千葉県香取市佐原の伊能家（家業は、酒・醤油の醸造業、貸金業）に婿養子に入り、50 歳までは、商人として活動しました。伊能忠敬は、商人としては、かなりの才覚の持ち主であったようで、家業が衰えて、危機的な状態であった伊能家を、約 10 年で再興しています。

そして、1794 年になって、家督を長男に譲って隠居し、翌年に、幼い頃から興味をもっていた天文学を勉強するために江戸に出ました。江戸には、浅草に星を観測して暦をつくる幕府の天文方暦局がありました。そこで、当時の天文学の第一人者である高橋至時（1764 ～ 1804 年、年齢は伊能忠敬の方が上）に師事し、測量・天文観測などを修めました。その後56歳になった1800年から全国の測量を行うようになりました。

伊能忠敬に関して驚かされることが二つあります。その一つは、地図をつくるときの測量の方法です。弟子も含めて、歩幅が一定になるように訓練し、歩幅と歩数で距離を計算するという歩測だったことです。二つ目は、人生50年と言われていたその時代に、隠居後をのんびりと余生を送るのではなく、勉強のために江戸に出るという「知識欲」と、56歳の高齢になってから国土の測量に出るという「行動力」です。

17年をかけて全国を測量しましたから、もう年齢は72、73歳になっていたわけです。伊能忠敬は、全国の測量が終わって間もなくして亡くなりました。「お墓」は、東京の上野駅から浅草駅方面に向かって800 mくらい行った浅草源空（げんくう）寺にあり、そこで、先に亡くなった師匠の高橋至時と並んで眠っています。故郷の千葉県の佐原の方では、平成10年に「伊能忠敬記念館」が、開館されています。私は、浅草源空寺も、伊能忠敬記念館も、すぐ近くまで行ったことはありますが、中に入ったことはありません。いつか、中に入ってみたいと思います。

伊能忠敬が生きた時代は、「人生50年」と言われましたが、その「人生50年」を「平均寿命50年」と解釈すると、56歳という年齢は、平均寿命を越えています。ですから、伊能忠敬は、平均寿命を越えた年齢になってから、国土の測量に出たことになります。人間は、だれしも、乳幼児期、少年・少女期、青年期、壮年期、熟年期、老年期（高齢期）という時期を過ごします。平均寿命が延びるに従って、それぞれの時期に相当する年齢も延びると思います。私が勝手に決めるなら、伊能忠敬が国土の測量に出たときの56歳という年齢は、その当時は、すでに老年期（高齢期）に入っていたころに相当していたのではないかと思います。

その年齢が、どの時期に相当しているかは、別として、**私が言いたいことは、伊能忠敬の人生は、「万年（まんねん）青年」「生涯（しょうがい）青年」という言葉がピッタリしているということです。62歳になったいま、私は、伊能忠敬のそんなところに憧れます。**

イマヌエル・カントは、プロイセン王国（現在のドイツ）出身の哲学者で、ドイツ古典哲学の始祖とされています。ドイツ古典哲学が始まる前に、ヨーロッパでは、すでに近代哲学の時代に入っていました。ヨーロッパの中世は、キリスト教会の思想（スコラ哲学＝中世ヨーロッパのキリスト教哲学）に支配されていて、暗黒の時代だったと言われています。このスコラ哲学から抜け出ることによって、近代哲学が始まりました。近代哲学が始まったといっても、あるときに突然に始まったわけではありません。そこには、14世紀～16世紀の長い期間がありました。

この中世末期の頃になると、カトリック教会は、教会の財源増収のために免罪符を乱発しました。免罪符とは、カトリック教会が献金を代償として信徒の罪を免除する証明書のことです。1517年の聖ピエトロ大聖堂（カトリック教会の総本山）建築のための免罪符が有名で、これがマルチン・ルター（1483～1546年）の宗教改革につながり、プロテスタントとしてカトリック教会から分離することになりました。この14世紀～16世紀の期間は、ルネッサンス期と呼ばれている時期に相当しています。ルネッサンスとは、イタリアを中心にヨーロッパで興った古代の文化を復興しようとする文化運動のことです。

近代哲学が始まる（ルネッサンス後期）ころから、コペルニクス（1473～1543年）、ガリレオ（1564～1642年）、ケプラー（1571～1630年）、デカルト（1596 ～ 1650 年）、パスカル（1623 ～ 1662 年）、ニュートン（1642 ～ 1727 年）らによって、自然界が明らかにされていきます。この人たちの名前くらいは、だれでも、聞いたことがあると思います。この人たちは、有名な物理学者・自然科学者であり、しかも有名な哲学者です。

その後、カント、フィヒテ、シェリング、ヘーゲルらのドイツ古典哲学によって、哲学の対象が、自然界だけではなく、精神界にも向かうことになりました。その始まりが、イマヌエル・カントです。カントにしても、突然にドイツ古典哲学を始めたわけではありません。イギリスの哲学者のジョン・ロック（1632 ～ 1704 年）、バークリー（1685 ～ 1753 年）、ヒューム（1711 ～ 1776 年）などの経験論哲学（人間は経験することによってしか認識できないとする理論）を批判することによって、ドイツの方では、哲学の対象が徐々に精神界の方に向かうようになっていきました。

カントに始まったドイツ古典哲学は、フリードリヒ・ヘーゲル（通称はヘーゲル、1770 ～ 1831 年）によって完成されます。小説「若きヴェルテルの悩み」で有名なヨハン・ゲーテ（通称はゲーテ：1749 ～ 1832 年）は、詩人・小説家・劇作家であって、哲学者ではありません。しかし、ドイツ古典哲学の哲学者と同様の考え方でいたようです。

ドイツ古典哲学の時代は、イギリスでは産業革命*1が起こり、フランスではフランス革命*2が起こったころです。ドイツとフランスは、陸続きの隣国です。ドイツ古典哲学の哲学者は、フランス革命の影響を受けており、「自由・平等・友愛」の理念を賛美すると同時に、それの不徹底による挫折感も味わっています。

＊1　産業革命とは、18 世紀から 19 世紀にかけて起こった工場制機械工業

の導入による産業の変革と、それに伴う社会構造の変革のことです。

＊2　フランス革命とは、フランスで起きた市民革命で、フランスの社会を根底から変革させ、全ヨーロッパに影響を及ぼしました。一般には、1789年7月14日のバスティーユ襲撃に始まり、ナポレオン・ボナパルトによる1799年11月9日のブリュメールクーデターで終焉したとされています。フランス革命によって、ブルボン朝（ルイ王朝）が崩壊し、封建的な諸特権は撤廃され、近代的な所有権が確立しました。フランス革命が生んだ理念（自由・平等・友愛）や諸制度は、現代社会にも多大な影響を残しています。

私は、カントからヘーゲルまでのドイツ古典哲学は、産業革命やフランス革命と同様の「哲学の革命」だと思います。カントは理性を批判しました。それは、自然界は科学的・理性的に展開しているが、自然界を超えた精神界は、科学的・理性的な方法では捉えることができないと考えたからです。こうして、自由で平等な人格である市民、すなわち、普通の人間である市民に焦点をあて、人間の「認識」の問題、「倫理」「道徳」「国家（人間の集団）」「『理想的人間』と『現実的人間』」などの精神界のことが、宗教的な抑圧思想から解放され、人間本来の立場から論じられるようになりました。

もっと簡単に言うと「人間って何だろう？」「人間社会ってどのようにあるべきだろう？」ということが、市民主体に考えられるようになったのです。「カントが存在しなかったら、ヘーゲルは出なかった。ヘーゲルが存在しなかったら、カール・マルクス（通称はマルクス、1818 ～ 1883年）は出なかった」と言われています。哲学は「唯物論」と「観念論」に分かれ、カントの哲学は「観念論」ですが、**私は「カント」や「観念論」に惹（ひ）かれるのではなく、カントからヘーゲルに至る、哲学を普通の市民のものにした「ドイツ古典哲学」に惹かれます。**

「谷野の歩幅説」の紹介

2012年（平成24年）12月頃記述

はじめに

2002年（平成14年）の秋頃から、健康のためにと思って、早足で歩く運動を始めました。ただ早く歩いていても、退屈で仕方がありませんので、それならと思って始めたのが「歩測の訓練」です。それが契機となって、ヒトやホモ・サピエンスが歩くときの「歩幅」「1分間に歩く歩数」「歩く速度」などを研究するようになりました。ヒトとは、「動物（界）— 脊椎（せきつい）動物（門）— 哺乳（綱）— 霊長（目）— ヒト（科）— ホモ（属）— サピエンス（種）」の中の約700万年前に誕生した「ヒト科に進化したヒト（人類の祖先）」のことです。そして、ホモ・サピエンスとは、5万年～20万年前に誕生した「ホモ属— サピエンス種（現人類）」のことです。

ここに記述した「『谷野の歩幅説』の紹介」は、まだまだ中途半端な私の研究成果です。これは、「早足で歩く運動」（p.413参照）のエッセイに続くものですので、そちらの方も読んで頂ければと思います。

歩幅とは何か？

まずは、歩幅とは何かということです。歩幅とは、地面に着地している片足のつま先から、一歩踏み出して着地したときのもう一方の足のつま先までの長さです。歩幅に関しては、「①（身長（cm）－100cm）」という説と「②（身長×1/2)」という二つの説があります。「両手を真横に広げたときに、左手の中指の先端から、右手の中指の先端までの長さは、その人の身長に相当している」とよく言われています。これは、何となく納得しましたが、歩幅の①と②の二つの説は納得できません。人間の股下が、身長の２分の１であれば、歩幅の後者の説は、何となく納得できますが、そんなに脚が長い人はいません。

ここで、歩幅に関する「第三の説」として、「谷野の歩幅説」を紹介します。最初に、「脚」と「足」の違いを述べます。「脚」は、太股からクルブシまでを言い、「足」はクルブシから下を言います。さらに、「脚」は、膝関節から上と下に分かれます。「脚」の構成を骨の方から言うと、膝関節から上の大腿骨と膝関節から下の脛骨・腓骨に分かれます。

ヒト（人類の祖先）まで遡れば、歩くということは、脚（足）を前に踏み出して、身体を移動させることだったはずです。人類を「直立二足歩行を始めた霊長類」とも定義しますから間違いありません。私たちが、歩くこと、つまりその一歩を踏み出すことができるのは、身体のほぼ真ん中の左右にある二つの股関節とその周囲の筋肉のおかげです。関節とは、骨と骨が接続（連結）する部分を表す言葉です。股関節は、体重を支えながら、歩く、走る、立つ、跨ぐ、昇る、降りる、蹴るなどの様ざまな動作をこなす機能をもった関節です。股関節の構造は、大腿骨の上端の丸い骨の頭部（大腿骨頭）が、骨盤の中央下端に位置する臼を逆さにしたようなくぼみ（寛臼）に、はまり込むような形になっています。簡単に言うと、股関節は、上半身の骨盤と下半身の脚の大腿骨をつないでいる構造です。股関節の位置は、股よりほんの少し上にあります。

普通、関節を隔てた骨同士は、筋肉や靱帯で結びつけられ、それらの牽引力によって、曲げたり伸ばしたりすることができます。股関節のところにあるのが、中殿筋という筋肉です。この中殿筋が脚の大腿骨を動かします。

歩くということは、次々に脚（足）を前に踏み出すことですが、これを、ヒトの身体のしくみの方から説明します。脚（足）を前に踏み出すということは、既に着地している脚（足）、例えば左の脚（足）としますと、左足を地面に固定させて、右脚の大腿骨を前に出すことです。右脚の大腿骨は、右の股関節の周囲の中殿筋によって、もち上げられます。そして、もち上げられた右脚の大腿骨は、股関節を支点として、「(－) 27.5°程度」から「(＋) 27.5°程度」まで回転して、足を前方に着地させます。一方、着地している方の左脚の大腿骨は、身体を前に移動させている推進力によって、結果的に「(＋) 27.5°程度」から「(－) 27.5°程度」まで回転します。この推進力は、着地している左脚の足（正確には、踏み付けと言われる足の土踏まずから先の部分）が地面を蹴り上げる力と慣性力の合力です。慣性力と共に推進力の一翼を担っているのが、足が地面を蹴り上げる力で、これを「谷野の歩幅説」では、「蹴り上げ前進係数」として「係数」で表しています。

もち上げられた右脚の足が着地したあと、その足を地面に固定させて、今度は、既に着地していた左の方の股関節の周囲の中殿筋が、左脚の大腿骨をもち上げます。そして、前方に着地させます。これらの繰り返し行われる股関節と中殿筋による脚の大腿骨の動きが歩くということです。

「谷野の歩幅説」について

ここからは、本題の歩幅に関する「第三の説」である「谷野の歩幅説」を説明します。

「谷野の歩幅説」の歩幅

＝身長×股下係数（0.45）×蹴り上げ前進係数（1.05）

＝身長× 0.4725

股下係数：支点である股関節（股）から地面までの距離（股下長）と身長との比を示す係数で 0.45（普通は 0.43 ～ 0.47 の範囲内で、身長が高い人ほど大き目）

蹴り上げ前進係数：着地した足が、前に進もうとして、地面を蹴る力を係数で示したもので、実験により、普通の早さで歩くときは 1.05 程度

各説の歩幅の比較表（普通の速さで歩いた時）　単位：cm

身　長	150	160	170	180	190	200	210
①（身長（cm）－100 cm）の説	50	60	70	80	90	100	110
②（身長 ×1/2）の説	75	80	85	90	95	100	105
谷野の歩幅説	71	76	80	85	90	95	99

「谷野の歩幅説」の特徴は、歩幅は歩く早さによって変化するとして、これを「蹴り上げ前進係数」という係数で表している点です。蹴り上げ前進係数は1分間の歩数によって定まる係数で、実験によって求めた値です。

ゆっくり歩くとき ‥‥ 105.0 歩 / 分 → 蹴り上げ前進係数 0.90
普通に歩くとき ‥‥‥ 117.5 歩 / 分 → 蹴り上げ前進係数 1.05
早く歩くとき ‥‥‥‥ 130.0 歩 / 分 → 蹴り上げ前進係数 1.20

「『1分間の歩数』と『蹴り上げ前進係数』」の関係を3段階で示しました。よく見てもらえば分かりますが、「『1分間の歩数』と『蹴り上げ前進係数』」は、比例関係（関係式は、「『蹴り上げ前進係数』＝『1分間の歩数』× 0.012 － 0.36」）にあるので、歩数が1分間に1歩増えれば、蹴り上げ前進係数を0.012上げてもらえばいいです。（例えば、1分間に110.0歩 / 分の場合には、「『蹴り上げ前進係数』＝ 110 × 0.012 － 0.36 ＝ 0.96」になります）。ですから、中間補完は簡単にできます。

（105.0 ～ 130.0 歩）/ 分の範囲外、つまり、105.0 歩 / 分以下の場合や130.0 歩 / 分以上の場合は、中間補完ができません。そうかと言って、同じように、外側補完をしてもらっては困ります。では、どうすればよいかということです。

1分間に105.0歩と130.0歩では、数値だけからみれば、25歩しか違いません。しかし、実際に歩数を数えて歩いてもらえば分かると思いますが、1分間に130.0歩はもの凄（すご）く早いピッチ（歩数を刻む速度）で、1分間に105.0歩はもの凄く遅いピッチです。たったの25歩の違いですが、歩いてみると、身体に感じる違いの凄さが分かります。

ヒトやホモ･サピエンスが歩く目的は、身体を移動させることです。普通に、この目的で歩いている人は、105.0 ～ 130.0 歩 / 分の範囲内で歩いているはずです。この範囲外のピッチで歩いている人は、身体を移動させることが直接的な目的ではない人です。ヒョットすると、まだ進化の途中であり、ヒトやホモ・サピエンスになりきっていない人かも知れません。それは別として、例えば競歩の運動をしている人は目的が違います。歩きながら何かを探している人も、身体を移動させることが直接的な目的ではなく、何かを探すことが直接的な目的になっているはずです。よく数人で歩きながら話をしているのを見かけますが、この人たちも、話をするのが目的ですから違います。

このように、（105.0 ～ 130.0 歩）/ 分の範囲外で歩いている人は、身体を移動させるという目的ではないので、「『1 分間の歩数』と『蹴り上げ前進係数』」の関係は、比例関係ではなく、バラバラ関係です。105.0 ～ 130.0 歩 / 分の範囲外には、「歩く」という概念がないので、「歩数」や「歩幅」や「係数」などを問題にすること自体が論外です。ですから、外側補完の必要性もありません。

次に、「単位時間内の歩数」と「歩幅」および「速度」の関係をみます。そのために、「ゆっくり歩くとき」「普通に歩くとき」「早く歩くとき」の歩く速度を「歩く速度の比較表」としてまとめました。これは、日本人の成人男女の平均身長である 165cm の人を例にとったものです。

歩く速度の比較表（身長165cmの人を例にして）

項　目	股下係数	蹴り上げ前進係数	歩幅（m/歩）	1分間の歩数（歩/分）	時速（km/時）
ゆっくり歩く	0.45	0.90（1.000）	0.668（1.000）	105.0（1.000）	4.21（1.000）
普通に歩く	0.45	1.05（1.167）	0.780（1.167）	117.5（1.119）	5.50（1.306）
早く歩く	0.45	1.20（1.334）	0.891（1.334）	130.0（1.238）	6.95（1.651）

＊注1　「1分間の歩数」は、街で歩く人の歩数を数え、結果を整理した統計値です。
＊注2　（ ）内数値は、ゆっくり歩くときを1.000としたときの比率です。
＊注3　早く歩く速度が、ここでは、6.95km/時と計算されていますが、だれでも、この速さで1時間歩けるということではありません。若い人ならともかく、中年の人が、この速さで長時間歩くことは相当キツイと思います。この速さで歩けるのは、せいぜい30分程度です。

この「歩く速度の比較表」からみると、大ざっぱには、「歩く速度は、早くて7km/時、ゆっくりで4km/時、普通はその中間の5.5km/時である」と言えると思いますが、如何でしょうか。次に、少し表の数値を分析してみます。

早く歩く速度（6.95km/時）は、ゆっくり歩く速度（4.20km/時）の1.651倍となっています。この内訳をみると、歩数は、ゆっくり歩くときは1分間に105歩で、早く歩くときは1分間に130歩です。歩数の方からみると1.238倍程度です。一方、歩幅の方は、ゆっくり歩くときは0.668 m / 歩で、早く歩くときは0.891 m / 歩であり、1.334倍です。歩数の1.238倍と歩幅の1.334倍が相乗して、速度は1.651倍（1.238 × 1.334=1.651）になっています。

「歩く速度の比較表」から、以上のような検討を加えた結果、次の二つのことが導き出されます。これが、「歩測の訓練」における十数年来の私の中途半端な研究成果です。まだまだ研究途中ですので、あと何十年先になるか分かりませんが、いつかは、「日本歩測学会」（実際には存在しません）で発表する予定です。

①歩く速度は、「単位時間内の歩数」と「歩幅」の二つに関係している。

②その影響度は、「単位時間内の歩数」よりも「歩幅」の方が大きい。

おわりに（この内容は冗談です）

「日本歩測学会」は江戸時代に創設されて、初代の学会長は、伊能（いのう）忠敬（ただたか）がやっていました。しかし、伊能忠敬が亡くなってから「日本歩測学会」は自然に消滅してしまいました。それ以後、明治・大正・昭和と時代が過ぎ、平成になりましたが、だれも再建する人が現れません。伊能忠敬が亡くなったのは1818年ですから、200年近くの間、学会は消滅したまま放置されています。「人類（ヒト）は、なぜ、直立二足歩行を開始したか？」に興味をもっている人間にとっては寂しい限りです。というわけで、学会の再建に動き出そうとしている人間が現れました。それが、「平成の伊能忠敬」と呼ばれている人間（私のこと）です。

最近、仙台に転勤してきて、仕事の方も少し忙しくなってきましたが、無理を承知で、「『日本歩測学会』再建準備委員会」を設立するための原案作成の準備にとりかかり始めたところです。果たして「日本歩測学会」の再建は成るでしょうか？

1人では心もとないので、まずは、会員を募ろうかな！と思っています。暇ができたら、いつでも「日本歩測学会」を再建できるようにと、「日本歩測学会規約（案）」を作っておきました。次にそれを示します。

日本歩測学会規約（案）

第１章　総則

第１条（名称）　本会は、「日本歩測学会」と称する。

第２条（事務局）　本会の事務局を「宮城県仙台市泉区泉中央一丁目マンション七（なな）北田（きた）　○○号室」に置く。

第３条（歩測の定義）　歩測とは、「一定の歩幅で歩いて、その歩数で距離を測ること」と定義する。

第２章　目的および行動

第４条（目的）　本会は、歩測の正確さを高めて、歩くことの楽しさを知り、もって、直立二足歩行を始めた人間の人間性を回復することを目的とする。

第５条（行動）　前条の目的を達成するため、日常的には、次のような行動を採るものとする。

（１）正面を向いて背筋を伸ばして正しい姿勢で歩くこと

（２）単位時間内に一定の歩数を刻み、一定の歩幅で歩くことを訓練すること

（３）身体の移動に関して、距離が2.0km 以内では、歩行以外の手段は採らないこと

（４）歩行による身体最低移動速度（4.0km/hr）を遵守すること

（５）直立二足歩行を始めた人間誕生の歴史を学ぶこと

（６）人間性豊かなドイツ古典哲学（カントからヘーゲルまで）を学ぶこと

第３章　会員

第６条（入会）　入会しようとする者は、入会申込書を会長に提出し、会長の承認を受けなければならない。入会費は必要としない。

第７条（会費）　会員は、1,000 円 / 年の会費を納めなければならない。既納の会費は理由の如何を問わず返還しない。

第８条（退会）　退会届を提出することにより、いつでも退会できる。会長の承認は必要としない。

第９条（会員資格の喪失）　会員は、次のいずれかに該当するに至ったときは、会員資格を喪失する。
（１）第５条の行動を採らなかったとき
（２）死亡したとき

良い文章とは、どういう文章か？

2013年（平成25年）6月頃記述

はじめに

「良い文章」について述べます。これは、技術者継続教育の一環として行った社内での研修会用資料から抜粋し、それを加筆修正したものです。社内研修用に作成したのが2006年（平成18年）の頃で、抜粋したのが2010年の頃、最後にエッセイとして読んで頂けるように手を加えたのが2013年6月の頃です。

「良い文章とは、どういう文章か？」なんて、偉そうなタイトルですが、それは別にして、記述している内容は、私が「文章」を書くときに気を付けていることです。「文章」とは、思想や感情や出来事を、相手に理解されるように表現した「文のまとまり」を言います。「良い文章」とは、読みやすく、かつ、理解しやすい文章のことです。反対に「悪い文章」とは、読みづらい文章、また、理解しづらい文章のことです。文章は、せっかく書いても、読んでもらわないと何の価値もありません。「読んでもらおうと書いた『文章』が、誰一人として読んでくれなかった」というのが、書いた人にとって、一番悲しいことです。まずは、読んで頂ける文章になることを心掛けなければなりません。

文・その他の定義

『文字』：漢字、平仮名(ひらかな)、片仮名(かたかな)などを言います。

『文』：最小単位の「主部＋述部」で構成されたもので、普通は句点「。」から句点までを言います。「重文」「複文」も「文」に含まれます。「文」を「成文」とも言います。

『重文』：二つの文が接続して、一つの長い文になっているＡを重文と言い、前文と後文をつなぐ役割を果たしている「……から」を接続助詞と言います。Ｂは重文ではなく、接続詞の「だから」を用いた二つの文です。

Ａ　大雨注意報が発表されたから、ハイキングは中止になった。
Ｂ　大雨注意報が発表された。だから、ハイキングは中止になった。

『複文』：複文とは、文の中に含まれている名詞（Ａ、Ｂの文とも「本」）が、文構造をもった語句で規定されている文のことです。アンダーラインの語句が、文構造になっている規定語句です。

Ａ　先日友人が買ってきた（本）は、もう読んでしまった。
Ｂ　それは、社員の人たちが私の退職記念にくれた（本）だ。

恥ずかしいことですが、私はこれまで、「重文」と「複文」を反対に捉えていました。重なっていなくて、対等に併記された二つの文が「重文」で、重なっていて、従属関係にある二つの文、また、文構造をもった語句で規定されている文が「複文」だなんて、今でも（2013年＝平成25年6月頃）理解できません。国語学者に聞いてみようかとも思いましたが、そんな勇気もないので、ただ単に、意味もなく、私の考えと反対であると解釈しています。

『連体修飾部』：下記のアンダーラインの部分が、連体修飾部であり、そのままでは文にはなりません。体言（「前」「魚」「浅瀬」などの名詞）に連なって修飾することで文になります。

少し前に大きな魚が、向こうの浅瀬を泳いでいた。

『連用修飾部』：下記の例文Ａ・Ｂ・Ｃの例文のアンダーラインの部分が連用修飾部です。位置が自由ですので、主部の前にも後ろにも置くことができ、用言を修飾します。用言とは、活用して単独で述部となりえる動詞･形容詞･形容動詞で、例文では「泳いでいた」のことです。例文Ａ・Ｂ・Ｃでは、連用修飾部の位置を変えていますが、意味の違いは全くありません。

Ａ　少し前に、大きな魚が、向こうの浅瀬を、泳いでいた。
Ｂ　向こうの浅瀬を、大きな魚が、少し前に、泳いでいた。
Ｃ　少し前に、向こうの浅瀬を、大きな魚が、泳いでいた。

文章以前のこと

文字は原稿用紙の一マスに一文字ずつ書きます。「。」や「、」などの句読点、「」、『』などの符号類も一マスに書きます。ただし、行の最後のマスに文字がきて、句読点や符号類を必要とする場合には、行の最後のマスに、文字と一緒に入れます。

何行か書き進めると、行の途中で文が終わり、その続きは改めて次の行ということになりますが、これを「改行」と言います。改行をする場合には、ある一つのまとまった内容として、区切りがついているかどうかを目安とします。改行のときには、「一字下げ」を行います。改行から改行までを「段落」と言いますが、段落は、一つの話題、一つのテーマで統一された文のかたまりです。一段落の文字数は、200～400字程度が普通で、400字を超えると長く感じます。段落がないと字面(じづら)が黒っぽくなりすぎて、読みづらくなります。適度に段落があった方が、余白ができて読みやすいと思います。

横書きの学術論文では、句点（。）、読点（、）の代わりに、ピリオド（.）、コンマ（,）を使うことがあります。しかし、ピリオド（.）は句点（。）よりも見にくく、中点（・）とまぎれやすいのが欠点です。引用符も、クォテーションマーク（‘’）、ダブルクォテーションマーク（“ ”）を使いますが、かぎ括弧（「」）や二重かぎ括弧（『』）を使う方が、違和感はありません。横書きの学術論文や基準書などで、意外と多く使われているのは、句点は（。）、読点は（,）の組み合わせです。私には、（.）、（,）、（‘’）、（“ ”）などは、格調が高すぎて使うことができません。

ところで、本には「横書きの本」と「縦書きの本」があります。社会科学の分野では、縦書きの本が多く、自然科学の分野では、横書きの本が多いように思います。私は、縦書きの本も横書きの本もよく読みますが、書く方は、ほとんどが横書きです。縦書きにするのは、はがき・封書の宛て先（住所や氏名）くらいです。はがきの裏・封書の中の便箋は、横書きです。エッセイも横書きです。文を書くときには、少なからず、数字やローマ字を使いますが、これらの文字を使った縦書きの文は、ものすごく読みづらいと思います。その点では、横書きの方が、どの文字にも対応できて便利です。

日本では、文字を書くのは、もともと筆を使って書くところから始まっています。筆を使って文字を早く書くことを試みると、字画を省略して崩すようになります。そして、その次には、一筆書きのように文字を続けて（筆記体、または続け字という）書くようになります。漢字や仮名を、崩して筆記体で書くようになると、横書きは、いかにも不便です。このため、日本では、文が、縦書きになったのだと思います。

アルファベットに類した文字（英字、ローマ字、ギリシャ文字など）を使っている国は、日本とは逆です。アルファベットに類した文字を、縦書きで、崩して続けて書くのは、これもまた、いかにも不便です。

日本もこれからは、縦書きが廃（すた）れて、横書きの文が主流になっていくと思います。そのうちに、全部が横書きになってしまうかも知れません。その理由は、横書きの方が、利便性が高いからです。しかも、横書きに変わるスピードは予想以上に早いと思います。千数百年来、縦書きであったものが、百年足らずのうちに横書きになってしまうのですから「アッ」という間だと思います。

最後まで、縦書きとして残るのは、「新聞かな！」、「国語辞典かな！」、それとも……。

文体

文体には､｢『敬体（丁寧体)』文｣と｢『常体（普通体)』文｣があります。敬体文は、文の最後を「です･ます」で止める文であり、常体文は､「だ･である」で止める文です。文体は混用しないことが大切です。これは文章を書くにあったての基本ですので、絶対に厳守です。ただし、引用符(｢｣､『』）を使用して、その中を別の文体にしてもかまいません。また、あまり使われませんが､「体言（活用しない語句：名詞）止め」という文体もあります。私は仕事以外では、敬体文を使うようにしています。

読点の打ち方

一部には、「読点は、あまりたくさん打ってはいけない。たくさん打つと文章の品格が落ちる」という妙な考え方があります。確かに、たくさん打ちすぎて、例えば､4 ～ 5 文字で読点を打つような文が続くと、わずらわしくてショウガナイでしょう。反対に、少なすぎて、例えば、読点なしで文字数が 60 ～ 70 と続くと、文構造が分からなくなって、何回も読み返さなければなりません。

決まりはありませんので、読みやすく、容易に理解される文となるように、個人的に原則を作っておくのがよいと思います。読点の打ち方に関して、一般に留意されていることを幾つか述べます。

一つ目は、Ｂの文のように「重文の繋ぎ目には、読点を打つ」ということです。重文で重要なことは、三文以上は続けないようにすることです。特に、逆接の接続助詞の「……が、」は、二回続けて使わないようにすることが大切です。逆接の接続助詞を二回使うと、ある意味で、主張は元に戻るわけだし、本当に分かりにくい文になります（Cの文を参照）。

A　春が来たが風は冷たい。 → ×

B　春が来たが、風は冷たい。 → ○

C　春が来たが、風は冷たいが、気温は思ったよりも高い。
→ ×

二つ目は、主部の扱いです。特に、格助詞の「は」や「が」を使って強調する場合は、主部のあとに読点を打つべきです。主部をはっきりさせないと、述部との対応が確かでなくなってしまうので、主部は読点で強調した方がよいと思います。特に、修飾部が長く、そこに文構造が含まれていたりすると、主部を見失ってしまうことが多いからです。

AやXのような文では、主部が分かりにくいと思います。BやYの文のように、主部のあとに読点を打つと、「彼は」と「書類が」が、主部であることが容易に分かります。

A　会社から遠いところに住んでいる彼は通勤が大変であると思います。→ ×

B　会社から遠いところに住んでいる彼は、通勤が大変であると思います。→ ○

X　このところ探し求めていた書類がやっと見つかった。→ ×

Y　このところ探し求めていた書類が、やっと見つかった。→ ○

三つ目は、接続助詞、および、それに準ずる語句は、読点を打って、しっかり独立させることです。「そして」「さらに」「また」「または」「しかし」「まず」「したがって」などは、句点の後に続く接続詞として使用する場合が多く、読点は必要です。Aの文のように、「……、また、……」と、接続詞の前後に読点を打って、接続詞を独立させることです。文が短い場合には、読点が相対的に多くなりすぎて、わずらわしくなります。このため、Bの文のように、接続詞のあとの読点を省略してもかまいません。もちろん、Cの文のように、接続詞の前の読点を省略するのはダメです。

A　……海に行くこともあり、また、私は、山に行くことも……
　→ ○
B　……海に行くこともあり、また私は、山に行くことも……
　→ ○
C　……海に行くこともありまた、私は、山に行くことも……
　→ ×

四つ目は、重要な連用修飾部は、読点を打って、強調すべきです。連用修飾部はイメージ形成に重要な部分だからです。時、場所などを表す短い語句でも、状況設定に重要な場合には、読点を打って強調すべきです。

少し前に大きな魚が、向こうの浅瀬を泳いでいた。

この文で「少し前に」と「向こうの浅瀬を」の両方の連用修飾部を強調したい場合には、Aの文のように読点を打ちます。「少し前に」だけを強調したい場合には、B、Cの文のように読点を打ちます。「向こうの浅瀬を」だけを強調したい場合は、D、Eの文のように読点を打ちます。BとCの文、DとEの文を、それぞれ比較すれば分かりますが、最も強調したい修飾部は、被修飾語の用言（例文では「泳いでいた」）の直ぐ前に位置させることが重要です。Cの文の方が、「少し前に」を強調しており、Eの文の方が、「向こうの浅瀬を」を強調しているのが分かります。

A　少し前に、大きな魚が、向こうの浅瀬を、泳いでいた。
B　少し前に、大きな魚が、向こうの浅瀬を泳いでいた。
C　向こうの浅瀬を大きな魚が、少し前に、泳いでいた。
D　向こうの浅瀬を、大きな魚が、少し前に泳いでいた。
E　少し前に大きな魚が、向こうの浅瀬を、泳いでいた。

五つ目は、誤解を招く場合には、分かりやすくするために、読点を打つことです。ここで、犯行現場で、刑事と賊との争いのあと、「『血まみれになった賊を刑事が追いかけた』状況を表現する文」を考えてみます。Aの文は、読点なしの場合で、Bの文は、打てるところには全て読点を打ったものです。A・Bいずれの文も、刑事と賊との争いのあと、どちらが血まみれになっているのか、分かりません。

A　刑事は血まみれになって逃げ出した賊を追いかけた。
B　刑事は、血まみれになって、逃げ出した、賊を、追いかけた。

読点なしのＡの文をみると、「真ん中にあたりに読点を打った方が読みやすいだろう！」などと、読みやすさだけを考えて、Ｃの文のように読点を打ってしまいそうです。ところが、Ｃの文のように読点を打つと、刑事が賊に反撃されて、「血まみれになっているのは刑事である」と解釈されます。「血まみれになっているのは賊である」と表現するには、Ｄの文のように読点を打たなければなりません。

Ｃ　刑事は血まみれになって、逃げ出した賊を追いかけた。

Ｄ　刑事は、血まみれになって逃げ出した賊を追いかけた。

このように、読点の有無、読点の位置によって、分かりにくい文になったり、誤解を招く文になったりします。書いているときには、気付かなくても、ゆっくり読み返してみると、「表現したい趣旨（主旨）に反しているな！　誤解されるかも知れないな！」と気付くことがあります。自分の書いた文章をゆっくりと読み返すのも大切です。

六つ目は、「草むらや、やぶの中」のように、読点を打たないと読みにくい場合です。「草むらややぶの中」では、「や」が続いて、いかにも読みにくいでしょう。読点を打たない代わりに、「草むらや藪の中」のように漢字を使ってもよいと思います。

以上、六つほど留意する点を述べましたが、これらの原則で、読点の打ち方は分かると思います。この他にも、「読みづらい」「息の切れ目」「口調」といった、曖昧なところもあるようです。私は、「必要なところには読点を打つ！」という原則で文を作っています。ですから、他の人と比べると、たくさん読点を打つ方だと思います。

結論から書く

文書にするときに、物事が起こった順に書く方法と、結論から書き出す方法があります。推理小説でなければ（推理小説では、次は何が起こるかとの期待を抱かせつつ、時系列的に記述していきます）、どちらかといえば、結論から書き出した方が、強い印象を与えると思います。文書の趣旨（主旨）が、直ちにのみ込めるので、読み手をイライラさせません。

短い文を心がける

基本的な要素を文に盛り込んでいくと、どうしてもある長さが必要です。ただし、長すぎる文にも問題があります。長すぎる文の場合には、読んでいるうちに、前の方の内容を忘れてしまい、何回も読み返さなければなりません。文字数が 20 字程度の文の構成では、少し稚拙に感じます。90 ～ 100 字になると長く感じ、130 字程度を超えると読みづらくなります。

一般的には、文は短い方が読む人にとって理解しやすくなるため、短い文を心がけることが大切です。短い文であっても、度を超していなければ、そして、内容がしっかりしていれば、稚拙には感じません。

以下の文は、憲法前文からの引用です。この文の文字数は、句読点を除くと 141 文字です。もともと、法律ですから、堅苦しい文章です。そのために、意味するところが、容易には頭の中に入らないと思います。

それにしても、これだけ長い文になると、読んでいるうちに、前の方を忘れてしまいます。堅苦しいことも大きな原因となっていますが、このような長い文が続くと、私は、読むのがイヤになります。

日本国民は、正当に選挙された国会における代表者を通じて行動し、われらとわれらの子孫のために、諸国民との協和による成果と、わが国全土にわたって自由のもたらす恵沢を確保し、政府の行為によって再び戦争の惨禍が起ることのないようにすることを決意し、ここに主権が国民に存することを宣言し、この憲法を確定する。

広島に住んでいたときに「九条の会」に入っていました。その関係で、憲法の前文をはじめ幾つかの条項は、何度か読んだことがあります。憲法は、いつ読んでも、どこを読んでも堅苦しく感じました。「憲法を国民の手に！」といって、憲法96条を改定する動きが、最近、にわかに出てきました。その目的は、従来からよく出ていた「憲法9条を改定」するためです。「憲法を国民の手に！」というなら、内容は変えないで、容易に理解できるように、憲法の文章を平易に改めるというのが先だと思います。

「主部」と「述部」の関係

主部は述部に近づけることが大切です。長い文になると、読み進めていき、述部に到達するときには、読み手の脳裏から、主部が消えています。次の文も、憲法前文からの引用です。主部は「われらは」であり、述部は「信ずる」です。主部と述部を近づけないと、「信ずる」

を読む頃には、主部の「われらは」を忘れています。

われらは、いずれの国家も、自国のことのみに専念して他国を無視してはならないのであって、政治道徳の法則は、普遍的なものであり、この法則に従うことは、自国の主権を維持し、他国と対等関係に立とうとする各国の責務であると信ずる。

文には、必ず主部が必要だと思っている人が多くいますが、そうではありません。例えば、「私は、……。」「私は、……。」のような文が続いて、「私」が主部であることが、誰にでも容易に分かる場合があります。このようなときに、主部を入れると、かえって煩わしくなります。ゆっくり読み返してみて、目ざわりであれば、主部を省略した方がよいと思います。

多すぎる修飾語

口先だけの、実のない修飾語は、ない方がかえって文章が簡潔になって、訴える力を増します。とりわけ真実からかけ離れていたり、心にもない空虚なものだったり、抽象的だったり、文切り型だったりする修飾語は、使えば使うほど、読む人に違和感を与え、逆効果になります。

修飾語の位置と順序

修飾語は置く位置によって意味が変わってしまう場合があります。

修飾語をどこに置くかについては、「常に被修飾語の前に置く」と「できるだけ被修飾語に近い位置に置く」の二つが原則になっています。

ここで、**「津波被災地に残る赤い鉄骨だけの悲惨な防災対策庁舎を間近に見た。」**という文を考えてみます。この文の中の「防災対策庁舎」は、2011年3月11日の東北地方太平洋沖地震の津波によって、とてつもない被害にあった、宮城県北東部の南三陸町の建物です。この防災対策庁舎の二階の放送室で、津波で亡くなった、町の女性職員の遠藤未希さんは、「早く高台に避難して下さい」と防災無線で呼びかけ続けていました。三階建ての建物ですが、屋上まで津波が襲って、防災対策庁舎をはじめ街並みが全壊し、多くの人が津波にのみこまれました。私が、この建物を間近に見たのは、2012年の12月の頃でしたが、あたり一面、何もないところに、赤い鉄骨だけになってしまった悲惨な防災対策庁舎がポツンと建っていました。

この文の中の「津波被災地に残る」「赤い鉄骨だけの」「悲惨な」という三つの修飾語と被修飾語である「防災対策庁舎」との関係をみるために、Aの文を基本にし、分かち書きにして、B～Fの文にしてみました。

A　津波被災地に残る　赤い鉄骨だけの　悲惨な　防災対策庁舎を間近に見た。

B　津波被災地に残る　悲惨な　赤い鉄骨だけの　防災対策庁舎を間近に見た。

C　赤い鉄骨だけの　悲惨な　津波被災地に残る　防災対策庁舎を間近に見た。

D　赤い鉄骨だけの　津波被災地に残る　悲惨な　防災対策庁舎を間

近に見た。

Ｅ　悲惨な　赤い鉄骨だけの　津波被災地に残る　防災対策庁舎を間近に見た。

Ｆ　悲惨な　津波被災地に残る　赤い鉄骨だけの　防災対策庁舎を間近に見た。

Ｂの文でも、三つの修飾語は、それぞれが被修飾語である「防災対策庁舎」を修飾しています。ただし、Ｂの文では、「悲惨な」が「赤い鉄骨」を修飾しているように捉えることができるため、Ａの文が最も相応しいと思います。

Ｃ～Ｆの文のように、「津波被災地に残る」の前に、修飾語を位置させると、「津波被災地」を修飾させるだけになってしまうことが分かります。Ｃ・Ｅの文では、**「赤い鉄骨だけの街並みとなった、悲惨な津波被災地に残る、防災対策庁舎を、間近に見た。」**とも捉えることができます。これでは、防災対策庁舎は、何の被害もなく、悲惨なのは、赤い鉄骨だけになった建物が残る津波被災地になってしまいます。

ゆっくり読み返すと、修飾語の位置がオカシク、自分の訴えたい表現ではなくなっていることに気付きます。

「に」と「と」の使い方

「に」は場所、到達点を示す助詞であり、「冬になる」「定年になる」などの「になる」は、その状態に自然に達するという意味合いです。「と」は「～と言う」「～と思う」などの動作を指示、指定するのが役目であり、指示、指定は、意識的、意図的であることが特徴です。

技術士になった …「あまり意識していなかったが技術士になった」

技術士となった …「意識してしっかり勉強して技術士という資格を得た」

意味のダブリ

同じ意味の語句を重ねて使うことを「重言（じゅうげん）（ジュウゴンでもよい）」と言います。

「いにしえの昔の武士の侍が、馬から落ちて落馬して、女の婦人に笑われて、腹を切って切腹した」というのは、重言をからかった、昔から有名な成句です。重言は目ざわりで、わずらわしいと、気にする人がいますので、できるだけ避けた方がよいと思います。**「電車に乗車する」**などは、使ってしまいそうですので、注意して下さい。

難解な表現は避ける

難解な文章を書く人は偉いと思うのは間違いです。難しい文章をすべて排除することはできないし、また、排除すべきではありません。難しい言葉でなければ、表現しきれないこともあると思います。難しくする必要の全くない文章を、あたかも深遠な内容であるかのように見せかけるために、故意に難解な文章にしてはなりません。「理解しやすい文章」にすることが大切です。

漢字と仮名

日本語には、漢字と平仮名と片仮名という三種類の表記手段があります。加えてローマ字も使えます。現在の標準的な表記法は、漢字と平仮名を適当に交ぜて使う書き方であり、この表記法は、今後も変わらないでしょう。

難しい漢字を使って、他の人とは、一味違う文章を目指す人もいますが、疑問に思います。漢字が多すぎると字面が黒々とし、取っ付きにくく、読みにくい文章になってしまいます。反対に、平仮名が多すぎると字面が白っぽくなり、これもまた読みづらくなります。では、最も読みやすい漢字と平仮名の比率は、どのくらいでしょうか。

ある国語学者が、調査したところでは、「非常にやさしい」は漢字率（全文字数中に占める漢字の数の比率）が10％以下、「やさしい」は20％前後、「普通」は30％前後、「むずかしい」は35～40％、「非常にむずかしい」は45％以上というのが、大ざっぱな基準だということです。

次に、どんな言葉を漢字で書き、どんな言葉を平仮名で書けば良いかです。新聞社や通信社は原則として、常用漢字で書ける名詞や動詞は漢字を使い、接続詞や助詞、助動詞、感動詞などは、できるだけ平仮名書きにするといった方針をとっています。副詞や代名詞は、漢字で書く場合も平仮名で書く場合もあります。以下の文字には平仮名を使った方が良いと思います。

従って、更に、尚、但し、又、然し、（接続詞として使う場合）
為に（助詞として使う場合）

有ります　成ります　仕方が無い（助動詞として使う場合）

ところで前記のアンダーライン部分の文章の漢字率はどの程度だと思いますか？　漢字数が94文字で、全体が句読点を含んで252文字ですので、漢字率は37.3%（94/252）です。「非常にむずかしい」あるいは「むずかしい」と感じますか。「一」「三」「人」「文」「平」などの字画数の少ない漢字が多いため、漢字率が高いのに、意外と字面は黒々としていないように感じます。

読みやすく

「漢字と仮名の使い方」や「読点の打ち方」に関連しますが、「言う」・「いう」の文字に着目して、下記のような短い文を作ってみました。パッと見たときにA～Hのどの文が読みやすく感じますか？　私には「Hの文」が読みやすいように思います。「A・Eの文」のように、「い」の平仮名文字が三つ続くと読みづらくなります。「F・Gの文」は読点が多すぎて、わずらわしく感じます。「B・Cの文」は読点の位置がよくないために、口調がおかしくなります。文がこれだけ短ければ、「Dの文」でも気になりません。

A　それは難しいいい方ですね。
B　それは難しい、いい方ですね。
C　それは難しい、言い方ですね。
D　それは難しい言い方ですね。

E　それは、難しいいい方ですね。

F　それは、難しい、いい方ですね。

G　それは、難しい、言い方ですね。

H　それは、難しい言い方ですね。

「いう」、「言う」のどちらを使っても間違いではありません。私は、読みやすさを考えて、「い」の字のように同じ文字が続いたり、あるいは、「平仮名」が続いたりする場合は、「漢字」を使います。反対に、字面が黒々としている場合は、「平仮名」を使います。ですから、「平仮名」を使うか、「漢字」を使うかは、場面によって異なります。どちらを使っても間違いではないのなら、読みやすさを考えて選択する方がよいと思います。

本文中にも、次のような迷う場面がありましたが、読みやすさを考えて、いずれも、Aの文ではなくBの方の文にしています。

A　主部を入れると、かえってわずらわしくなります。（平仮名が続きすぎるから）

B　主部を入れると、かえって煩わしくなります。

A　読点が多すぎて、煩わしく感じます。（前に読点、後ろに「感」の漢字があるから）

B　読点が多すぎて、わずらわしく感じます。

多くの人は、普通は、同じ言葉を「平仮名」にしたり「漢字」にしたりと、混用すると、読み返しもしない不真面目な文章だと捉えると思います。ですから、そう思われないように、仕事で「○○報告書」の文章を書くときには、混用しないように気を付けています。

「送り仮名」についてですが、次のような言葉の「送り仮名」は、どちらを使っても間違いではありません。だからといって、「送り仮名」まで混用するのは疑問に思います。「送り仮名」は、混用しないように、送る「仮名」の少ない方に統一するなど、個人的に原則を作っておくのがよいと思います。自分の文章を読み返してみて、数行しか離れていないところで混用しているのを発見すると、少し恥ずかしくなります。

表す（表わす）　著す（著わす）　現れる（現われる）
行う（行なう）　当り（当たり）　代り（代わり）
申込む（申し込む）　呼出す（呼び出す）
打合せ（打ち合せ・打ち合わせ）　向い合せ（向かい合わせ）

良い文章とは、どういう文章か？

小学校・中学校・高校時代は国語が苦手でしたし、国語を勉強したという記憶も残っていません。そんな私が、「良い文章とは、どういう文章か？」という偉そうなタイトルを付けて述べてきました。述べてきたことが、全て正しいかどうかというと、自信がありません。しかし、これらに気を付けながら、何よりも、読みやすく、かつ、理解しやすい文章であることを心掛けてきました。

私は、仕事に関する本や自然・社会科学に関する本は、難しい言葉や難解な表現があっても、辞書を引いたり、何回も読み返したりして、勉強だと思って我慢して読みます。しかし、新聞、雑誌、小説、エッセイなどを、辞書を引いたり、何回も読み返すことはしません。誰でもそうだと思いますが、小説、エッセイ、新聞、雑誌などを我慢して読むことはしないでしょう。途中でイヤになり読むのを止めると思います。

私は自分勝手に、文は文法的に多少間違っていてもかまわないと思っています。それよりも、興味をもって読んでもらい、書いてある内容の真意を理解してもらう方が大切だと思います。「次の文にはどんなことが書いてあるのだろうか？」と興味をそそる文、一読して内容が理解できる文、これらの文のまとまりが、読みやすく、かつ、理解しやすい文章です。このような「読みやすく、かつ、理解しやすい文章」が、タイトルとした「良い文章とは、どういう文章か？」の回答です。はっきりとは分かりませんが、おそらく、「プロの書き手」は、読んでもらうために「どんな内容でも、分かりやすい文章を！」ということを目指していると思います。

おわりに

当初、社内での研修会用資料という堅苦しいものを、エッセイ風に仕上げるのは、非常に難しいと思いました。チョット時間が掛かりましたが、何とか加筆修正を終えました。エッセイとは、日本語にすると「随筆」のことですが、見たり、聞いたり、そのときに思ったことを「自由気ままに書いた文書」のことです。エッセイ風になったかどうかは読んで頂ける人の判断にまかせます。それぞれの箇所で、身近な例文や気付いたときの感想などをもっと挿入すれば、もう少しエッセイ風になったかな！と反省しているところです。

父の死と遠州地方の初盆

2014年（平成26年）9月頃記述

はじめに

なぜ、この表題で、ものを書く気になったのか、について簡単に述べておきます。一つは、私にとって、父の死があまりにも突然のことであり、このことを記憶に留めておきたかったからです。96歳にもなり、入院していたわけですから、普通は、突然という表現には当たらないと思われます。しかし、私にとっては、あまりにも突然のことでした。

父は何十年も前から、私に「おれが死んだら、盆には大念仏（遠州地方の大念仏については後述）を呼んで、供養してくれよ！」と言っていました。もう一つの理由は、初盆で、父の願いを叶えることができたからです。

父の死

私の父（谷野政一郎）は、1917年（大正6年）2月5日に生まれ、2014年（平成26年）1月26日（日）に亡くなりました。ですから、父は96.97年（35,419日）の人生でした。母（きくゑ）は、既に1984年（昭和59年）2月19日に亡くなっています。母は、1922年（大正

11年）1月3日生まれでしたので、62.13年（22,692日）の人生でした。父母2人合わせると、159.10年（96.97年＋62.13年）の人生だったのです。

2013年（平成25年）に公表されたデータによると、日本人男性の平均寿命は79.59歳、女性は86.35歳となっていますので、平均的な夫婦の2人合わせた人生は、165.94年（79.59年＋86.35年）となります。165.94年に対して159.10年ですから、私の父母の場合には、平均的な夫婦の人生には少し届かなかったようです。母が亡くなったのが、あまりにも早かったために、父一人では頑張りきれなかったのでしょう。

父は、平成26年1月3日（金）に、誤嚥性肺炎のため、住んでいた静岡県磐田市上野部から車で15分～20分程度のところにある「公立森町病院」に入院しました。その後、父の病状は、一進一退を繰り返していたようですが、毎日、父を見舞った姉からの電話の内容で判断すると、全体的には、回復基調にあったように感じました。

私は、1月25日（土）の早朝に、いま住んでいる東北の仙台をあとにして、公立森町病院そして磐田市上野部の実家に向かいました。それは、1月27日（月）が、私と姉（静岡県周智郡森町在住）・弟（東京都東久留米市在住）の兄弟姉妹3人が集まって、父の退院後のことを、公立森町病院の医師に相談する日として決まっていたからです。1月3日の入院後の経過から判断しても、入退院を繰り返すかも知れませんが、父には、あと2～3年は、生きていただけるだろうと思っていました。ところが、それは叶わずに、1月26日の午前10時40分に、眠るようにして静かに息をひきとりました。この日は、奇しくも、佳美（娘）の33回目の誕生日でもありました。

私は長男ですので、葬儀の喪主を務めることが、暗黙のうちに、決まっていました。父が亡くなるなんて思ってもいなかったので、仙台を出るときには、喪服のことなど考えませんでした。予想もしなかった父の突然の死にあたり、自身の喪服を持ち合わせていなかったので、貸衣装で葬儀の喪主を務めました。

私が住んでいる仙台市泉区泉中央一丁目から磐田市上野部まで、仙台地下鉄南北線・東北新幹線・東海道新幹線・天竜浜名湖鉄道を乗り継いでいくと、乗り換えが多いために6～7時間ほど掛かります。1月27日（月）が公立森町病院の医師に相談する日となっていましたが、仙台を1月26日（日）に出たのでは、ゆっくりと父を見舞うことができなくなってしまいます。そこで、1月25日（土）に仙台を出ることにしたのです。東北の仙台という遠いところに住んでいたために、葬儀に際しては、自身の喪服は間に合いませんでしたが、父の最期を看取ることができました。

父が生まれたところ

父が生まれたところ（私たち兄弟姉妹3人も同様。これ以降は「私の実家」と表記します）は、現在の静岡県磐田市上野部で、ちょっと前の磐田郡豊岡村上野部です。一級河川「天竜川」の河口から約22km上流で、左岸（下流に向かって左側）堤防から東の方向に約250m程度離れたところです。ちょっと前というのは、平成の大合併により、磐田市に吸収合併された2005年（平成17年）4月1日以前のことです。現在の磐田市は、それまでの磐田郡竜洋町、福田（ふくで）町、豊田町、豊岡村を吸収合併して誕生しました。なつかしい磐田郡豊岡村は、昭和の大合併（1955年＝昭和30年4月1日）により誕生しましたから、ちょうど半世紀、50年間続いた村です。この豊岡村は、誕生したとき（1955年）には、1,856世帯・10,691人でしたが、磐田市に合併する直前（2003年＝平成15年）の調査では、3,228世帯・11,517人でしたので、いわゆる「過疎」と呼ばれるような村ではありませんでした。

磐田郡豊岡村は、野部（のべ）村、広瀬（ひろせ）村、敷地（しきじ）村が合併してできた村です。それ以前では、1889年（明治22年）に、町村制の施行により、「野部村」は、上野部村、下野部村、合代島（ごうだいじま）村、惣兵衛上新田村、横井新田村が合併して、「豊田郡（磐田郡への変更は1896年＝明治29年）野部村」として誕生しました。「広瀬村」は、掛下村、平松村、惣兵衛下新田村、上神増（かんそ）村、神増村、社山（やしろやま）村、壱貫地（いっかんじ）村、三家村、松ノ木島村、下神増村が合併して誕生しました。「敷地村」は、家田村、大当所（おおとうしょ）村、敷地村、岩室村、大平（おいだいら）村、虫生（むしゅう）村、万瀬村が合併して誕生しました。

1889年の合併のときに、以前の村名をそのまま残すために、大字（おおあざ）名を使用するようになったようです。実際には、私のところでは、大字○○で示される「『大字』の表記」はしていません。この大字名（1889年の合併以前の村名）で示される範囲が、郵便番号で示される範囲と同じ、例えば、現在の「（大字）上野部」が「〒438-0111」、「（大字）下野部」が「〒438-0112」などのようになっています。現在の磐田市「（大字）新開」が、「惣兵衛上新田村」と「横井新田村」が合わさってできた名称であるように、以前の村名をそのまま残していないところもあります。

私の実家の周辺には、今でも「隣組（となりぐみ）」の名残があります。隣組というのは、昭和に入った戦争時代に、兵隊にとられた人々の地域を守るために、政府主導でつくられ、国民生活の基盤となった最末端の住民の組織です。隣組は、1940年（昭和15年）に内務省が布告した「部落会町内会等調整整備要綱」(隣組強化法)によって制度化されました。5軒から10軒の世帯を一組とし、戦争協力のための住民の動員、物資の供出、統制物の配給、空襲での防空活動などを行いました。また、思想統制や住民同士の相互監視の役目も担っていました。第二次世界大戦後の1947年(昭和22年)に、GHQ(連合国軍最高司令官総司令部)により解体されました。

私の実家の最末端の住民組織(隣組)は、今では「12班、西町上組」と名乗っています。私が幼いころを思い起こしてみると、「隣組」という名称は使わないで、単に「組」という名称を使っていたように思います。そのように思うのは、例えば「Aさんの家とBさんの家は、離れているけど、同じ『組』の人だよ!」とか、「CさんとDさんは、隣同士だけど、違う『組』だよ!」などと言っていた記憶があるからです。「隣組」という名称を使わなかったのは、私は、「『隣組』の人」と「隣の『組』の人」のような食い違いを避けるためではないか、と勝手に解釈しています。

今では、「12班、西町上組」というように、「班」という名称と、「組」という名称とを併記して使っています。隣組ができた当初の名前は「西町上組」であり、「自治会」がつくられるようになってから「班」という名称も使うようになったという考え方があります。もう一方は、「隣保班」という言葉もあるように、「班」も「組」も、元もとあり、今では、「『班』という名称」の方を多く使うようになったという考え方です。どちらの考え方が正しいかは、私には判りません。ただ、「西町上班」という名称で、呼ばれていたことはないと思います。これ以上「『隣組』『組』『班』」論争を続けると、本論から外れますので、この辺りで止めにします。

ところで、私が幼いころは、「隣保」「回状」「常会」「寄合」「お日待ち」という言葉をよく聞きました。「隣保」とは、近所の家々やそこに住む人たちのこと、また、隣近所どうしで助け合うことを言います。「隣組」そのものを指している地域もあるようです。「回状」とは回覧板のことです。「常会」「寄合」「お日待ち」は、それぞれ意味は違うと思いますが、組の人たちが定期的に集まる会合です。今では行われていないようですが。

現在でも、回覧板の回覧は組（班）単位で行われており、また、町内会の様ざまな活動は組（班）単位で行われています。町内会の清掃活動は組（班）単位で行っています。お葬式のときは、組（班）の人が手伝います。組（班）内や隣の組（班）内の家が初盆のときには、8月13日の夕方に、組（班）単位で集まって、初盆の家に「盆切り（初盆の家への挨拶）」に行きます。

組（班）内には、隣家（両隣の家のこと）が、必ず2軒あります。ここで言う隣家とは、実際の家の配置から見た隣の家ではありません。私の家には、隣の家がなく、少し離れた前方に一軒あるだけと言っても通用しません。組（班）内の家が輪になった状態を、頭の中で想像してください。輪になっていれば、必ず、左右に隣家があるはずです。

四十九日の法要や初盆の供養の法要には、両隣家の人は、親戚の人と同様に参列します。平成26年3月2日（日）に行われた父の四十九日の法要や初盆の供養の法要に関して言えば、両隣家は、父母の兄弟姉妹（叔父さん・叔母さん）や、その子（いとこ）と同じくらいに親密な関係ということになります。

ここでは、隣組（組、班）のことを、ことさら、どうこうするつもりはありません。特に田舎の方ではそうですが、少子高齢化社会を迎え、過疎化、核家族化が進み、自治意識が薄れていっているように感じます。そんな中にあって、一言だけ言わせてもらうと、たとえ最末端の住民織組の組（班）であっても、統治される組織ではなく、慣例にとらわれない自治組織として、充実させなければならないということです。

お盆

お盆とは、先祖の霊を祀（まつ）る一連の行事のことです。一般的には、仏教の行事とされていますが、本来は、神道とも関係しているようです。先祖供養の儀式や神事を、江戸幕府が檀家制度により仏教で行うことを強制したために、仏教行事となったとされています。檀家制度とは、人は誰でも必ず特定の寺院に所属して檀家となって、葬祭供養の一切をその寺院に任せ、その代わりに、お布施として経済支援を行った制度です。

私の実家の周辺地域は、特に、お盆が派手ですので、8月13日の夕方の薄暗くなる頃は、黒っぽい服を着た人を多く見かけます。また、家の前には、主要地方道磐田天竜線（県道44号線）が走っていて、8月13日のその時刻になると車の通りが激しくなるのが分かるほどです。

初盆の家の、飾り付けは、お葬式のときのそれと比べると、少し規模を小さくしただけで、あまり変わりがありません。祭壇を中心に、親戚の人から戴く生花や籠盛が両脇に置かれますので、少し余裕をみれば、それだけで6畳ほどの広さが必要になります。これを斎場ではなく、自宅でやるわけですから大変です。

お通夜やお葬式にきた人へのお返しを「香典返し」と言い、初盆にきた人へのお返しを「盆供（ぼんく）返し」と言います。私の父のときは、盆供返しは、香典返しの1.1倍ほど必要になりました。「香典返し」より「盆供返し」の方が、多くなるなんて、「全国広し」といえども、他の地域の人には考えられないことだと思います。これほどまでに、お盆が派手なのは、後述する遠州大念仏が関係していると思われます。

遠州大念仏

遠州大念仏とは、初盆を迎えた家で、亡くなった人を弔い、供養するために、遠州地方で行われている念仏のことです。

まず「遠州」地方を説明します。遠州とは、その昔の「遠江（とおとうみ）」という（国＝行政区域）のことで、現在の静岡県西部地方を指しています。因みに、一つ東の「駿州」とは、駿河の国のことで、一つ西の「三州」とは、三河の国のことで、一つ北の「信州」とは、信濃の国のことです。一つ南には、国はありません。しかし、日本三大砂丘の一つに数えられる「中田島砂丘」と、荒波で有名な「遠州灘」があります。

遠州地方（静岡県西部地方）は、一級河川「大井川」から西の地域で、JR東海道線沿いに、東から西に向かって、市名をあげると、島田市（榛原郡金谷町は島田市と合併）、菊川市、掛川市、袋井市、磐田市、浜松市、湖西市となります。大雑把に言えば、浜松を中心とした地方になるでしょう。国名の由来は、琵琶湖の「近淡海（ちかつあわうみ）」に対する浜名湖の「遠淡海（とおつあわうみ）」とされています（「近江」に対する「遠江」）。一方では、遠江の国府が現在の磐田市にあったことから、浜名湖ではなく、磐田湖（大之浦）を指すとする説もあります。

遠州大念仏の始まりについては、いろいろな説があるようですが、私が聞いているところを記述しておきます。

戦国時代の1572年（元亀3年）、徳川家康の唯一の負け戦（いくさ）といわれる三方ヶ原（みかたはら）（現在の浜松市北区三方原町周辺：JR浜松駅から北北西に8km～10km程度のところ）の戦いのころのことです。三方ヶ原の戦いは、京に攻め上ろうとする武田信玄軍と、織田信長軍と連合を組んでいる徳川家康軍が浜松地方で戦った合戦です。三方ヶ原の戦いに敗れた家康軍は浜松城（JR浜松駅から北北西に1.3km程度のところ）へと逃げ帰ってきました。

家康軍は一矢を報いようと「犀ヶ崖（さいがかけ）（現在の浜松市中区布橋：JR浜松駅から北北西に2.3km程度のところ）」に白い布を張り、丈夫な橋が架かっているように見せかけ（「布橋」という地名はこれが由来）、夜半になって野営中の武田軍に奇襲を仕掛けました。武田軍にとっては、突然のことで、多くの人や馬が「犀ヶ崖」へ落ち、苦しみながら死んでいったとされています。この合戦を「犀ヶ崖の戦い」と呼んでいます。遠州大念仏は、三方ヶ原の戦い及び犀ヶ崖の戦いで犠牲となった人を弔うために始まったとされています。

現在では、遠州大念仏は、遠州地方の郷土芸能の一つになっています。初盆を迎えた家から依頼があると、その家を訪れて庭先で大念仏が行われます。大念仏の団体は、初盆を迎えた家の手前で、必ず隊列を組み、統率責任者である二人の頭先（かしらさき）の提灯（ちょうちん）を先頭にして、笛・太鼓・鉦（かね）の音に合わせて行進します。笛、太鼓、鉦、歌い手、その他もろもろの役を含めると20人～40人程度の団体となります。引手の人（私のところでは、両隣家の人）が、提灯をもって、隊列を組んでいる大念仏を迎えに出て、一行を家の庭先まで案内します。

大念仏の一行が庭先に入ると、太鼓を中心にして、その後方に2個の双盤（タライのような形の大きな鉦）を共振・共鳴させるように置いて、布を細かく切って束ねたもので打ち鳴らし、音頭取りに合わせて念仏や歌枕を唱和します。そして、踊りながらバチで太鼓を勇ましく打ち鳴らして、初盆の家の供養を行います。

現在では、約70組の大念仏の団体が、「遠州大念仏保存会」に加盟して活動しているようです。加盟している団体数は、旧浜北市（現在は浜松市に合併）が圧倒的に多いのですが、「加盟団体数／人口」でみると、遠州大念仏の中心は、旧浜北市と旧磐田郡豊岡村ということができます。

静岡県の中でも、浜松市を中心とした遠州地方は、お盆が派手であると言われています。遠州地方には、「お葬式が二度ある」とも言われているほどです。また、20世紀の後半になり、車社会に入ってから、遠州地方では、「盆切り渋滞」という言葉が誕生したほどです。遠州地方の中でも、特に、この旧浜北市と旧豊岡村が、お盆が派手な地域ではないかと思います。

この旧浜北市と旧豊岡村の地域は、遠州地方の全体からみると、ごく一部の地域です。旧浜北市と旧豊岡村の低平地は、天竜川が形成した扇状地で、天竜川が山地から平野に移ったところに位置しています。扇状地の扇形の頂点を扇頂、末端を扇端、中央部を扇央と呼んでいますが、旧浜北市と旧豊岡村（旧豊岡村のなかでも、旧敷地村は、天竜川水系ではなく太田川水系になるので、ここでは外させて下さい）の低平地は、「扇頂」「扇央」にあたり、お互いを「川東（かあひがし）の人」「川西（かあにし）の人」と呼んでいました。

私の想像ですが、このなかでも、川東にあたる旧豊岡村のお盆が、最も派手ではないかと思います。川西にあたる旧浜北市の多くは7月のお盆であり、旧豊岡村のお盆は8月です。8月のお盆の時期（8月13日～15日）は、働いている人の多くは休みをとります。都会に出ている人も休みをとって帰省します。8月は、小学校・中学校・高等学校・大学は、夏休みです。初盆を迎えた家で、大念仏が行われると、隣近所のたくさんの人が見にきます。こうなると、当然、8月のお盆の方が賑やかになります。と言うことで、旧豊岡村のお盆が、日本で一番、派手になっていると考えているわけです。

遠州地方の初盆の家の様ざまな行事の工程は、お坊さんに、お経を上げていただく日時ではなく、大念仏が行われる日時を中心に組み立てられるほどですから、お盆が賑やかくなり、派手になるはずです。逆の方からは、「お盆が賑やかくなり、派手になっているから、初盆の家の行事の工程は、大念仏を中心に組み立てられる」と言うことができます。

なぜ、大念仏を中心にして、お盆の行事の工程が組み立てられるか？ということですが、私は、次のように考えています。

大念仏は、通常は、約1時間の供養が行われ、途中に10～15分程度の休憩をはさんで行われるので、前半と後半に分かれます。大念仏を迎えた初盆の家の施主は、座敷に上がった二人の頭先(かしらさき)の人に（座敷に上がるのは頭先の人だけ）、「簡単な食事を用意してありますので、休憩をはさんでゆっくりしていて下さい」というのが通例になっているようです。頭先の人は、これを一行に伝えます。ウソか本当か知りませんが、これを言わないと、前半だけで終わりにして、帰ってしまうそうです。

この簡単な食事のことですが、大念仏の団体は、一晩に数軒の初盆の家を廻るので、食事の量は、そんなに多くはありません。どんな食事や飲み物を用意するかは、大念仏を迎える家によって、異なっています。通常は、缶ビール・缶ジュース・ペットボトルのお茶などの飲み物、数品のオードブル、小さ目のオニギリや御寿司やサンドイッチ、枝豆や乾きものような簡単なオツマミ、スイカやメロンやパイナップルなどのデザートが用意されます。一人ひとりの量は多くはありませんが、団体の人数が20～40人にもなると、大変な量になります。これを10～15分程度の休憩時間の前に、サッと出して、オモテナシをしなければなりませんので、人手がいくらあっても足りないほどです。

お盆の時期は、真夏の暑いときですから、飲み物やデザートは冷やしておかなければなりません。少しくらい大きくても、家庭用の冷蔵庫では、とても間に合いません。大念仏を迎えるどこの家でも、多分、念仏が行われる時刻を頭に入れて、その数時間前から、大きな桶や樽に氷を入れて冷やすでしょう。

これらからも分かるように、大念仏を迎えた初盆の家では、相当な準備と相当な人手が必要になります。準備時間や人手の問題を考えると、どうしても、大念仏を中心にして、お盆の行事の工程が組み立てられてしまうのだと思います。

こうしてみると、遠州大念仏は、四百有余年の歴史のなかで、遠州地方のお盆に対して、大きな影響を与えてきたと思います。これ以上のことは、民俗学や郷土芸能を研究されている方に任せます。

父の初盆の大念仏

私の父の初盆には、旧磐田郡豊岡村の「壱貫地（いっかんじ）」という地域の遠州大念仏の皆様に、念仏を依頼しました。念仏は平成26年8月14日(木)の19時50分頃から始まり、ゆっくりと1時間ほどを掛けて、十分な供養をしていただきました。念仏の途中で数分間ほど、少し強く雨が降りましたが、すぐに止みました。8月14日は、天候が不順で、午前中のほとんどは、雨が降っていたので、智子さん（弟の娘さん）に「てるてる坊主」を作ってもらいましたが、その甲斐がありました。

大念仏の十分な供養に、父も満足したと思います。「壱貫地」の大念仏の皆様には、感謝いたします。ありがとうございました。

初盆を終えて

父の初盆の準備のために、会社を休んで、7月5日（土）から7月8日（火）まで、仙台から旧磐田郡豊岡村の私の実家に帰りました。「お盆の派手な地域」の実態を知らない人には、「なんで、ワザワザ、時間と費用を掛けて、仙台から旧豊岡村まで帰るのだろう？」と思われるでしょう。しかし、そうした地域の実態を知っている人には、納得して頂けると思います。初盆の家の施主ともなれば、一つひとつ具体例をあげませんが、準備しなければならないことは山ほどあります。私の場合には、姉が実家の近くに住んでいるからこそ、この程度の休みで済むことができましたが、姉がいなかったら1ケ月位は会社を休むことになったでしょう。

いま、大忙しの初盆を終えてホッとしているところです。これからも「一周忌」「三周忌」と続きますが、この地域でも、もうそこには、初盆のような「派手さ」はありません。とにかく、初盆だけが、突出して派手なのです。一周忌以降の法要は、近い身内だけが集まって、地味に行うことにします。

おわりに

初盆を迎えると、どこの家でも、必ず遠州大念仏の団体に供養を依頼するかというと、そうでは、ありません。大念仏に馴染みがない人が亡くなった場合や四十九日の法要から数日しか経たずに、お盆を迎えた場合は、大念仏を行わないと思います。また、そもそも、「初盆〜大念仏〜供養」という考え方に、反対の人もいると思います。

大念仏は、初盆を迎えた家の庭で行われます。最近の住居の造りは、マンションなどの集合住宅が多くなり、そこには、庭がありません。市街地に入れば入るほど、そのような傾向です。マンションでも、確かに、共同の庭と呼べる駐輪場や駐車場などがありますが、一住居人が、これを勝手に使うことはできません。大念仏の盛んな地域が、市街地から郊外や農村地帯に移っていったのは、こんなところに、その一因があるのかも知れません。

このように、人の考え方や生活様式は、時代とともに変化し、民俗芸能である遠州大念仏も変化しています。民俗芸能は、その地域の風土や人々の生活と結び付いて変化し、伝承されています。私が幼いころの大念仏は、構成員は男性だけでしたが、今では、女性も構成員なっています。念仏の内容も、多くの人に見てもらうように、新しい要素を取り入れるなど、変化しています。

「父の死と遠州地方の初盆」という表題でこれをまとめてみて、ますます変化する社会生活のなかで、「50 年後、100 年後の遠州大念仏がどうなっているか？」を勝手に想像するのも面白いと思うようになりました。

「非日常」から「日常」に戻る

勉強する日常、働く日常

2015年（平成27年）12月頃記述

はじめに

2015年3月20日で65歳になり、もう会社（NTCコンサルタンツ㈱）勤めも、そんなに長くはないと思うようになりました。いま思い起こすと、56歳で会社の第一線を退くまでは、会社に行くのが苦痛でしたが、それからは苦痛ではなくなってきたようです。さらに遡って思い起こすと、小学校・中学校・高等学校までは、勉強をするのが苦痛でしたが、大学に入り4年生になるころから、徐々に勉強をするのが苦痛ではなくなってきたようです。

その理由を探ってみると、上手に「非日常」から「日常」に戻ることができるようになったのでしょうか？　それとも、「非日常」のために、「日常」を犠牲にしないようになったのかな？　その辺りのところを、このエッセイで書くようにしました。

「ハレ」と「ケ」

「ハレ(晴れ)の日」とか「ケ(褻)の日」という言葉があります。この「ハレ」と「ケ」とは、民俗学者の柳田國男さん(1875～1962年)によって見直された日本人の伝統的な社会観の一つです。民俗学では、「ハレ」と「ケ」という場合、「ハレ」は「儀礼」や「祭り」などの年中行事の「非日常」を表し、「ケ」は普段の生活である「日常」を表しています。「ハレの日」は特別な日で、「ケの日」とは普段の日のことです。

「ハレの日」には、餅、赤飯、白米、尾頭つきの魚、酒などが飲食されましたが、これらは日常的に飲食されたものではありません。日常は、麦飯・野菜中心の粗末なものが飲食されていました。ところで、民俗学者の人は、葬式も「ハレ」と捉えています。葬式に赤飯を炊いていた民俗事例などがあるからです。民俗学者の人に言わせると、葬式のような不幸ごとであっても、それは、特別な行事ですから、「ハレ＝非日常」になります。このように、民俗学では、今でも、「ハレ＝非日常」、「ケ＝日常」として、厳密に区別されているようです。

しかし、「ハレ」と「ケ」という言葉が、一般社会に定着するようになると、捉え方が変わってきました。一般社会では、最近は、祝いごとである結婚式などを「ハレ」として捉え、不幸ごとである葬式などは、「ケ」として捉えることが多くなっています。つまり、「非日常的な祝いごと」を「ハレ」とし、「日常」や「非日常的な不幸ごと」を「ケ」と捉えるように変わってきたわけです。

「ハレ」と「ケ」の捉え方が、一般社会と民俗学では異なっていますが、いつかは、民俗学が、一般社会の習わしを受け入れることになるのではないかと思います。「ハレ」・「ケ」論争は別として、私たちが、日常生活を送っていくなかでは、普段の日と特別な日があります。普通は、普段の日（ケの日）が長く続くなかで、ときどき、特別な日（ハレの日）がやってきます。ですから、例えば、「旅行から帰って来て、明日から日常の生活になる」ことを、「ハレ（非日常＝特別な日）からケ（日常＝普段の日）に戻る」と表現します。

「直会（なおらい）」と「打ち上げ」

「非日常（特別な日）から日常（普段の日）に戻る」ということを考えると、「直会（なおらい）」という言葉を思い出します。「直会」というのは、『広辞苑』によると、「斎（いみ）（ある期間、飲食や言行を慎み、心身のけがれを除くこと＝潔斎（ものいみ））が直って平常にかえる意」「神事が終わった後、神酒（みき）・神饌（しんせん）をおろして戴く酒宴（しゅえん）」と記述されています。

今では、普通には、神事（しんじ）（カミゴト）を終えた後の「宴会」と説明されているのが多いと思います。しかし、もともとは、神事が終わった後ではなく、神事を構成する行事の一つでした。神様が召し上がったものを戴くことにより、結びつきを強くして、神様に護ってもらうことを期待した行事の一つです。

本行事の一部であった「直会」が、本行事の最後に行うことから、本行事が終わった後の「日常に戻るための『宴会』」に変わったわけです。最近では、「直会」という言葉は、あまり聞かれなくなりました。それは、神事という行事そのものが少なくなってきたからではないかと思います。

「直会」という言葉は、あまり聞かれなくなりましたが、「打ち上げ」

という言葉はよく聞くようになりました。「打ち上げ」というのは、「事業、行事、興行を終えた後の『宴会』」のことです。つまり、様ざまな行事が無事に終了したときに、「労をねぎらうための『宴会』」のことなのです。これは、よく聞くようになりました。例えば、○○対抗運動会のような町内会の行事後の「打ち上げ」、◇◇視察旅行のような同好会の行事後の「打ち上げ」などです。

「直会」は、「日常に戻るための『宴会』」ですが、「打ち上げ」は、「労をねぎらうための『宴会』」です。「直会」は、もともとは、神事を構成する行事の一つでしたが、「打ち上げ」は、行事の構成要素ではありません。ですから、「直会」に関して言えば、神事を抜きにして、「直会」だけに参加する人はいません。ところが、「打ち上げ」は違います。行事に参加しなくても、「打ち上げ」だけに参加する人がいます。「打ち上げ」だけに参加できるのは、「打ち上げ」が、行事の構成要素ではなかったからであり、その行事の参加者ではなくても、労をねぎらうことができるからです。

「打ち上げ」には、「労をねぎらうための『宴会』」という意味だけで、「次の日には、日常に戻ろう！」という意味が含まれていないのかな？ と思っていました。なぜか？ というと、「打ち上げ」では、飲み過ぎて、二日酔いになり、次の日には、日常に戻ることができない人がいるからです。ところが、飲み過ぎて、次の日に日常に戻れない人は、特別な人のようです。ということで、「直会」にも「打ち上げ」にも、「次の日には日常に戻ろう！」という意味が含まれています。

なぜ、わざわざ、行事の後に「直会」や「打ち上げ」などの宴会を位置付けたのか？ と考えてみました。その結果、宴会の参加者の誰もが、簡単に「非日常から日常に戻る」ように位置付けたのではないか？ と考えるようになりました。そして、「非日常から日常に戻ることが、そんなに簡単なことではないんだ！ 想像以上に大変なことなんだ！」と気付きました。また、「非日常から日常への切り換えが下手な人は、けっこう多いんだ！」と気付きました。思い起こせば、私もそうでした。

非日常から日常への戻り（経験から）

今でも小学校の行事としてあると思いますが、私が小学生の頃には、1年に2回ほど、「遠足」という行事がありました。遠足は楽しい「ハレ」ごとであり、家に帰ってからもその楽しさが残っていて、気分が高まっていました。寝ようとして、布団に入っても、興奮が冷めきらずにいました。「明日も遠足であればいいなぁ！」なんて思いながら、グズグズしていましたが、そのうちに、寝てしまったことを今でも薄っすらと覚えています。

そして、次の日に、朝起きても、「今日は学校に行きたくないなぁ！」なんて気分でした。学校に行けば、「ケ」に戻るのですが、「非日常」から「日常」への切り換えが、よほど下手だったようです。

高等学校1年の夏休みが終わり、2学期が始まる頃、学校に行くのが「イヤで、イヤで」、どこか別のところに行ってしまいたいような気分になったことがありました。1学期の英語の授業中に、英語の先生から、「教科書の英文を訳しなさい」と指名されました。予習をしていないものですから、その授業中に辞書を引きながら訳していくのですが、時間がかかり過ぎます。他の生徒に迷惑になるので、そのうちに先生から、「立っていなさい！」と怒られます。高等学校1年の1学期には、こんなことが初中終（しょっちゅう）あって、学校に行くのが重圧になったのだと思います。「このまま、夏休みが続けばいいのになぁ！」と思っていたわけではありませんが、高等学校に入学しても、「非日常」から「日常」への切換えが、下手だったようです。

高校３年の３学期に、「古語」の追試を受けたことがありました。たしか、月曜日の第１時間目の授業が、「古語」の時間だったと思います。日曜日（非日常）を満喫したおかげで、月曜日の第１時間目の授業は欠席です。欠席時間数が半分程度にもなっており、しかも、期末テストの成績もそんなに良くなかったから、追試を受ける羽目になったのです。高校を卒業するころになっても、「非日常」から「日常」への切り換えが、下手のままでした。

社会人になっても変わりませんでした。連休明けに会社に行く（非日常から日常に戻る）のに苦労しました。社会人になると、連休といっても、学生時代の夏休みのように長くはありません。連休と呼べるのは、「4月末から５月初めにかけてのゴールデンウィーク」「8月の盆休み」「正月休み」です。土・日曜日の巡り合わせによっても違いますが、普通には、連休として、最も長く休めるのは、「正月休み」だと思います。最低でも、12月29日から１月４日までの７日間は休みでした。この正月の休み明けに、会社に行くのが「イヤで、イヤで」、仕方がありませんでした。

小学校時代から社会人のいい歳（50歳代の前半くらいかな？）になるまで、私は、「非日常」から「日常」に戻るのが、本当に下手であったと思います。不登校や不登労にならなかったのが、不思議なくらいです。そのころは、まだ、不登校や不登労という言葉すらなかったかと思います。そもそも、不登校や不登労が生まれる社会ではなかったのかも知れませんが。

現代社会では、特別な日（こと）の後、普段の生活に戻れないで、不登校や不登労になる人が多いようです。私は教育に関しては、素人ですから、よく分かりませんが、不登校になる生徒は、夏休みなどの連休のあとに多いと聞きます。特別な日が長く続くと、そんな傾向になるのかも知れません。

ここからは、非日常から日常への戻り方について考えてみようと思います。

非日常から日常に簡単に戻るための工夫

◇学生時代

いま、65歳という年齢になって、小学校時代から大学時代までを思い起こすと、学校で勉強する日（通学することを義務付けられている日）を「ケの日」と捉えていたのではないかと思います。ケの日は、「勉強しなければならない日」であり、苦痛の日です。反対に、ハレの日は、「勉強しなくてもいい日」であり、楽しい日です。

楽しいハレの日を待ち望んで、そのハレの日のために、仕方なくケの日を過ごしていたのではないでしょうか。つまり、「ハレの日」と「ケの日」を従属関係においていたのです。「ハレの日」のために「ケの日」がある関係です。「ケの日」を犠牲にして「ハレの日」を成り立たせている関係です。

このように、勝手に考えていたのは、もともとが、勉強嫌いだったからだと思います。私は、自分から進んで予習や復習をした記憶は、全く残っていません。それでも、何かを勉強した記憶があるのは、宿題が出たときとか、学期末試験や中間試験の数日前にチョット勉強したことが頭に残っているのだと思います。つまり、勉強というものを義務的にやっていたのです。この程度の考えでしたので、そもそもの間違いに気付くなんてことは、あり得ません。

「そもそもの間違いとは何か？」というと、「『勉強しなければならない日』＝『ケの日』＝『苦痛の日』」と考えていたことです。私は、この間違いに気付くことが、遅すぎたように思います。「もっと早く気付いていたらなぁ！」と、本当に悔やまれます。

そのころ、「何のために勉強するのか？」と問われれば、①〜③程度の答えだったと思います。

①親や学校の先生から勉強しなさいと言われるから

②社会人になるまでは、みんな学校に行って勉強するから（みんな、そうしているから）

③勉強をして損をすることはないと言われるから

「良いか？ 悪いか？」は別ですが、④〜⑦のような積極的意義はもっていませんでした。

④いい成績を取りたいから

⑤いい学校に進学したいから

⑥いい会社に就職したいから

⑦就職して給料を沢山もらいたいから

結局のところ、「なぜ、勉強するのか？」を分からないで、言われるがままに、義務的に学校に通っていたわけです。いまさら反省しても仕方がありませんが、思い起こすと、義務的に勉強をしていたこと、義務的に学校に通っていたことが、みじめであり、恥ずかしくなります。

いまは、「何のために勉強するのか？」と問われれば、「『知らないことを知る』ために勉強する」と答えます。このことが、何となく分かり始めたのが、大学４年生になったころだと思います。そのころになって、

「学生時代の勉強」と「社会に出てからの仕事」が、ようやくつながり始めて、「勉強って『知らないことを知る』ためにやるんだ！」ということが、何となく分かってきたような気がします。具体的なことは、何一つ思い起こせませんが、同じ研究室の他の人たちは、楽しんで勉強しているような感じだったことが、かすかに記憶に残っています。

多くの人は、「知らないことを教える」ことが、学校の先生の仕事であると考えていると思います。しかし、私は、そのようには思いません。間違っているかも知れませんが、学校の先生の仕事は「『知らないことを知るように』と『勉強することを教える』」ことだと考えています。

知らないことを教えてもらっても、それは、単なる「知らないことを知ることができた」という経験です。知ることは、それはそれで重要ですが、もっと重要なことは、知ったことを系統だった知識にまで高めることだと思います。自ら進んで勉強して、知らないことを知ると、そこで知ったことを知識にまで高めやすくなります。また、自ら進んで勉強すると、その先で「納得した！」という喜びを味わうことができます。そして、勉強をすることが、義務的ではなく、自発的であればあるほど、知ったときの喜びは大きくなると思います。

学校での勉強とも関連しますが、知識を身に付ける方法として、予習と復習があります。両方とも大切であり、教育に関して素人の私がトヤカク言うつもりもありません。それでも、お節介を承知で言わせてもらうと、興味をもって学校に行くという観点からは、復習よりも予習の方が大切なような気がします。

私は、広島に住んでいたときから、地域の「九条の会」に入っており、仙台に転勤してきてからも、さっそく、地域の「九条の会」に入りました。「九条の会」では、学者さん、弁護士さんを始め、有識者の人を招いて、話を聞く催しなどがあります。話される題名は、前もって知らされますので、私は、題名と関連したところを少し勉強して、予備知識をもってから話を聞くようにしています。

予備知識をもってから聞くと、話の内容がスムーズに自分の中に入ってきます。スムーズに入ってこないこともありますが、そのときには、話が終わったあとで、質問することができます。予備知識がないと、そんなに簡単に質問することもできません。そもそも、予備知識をもって臨むと、「どんな内容で話すか？」と、興味をもつことになり、話を聞くこと自体が楽しくなります。

予備知識をもって「九条の会」の催しに臨むことと、予習をして「授業」に臨むことは、同じだと思います。予習をすれば、「①必ず、授業の内容がスムーズに自分のなかに入ってくる」「②必ず、授業に興味がもてて、授業が楽しくなる」とは限りませんが、少なくとも、「義務的に勉強する」という苦痛は和(やわ)らぐのではないかと思います。苦痛が和らげば、「予習」に対する考え方も変わり、非日常から日常に戻るのも簡単になると思います。今度、生まれてきたら、小学校に入ってからは、復習をおろそかにしてでも、予習をして授業に臨むようにします。

◇社会人時代になってから

社会人になると、「働く」こと、「生活する」ことを繰り返して、日々を過ごします。「働く」ということは、会社に行って仕事をすることです。「生活する」ということは、家に帰って、お風呂に入って、夕食をとって、夜がふけた頃になると寝て、次の日は朝起きて、顔を洗って、朝食をとって、「働く」準備をすることです。会社が休みともなれば、囲碁などの趣味を満喫しますが、これも、「生活する」ことの範疇です。また、一日中、家のなかでゴロゴロしていることもあるかも知れませんが、これもそうです。

私は、50歳代の前半の頃までは、会社に行く日を「ケの日」と捉えて、会社が休みの日を「ハレの日」と捉えていました。ケの日は、「働かなければならない日」であり、苦痛の日です。反対に、ハレの日は、「働かなくてもいい日」であり、仕事のことを忘れて自分の趣味を満喫できる楽しい日です。学生時代の勉強することと全く同じです。つまり、「ハレの日」を待ち望んで、仕方なく「ケの日」を過ごしていたのです。

その頃、「何のために働くのか？」と質問されれば、つまり、「働く目的」を問われれば、①、②程度の答えだったと思います。結局のところ、「なぜ、働くのか？」を考えようとしないで、義務的に働いていました。

①生活しなければならないから

②社会人になると、みんな停年まで働くから（みんな、そうしているから）

「何のために働くのか？」と問われると、「生活するために働く」と答える人が多いと思います。「生活するために働く」ということは、明日の生活ができるように働くことです。働かないでいると、収入がなくなってしまい、食べていくことすらできませんから、これは分かります。食べていくのがヤットの人は、ほとんどが、「生活するために働く」と答えると思います。

「〇〇自動車会社」の社員の人は、働いて、多くの人が乗る自動車をつくっています。「〇〇食品加工会社」の社員の人は、働いて、多くの人が食べる食品をつくっています。これらからも分かるように、「働く」ことの本当の意義は、「生活する」ためではなく、不特定多数の人の日常生活に必要なものをつくり出すことです。もっと簡単に言うと、「みんなが欲しがっているものをつくる」ことです。

当たり前に働いたら、当たり前の収入を得ることができて、当たり前に生活できる社会を想像してみて下さい。そんな社会であれば、「何のために働くのか？」との質問には、「日常生活に必要なものをつくり出すために働く」との答えが多くなると思います。日常生活が、保障されているわけですから、「生活する」ために「働く」との答えは無いと思います。そして、「何のために生活するのか？」と質問すれば、「また明日から働くために生活する」との答えも多くなると思います。

本当は、「働く」ことは、「生活する」ことと同じように楽しいことであるはずです。ところが、ほとんどの人は、「『働かなければならない日』＝『ケの日』＝『苦痛の日』」と考えています。それは、働いても、働いても、食べていくのがヤットの社会になっているからです。報酬（給料）が少なければ少ないほど、「働く」目的が、本来の「日常生活に必要なものをつくり出すため」から「生活するため」の方に重点を移します。そして、義務的に働くようになり、働くことが苦痛になってしまいます。

こんな社会では、長期の休みが続いた後、休み明けに、会社に行くのが「イヤで、イヤで仕方がない」のも当然です。働くことが苦痛であれば、非日常から働く日常に、簡単に戻ることができません。私は、社会が非日常から日常に戻ることを難しくしているように思います。

少しでも働く苦痛を和らげて、非日常から日常に簡単に戻るための一つは、まずは、「日常生活に必要なものをつくり出す」という働く目的（働くことの本当の意義）を知ることだと思います。「働く」ことを義務だと思っている人は多いかも知れませんが、実は権利でもあるのです。参考までにいうと、憲法27条 第1項には、「すべて国民は、勤労の権利を有し、義務を負ふ」と規定されています。「働く権利」とは、ものづくりの活動に参画する権利のことです。チョット綺麗すぎますが、「働く権利をもっている」という意識で働いてみてはどうかと思います。

少しでも働く苦痛を和らげて、非日常から日常に簡単に戻るための二つ目は、「常日頃から他人にも自分にも過度なノルマを課さない」ことです。達成できないノルマを課して、責任を個人に負わせるような働き（働かせ）方は間違いです。また、ノルマを課して競争させ、勝者と敗者をつくるような働き（働かせ）方も間違いです。達成できないような過大なノルマが待っていると思うと、誰だって会社に行く気にはなれません。敗者になると思うと、誰だって会社に行く気にはなれません。過度なノルマを課すこと、ノルマを課して競争させることは、「働く」ことを強制することにつながり、「働く」ことが義務的になります。

人間が働くことの特徴は、「協働」にあります。これが、共同体（社会）の始まりであり、人間の歴史の出発点です。まだ人間になる前のヒトたちが、群れで生活をし、役割分担をして、共同で狩りをしていた時代を想像してみて下さい。そこでは、いつも、いつも、狩りの成果が上がるとは限りません。獲物をとり逃がすこともあったと思います。そんなときには、「今日はショウガナイなぁ！」と過ごしていたはずです。反対に、予想以上の成果を上げたときには、「今日はみんなで分けよう！」と分配していたはずです。「協働」の基本は、みんなで働いた成果をみんなで分配することです。現実は、こうした社会からは、かけ離れた社会になっていますので、抜本的には社会を変えなければなりません。

今度生まれてくる時期は、ノルマを課して働くことを強制する社会ではなく、もっと良い社会になってからにしたいと思います。

おわりに

「非日常（ハレ）から日常（ケ）に戻る」ことが、「そんなに簡単なことではないんだ！ 想像以上に大変なことなんだ！」と気付き、簡単に戻るためのあれこれを述べてきました。しかし、これと言った良い方法は見つかりません。もともとが、すぐに良い方法が見つかるような簡単な課題ではありませんから。もちろん、即効薬や特効薬はありません。それでも、ここまで述べてみて、何となくではありますが、次のことが分かりました。

一つは、勉強する目的、働く目的を教えないで、勉強すること、働くことを強制することは間違いではないか、ということが分かりました。「なぜ、勉強するのか？」、「なぜ、働くのか？」という質問の答えは、「『知らないことを知る』ために勉強する」、「『みんなが欲しがっているものをつくる』ために働く」ですよ。

「勉強する」こと、「働く」ことを強制すればするほど、非日常から日常に戻ることが難しくなります。二つ目に分かったことは、少しでも強制性を和らげることが必要ではないか、ということです。「予習をして授業に臨む」ことと「常日頃から他人にも自分にも過度なノルマを課さない」ことは、この強制性を和らげることになります。

不登校や不登労に陥りやすい人はどちらかというと弱者です。年間１億円の収入を得る人は、不登労にはなりません。明らかに強者です。弱者ではありません。不登校や不登労にならないためには、また、非日常から日常に戻りやすくするためには、本人のチョットした努力が必要かも知れませんが、弱者であるからこそ、圧倒的に必要なのは、周りからの助言、指導、支援だと思います。これが、三つ目に分かったことです。簡単に言うと、周りの人たちが、非日常から日常に戻りやすい環境をつくることです。

《追記Ⅰ》

2010年（平成22年）に、私が生まれた所（静岡県磐田市上野部）から、北北西の方向に約4km行ったところ（浜松市天竜区二俣町二俣）に、「本田宗一郎ものづくり伝承館」が、オープンしました。本田宗一郎は、みなさんご存知の本田技研工業の創業者です。ものづくり伝承館には、次のように記述された「**父**（本田宗一郎の父）・**儀平のことば**」がありました。

①職人というのは、物を売ったら最後まで責任をもたねばならん。つくりっぱなし、売りっぱなしでは、そのうち注文がこなくなるのだ。

②お金のために働くのではない。よい仕事さえしていれば、自然にお金を払ってもらえるものだ。

③なにをやろうと勝手だが、他人に迷惑をかけることだけは、するんじゃないぞ。

④大人になっても、博打だけはやるな。あれは、癖になる。麻薬と同じだ。

⑤時間を大切にするんだぞ。時間を有効に使うか、無駄にするかで、人生は決まる。

私は、妙に②が気に入りました。「お金のために働くのではない。みんなが欲しがっているものをつくるために働くのだ。そうすれば、生活に必要なお金は自然に入ってくるものだ。」

《追記Ⅱ》

学校や会社に行くのが「楽しくて、楽しくて、仕方がない」というような未来社会は、本当に来るでしょうか。「知らないことを知る」ことが楽しい、「みんなが欲しがっているものをつくる」ことが楽しい、つまり、「勉強する」ことが楽しい、「働く」ことが楽しい、と感じる未来社会は、500年後くらいにはやって来ると期待しています。このような未来社会では、日常が楽しいわけですから、「非日常（ハレ）から日常（ケ）に戻る」ことは、簡単です。「早く日常（ケ）に戻りたいなぁ！」という気分になります。

現代社会では、勉強をするのがイヤで、怠(なま)けて学校を休むことをズル休みと言います。そんな未来社会になると、勉強したくて、休みの日に休むのがイヤで、喜んで学校に行くことをズル通学と言うでしょうか。

何がなんだか　分からなくなってきました！　……？

人間の感情と涙

2016年（平成28年）7月頃記述

はじめに

今年（2016年＝平成28年）の3月20日で満66歳になりました。日本人男性の平均寿命は、80.50歳（2014年の数値）ですので、もう既に人生の80％を通過してしまいました。しかし、余寿命という観点からみれば、80歳代後半までは生きそうですので、人生の75％時点を通過中と捉えることもできます。

変な屁理屈をこねるよりも、すでに65歳に達しているわけですから、まずは、高齢者の仲間入りをしていることを自覚した方がよさそうです。それにしても、最近になって「年をとってきたな！」と感じることが多くなりました。

66歳になった現在でも、常勤で働いているのですが、もう夜遅くまで会社で仕事をする気にはなれません。というより、もうそんな気力や忍耐力はありません。30歳代、40歳代の頃は、夜中まで仕事をしても平気でした。50歳代の頃も、多少、夜遅くなっても平気でした。しかし、今はもうゼンゼン駄目です。昨年（平成27年）の5月に、年金の手続きを終えてから、「もう、そんなにアクセク働かなくてもいいよ！」と訴えるもう一人の自分の意見が強くなってきました。

気力に関しては、こんな具合ですが、体力に関しても同様で、もう身体にキツイことはできません。重いものを運ぶとか、全力で走るとかは、できないと思います。たとえ全力で走ったとしても、せいぜい 20 〜 30 m くらいでしょう。2 年ほど前に、現場調査（仙台市若林区）に行ったときのことですが、60 〜 70cm 程度の高さからコンクリート版の上に飛び降りたところ、着地した瞬間に、頭が割れそうな感じになりました。この異変は、すぐに治まりましたが、異変が治まると、何とも言えない情けなさを感じました。若いころは、背丈くらいの高さから飛び降りても何ともなかったのに！　若いつもりでも、体が追いついて来ないということですかね。体を動かすことに関しては、全体的に言えるのは、何をやるにも、その動作が鈍くなってきたことです。

気力とも体力とも違いますが、ものの名前や人の名前がすぐに出てこないことが、初中終（しょっちゅう）になりました。これって、ボケでも痴呆でもないですよね。もの覚え、もの忘れに関しては、まだ、本人が自覚するほどの影響は出ていません。知力についても、まだまだ、大丈夫だと思っています。

ところで、年をとると、「涙腺（るいせん）が緩（ゆる）んで、涙もろくなる」と言われています。「年をとって『緩む』『もろくなる』」なんて、いかにも肉体的な衰えを表すような言葉であり、マイナスなイメージを感じます。そうではなくて、私は、「年をとって『感受性が豊かになる』『敏感になる』」というように、プラスの方に捉えたいと思います。これも、屁理屈でしょうか。ここからは、屁理屈をこねて、「決して屁理屈ではない！」ということを主張したいと思います。

この「人間の感情と涙」という表題でものを書くようになったきっ

かけは、2016年（平成28年）5月下旬に、テレビを見ていて、たて続けに涙を流す場面があったからです。

涙を流した場面

涙を流したときの場面の一つは、日本女子バレーボールチームがリオジャネイロ五輪出場を果たした瞬間です。リオジャネイロ五輪出場を決める大会は、2016年（平成28年）の5月14日から5月22日にかけて、東京都体育館で行われていました。5月22日は、大会最終日であり、日本女子チームは、オランダとの対戦で、たとえ負けても2セットを取れば五輪出場という状況でした。

このオランダ戦では、第1セットは「20：25」でオランダが取り、第2セットは「25：13」で日本が取り、第3セットは「21：25」でオランダが取って、日本のセットカウントが「1：2」の状況で、第4セットを迎えました。第4セットを落とせば、セットカウント「1：3」で日本が負けとなり、五輪出場ができないという窮地に追い込まれた状況でした。涙を流したのは、このセットを、日本が「32：30」で取ったときのことです。仙台市泉区の自宅マンションでテレビを見ていたのですが、感激のあまりに涙が出てきました。「32：30」というスコアを見ても分かるように、激戦のセットでしたので、感激もヒトシオだったのでしょう。対オランダ戦の結果は、第5セットも「15：11」で日本が取って勝利しました。

単に五輪への出場を果たした喜びというより、頑張って接戦をものにした選手に心を打たれたのでしょうか。セットカウントが「0：3」や「3：0」であれば、勝っても、負けても、涙は出てこなかったと思います。

もう一つは、元米海兵隊員の軍属の男（シンザト・ケネフ・フランクリン容疑者）が、沖縄県うるま市の女性会社員（被害者20歳）の遺体を、うるま市から北に20km離れた恩納（おんな）村の雑木林に遺棄した事件に関してのことです。

被害者の女性は、平成28年4月28日午後8時頃、同居している交際相手の男性に「ウォーキングに行く」とメッセージを送ったあとに、行方（ゆくえ）が判らなくなりました。その後、沖縄県警は、5月12日から公開捜査に踏み切り、捜査を続けていました。

5月19日になって、沖縄県警は、シンザト・ケネフ・フランクリン容疑者を死体遺棄の疑いで逮捕しました。その後の報道等によると、「平成28年4月28日、事件の2・3時間前から、ワイセツ目的で相手を物色し、面識のない被害者の女性を見つけて後方から棒で頭を殴り、性的暴行を加えた上で、強い殺意を持って刺殺した計画的犯罪」です。

2016年（平成28年）5月23日のテレビのニュースでは、被害者の父親らが、遺体が発見された沖縄県恩納村の現場を訪れ、花を手向けて、手を合わせていました。そのときに、被害者の父親は、涙ぐみながら女性の名前を呼び、「お父さんだよ。お父さんのところに帰るよ。みんなと一緒について来てよ。お父さんのところに帰ってきてよ」と亡き娘に語り掛けていました。

これも、自宅マンションでテレビを見ていたのですが、哀（かな）しみ（悲しみ）のあまりに涙が出てきました。このときの涙の量は、五輪への出場を果たしたバレーボールのときよりも凄（すご）かったです。

涙を流す

年をとると、「涙腺が緩んで、涙もろくなる」ことですが、別の言葉で言えば、年をとると、自身の経験などの何かと重なり、「『涙を流す』場面が多くなる」ということになるでしょう。それでは、「涙を流す」って、どういうことでしょうか。

涙とは、目の涙腺から分泌される体液のことです。涙は、涙腺から出て、その後、目の表面を通り、涙道を抜け、鼻涙管をくだって、最後に喉から再び吸収されます。涙が出るのは、①目の表面への栄養補給、②瞼を円滑に動かす潤滑油、③細菌・紫外線から目を守る、④雑菌の消毒、など眼球の保護が主要な役割です。通常の分泌量は1日平均2～3cc とごく少量です。

人間の場合には、眼球保護のためではなく、人間特有の現象として、感情の現れで涙を流すことがあります。嬉しいとき、悲しいときには、涙を流します。痛みを感じたときや、吐き気がするとき、大笑いしたときなどに流れることもあります。

感情による涙の場合は、通常の眼球保護の場合と違って、多量の涙が流れます。その結果、涙が目の外へ流出します。涙が目の外へ流出するような大量の涙を流したときには、鼻水が出てくることもあります。これは、涙が鼻涙管をくだって、喉から再吸収されないで、排出されたものです。

眼球保護の場合でも、多量の涙が流れることがあります。これは特殊な状況のもとですが、例えば、冷たい風に向かって歩いているとき、また、タマネギをむいたときなどに多量の涙が出ます。このときにも、涙が目の外へ流出します。

感情の現れとしての涙と、眼球保護としての涙では、涙の成分も違うようです。涙の成分を調べるために行った実験があります。被験者に、涙を誘う映画を見せて収集した涙と、同じ被験者に、タマネギをむかせて収集した涙の成分を比較した実験です。その結果によると、感情の現れによる涙の方が、眼球保護としての涙よりも高濃度のタンパク質を含んでいることが分かっています。

一般的に、眼球保護の場合には、前記のような特殊な状況を除いては、涙の量が少ないので、「涙を流す」とか「涙が出る」とは言いません。ですから、通常、私たちが「涙を流す」場合、また、「『涙を流す』と表現する」場合は、眼球の保護ではなく、「感情の現れとして涙を流す」と理解できます。「凄く嬉しかった」ときに、「凄く嬉しかったので、涙を流した」とか、「涙が出るほど嬉しかった」と言うでしょう。

「泣く」と「鳴く」

感情の現れとして、涙を流しているときに「声を出す」ことを「泣く」と言います。特別な場合として、「心で泣く」「泣きたい心境」「背中(せなか)で泣く」などの言い方があるように、心理状態を表現する方法の一つとして使われることもあります。このような特別な場合は別として、いったい「泣く」という動き（動作）とは、どういうことでしょうか。「涙を流す」ことと同じでしょうか。「声を出す」ことが「泣く」ことなのでしょうか。

演劇の舞台で役者さんが「泣く」シーンですが、肩を震わせて「泣いている」姿を見せる場合もあり、また、声を出して「泣いている」

ように聞かせる場合もあります。演劇の舞台の役者さんの場合は、実際には、涙を流していません。

演技は全く別ものであり、論外ですが、「泣く」ことと「涙を流す」ことの違いは、感情の高まりの程度の違いだと思います。ですから、ある感情を抱いたときに、最初は、「涙を流さないで泣いて」、さらに、感情が高まってきたら、「涙を流して泣く」という段階を踏むということになります。もちろん、通常は、一挙に感情が高まって、涙を流して泣くのが普通です。

「声を出して泣く」とは、どういうことなのでしょうか。「声を出して泣く」ことと、「声を出さないで泣く」ことの違いは、何でしょうか。ある感情を抱いて、「泣く」わけですが、大きな声で泣いたからと言って、それだけ感情が高まっていることではありません。「声を出すか　出さないか」は、個人差とか、そのときの場面など、様ざまな要因によって異なると思います。

2014年（平成26年）に、兵庫県の県会議員（当時47歳）が、政務調査費の支出に関して、号泣（ごうきゅう）記者会見を行っているのをテレビのニュースで見ました。これは論外であり、普通の大人が「泣く」とは、「声を出さないで泣く」ことだと思います。

ところで、産まれたての赤ちゃんは、「オギャー オギャー（ワーンエーン）」と大きな声で泣きます。このときでも、涙は、まったく出ていません。もしかして「ウソ泣き？」と思ってしまいたくなりますが、そうではありません。そもそも産まれたての赤ちゃんが、泣いても涙が出ないのは何故なのでしょうか？

産まれたての赤ちゃんは脳の機能が発達していないので、「悲しい」や「嬉しい」といった感情で涙を流すことはありません。産まれたての赤ちゃんにとって泣くという行為は、おなかがすいた、オムツが気持ち悪いなどの欲求を伝えるための手段です。ですから、涙が出ていないといっても、決してウソ泣きではないのです。個人差はあるようですが、生後３～４ケ月くらいになると、泣くときに涙を流すようになります。感情などの脳の発達とともに涙も流れるようになってくるわけです。

人間の場合には、人間特有の現象として感情の現れで泣くわけですが、赤ちゃんの場合には、情報を伝えるための手段として鳴く（泣く）わけです。産まれたての赤ちゃんは、脳の機能が発達していないので、まだ、人間になっていません。人間になる前（直立二足歩行を始める前）の「サル」や「チンパンジー」の段階です。ですから、「泣く」というより、「鳴く」と表記した方がよさそうです。犬が「ワンワン」と鳴くのは、何らかの情報を伝えるためです。産まれたての赤ちゃんの場合も、犬などの動物と一緒で、感情の現れではありません。

「人間の感情」の起源

「喜怒哀楽」という四字熟語があります。これは、人間がもつ代表的な感情のことで、「喜び」「怒り」「哀しみ（悲しみ）」「楽しみ」のことを言います。「喜怒」は、「喜び」と「怒り」の感情で、相反する言葉の組み合わせになっており、「哀楽」は、「哀しみ（悲しみ）」と「楽しみ」の感情で、相反する言葉の組み合わせになっています。人間は、この他に、さらに「愛しむ」「憎しみ」「怨み」の三つの感情をもっていると言われています。

感情は人間がもつ人間特有の現象です。なぜ「人間特有か？」というと、人間に最も近いとされているチンパンジーでも感情をもっていないからです。とすると、人間が感情をもつようになったのは、いつごろからでしょうか。

感情は、人間と人間の間で発生するものです。前述したような私が涙を流した場面は、他者の存在なしでは、考えられません。他者の気持ちになる、他者に対して抱く気持ちなど常に他者が存在します。感情は、他者との交わり、つまり、社会の存在があって初めて発生します。ということは、人間が感情をもつようになったのは、社会をつくってからと考えることができます。それでは、社会がつくられたのは、いつごろでしょうか。

社会の成り立ちは、「協働」にあります。「協働」とは、「衣食住を充足させるための人間生活の生活手段（生活物質）、および、（生活手段をつくり出すための）生産手段の『社会的生産』」のことです。簡単に言うと、「協力して働いて、生活に必要なものをつくり出す」ことです。

現在の人間（ホモ・サピエンス種）が誕生するまでに、「霊長（目）→ ヒト（科）→ ホモ（属）→ サピエンス（種）」のような経過を辿っています。霊長類から分かれて、ヒト科が誕生したのが、今から700万年前で、そのときに直立二足歩行を始めました。その後、500万年という長い年月を経て、200万年前にホモ属が誕生しました。そして、今から5～20万年前になって、ようやく現在の人間（ホモ・サピエンス種）が誕生しました。

ホモ属が誕生したころ（200万年前）は、まだ天然産物を手に入れる時期ですから、社会はありません。しかし、そのころから、「協働」によって天然産物の生産を高める方法を徐々に習得していきます。ホモ・サピエンス種が誕生するころ（5～20万年前）には、原始共同体（社会）が成立していました。そして、そのころには、既に人間は、人間特有の感情をもっていました。

長々と述べてきましたが、おおよその見方をすれば、「200万年ほど前から、ヒトは『協働』によって、（ホモ属～人間）特有の感情をもつようになり、そして、徐々に社会がつくられてきた」と理解することができます。そして、5～20万年ほど前に、現在の人間が誕生したときには、人間特有の感情をもっており、階級制のない原始共同体という最初の社会も完成していました。

階級社会・未来社会

ヒトが、共同体（社会）をつくり「協働」を始めてから、長い年月を経過して、ホモ・サピエンス種が誕生し、さらに長い年月が経過して、最初の階級制社会である奴隷社会が成立しました。奴隷社会の成立は、牧畜や農耕を営むようになった今から約5000年前（日本の場合には約3000年前）のころです。ここでも、おおよその見方をすれば、「200万年ほど前から、徐々に社会がつくられ、ほとんどの期間は、階級の無い社会でしたが、ごく最近（5000年前、3000年前）になって階級制社会に入った」ということです。

少し長くなりますが、話を横道にそらせて、「階級制社会」について述べます。

牧畜や農耕という農作業を行うなかで、人間が人間を指揮したり、管理したりしているうちに、やがて、集団内では人間が人間を支配するようになります。また、少しばかりの余剰生産物ができ、この余剰生産物を指揮・管理している人間が多く受け取るようにしているうちに、集団内には富める者と貧しい者が現れるようになりました。一方、社会全体のなかにも、富める集団と貧しい集団が現れるようになりました。こうして階級制社会が成立しました。

最初の階級制社会である奴隷社会が成立してから、社会制度は、その後、封建社会、資本主義社会と続いています。資本主義社会の次は、どういう未来社会になるのでしょうか。それとも、この資本主義社会が永遠に続くのでしょうか。

資本主義社会の次の未来社会というのは、なかなか想像することができません。想像できないのは、育った社会制度が当たり前と思っているからです。奴隷社会で育った人が封建社会を想像できたでしょうか。封建社会で育った人が資本主義社会を想像できたでしょうか。初めて「奴隷社会」の存在を知ったときに、「えっ、そんな社会があったの ?!」と、驚いた人も多いと思います。

現在の日本の社会をみると、貧困の世代間連鎖が、永久に続きそうな段階まできています。国連に加盟している 193 ケ国のなかで、日本は格差先進国の上位に入ると思います。貧困の世代間連鎖とは、貧しい家庭は世代が変わっても貧しいまま続くということです。例えば、生活保護世帯の子どもは、十分な教育を受けられず、就職に当たっても非正規社員の道しかなく、十分な収入が得られないなど、貧困生活がずっと続くということです。

それにも拘らず、日本の為政者は、「自助努力」とか「家族の絆(きずな)(共助)」とか言って、「公助」を放棄し、貧富の差を拡大させています。このままでは、1%の富裕層と 99%の貧困層の二極化が進み、それが固定化してしまいます。つまり、貧困層を犠牲にした、「富裕層のための社会」になってしまうということです。

子どもは、親や生育環境を選んで生まれてくるわけではありません。

生活保護世帯の子どもたちも、生活保護受給者ですが、子どもにとっては、どのような意味でも「自助努力・自己責任」とは無関係です。親には、何らかの「自己責任」を問われる余地があるかも知れませんが、子どもには、何の関係もありません。

日本の為政者は、現在、大企業の税金を安くして、所得の累進課税率を弱めて、さらに、消費税を上げる施策を推し進めています。金持ちの税金を安くして、貧乏人から税金を取りたてるわけですから、これでは、「生かさず」「殺さず」の封建社会に逆戻りしてしまいます。封建社会では、たとえ、どんなに凶作のときでも、荘園領主は農民（農奴）から年貢を取りたてていました。テレビなどで時代劇を見たときに、領主代官が農民から年貢を取り立てるのをよく目にしたと思います。

現在の日本の為政者が行っていることは、金持ちのための社会を、盤石なものにするための施策です。社会全体の富を変えないで、金持ちが、より金持ちになるには、貧乏人を犠牲にするしかありません。つまり、金持ちのための施策は、貧乏人を犠牲にする施策であり、貧乏人が立ち上がれないように、貧乏人をさらに底辺に押しやる施策になります。

未来社会に向かっては、社会の制度を云々（うんぬん）する前に、まずは、あらゆる格差をなくし、民主主義を徹底することが重要だと思います。何ごとにも民主主義を徹底すれば、その先には、今の社会と違った未来社会が少しは見えてくると思います。

目線（めせん）と涙

みなさんも、「目線」という言葉をご存じでしょう。一般的には、「見ている人の立場」と解釈していると思います。「同じ目線」というと、「相手の立場になってものをみる」とか「相手の気持ちになってもの考える」ことですから。

感情は、人間と人間の間で発生するもので、社会の存在が前提となることを述べましたが、涙を流すことについては、さらに、同じ目線であることが前提になります。奴隷社会では、奴隷主は、奴隷に対して、可哀そうだといって涙を流しません。封建社会では、領主は、農奴に対して、可哀そうだといって涙を流しません。資本主義社会では、資本家は、労働者に対して、可哀そうだといって涙を流しません。同じ目線で、相手の気持ちにならなければ、涙は出ません。

資本家でも、労働者に対して、涙を流すときがあります。例えば、労働者が不慮の事故（例えば自然災害）で死亡したとしますと、涙を流すでしょう。これは、資本家が労働者の立場に立って涙を流しているわけではありません。同じ人間として、涙を流しているだけのことです。決して同じ目線ということではありません。

数百年先にくる未来社会は、階級のない、差別のない、抑圧のない社会です。みんなが平等で生きている社会です。みんなが同じ目線で、働いて生活している社会です。ですから、容易に、相手の立場になることができます。未来社会は、人間性にあふれ、感受性が豊かになり、容易に涙を流すことができる社会だと思います。

おわりに

感情の現れとして涙を流すわけですが、年をとって涙を流しやすくなるのは、「涙腺が緩んで、涙もろくなった」わけではありません。年をとると当然のことですが、社会での経験を積んで、経験が豊富になります。経験が豊富になると、様ざまなものごとに対して、容易に相手（当事者）の立場に立つことができます。その結果、感情を共有して涙が流れてくるのです。これは、「涙もろくなった」のではなく、「年をとって、感受性が豊かになった」結果だと思います。これって、決して屁理屈ではないですよね。

年をとっても、いつまでも、同じ目線に立って、涙を流せる人間でいたいと思います。それが、ヒトから本当の人になった人間、つまり、感情をもつようになった人間ですから。

会社勤務を振り返って

2017年（平成29年）5月頃記述

はじめに

私が、いま勤務しているところは、仙台市にあるNTCコンサルタンツ東北支社です。東日本大震災の翌年の2012年（平成24年）7月1日に、広島から仙台に転勤してきました。誕生日が、昭和25年（1950年）3月20日ですから、62歳のときでした。そのときには、3年後の2015年（平成27年）の6月末で、会社を辞めるつもりでいました。なぜ3月末ではなく、6月末かというと、会社との雇用契約が7月から翌年の6月までとなっているからです。3年後に会社を辞めることについては、65歳になれば、年金も満額支給されるから、一つの区切りになると考えていました。

ところが、平成27年6月末時点では、「仙台東災害復旧関連区画整理事業」の実施の真っ最中でしたので、会社を辞めることを口に出せませんでした。この事業は、私が仙台にきて、主に携わった事業ですので、少し責任感みたいなものがあったために、口に出せなかったと思います。しかし、このままズルズルと会社に残る訳にはいきませんし、いずれ数年後には会社を辞めなければなりません。

そこで、2017年（平成29年）の6月頃になれば、私の出番も無くなるだろうと、勝手に判断をして、辞めたい意向を会社に伝えました。伝えたのは、平成28年1月ですから、辞める1年半も前です。

平成28年度を終えて、4月から平成29年度が始まり、いよいよ会社を辞める日までがカウントダウンできるようになってきました。今までの会社勤務では、総じて言うと、仕方なく会社に行くことが多かったように思います。「仕方なく」というと、少し言い過ぎかもしれませんが、少なくとも、「自ら進んで」という状態ではありませんでした。いまでも、そうですが、会社勤務に対しては、何らかのプレッシャーがあります。

プレッシャーの大小・多寡の程度は、毎日まいにち異なります。しかし、総じては、役職が上がるとプレッシャーは多くなり、役職を降りると少なくなり、停年になると、さらに少なくなり、年金をもらうと、また、さらに、少なくなったように感じました。

私の場合は、33歳で課長になり、部長、副支社長を経て、50歳で支社長になり、こうして、年々、役職が上がると、プレシャーが多くなりました。反対に、56歳で役職を降り、60歳で停年になり、65歳で年金をもらい、プレッシャーは、少なくなってきました。

こんな経過で、現在に至っていますが、プレッシャーの程度は、会社勤務を始めて以来、いま現在が、最低の状態だと思います。ここ1年間ほどは、会社を辞めれば、この最低のプレッシャーからも解放されるものと、期待していました。しかし、いざ会社を辞める日までがカウントダウンできるようになると、今度は、一緒に仕事をしてきた仲間と別れるのが寂しくなってきました。

とすると、会社に行って、プレッシャーなしで仲間とワイワイやるのが理想かな！　こんなことを考えているうちに、「会社勤務を振り返って」と題して、何かを書きたくなってきました。

44年間の会社勤務

私は1973年（昭和48年）3月に、茨城大学農学部農業工学科を卒業し、4月から会社員としてスタートしました。いま2017年（平成29年）4月から遡ると44年前です。卒業して4年間は、静岡県浜松市にある鈴木組という建設会社で働き、それ以後の40年間は建設コンサルタント会社（太陽コンサルタンツ、NTCコンサルタンツ＝合併して太陽コンサルからNTCコンサル）で働きました。

◇建設会社に勤務の時代

社会人になって、最初に勤めた建設会社では、本給は、確か48,000円でした。大学卒業の初任給としては、地方都市の同業他社と比べて中程度だったと思います。勤務時間は、朝8時から夕方17時まで（昼休み1時間）の8時間勤務でした。土曜日も、当時は、半ドンではなく、通常の8時間勤務です。

建設会社に勤めていたときの仕事の内容は、建設工事の現場監督でした。社内にいることは稀で、ほとんど現場に出ていました。朝は現場に直行して、夕方に会社に帰って、工事日報を書いて、退社するのが多かったように思います。

会社も現場も朝8時から始まります。自宅から通っていたのですが、朝の6時半頃に起きて、7時頃に家を出ていました。この早起きが思いのほか大変でした。大学時代には構内にある学生寮に入っていましたが、朝9時からの講義でさえも起きることができずに、サボったことが初中終(しょっちゅう)でしたから。朝早いのが苦手だとか、血圧が低いからだとか、当時は勝手なことを言っていましたが、いま考えると、努力をしない単なる怠け者だったのでしょう。

大学を卒業して建設会社に入って、1年目の頃は、教えてもらうことばかりでした。最初に突き当たった壁は、土木用語が分からないことでした。「丁張り」「合端(あいば)」「明かり」「アバラ筋」「犬走り」「インバート」「桟木」「バタ角」「垂木」「バカ棒」「イチエンゴヒャク(1m50cmのこと)」「ケレン」などなど……。こんな状態ですから、何をやるにも自信がありません。まして、管理・監督などできるわけがありません。

それから、次に、職人さんが、図面をみながら手際よく作業を進めているのを見てビックリしました。失礼な言い方ですが、あまり賢そうではない鉄筋工の職人さんが、何と、配筋図(鉄筋配置図、組立て加工図)を見て、手際よく作業をしているではありませんか。私が、最初に配筋図を見たときには、ただただ「線」が無数に引かれているだけで、何がなんだか分かりませんでした。その瞬間は、頭から「『はてな?』マーク」が出ていたと思います。

鉄筋工の職人さんに、「図面を見ただけで、何で、そんな簡単に作業ができるのか?」と質問しました。その職人さんは、「慣れれば誰だってできるよ!」と答えてくれました。職人さんは○○工、○○作業主任者と呼ばれていますが、その後の数年間で、訓練すれば誰でもできることを実感しました。

生意気かも知れませんが、私は、すでにその頃から、「技術と技能の違い」「技術者と技能者(職人)の違い」は理解していたつもりです。建設会社に勤務していた4年間で、職人さんは、机に向かって勉強するというより、手や体を使って、訓練により体得しているということを実感した訳です。

誰でもできるといっても、経験のない素人では、何人集まってもダメです。建設会社勤務の時代で学んだことは、実際にモノを造る人とうまく付き合わなければならないということでした。そのころの現場監督（現場代理人）は、20歳代、30歳代の若者で、実際に働いている人は40歳代、50歳代の熟年の人が多かったように思います。実際に現場で指示を出すのは、経験の少ない若い現場監督です。40歳代、50歳代の熟年の人は、「この若僧が何を言うか！」と思ったはずです。実際にモノを造る人（職人さん）に働いてもらわないとモノが造られません。

◇建設コンサルタント会社に勤務の時代

昭和52年（1977年）5月29日に結婚式を行うことになり、建設会社を4月30日で辞めました。結婚してからは、東京で生活することになりました。東京での生活を決めたときに、恩師の田渕先生にお世話になり、太陽コンサルタンツにて6月から8月までの3ケ月間、アルバイトとして働くことになりました。

アルバイトの期間が終わる頃、また、田渕先生に相談して、このまま太陽コンサルタンツに残り、9月からは正社員として働くことにしました。その理由は、太陽コンサルタンツは、居心地も悪くはないし、他に行くところもなかったからでした。

その時の辞令が、手元に残っているので、ここに記載します。

辞　　令

谷 野 隆 一

当社に採用し、技術部勤務を命ずる。但し、当社従業員就業規則第5条の規定により、本発令日から向う3ヶ月間は試用期間とし、試用期間満了のときは自動的に技師補に任命されるものとする。

本給　月額111,000円　　諸手当　月額23,000円を支給する。

昭和52年9月1日

太陽コンサルタンツ株式会社

太陽コンサルタンツに入ったころは、果たして、みんなに付いていけるだろうかと不安の連続でした。4年間、別な職種で働いていたわけですから、当然なことだと思います。

建設会社での仕事は、橋などの実際の構造物を造ることです。建設コンサルタント会社での仕事は、橋などの構造物が実際に造られるように、設計図面を作ることです。建設会社にいたとき、いくら私一人が頑張っても橋を造ることはできません。しかし、建設コンサルタントでは、頑張れば、また、分からないことを少し相談すれば、一人で橋の設計図面を作ることができます。建設コンサルタンツでは一人で作ることができる、つまり、「自分が頑張れば何とかなる！」と思ったときに、やっていけるかどうかの不安が払しょくされました。

携わった仕事は、調査～計画設計～実施設計まで様ざまです。「土」に関すること、「水」に関することもやりました。どれが一番向いていたとか、どれが一番好きだったか、などはよく分かりません。だいたいは全部を網羅していたと思いますが、悪く言えば、全部が中途半端だったのではないかと思います。

仕事の内容は、建設会社の時代を含めて、ほぼ一貫して農業・農村に関することだったように思います。それ以外も多少ありましたが。

ここでいう農業ですが、私が関ったのは農作物学などに関することではなく、農業土木学に関することです。少し前（1990年頃）までは、大学の農学部には、農業工学という学科があり、この農業工学には、農業土木学と農業機械学とがありました。そのうちの農業土木学の方です。今では農業土木学という言い方も少なくなりましたが。農業土木学の中には、さらに、農地工学や農業水利学などがあります。

農地工学とは何かについて、「『農地工学　上巻』（山崎不二夫著、1971年10月30日初版）「はしがき」によると、次のように記述されています。

農地工学は、良い農地を新たに造成すること、既存の農地をより良い状態に改良整備すること、農地が自然的・社会的要因により悪化するのを防ぎ、良い状態に保全すること、を目的とする工学―生産的実践を目標とする実学―である。そして良い農地とは、高い土地生産性と、高い労働生産性と、高い保全性とを兼ねそなえた農地であると考える。

農地工学とは、高い土地生産性と、高い労働生産性と、高い保全性とを兼ねそなえた農地を整備することです。末端の農業水利施設整備を含め、これらに関する仕事ができたことは、まさしく、生業（なりわい）としての農業を支える仕事をしてきたことであり、チョット自負しています。

仙台に転勤してきてからは少なくなりましたが、それまでは、仕事の関係で、農村部に出張することがよくありました。そのときに、山間地域の散居集落（住居が散在している集落）では、人が住んでいないと思われる家屋をよく見かけました。また、廃校になった小学校、既に廃校を決定している小学校、複式学級（複数学年で１クラスを編成）で、２～３の教室しか使用していないと思われる小学校などもよく見かけました。

私が社会人として働き始める前からですが、農村は疲弊の一途をたどっていて、いまでは、もう農村が消える寸前まできているように思います。政府の施策では、「食料・農業・農村基本法」に記載されるように4つの基本理念の一つ（4. 農村の振興）とされていますが……。いろいろと謳い文句は並べていますが、農村の現状をみると、農村の振興が図られていないのは確かです。

いままで農業・農村整備に関する仕事をしてきて、「果たして、こんな内容の計画・整備で、農村は豊かになるだろうか？」「ゼネコンや役人・政治家のためになるだけではないだろうか！」などという不安が常に付きまとっていました。

仕事の内容を農地工学や農業水利学の面ではなく、農業経済学や農村地域計画学の面から見た場合に、44年間（主として建設コンサルタント時代の40年間）やってきたことが少し不満です。何を計画・設計するに際しても、施工性や経済性を問題にしてきましたが、農家（受益者）にとっての利便性や農村の将来性は問題にしてこなかったからです。つまり、農家・農村のためという理念が欠けていたのです。自分自身では、ソフトの面も勉強してきたつもりですが、まだまだ未熟であったと、今さらながら反省しているところです。

こんなふうにして、建設コンサッタント会社時代の40年間を過ごしてきましたが、そこで次の二つのことを学びました。一つ目は、計画・設計は、作ろうとするモノの使用者の立場で考えなければならないということです。二つ目は、常に「生業としての農業」と「地域としての農村」の両面を考えなければならないということです。この二つが欠けると、農業・農村のための整備ではなくなってしまうと思います。

「仕事をする、つまり、働く」って、どういうこと？

「労働」の意味については、ドイツの思想家フリードリヒ・エンゲルス（1820 ～ 1895 年）の著書である「猿が人間になるについての労働の役割」をみると、よく分かります。エンゲルスがこの本を書いたのは、1876 年（明治 9 年）です。その 17 年前の 1859 年に、イギリスの自然科学者ダーウィン（1809 ～ 1882 年）は、進化論「種の起源」を発表しています。

ヨーロッパでは産業革命が進み、すでに工業化社会に入っていましたが、まだ人間は神が創ったものだと信じられていた時代です。そこにダーウィンが、人間は猿から進化したともとられる「種の起源」を発表したものですから、キリスト教の聖職者たちから激しく攻撃されました。それから、わずか 17 年後に、エンゲルスが人間が猿から進化したと発表し、どのようにして進化したかを具体的に著したのが「猿が人間になるについての労働の役割」です。

この著でエンゲルスは、「労働は人間生活全体の第一の基本条件であって、しかも、ある意味では労働が人間そのものをつくり出した」としています。

①人間の先祖となる猿の一種は、最初は樹上で生活していた。

②それが何らかの理由で、地上で生活しなければならなくなった。

②そのために直立二足歩行をしなければならなくなった。

④直立歩行したことによって、手が自由になり、手でこん棒、あるいは石などを持ち、敵から身を守った。

⑤その手がやがて、火打石を刀に加工するなど、新しい技術を獲得していった。

⑥手は労働のための器官であるだけでなく、それはまた労働の産物である。

⑦その手の労働によって、筋肉や靭帯などが発達し身体が作られた。

というように、エンゲルスは、猿から人間になるについての労働の役割と、その過程を予測していました。化石の発見やDNA解析などによって、猿が人間になるについての全容がほぼ明らかになってきており、エンゲルスの予測が見事に的中しました。

次に、猿が直立二足歩行することによって、何がどう変化したのでしょうか。

まず、これまで木から木へと渡る器官であった手が空きました。直立二足歩行を行うことにより、「足」は体を支持する機能と体を移動させる機能を引き受け、「手」は開放されて自由になりました。猿は、その手でモノを持つことを覚えました。手は次第に、モノが持ちやすいように、親指と他の４本の指が向き合ってきました（拇指対向性を強める）。やがて、手は石や棒など、原始的な道具が使えるようになってきました。

次に変化したのは喉の構造です。直立することによって咽頭が下がり広がって、複雑な音声が出せるようになってきました。動物が鳴くのは、何らかの情報を仲間や敵に伝えるためですが、鳴き方を変えることによって、多くの情報を伝達することが可能になります。このようにしている間に声帯が発達し、音節を区切った発声が可能となり、言語が生まれました。草原には果実のなる木がありません。小動物を捕まえて食べていました。ときには猿より大きな動物と出会うことがありました。そんなときは、集団で協力し合って捕まえました。

直立二足歩行を開始した猿は、手を使い、道具を持って労働し、言語を話して、集団で生活をしていました。こうしているうちに、脳が発達し、長い年月をかけて、ホモ・サピエンス種へと進化してきました。

「『仕事をする、つまり、働く』って、どういうこと」を説明するために、エンゲルスの著書である「猿が人間になるについての労働の役割」を見てきました。ここには、二つの重要な事項があると思います。

一つ目は、人間が「働く」ということは、「協働」であることです。つまり、共同で協力し合って働くことです。二つ目は、働くことによって何をつくり出すか？ ということです。ヒトになりたての頃は、野山を駆け巡って、明日の食べ物を獲得するために働いていました。現代では、会社に行って働き、人のための何かをつくり出しています。昔と現代では、個々の働き方は違いますが、そこには、生活に必要なものを得る、生活に必要なものをつくり出すという共通の働き方があります。

個々の働き方（具体的有用労働）は、時代とともに変化しますが、共通の働き方（抽象的人間労働）は変化しません。人間が地球を壊さなければ、ホモ・サピエンス種も何十億年後まで、地球とともに、進化し続けることでしょう。しかし、それでも共通の働き方は変化しません。

「働く」ことの意義を、私なりに分かりやすく記述したつもりですが、ここで、まとめておきます。人間が「働く」ということは「協働」を意味しており、この「協働」とは、少し難しくいうと「衣食住を充足させるための人間生活の生活手段（生活物質）、および、（生活手段をつくり出すための）生産手段の『社会的生産』」のことです。

私が、「働く」ことの意義を、ハッキリと理解できたのは、40歳代の後半から50歳代の前半にかけての頃です。理解できたのは、農業・農村に関する仕事をしてきたこと、その中でも、特に、農家と身近な関係にある小さな仕事をしてきたからだと思います。例えば、農家の人たちのための水田の用水路・排水路を整備することなどです。農業・農村整備事業のなかには、「ダムを造る」「橋長200 mの橋梁を造る」「延長500 mの道路トンネルを造る」など、大きな仕事もありますし、私自身もチョットだけかじったこともあります。常に、こんな大きな仕事をしていたら、果たして「農家のため」「人のための何かをつくる」ということに気が付かなかったと思います。

小さな仕事で、農家と身近な関係であったからこそ、「働く」ことの意義が理解できたと思います。これをキッカケに、ヒトとは何か？人間は何のために働くか？ 人間は何のために生きるか？ など、さらに、哲学を学ぶ機会にもなりました。いまは、私を哲学の道に引っ張って行ってくれた、たくさんの小さな仕事に感謝です。

私が仙台に来て主として携わった「仙台東災害復旧関連区画整理事業」という事業の目的を掲載します。

「本地域は、平成23年3月11日に発生した東北地方太平洋沖地震及び地震後に襲来した津波により、仙台市東部に広がる標高（−）1.0 m～（＋）5.0 mの平坦な地形をなした水田地帯の農地が浸食され、土砂やがれきが堆積するとともに、用排水路や排水機場などの農業用用排水施設が被災したことから、緊急に復旧を進めることにより、早期営農再開を図ることが急務となっている。

このため、直轄特定災害復旧事業により被災した農地及び農業用用排水路の復旧とともに、直轄災害復旧関連事業である本事業により大区画化を主体とした区画整理を実施し、農地の利用集積による経営規模の拡大と経営の合理化を図り、再度災害の防止に寄与するとともに、国土保全に資するものである。」

つまり、ただ単に復旧する（被災以前の状態に戻す）のではなく、これを契機に農業の経営規模を拡大するということです。「大区画化」に特化しているように感じ、もろ手を挙げて賛成するわけではありませんが、区画整理の目的が、農業・農村のため、農家のためというのが、分かると思います。

仕事をしていて「楽しかったこと」「苦痛だったこと」

◇会社勤務時代の社会情勢

私が勤務した会社は、最初の4年間は建設会社であり、その後の40年間は建設コンサルタント会社です。建設会社の土木工事の仕事も、建設コンサルタント会社の調査・設計の仕事も、いずれの仕事も、発注者の大半は、国・地方公共団体です。いわゆる役所です。発注者が役所の場合には、土木工事の仕事も、調査・設計の仕事も、その元となっている資金は、国民の税金です。国民から税金を集めて、議会が予算化したものを、役所が民間会社に発注しているわけです。ですから、仕事の多寡は、国・地方公共団体の議会の予算付けに左右されます。

ここで、44年間を振り返って、私が会社に勤務した時代の日本の経済に関することを少し述べておきます。日本の経済といっても、国土交通省の土木事業とか、農林水産省の農業農村整備事業の予算に関することです。

私が大学を卒業した頃（1973年＝昭和48年）は、日本は高度経済成長が終わるころで、第一次石油ショック（1973年の秋）を境に、安定経済成長に入っていった時代です。その後、しばらくは、建設会社や建設コンサルタント会社の仕事は、総理大臣となった田中角栄氏の「日本列島改造論」などもあり、比較的に潤沢だったように思います。日本列島改造論は、田中角栄氏が総裁選挙を控えた1972年に発表した政策綱領です。「人」「カネ」「もの」を地方に分散することを推進したものですが、悪く言えば、地方の乱開発です。日本列島改造論は、田中角栄氏の著書となっていますが、総務省（旧自治省）や国土交通省（旧建設省）の官僚が関わっているので、国土交通省の予算取りのためだと思います。

その後、1985年（昭和60年）9月22日プラザ合意（先進5ケ国＝G5蔵相・中央銀行総裁会議による為替レート安定化に関する合意）により、円高が進行しました。これに対して、政府は日銀に国債の大量発行・金融緩和を指示したため、バルブ経済が始まりました。こうして始まったバブルも、5年半後の1991年（平成3年）2月に弾（はじ）け、日本経済は、長期の不況に入っていきました。

プラザ合意以降の円高にあっても、日本企業は合理化や海外への工場移転などで高い競争力を維持していたために、アメリカの対日赤字は膨らむ一方でした。そんな中で、日米構造協議が始まり、輸出増に直接結び付かない公共投資を進めることをアメリカ側から求められ、日本は今後の10年間で、430兆円の公共投資を進めること、大店法の規制緩和などを約束しました（1990年＝平成2年6月）。日本の国家予算は、100兆円弱ですから、公共投資に43兆円/年も使うことはできません。しかし、不況の中でも、公共投資を減らさなかったのは、日米構造協議が影響していたと思われます。

こんな調子で、1998年（平成10年）頃まで、公共投資に10～15兆円/年を使ってきましたが、大型開発事業や環境問題に対する国民意識の変化などがあって、公共投資は次第に減少しました。そして、2016年（平成28年）には、ピーク時（1998年）の40%までになっています。

ところが、農林水産省の農業農村整備事業の予算は別でした。その頃、多角的貿易交渉（ウルグアイ・ラウンド）が行われていて、農産物の自由化などが交渉のテーブルに上がっていました。1994年に合意に至りましたが、農業農村整備事業の予算は、ウルグアイ・ラウンド（UR）合意の影響を緩和する対策が採られたので、1994年（平成6年）から2001年（平成13年）までは増加傾向で推移しました。

国土交通省の土木事業の予算は、1998年（平成10年）から減少しましたが、農林水産省の農業農村整備事業の予算は、逆に2001年（平成13年）まで増大しました。こちらの方も今では、ピーク時の半分程度になっています。

公共事業に対する考えを、ここでは詳述するつもりはありませんが、ひと言・ふた言……。よく「無駄な、あるいは、不要不急の公共事業」とレッテルを張りますが、私は、無駄ではなく、急いでやらなければならない公共事業も多いと思います。特に、小さな事業ほど、そんな感じがします。バブルが弾(はじ)ける前だったと思いますが、「事業は、小さく産んで、大きく育てる」なんて言って、事業費をドンドンと膨らませた時代がありました。いまでは考えられませんが……。こんな、まやかしの事業は、概して、無駄であり、不要不急です。開発型の大型事業も要注意です。

事業の良し悪しは別にして、事業化されて予算化された仕事がなければ、会社の経営は成り立ちません。2000年代に入って、しばらくしてから、小さな建設会社や小さな測量設計会社では、仕事が少なくなって、会社経営が成り立たずに、倒産するところが出てきました。「債務を負ってからでは大変だから、今のうちに会社をタタム」という話も、よく耳にしました。

ざっと、日本経済のたどった道をみてきましたが、これ以上述べると、横道に逸れそうですので、日本経済の話は、ここで終わりにして、会社勤務の話に戻ります。

私が会社勤務を始めたのは1973年（昭和48年）です。それから2001年（平成13年＝UR対策費終了時）頃までは、総じて仕事は潤沢にあったと思います。私の年齢でいうと、23歳から51歳の頃までになります。44年間の会社勤務からすれば、大半ということができます。しかも、油の乗った働き盛りの頃でしたから、小さな仕事を沢山やる中で、いろいろと勉強することができました。仕事が潤沢ですから、失業や転職のことを考える必要がありません。総じていうと、良い時代に働いていたと思います。

◇仕事をしていて「楽しかったこと」

建設会社勤務の時代は、現場監督でしたから、晴れの日は、現場に出て仕事をしました。しかし、雨の日はやることがないから、会社でブラブラしていました。雨の日は、午後から雀荘（じゃんそう）に行って、マージャンをしたこともありました。「仕事をしないで給料をもらうなんて、うらやましい！」と思うかも知れませんが、これは、これで、辛いことでした。ヤッパリ、現場に出て仕事をすることが楽しかったように思います。

建設コンサルタント会社に入ってからは、それまでと違って、忙しい毎日の連続でした。東京支社で課長、部長をしていた30歳代のころは、会社に泊まって仕事をしたことが何日もありました。会社に泊まったときの多くは、明け方の3時・4時まで仕事をして、それから、皆さんが出社するころまで寝るというパターンでした。それでも、5時間程度の睡眠がとれているので、これが2、3日続いても平気でした。稀には、1～2時間ほどしか寝ないで仕事をして、睡眠が不十分なまま、出張したことがありました。

ここで、私ごとのエピソードを紹介します。

昭和63年頃のことですが、近畿農政局管内に「東播（とうばん）用水農業水利事務所」という事務所があって、そこに出張したときのことです。この事務所は、兵庫県三木市宿原にあり、新神戸駅から20～25㎞程度の距離で、当時タクシーで5000円を超えていたと思います。

前の日の睡眠が不十分な状態で、東京駅と新神戸駅を新幹線で往復しました。行きは、東京駅で新幹線に乗って、乗った途端にウトウト状態に入りました。それから、ウトウト状態が続いて、目を覚ましたら新神戸駅でした。帰りは、ウトウト状態より、もっと酷くて、新神戸駅から新幹線に乗って、新大阪駅に着く前に眠ってしまい、目を覚ましたら東京駅でした。行きも、帰りも、新幹線の車中が、私の眠りの場であり、乗り越さなかったのが不思議なくらいでした。

ついでに他人ごとのエピソードを紹介します。

社員の一人が、静岡県庁（新幹線の静岡駅との距離は1.0km弱）

に出張したときの話です。前の日から寝ないで仕事をして、そのまま出張したのだと思います。東京駅から静岡駅に停まる新幹線の「ひかり」に乗ったようですが、乗り過ごして、名古屋駅まで行ったようです。ここまでは、よくある話ですが……。今度は、折り返して、新幹線の「こだま」に乗って、そして、またまた乗り過ごして、新富士駅（静岡駅より一つ東の駅）まで行ったようです。静岡駅に収束するのに時間がかかり、この間ロスタイムは3時間を超えたと思います。

静岡県庁の職員の人から、お叱（しか）りの電話が東京支社に入ったそうです。平成10年頃だったので（このとき、私は東京支社の支社長）、一社員が携帯電話をもって出張する時代ではありません。至急に連絡を取るには公衆電話が必要です。この当時には、新幹線の中にも公衆電話が付いていました。

当人は、この件の一報を公衆電話から東京支社に連絡し、東京支社からは、遅れる旨だけを静岡県庁に連絡したようです。当人は大変だったでしょうが、静岡県庁の職員の人は、その3時間超の時間帯は、「何がなんだか？ サッパリ！」だったでしょう。この件の結末は笑い話で片付いたようです。エピソードはここまでにします。

仕事で忙しいということに関しては、建設コンサルタント業界は、少し度を越していたと思います。当時の太陽コンサルタンツも、1990年代の始めのころに完全週休二日制になりました（国家公務員は1992年＝平成4年5月1日から実施）。週休二日制になってからも、土曜日は、ほとんど休まなかったと思います。しかも、平日は残業、残業で、ときには泊まって仕事という状況でした。

これほどまで忙しい毎日でしたが、あまり苦痛になることはありませんでした。むしろ、楽しい思い出の方が多いように思います。

その理由の一つ目は、一人ではなく、仲間と一緒に仕事ができたからだと思います。仕事で会社に泊まったときでも、深夜の途中で仕事を止めて、技術の周辺の話などで盛り上がったこともありました。同じプロジェクトチーム内（といっても２～３人程度ですが）の社員で泊まったこともあり、また、別のプロジェクトチームの社員で、それぞれが佳境に入っていたために泊まったこともあります。

人間が「働く」ということは、「協働」であると述べましたが、こうして仲間と一緒に仕事をしたことが、ホモ・サピエンス種の本当の姿として実感したのかも知れません。忙しくても苦痛にならなかったのは、ホモ・サピエンス種の本質的なところに起因していたのではないかと思います。もちろん、度を超せば別ですが……。

二つ目は、仕事をすることが勉強であり、それが自分の知識を豊富にしたことです。仕事が自分の成長の糧（かて）になったようなものです。建設コンサルタント会社で仕事をすると、「設計基準」「技術書」「関連した技術書」「先に実施されている設計書」など、多くの図書を読まなければなりません。大学時代の４年間より、建設コンサルタントで油の乗った働き盛りの１年間の方が沢山勉強したと思うほどです。こうしたことが、曲りなりにも自身の技術力をアップさせたと思います。そして、これまでの44年間の会社勤務を、何とか、無事に終えることができました。しかも、私には、こうした勉強の積み重ねが、専門以外の哲学を少し本格的に勉強するキッカケにもなりました。

三つ目は、『谷野の環（やのわ）』を創ることができたことです。まずは、それを掲げます。

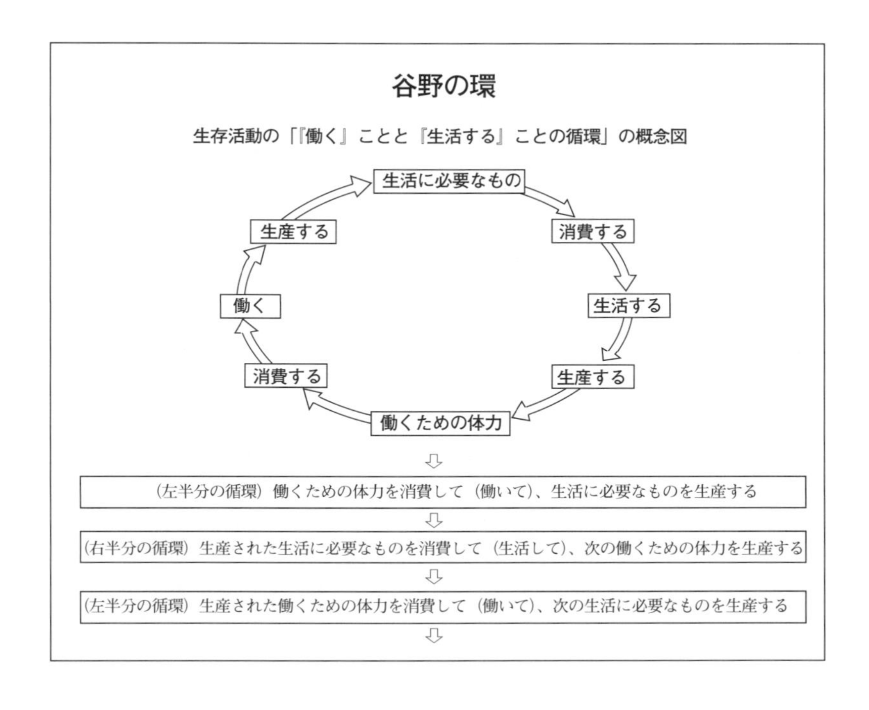

これを創ったのは、50歳代の後半のときでした。人間は、「何のために働くか？」「何のために生活するか？」「何のために生きるか？」などが、鮮明に理解でき、自分の言葉で次つぎと説明できるようになりました。おかげで、自然や社会、特に社会の仕組みがチョット見えてきたように感じます。この『谷野の環』を創ることができたのも、忙しい毎日のなかで、農業・農村に関わった仕事をしてきたからだと思います。

◇仕事をしていて「苦痛だったこと」

苦痛だったことは、ほとんど一人で受けもって、しかも、やっても、

やっても、目途が立たない仕事に当たったときです。目途が立たない仕事とは、質が高すぎる仕事、また、質は高くはないが量が多すぎる仕事がこれに該当します。

質が高すぎる仕事とは、その時点での技術力に見合っていない仕事のことです。その時点での技術力より、少しだけ高い技術力を必要とする仕事であれば、少し勉強をすれば、乗り越えることができます。それを、乗り越えると、また、少し技術力が高まります。技術力を高めるとは、こうした知識や経験の積み重ねであると思います。

ところが、その時点での技術力をはるかに超えた技術力を必要とする仕事に当たると、突然に大きな山が現れたようなもので、乗り越えることができません。精神的に滅入ってしまい、会社に行くことさえ苦痛になります。44年間の会社員生活のなかで、実際にも、3～4日ほど休んだことがあります。休んだ期間が短かったこと、また、先輩・同僚・後輩に手伝って頂いたおかげで、復帰することができました。

質は高くはないが量が多すぎる仕事とは、多くの人員や多くの時間を必要とする作業的な仕事のことです。作業的な仕事は、やっても、やっても、仕事に追われるだけです。忙し過ぎる状態では、仕事をしても、ほとんど何も身に付きません。先ほど、「忙しい毎日を送ってきたことが良かった」と述べましたが、度を越せば別です。

度を越すとは、残業が何日も、何日も続いたり、寝ないで仕事をするようなことが頻繁にある状態のことです。一週間くらい、会社に泊まり込んで、その内の1・2日、寝ないで、作業的な仕事をしたことがありましたが、相当、苦痛だったことを覚えています。

忙し過ぎる作業的な仕事は、考える余裕を与えません。その当時は、図面を描くために鉛筆で線を引き、計算をするために電卓を叩いた時代でした。忙し過ぎると、図面を描くこと、計算をすることが目的ではなくなり、ただ単に鉛筆で線を引くこと、そして、ただ単に電卓を叩くことが目的になってしまいます。

昆虫のクモやハチは、芸術的な巣を作ります。ところが、彼らは、実際に巣を作る前に、頭の中に創りません。人間は、昆虫や他の動物と違って、「作る前に、作るものを、頭の中に創り」ます。ヤッパリ、やることが分かって、仕事をするのが、人間だと思います。訳も分からずに、ただ単に鉛筆で線を引く、訳も分からずに、ただ単に電卓を叩く……。こんな動作だけだったら、訓練させれば猿でもできます。

忙し過ぎる作業的な仕事は、頭の中に創ることを許しません。人間を昆虫や他の動物にオトシメます。人間性を奪う、つまり、人間疎外です。忙し過ぎる作業的な仕事で、苦痛になるのは、人間疎外に対しての警告でしょうか……。

次は、行きつ・戻りつの仕事のことです。建設会社の仕事も、建設コンサルタント会社の仕事も、受注生産です。受注生産とは、注文が初めにあって、それから生産を開始する方式のことです。受注生産の反対が「見込み生産」であり、前もって、販売できると見込まれる数量の製品を生産します。○○工事や□□設計業務のような受注生産では、見込み生産と違って、同じものをつくることはありません。同じものをつくらないから、個別の特徴を明らかにして、あれや、これやを、検討しなければなりません。このため、受注生産では、私は、少しばかりの行きつ・戻りつは、当たり前だと思っています。

仕事の内容は、「調査」「計画設計」「実施設計」に分類されますが、この実施設計（工事をするための設計）でさえも、行きつ・戻りつは、当たり前だと思っているほどです。今までの経験では、少しばかりの戻りは、初中終でした。ところが、何らかの行き違いで、ほとんど元に戻ってしまうことがあります。それまでの苦労が、苦痛に変わる瞬間です。このときの苦痛も、相当なものです。

話が少し変わりますが、28、29歳（1978、1979年）の頃に、図面をもって出張し、帰りに図面を電車のなかに忘れたことがありました。駅に問い合わせても、図面は出てきませんでした。そのころは、まだ電子データとして保存する時代ではありません。元に戻ってしまって、最初からやり直しですが、苦痛と言うより、自分自身に呆れました。

会社を退いてからのこと

2017年（平成29年）6月30日で会社を辞め、44年間の会社勤務に終止符を打ちます。退職後に、何をするか？ は、決めていませんが、とりあえず、郷里の静岡県磐田市（旧磐田郡豊岡村）に帰ることは決めています。

会社からの収入が無くなっても、余ほど贅沢をしなければ、年金と今までの貯金とで、生活ができると思っています。よく「働かないで、裕福な生活がしたい」という人がいます。働かないで生活をする人とは、「（G（貨幣））→（W（商品））→（G＋ΔG）」をする人、つまり、ΔGで生活する人を指していると思います。簡単にいうと、働かないで、手持ちのお金を増やして、その増やしたお金で生活する人のことです。

私は、こういう人を決して羨ましいと思いません。生活に必要なものを得る、多くの人の生活に必要なものをつくり出すという働き方をするようになったからこそ、「猿 → ヒト → 人間」になったわけです。余ほど裕福であって、「働かないで、生活をする」ことを、幾世代も続けると「人間 → ヒト → 猿」に戻ると思います。ΔGで生活する人を羨ましいと思ったら、『谷野の環』が泣きます。

良い仕事をしたときに、「次の①・②うち、どちらが嬉しいでしょうか？」と、問われたとします。そのときに、キレイ過ぎるかも知れませんが、私は②と答えます。20歳代〜40歳代の若いときには、①と答えたかも知れませんが‥‥。

①たくさんの報酬を受け取ること

②多くの人に喜んでもらうこと

この44年間は、ある程度は、生活費を稼ぐために働いていたと思います。しかし、これからは、その目的で働くことはないと思います。だからと言って、働かないということではありません。多くの人の生活に必要なものをつくる仕事、多くの人の役に立つ仕事をしたいと思います。つまり、働く目的が「生活費を稼ぐ」から「人の役に立つ」に変わるということです。

もっと言うと、これからの仕事が、猿からヒト、ヒトから人間になった「本当の人間としての仕事」であると思います。言うまでもなく、ここでの「本当の人間としての仕事」とは、少なくともボランティア的な仕事のことです。「一人は万民のために、万民は一人のために（私の勝手な解釈だが、これが、イマヌエル・カントからフリードリヒ・ヘーゲルに至るドイツ古典哲学だと思っている）」を実感したいと思います。

生意気なことを言っても、そんな仕事が簡単に見つかるとは限りませんし、もう67歳ですから、そんな大それたことはできません。しかし、体力が続く限り、誰かに（できるだけ多くの人に）必要とされる人間でいたいと思います。

冒頭に、会社勤務に対しては、何らかのプレッシャーがあることを述べました。この7月からは、もうアクセクしなくてもいいし、何のプレッシャーもなく働くことができます。また、何の心配もなく生活することができます。よく考えてみると、自分のテンポでノンビリと働き、ノンビリと生活することは自分の夢でもあったようです。

確かに、いまの仕事を辞めるのは寂しいし、仲間と別れるのは寂しいと感じます。しかし、いま会社を辞めなくても、あと数年でその時期が必ずやってきます。体力が無くなってから、その時期を迎える方が、余ほど惨めであると思います。

おわりに

2017年（平成29年）6月30日で、44年間の会社勤務に終止符を打ちます。この44年間で沢山のことを学び、自分自身を成長させることができました。これも良き先輩・良き同僚・良き後輩に巡り合えたからだと思います。感謝致します。特に結婚してからの40年間の建設コンサルタント会社勤務で、学んだことは多く、その間に苦労を掛けた妻にも感謝します。

残りの人生を楽しむ

2017年（平成29年）12月頃記述

はじめに

2017年（平成29年）6月末で、会社を辞めて、郷里の静岡（静岡県磐田市上野部）に帰りました。早いもので、もうすでに、半年が経過しようとしています。この間、辞めた会社の仕事を手伝うことになり、すでに15回（12月17日現在）ほど、東北地方（宮城・福島県方面）に出かけています。

この忙しさに流されて、「積極的に、これをやろう！ あれをやろう！」といった、これからの人生の設計図が描けないでいます。そうかと言って「そんなに忙しいのか？」と問うても、「忙しい！」と答えるほどでもありません。新聞を読んで、本を読んで、パソコンの前に座って、暇をつぶしているような状況です。これで、一日が過ぎていくのが、何かモッタイナイ気がします。このため、これからの人生を積極的に考えてみようと思って、このエッセイを記述することにしました。

このエッセイを書く一つ前に、「会社勤務を振り返って」と題したエッセイ（p.506参照）を書きました。その中で、「良い仕事をしたときに、『①たくさんの報酬を受け取ること』より、『②多くの人に喜んでもらうこと』の方が嬉しい。もう67歳だから、そんな大それたことはできないが、体力が続く限り、できるだけ多くの人に必要とされる人間でいたい」と記述しました。これを含めて、これからの人生を考えてみたいと思います。

全（すべ）ての動物は寿命を全（まっと）うする

地球上には、たくさんの動物種が生息していますが、それらの動物種の寿命はマチマチです。寿命といえば、「種の寿命（例えば人類）」「個体の寿命（例えば一個人）」「部位の寿命（例えば身体を構成するある部分）」「細胞の寿命」など様ざまですが、普通には、「個体の寿命」のことを指しています。

実をいうと、寿命は動物だけにあるのではなく、すべてのモノがもっている宿命みたいなものです。例えば、夜空に輝いている星にも寿命があります。星は宇宙空間のガスが集まってできたものであり、最後には爆発して寿命を終えます。星の寿命は、集まった量（質量）の大きさに反比例しているようです。

昔から日本では、「ツルは千年、カメは万年」という言葉があり、両者はめでたい動物の代表とされていますが、実際はツルもカメも、こんなに長く生きることはありません。ツルの寿命は、種類によって違いますが、大体20～60年くらいです。カメの場合には、種類によって、もっと大きな開きがあり20～250年です。地球上に生息する動物種の長寿の代表格は、ゾウガメの仲間であり、大体250歳くらいまで生きると言われています。

哺乳類の寿命に関しては、星と違って、質量（体重）に比例していると言われています。体重が大きいゾウは80歳くらいまで生きますが、体重が小さいハムスター（キヌゲネズミ）は3年ほどで死んでしまいます。ヒトの体重を60kgとすると、大体40歳くらいが寿命となるはずですが、実際にはもっと長いので、少し例外と見た方がよいでしょう。

哺乳類の寿命は、体重との関係で捉えるより、動物生理学的には、心臓の鼓動の速さ、つまり、酸素消費量（心拍数）との関係で捉える方がいいようです。世界で一番小さい哺乳類はトガリネズミの仲間ですが、その中でも小さいチビトガリネズミは、体重が約2gで、心拍数は1,000回/分です。ヒトの体重は約60kgで心拍数は60～70回/分です。ゾウの場合は体重が3,000kgで、心拍数は20回/分です。体重と酸素消費量（心拍数）の関係を分析すると、「体重$^{0.25}$×心拍数＝一定」が成り立つようです。このことは、動物の心拍数は、体重が大きくなるに従って少なくなり、体重が小さいほど心拍数が多くなることを示しています。

この心拍数を相対的な動物の生理的時間という概念で考えると、動物の体重が大きくなると、生理的時間が長くなるということができます。簡単にまとめれば、動物種の生理的時間は体重の0.25乗に比例するということです。例えばですが、体重が2倍の動物種では、時間は少しゆっくり流れて1.2（$2^{0.25}=1.189 \fallingdotseq 1.2$）倍になります。30gのハツカネズミと3,000kgのゾウでは、体重が10万倍違いますから、ゾウはネズミに比べて時間が18倍（$100{,}000^{0.25}=17.783 \fallingdotseq 18$）ゆっくり流れます。

生理学的には、ゾウの寿命もネズミの寿命も同じ長さなのです。つまり、ゾウもネズミも、それぞれは、それぞれにとって、同じ満足度の一生を送っているわけです。こうして、生理学的に同じ長さの寿命を全うし、次世代にバトンを渡して、その種の保存を図っているのです。

ヒトは自分を特殊な生き物として、自分中心に考えますので、他の動物のことに関しては、納得できないかも知れませんが……。

自分中心に考えるがゆえに、寿命が長い動物種に憧れて、「ゾウガメの寿命が羨ましい」と思う人もいると思います。しかし、そんなことを考えても仕方がないことです。大体、ヒトがゾウガメのように250歳まで生きたら、環境の変化に対応できずに、ヒトという種（ホモ・サピエンス種）は絶滅してしまいます。大切なことは、それぞれの種が、進化の過程で獲得してきた寿命を全うしていることを、理解することだと思います。そして、それぞれの個体は、自らの寿命を全うすることだと思います。

残りの人生をどのように生きるか

先にヒトの寿命は例外とみた方がよいと述べましたが、その辺りのところを考えてみます。ヒトの寿命を体重との関係で捉えると40歳程度になりますが、実際には、2015年（平成27年）の統計では、日本人の平均寿命は、男性が80.75歳であり、女性は86.99歳となっています。

日本人の平均寿命を有史以来の時代別に調べてみると、縄文時代は大体15歳から30歳、戦国時代で30歳から40歳、明治時代でも40歳から50歳程度だったと言われています。しかし、縄文時代でも全員が15歳から30歳で死んだわけではありません。平均すればこのような年齢になりますが、個別にみれば、どの時代でも多くのヒトは50〜60歳くらいまでは生きていたようです。

現在の人間になるまでに、「動物界 → 脊椎動物門 → 哺乳綱 → 霊長目 → ヒト科 →ホモ属 → サピエンス種（人間）」のような進化の過程を経ています。霊長目からヒト科に枝分かれしたのが約 700 万年前で、ホモ属が誕生したのが約 200 万年前です。そして、現在の人間のホモ・サピエンス種が誕生したのが約 5 ～ 20 万年前です。

現在の日本人の平均寿命（男性 80.75 歳、女性 86.99 歳）は、ヒト科になりたての頃と比べると、途方もない長さまでになってきました。ここまで平均寿命を延ばしてきたのですが、その要因をみると二つの時期に分けることができると思います。一つは「700 万年前～ 5、20 万年前（ホモ・サピンス種誕生以前）」の期間であり、もう一つは「5、20 万年前～現在（ホモ・サピンス種誕生以後）」の期間です。

ホモ・サピエンス種誕生以前でみると、平均寿命を延ばした要因には、「①何ものにも捕食されない生態的地位の獲得」、「②まさつ火の使用による食生活の変化」、「③自然界を利用した食糧の獲得（それまでは自然界から食糧をとり出していた）」の三つがあげられます。ホモ・サピエンス種誕生以後では、「④乳幼児の死亡率の低下」、「⑤知識の蓄積による食生活の改善」、「⑥医療技術の進歩」の三つがあげられます。

それでは、ヒトの寿命は、他の動物と比べて何が例外なのでしょうか。今まで述べてきたことからも分かるように、量的な意味からは、平均寿命を大きく延ばしてきたことです。そして、質的な意味からは、老年期（高齢期）という特殊な時期をつくったことです。ほとんどの動物は、子どもが産めない年齢に達すると、比較的速(すみ)やかに死んでいきます。鮭なんかは、産卵あるいは射精後に、すぐに死んでいきます。地球上にはたくさんの動物種が生息していますが、「おじいさん」や「おばあさん」がいるのは、ヒトとクジラの仲間のゴンドウクジラだけです。

ヒトに成りたての頃から現在までに、何十万という世代交代が繰り返されています。こうして、世代交代が繰り返されるなかで、人間は、老年期という人間特有の時期を獲得してきたのです。

私は、誕生日が昭和25年（1950年）3月20日ですから、もうすぐ68歳です。人は誰しも、乳幼児期、少年・少女期、青年期、壮年期、熟年期、老年期（高齢期）という時期を過ごします。「○○歳から○○歳までは□□期」といったハッキリした境界は分かりませんが、68歳になれば、少なくとも、熟年期の後半には達していると思います。言い換えると、まだ、老年期に入っていないが、もう直ぐであるということです。因みに、日本では現在、「高齢者の医療確保に関する法律」で、65歳から74歳までを前期高齢者、75歳以上を後期高齢者と規定しています。

「これからの人生を、つまり、老年期をどのように生きるか？」と問われたとしましょう。そのときには、老年期は、人間が獲得した他の動物種にはない、人間特有の時期ですから、「人間らしく生きる！」と答えます。それでは、「人間らしく生きる？」とは、どういうことでしょうか。

ヒト科に枝分かれするときに、ヒトになろうとした霊長類のある種のものは、樹上生活に別れを告げて、地上にて直立二足歩行を開始しました。このときに、足（脚）は身体を支持する機能と、移動する機能を引き受け、手は自由になりました。その自由になった手で、協働によるモノづくりを開始しました。このときに社会がつくられました。つまり、ヒト科に枝分かれするときに、ヒトは社会をつくって、その中で生きていく動物になったのです。

ヒトは社会の中で生きる動物ですから、一人だけで生きていくことはできません。社会的な付き合いや助け合いの中で、生きるしかありません。老年期に入り、しかも、年をとればとるほど、他人の助けが必要になります。しかし、人の助けが必要になったとしても、少しは他の人のためになることはあると思います。

老年期を「人間らしく生きる！」ということは、「他の人のために生きる」ということです。これが、サルからヒト、ヒトから人間になった、人間らしい老年期の生き方であると思います。この一つ前のエッセイでも、「体力が続く限り、できるだけ多くの人に必要とされる人間でいたい」と、同じようなことを記述しました。

私の郷里は、JR 磐田駅から北に直線距離で 15km ほどのところです。家の窓からの風景には、水田・畑・散在する民家、少し遠くに山林が見えて、のどかな田園地帯の見本のようなところです。スーパーマーケットに出かければ、セカセカした人は少なく、ショッピングカートを押しながら、ノンビリと買い物をしている人を多く見かけます。仙台に住んでいたとき、その前の広島に住んでいた時と比べると、ユックリとした時間の流れを感じます。

こんな郷里に帰って来て、半年が経過しようとしているところです。時間がユックリと流れているといって、新聞を読んで、本を読んで、パソコンの前に座って、暇をつぶしているだけでは、いかにも、モッタイナサ過ぎです。老年期を生きるにあたって、常に「他の人のために生きる！」という目標をもっていたいと思います。そして、人生の最後の期である自身の老年期を楽しみたいと思います。こうして、楽しんで生きることが、長生き（長寿）にも、つながる気がします。

残りの人生を楽しむために

人間を始め、あらゆるモノには、寿命があります。決して、「不老不死」や「夢の若返り」などありません。したがって、あらゆるモノは、必ず「死」

という個体の最期（さいご）を迎えます。寿命は、生命を持続する一定の期間ですので、年をとると、当然のことですが、残りの人生は少なくなっていきます。皆さんも、そうだと思いますが、私も、若いときには、死というものは恐ろしいと感じていました。しかし、停年を迎えて、徐々にですが、それが薄らいできました。反対に、誰しも寿命があり、死があるわけだから、「残りの人生を、如何に有意義にするか！」ということを考えるようになってきました。

私の残りの人生は、人間特有の時期の老年期（高齢期）です。自身の老年期を「他の人のために生きる」という目標をもって、質量（質：満足度、量：長寿命）ともに楽しみたいと思います。そのために、これからの日常生活を送るうえで、①やりたくないことはやらない、②常に二つ、三つの趣味をもつ、③知的好奇心をもち続ける、④適度に身体を動かす、⑤集団の中で孤立しない、⑥悔やまない、⑦お金のことを気にしない、⑧直ぐに医者に行く、⑨オシャレをする、⑩生活にメリハリをつける、などの10項目を課題としてあげることにします。

①やりたくないことはやらない

現役で働いていた頃は、例えば、気が向かない内容の仕事など、やりたくないこともやらなければなりませんでした。生活のため、会社のため、あるいは、私がやらないと誰かに迷惑を掛けてしまうから、仕方のないことです。しかし、もうその必要はありません。やりたくないことをやらなくても、誰にも迷惑を掛けません。

「やりたくなければ、何でもやらないのか？　例えば、他の人のためになることであってもか？」と問われれば、それは違います。私がいう「やりたくないこと」とは、どのように説明されても、自分自身がどのように考えても、「納得できないこと」を言います。自分自身が納得できないことをやったら、イライラが募って、ストレスが溜まり、寿命を短くするだけです。

②常に二つ、三つの趣味をもつ

私の趣味というと、囲碁と読書、それから、60歳になった頃から始めたエッセイを書くことです。囲碁は、ここ5、6年はあまりやっていません。読書の量も少し落ちています。このエッセイも半年ぶりです。郷里に帰って来て、まだ、落ち着いていないせいか、徐々に趣味から離れているのが現状であり、少し残念です。

囲碁のことを「手談」とも言います。手で碁石を打つことによって、相手と会話するから「手談」と言われるようになったようです。少し分かりやすくいうと、囲碁は、相手の手を読みながら(相手と会話しながら)、自分の策を実行するゲームなのです。勝ったときは嬉しく、負けたときは悔しくなります。しかし、勝負以前に、囲碁が楽しいのは、相手が何を考えているか？を考えることだと思います。つまり、相手との会話です。

読書が楽しいのは、知らないことを知ろうとして、自分が求めて本を読み、それを知ったときです。本で知ったときの喜びは、何ものにも替えがたいものがあります。インターネットで検索して知ることもできますが、それとは全く異なります。エッセイを書くのが楽しいのは、そのときどきの自分の考えが整理できることです。そして、どのような文章にしたら、読み手が読みたくなるか？を考えることです。

ここ数年は、囲碁や読書の趣味から少し離れかけていますが、せっかく会社を辞めて、自由な時間が増えたわけですから、思う存分に趣味を楽しみたいと思います。趣味を楽しむことは、やりたいことをやること、つまり、前項の「やりたくないことはやらない」の裏返しです。「裏も真なり」となれば、趣味を楽しむことは長寿につながるはずです。

③知的好奇心をもち続ける

自然現象にも社会現象にも必然性があります。ドイツ古典哲学の完成者であるヘーゲル（1770〜1831年）は、「自由とは必然性の洞察である」と言っています。これは、「現象・事象の必然性を認識すれば、何かを実現する自由、あるいは、何かを選択する自由が得られる」という意味です。

ある現象・ある事象が起こった必然性を理解するためには、「なぜ、こんなことが起こるのだろうか？」と、5番目の疑問詞である「Why（なぜ？）」を使って、その原因を洞察することです。私は「Why（なぜ？）」を5番目の疑問詞として大切にしています。それは、「Why（なぜ？）」が洞察することを要求する特別な疑問詞だからです。その他の4つの疑問詞（「Who（だれが？）、What（なにを？）、When（いつ？）、Where（どこで？）」）は、単なる事実の記載を要求する疑問詞です。

テレビや新聞で報道されることを鵜呑みにするのではなく、知的好奇心をもって、「Why（なぜ？）」を使って、現実に起きている現象・事象の本質（必然性）を捉えていきたいと思います。真実かどうか判らない情報が溢れ出ている現在、また、マスコミが政権寄りになっている現在では、特に重要なことだと思います。こうして、知的好奇心をもち続けることが、脳を活性化し、ボケ防止にもなり、延（ひ）いては長寿につながると思います。

④適度に身体を動かす

2002年（平成14年）の秋頃から、健康のために、早足で歩く運動を始めました。当時は、夏の暑いときと、冬の寒いときを除いて、一週間に一回か二回くらいのペースで、朝か夕方に行っていました。運動を始めたのが、50歳代前半の頃で、まだ若かったから、最初の3、4年間は、少し走ったこともありました。平成24年に、広島から仙台に転勤しましたが、その頃から、少しペースが落ちました。

しかし、郷里に戻ったこの9月ころ（平成29年）から、また歩くことを始め、ペースを元に戻しつつあります。このエッセイを書き始めたときはそうでしたが、12月10日頃から寒くなり、今は、またペースが落ちてしまいました。一回に運動する時間は、相変わらず、1時間から1時間半程度ですが、歩くスピードは、意識して遅くしました。年齢のことを考えて、「早足で歩く運動から適度に身体を動かす」ように質的な変換を図りました。ただし、歩測器の機能（私の脚のこと）を維持するために、ストップウォッチを使って、10分程度は早足で歩いています。

歩く運動を始めてから、広島で10年、仙台で5年、そして郷里に戻って半年が経過しました。ここ半年間は、のどかな田園地帯の中を、比較的ノンビリと歩いているのですが、今までと違った「歩く楽しさ」を感じます。田園地帯が創り出す緑の多い空間、そして、ユックリとした時間の流れが、私に、「歩く楽しさ」を与えてくれているのだと思います。

適度に身体を動かすことによって、脳への血流が増えます。田園地帯であれば、なおさら、新鮮な酸素や養分が脳に送られることになります。これからも、この田舎で、適度に身体を動かすことにより、脳を活性化して、ボケを防止し、長寿につなげたいと思います。

⑤集団の中で孤立しない

私は、どちらかというと、集団の中でうまくやっていくことが苦手なタイプのようです。本を読んだり、新聞や雑誌に連載されるプロ棋士の棋譜(きふ)を並べたり、詰碁(つめ)を解いたりして、一人で何かをしているのが好きです。あまり喋(しゃべ)る方ではないので、そうなのかなとも思いますが、原因は、自分でもよく分かりません。自分の性格で、何となく分かっていることは、特定の数人の仲間ですと何ともないのですが、不特定の多数になった途端に尻込みしてしまうことです。

私だけではなく、世の男性は、誰とでもなじむ能力が低いようです。「男性は人づき合いが悪く、女性は誰とでもなじむ能力が高い」と書かれていた本がありました。そこには、「病室の男性４人の部屋では、いつもカーテンを仕切って、一人ひとりが無言で時間を過ごすことが多いが、女性部屋では、例外なくいつも仕切りのカーテンを開けて、四六時中話をしている。入院中の病室でメンタルの違いをまざまざと見せつけられた」と、書いてありました。私も、肺炎や痔の手術で、入院したことがありました。そのときには、カーテンを仕切って、本を読んだりしていました。ですから、これを読んだときに、一瞬、私のことを書いているのかなと思いました。

私の田舎には、今でも、戦時中の官主導でつくられた「隣組」の名残(なごり)があります。私が幼いころは、「常会(じょうかい)」「寄合(よりあい)」「お日待(ひま)ち」が行われていました。「常会」「寄合」「お日待ち」は、それぞれ意味は違うと思いますが、隣組の人たちが定期的に集まる会合です。今では行われていませんが、今でも続けられていたら、私は、多分、ノイローゼになってしまうと思います。

郷里の田舎に住み始めたわけですから、「集団の中でうまくやっていくことが苦手なタイプ」などと、自身の性格を評価している場合ではありません。誰とでもうまくやっていかなければ、「他の人のために生きる」という目標は実現できません。この「集団の中で孤立しない」課題は、私には、相当な努力が必要だと思います。

「女性は誰とでもなじむ能力が高い」と書かれていましたが、女性の方が男性よりも6.24歳も平均寿命が長いのは、このことに起因しているのでしょうか。これが真実であれば、私のこれからの「集団の中で孤立しない」努力も、長寿につながると思います。

⑥悔やまない

「悔やむ」と同じような言葉に、「反省する」があります。次のA・Bの二つの文は、文としては成立しています。

A. 何がしかの行為・行動をした後で、「ああすれば良かった！ こうすれば良かった！」と反省することはよくあることです。

B. 何がしかの行為・行動をした後で、「ああすれば良かった！ こうすれば良かった！」と悔やむことはよくあることです。

Aの文は、より良い次の行為・行動を導き出すことを前提に、そのときの行為・行動を振り返っています。それに対して、Bの文は、そのときの行為・行動を振り返っているだけです。このように、「反省する」ことと「悔やむ」ことは、決定的に異なります。

次の行為・行動が導き出せないのなら、「反省できない」ことであり、「悔やむ」ことになります。私が、「悔やまない」を課題としてあげたのは、次の行為・行動が容易に導き出せないのなら、早めに結論を出して、「忘れる」、「あきらめる」ということです。いつまでも、悔やんでいると、ストレスが溜まり、寿命を短くしてしまいます。

⑦お金のことを気にしない

65歳になったときから、年金をもらうようになり、今年の6月で会社を辞めるまで、年金と会社からの給料で生活をしていました。7月からは、辞めた会社の仕事を手伝うようになり、収入は少なくなりましたが、それでも今までと同じように、年金と辞めた会社からの収入の両方で生活をしています。まだ、会社からの収入があるので、多分、生活費などの支出より、収入の方が多いように思います。

この先、いつかは、会社の手伝いもできなくなるので、年金だけで生活することになると思います。そのときに、「果たして、年金だけで生活ができるだろうか？」という不安があります。私の身近のほとんどの人は、年金だけの生活になるときに、こんな不安をもっていました。

私には、それほど沢山の貯えはありませんが、あえて、「お金のことを気にしない」ことを課題にしたいと思います。今までの人生の中で、一番大きな買い物は、住宅でした。これからの人生で、これほどの大きな買い物はないと思います。病気になっても、それ相当の保険に入っているので、それほどの心配はありません。ごく僅かですが、貯えもあります。質素で健康的な生活が前提になりますが、これからの人生を、それほど心配することもないと思います。

課題を「質素で健康的な生活をする」としないで、「お金のことを気にしない」としたのは、あれこれと無駄なことを考えて、ストレスを溜めないためです。イチイチ、お金のことを気にしていたら、自分が惨(みじ)めになるし、残りの人生を楽しくすることはできません。万が一、借金を抱えて、この世を去っていくようなことになったら、もう一回この世に生まれてきて、その借金を返します。

⑧直ぐに医者に行く

先日（平成29年11月11日）、久しぶりに磐田市新開にある歯科医院に行きました。歯科医院に行ったのは、冷たいものや熱いものを飲んだり、食べたりしたときに歯が染みて痛みを感じたからです。歯科医から歯周病が進んでいるためだと言われました。元に戻すことはできないが、歯科医での歯の治療と丁寧に歯磨きを行うなどの自助努力によって、歯周病の進行を緩やかにすることはできると言われました。

歯周病が進んでいると言われたときに、「何でもっと早く歯科医院に行かなかったのかな！」と悔やみました。振り返ってみれば、歯科医院通いは人生の中で今回が4度目であり、15年〜20年に1回の頻度でしたから、あらためて、無精な性格の自分をみることができました。

これほどまでに、無精な性格であったので、「もし、『歯の定期検診（歯や歯の周辺のところの健康診断）』が、半ば義務付けられていたら、受けていただろうか？」と自問してみました。ハッキリとは言えませんが、40歳代のころは、仕事が忙しいとか何とか言って、積極的には受診しなかったでしょう。50歳代になってからは、健康に注意するようになったので、それ以降であれば、「歯の定期検診」を受けていたと思います。

通常、目（眼）については、視力検査や眼底検査が行われています。耳については、聴力検査が行われています。○○からの補助を受けて、歯にも、半ば強制的に「歯の定期検診」があってもよいのではないかと思います。癌（がん）などの成人病を予防するのと同じような意味で……。歯科医院の山下巖歯科医師に、歯周病が進んでいると言われてみて、早く歯科医院に行かなかったことを本当に悔やみました。

どのような病気であっても、病気というのは、治すのは自分であると思います。確かに、医者は何らかの手立てを講じてくれます。しかし、そうであっても、治すのは自分です。病気が進行してからでは、治りにくくなります。また、年をとってからでは、治す力が弱くなります。今回、山下歯科医院に行ってみて、医者の早い手立てと自助努力の必要性を痛感しました。

「自助努力」という言葉を使いましたが、私は、この「自助努力」という言葉が好きになれません。それは、この言葉が、「公助を否定」する、また、「公助を放棄」する言葉として使われているからです。「人間は社会的な生き物である」ということを、忘れないで欲しいと思います。しかし、ここでは、歯間ブラシなどを使って丁寧に磨くという、自分自身の意識的な行為ですので、「自助努力」という言葉がピッタリだと思います。

「自助努力」という言葉を出してしまったばかりに、話が少し横道に逸れました。ここで言いたいことは、自助努力は当然ですが、早く医者に行って診てもらうことが長寿のためだということです。

⑨オシャレをする

数年前の夏の暑い日のことでした。作業着を着て、タオルを首に巻いて、カートを引いて、オシャレとは無縁の恰好（かっこう）で、新幹線に乗ろうとしました。乗車券・特急券を買ったときに、切符売り場の駅員さんが、「お客さん、新幹線の改札口はあちらです！」と、改札口の方向を指さして案内してくれました。みすぼらしく、いかにも人から惨（みじ）めに思われる恰好でしたので、駅員さんは親切にしてくれたのだと思います。

これとは反対の、みすぼらしくない、人から惨めに思われない恰好であれば、オシャレというのでしょうか。これは、人からはトヤカク言われないだけで、単なる普通の恰好ですから、これも少し違います。それでは、流行している衣服を身に着けて、派手な恰好をしていれば、どうでしょうか。これも違います。

私が、目標とするのは、「お金をかけないで、よくも、あんなに若々しく、品の良い恰好ができるな！」と、誰もが、羨むようなオシャレです。そのポイントは、垢(あか)抜けていて、「質素さ」「明るさ」「清潔さ」「品格」があることです（「派手さ」は、あると、かえって邪魔）。こんなオシャレをすれば、人からは、実際の年齢よりも若く見て頂けると思います。「若く見えるよ！」なんて言われたら、嬉しくなるし、気持ちが若返ります。気持ちが若くなれば、楽しい人生につながります。

⑩生活にメリハリをつける

会社を辞めて、この７月から辞めた会社の仕事を手伝っているのですが、そのときに、パソコンを買いました。パソコンは、台所、食堂、居間で構成する16畳ほどのワンルームの片隅の、同時に買った机の上に、置いてあります。まさか、自宅にパソコンを入れて仕事をするなんて、思ってもいませんでした。しかし、こうして、エッセイを書き続けることができるので、それ自体は、良かったと思います。

ところが、予期せざる困ったことが起こりました。それは、何の目的もなしにパソコンの前に座っていることが多くなったことです。今までは、社内にて、会社のパソコンを扱っていたので、何らかの目的をもって座っていましたが……。ところが、今回は自宅にて、何の目的もなくパソコンの前に座るので、数分後には、本を読むために食卓の方に移ります。それが飽きると、また、パソコンの前に座ります。そのうちに、喉が渇いてくるので、食卓の方に移ってお茶を飲みます。ヒトという動物が檻（16畳ほどのワンルーム）の中をウロウロしているようです。

自宅に居るときは、こんな調子で過ごすことが多くなってきました。「無意識のうちにパソコンの前に座る」とか、「テレビを見ないけれども、テレビをつけている」などが続くと、惰性で生活することになってしまいます。

パソコンの前に座るなど、個別の行為については、明確な目的をもって、事に当たることにします。その他、全体的には、生活にメリハリをつけるために、次のことを日常化したいと思います。それは、前日に次の日の予定を立てて、朝起きたときにそれを確認して、夜寝る前に、その日の点検をし、さらに次の日の予定を立てることです。これによって、「ダラダラと過ごす老後」に、歯止めを掛けます。

おわりに

私は40歳代の中ごろから、老眼が始まりました。その後、老眼が進み、今では、度が弱い老眼鏡と、度が強い老眼鏡の、それぞれ度の異なる老眼鏡を使用しています。現在は、通常の照明の状態では、新聞や雑誌や本を読むのに、度が強い老眼鏡が必要になります。通常で何かをするときには、度が弱い老眼鏡で十分ですが、そうかといって、裸眼では、相当なものまでボヤケます。キーボードのキーの大きい数字や文字のパソコンを使用しているのですが、相当ボヤケルので、度が弱い老眼鏡は必要です。携帯電話を使用するときでも度が弱い老眼鏡は必要ですので、裸眼でいることの方が少ないと思います。

このように、日常的に使い分けをしているので、度が強い老眼鏡も度が弱い老眼鏡も、通常は私の手元にあります。ところが、どちらか片方の老眼鏡が私の手元から消えることがあります。それも初中終です。さすがに、一度に両方の老眼鏡が私の手元から消えたことはありませんが……。消えた老眼鏡をどこで見付けたか？ というと、洗面台であったり、風呂の脱衣場であったり、食卓であったり、パソコンがある机の上であったり、ひどい時には、乗用車の助手席です。

朝起きて、新聞を読もうとしているときに、度の強い老眼鏡が私の手元から消えていたら、イライラします。ほどなく見付けるのですが、探している最中はイライラが募ります。こんなことが初中終あると、老眼鏡にカラカワレテいるような気がします。老眼鏡が、探している私の方を、コッソリと見ていて、「いつまで、イライラしているんだ！早く見付けろよ！」とカラカッテいるようです。老眼鏡だけではなく、同じようなことが、携帯電話にも言えます。

老後に必要なものは、「『お金』と『健康』である」と、よく言われますが、私にとって、必要なものは、課題としてあげた10項目です。これからは、老眼鏡や携帯電話にカラカワレナイで、「他の人のために生きる！」という目標で、残りの人生を楽しみたいと思います。

久しぶりの歯科医院通い

2018年（平成30年）2月頃記述

はじめに

2017年（平成29年）11月11日に、久しぶりに歯科医院に行きました。歯科医院に行ったのは、冷たいものや熱いものを飲んだり、食べたりしたときに、歯が染みて痛みを感じたからです。私は誕生日が1950年（昭和25年）3月20日ですから、もうすぐ68歳になります。これまでに行ったことがあるのは、3カ所の歯科医院です。最初は、今回行ったときと同じで、生まれ故郷の磐田市（旧磐田郡豊岡村）にある山下歯科医院です。山下歯科医院には、小・中学生の頃に数回通っています。そのときには、現在の山下巌歯科医師のお祖父さんがやっていました。次は、二度目の広島転勤で、その1年目の52歳のときです。このときは、会社の近くの広島市南区のY歯科医院に行きました。さらに、その次は、仙台に転勤した2年目の63歳のときです。このときは、住んでいた近くの仙台市泉区のS歯科医院に行きました。今回、山下歯科医院に行きましたが、歯科医院として全体でみれば、ほぼ5年ぶりです。しかし、山下歯科医院として個別でみれば、何と半世紀ぶりか、それ以上です。

山下歯科医院では、歯周病が進んでいると診断されました。今までに、私が歯科医院に行ったのは、いずれも、歯の痛みなど歯に何らかの異変が起きたときです。歯科医院に行くのは、誰もが、こうして、歯に何らかの異変が起きたときだと思っていました。ところが、今回、私の考えが間違っていたことに気付きました。また、歯に関して、あきれるほどの無知であることを知りました。この無知のために、随分と遠回りをしましたが、今回の歯科医院通いで、むしろ貴重なことを学ぶことができたように思います。その辺りのところを記述します。

歯の役割と私の歯の履歴

人間の大人の歯は、「親知らず」を除くと、上下合わせて28本です。上下・左右が対象になっているので、歯の数は4で割り切れます（28 ÷ 4 = 7）。七番目までの歯の名称と役割を示すと、中心から奥に一番目と二番目の歯が切歯（一番目が中切歯、二番目が側切歯）で、食べ物を噛みきる歯です。三番目の歯が犬歯で食べ物を切り裂く歯です。四番目と五番目の歯が小臼歯（四番目が第一小臼歯、五番目が第二小臼歯）、六番目と七番目の歯が大臼歯（六番目が第一大臼歯、七番目が第二大臼歯）で、臼歯は食べ物を砕く歯です。このうち、六番目の歯は、噛む力が一番強く、噛み合わせの基本となる大切な歯です。大切な歯であるにも関わらず、最も虫歯にもなりやすい歯です。

歯の役割は、第一に、食事のときに、食べ物を噛みきって、細かく砕いて、消化しやすくすることです。これは、身体にとって大切な役割ですが、その他に、「発音を助ける」「表情をつくる」「ものを噛むことで脳に刺激を与える」など、食べ物の消化と直接的に関係のない役割もあるようです。

鏡の前で、懐中電灯を手にして、自分の口の中をのぞいてみると、右下の第一大臼歯と左下の第二小臼歯が失われ（現在の私自身の歯は、下が12本、上が14本の合計26本）、ブリッジ治療がされています。さらに、右上の第一大臼歯には銀色の合金製のものがかぶせられています。これらは、広島に住んでいたときに、治療してもらいました。その一部が剥がれたために、仙台に住んでいたときに、修理してもらいました。傷んでいる歯は、いずれも臼歯であり、砕くことによって食べカスなどの汚れがたまりやすいところです。下の歯の傷みが激しいのは、口の中でも重力が作用していて、汚れが下の方にたまったからだと思います。それとも、下の方の歯をよく磨いていなかったのかな。

実際にも、失われた歯は、右下の第一大臼歯と左下の第二小臼歯ですから、いずれも下の方の歯です。失われた原因が、よく磨いていなかったとすると……。住居に例えて言えば、汚れがたまりやすい床を掃除しないで、汚れがたまり難い天井を掃除していたわけであり、本当に情けない話です。

歯を磨く

◇歯磨きの本来の目的

「歯を磨く」目的を、インターネット等で調べてみると、「①歯ブラシ等を用いて、歯や歯茎についた歯垢（しこう）などの汚れを落とすこと、②歯茎にマッサージを行ったりすること」とされています。さらに、その目的を類概念（一つ上位の次元の概念）で捉えると、「歯周病などの歯の病気を予防すること」になります。歯垢というのは、食べカスの中で、細菌が増殖したもののことです。歯垢がもう少し進み、石灰化して歯に張り付いたものが歯石（しせき）になります。歯や歯茎の汚れを落とさないと、「食べカス（汚れ）→ 歯垢 → 歯石」の順で進行します。

◇私にとっての歯磨きの目的

「歯をミガク」という、この「ミガク」という字は、漢字では、通常「磨く」と書きます。この「ミガク」を『広辞苑』（新村出編、岩波書店）で調べてみると、「磨く（研く）：①こすって、きれいにする」と記述されています。同じような意味の漢字に、「研磨（けんま）」という字があります。これを調べてみると、「研磨：①とぎみがくこと」と記述されています。「磨く」と「研磨」の両者の意味するところは、「こすって、みがいて、つやを出す」というイメージになると思います。

私が「歯をミガク」という行為を教わり、ある程度理解できるようになったのは、もの心がついた５～６歳くらいの頃でしょう。そのときには、母から、「歯をミガク」目的は、「歯をきれいにして、虫歯にならないようにする」ためと教わったように思います。

その後、数年が経過して、「磨く」という漢字を覚えるようになりました。おそらく、小学校の高学年の10～12歳くらいの頃でしょう。そのときに、国語辞典で調べた記憶もありませんが、「歯をミガク」目的が、「こすって、つやを出す」になり、さらに、それが「こすって、歯を白くする」というイメージで、頭の中に定着したように思います。母から教わった「歯をきれいにして、虫歯にならないようにする」目的も、いつの間にか、「こすって、歯を白くする」目的に、収束していったように思います。

「磨く」という漢字を覚えてから、半世紀以上が経過しましたが、この間、ずっと、私の「歯を磨く」目的は、「こすって、歯を白くする」

ことになっていました。本来の目的は、「歯や歯茎についた歯垢などの汚れを落とす」ことですが、これは結果として、そうなるのであって、私にとっては、目的には成り得ませんでした。

「歯磨き」に対しては、この程度の理解でしたから、「丁寧に歯を磨く」とは、どういうことか？ と問われれば、「時間をかけて、こすって、歯を白くする」と答えていたでしょう。また、「しっかりと歯を磨く」とは、どういうことか？ と問われれば、「力強く、こすって、歯を白くする」と答えていたでしょう。

歯についてのあれこれ

歯磨きの頻度(1日当たりの回数)を、インターネットで調べてみると、1日1回の人が20%、1日2回の人が50%、1日3回の人が20%です。1日2回の人が、最も多いようですが、私の歯磨きは、朝起きたときの1日1回です。実をいうと、インターネットで調べる前までは、1日1回の人が80%程度、1日2回の人が20%程度で、1日3回の人は、ほとんどいないと思っていました。つまり、私と同じように、1日1回の人が圧倒的に多く、私は、ごく平均的な普通の人間だと思っていました。

誰もが、そうだと思いますが、朝起きてしばらくは、頭の中、口の中に限らず、身体の全体がモヤモヤして、スッキリしていません。顔を洗って、歯を磨いて、ようやくスッキリした気持ちになります。そして、それから、その日の何らかの行動が始まります。私の歯磨きが、朝の1回になったのは、歯磨き粉を使用して磨くことにより、モヤモヤ感が消えて、「清涼感」(私の頭の中では、この「清涼感」が「清潔感、純白」にまでつながっていました) が得られ、その日の行動のスタートを切ることができたからだと思います。歯磨きが１日１回の人は、誰もが、私と同じように、スッキリ感を得るために、夜ではなく、朝起きたときに磨くと思っていました。このスッキリ感も、ごく平均的な普通の人間がもつ感覚だと思います。

今回、歯科医院に行って、山下歯科医師から「歯磨きは、どの程度ですか？」と問われました。そのときに、私は、「毎日、朝起きたときに３分程度の時間をかけて磨いています」と答えました。その後、歯科医師が、私の口の中を診て、「磨いていない！」と強い口調で言いました。問われたので、こちらの方から、正直に「磨いている」と答えているのに、なぜ、そんなに強い口調で否定するのか？ そのときには理解できませんでした。

日ごろ歯に関しては、何も気にしていない私ですので、歯垢や歯石を取り除くために、歯科医院に行ったという記憶はありません。ですから、歯科医師が、私の口の中を診たときには、歯や歯茎に、相当の歯垢や歯石が付いていたと思います。その日は、昼食後で、歯を磨くとか、口をユスグとかをしない状態で、歯科医院に行ったから、食べカスそのものが残っていたのかも知れません。何しろ、１日に朝１回の歯磨きであり、歯に関しては、かなりの無頓着な部類でしたから。

歯科医院に行く前には、歯を磨くとか、口をユスグのは、確かに常識の範疇であると思います。しかし、歯科医師が「磨いていない！」と、強い口調で言われたのは、このことではないと思います。強い口調で言われたのは、おそらく、「歯磨きの本来の目的を理解しなさいよ！」と言いたかったのでしょう。山下歯科医師が、私の口の中を診た瞬間は、私にとっては、歯に関しての無知さがバレた瞬間でした。

「①甘いものを食べると虫歯になる」とか「②塩で歯を磨くと歯茎が

強くなり、歯が白くなる」とか「③抜けた上の乳歯は床の下に、下の乳歯は屋根の上に、投げれば永久歯が必ず生えてくる」などは、現実的には、否定される部分が多いと思います。しかし、私は、③以外の相当な部分は正しいと思っていました。これほど、歯に関しては、無知でした。

「歯周病が進んでいる」と診断されましたが、これについてもそうです。そもそも、歯周病が何であるか？ ということを理解していません。読んで字のごとく、「歯の周りの病気だろう」ということが、おぼろげながら、頭の片隅にある程度でした。

歯磨きに際しては、前述したように、目的が「こすって、歯を白くする」ためだったので、磨くところも、人から見える、前歯（切歯）の表面に集中していました。52歳まではタバコを吸っていたので、その頃までは、前歯の表面に付くタバコのヤニを気にしていたことが記憶に残っています。こうして、前歯の表面ばかり気にしていたから、歯磨きでは、奥歯（臼歯）と前歯の裏面を疎(おろそ)かにしていました。奥歯は、食べ物を細かく砕いて、消化しやすくする大切な歯であり、最も使用頻度の高い歯です。そのために、そこに汚れもたまりやすくなります。最も大切な歯であり、しかも、磨く必要性が最も高い奥歯を、最も疎かにしていたのです。この原因も、私が歯磨きの目的を、間違って理解していたからです。

きれいなところを掃除して、汚れたところを掃除しなかった？ これも、私には情けない話ですが、他の人にとっては笑い話ですね。落語のネタになりますよ、きっと。

医者（する者）と患者（される者）
…インフォームド・コンセント

病気というのは、どのような病気であっても、治すのは自分であると思います。確かに、医者は何らかの手立てを講じてくれます。しかし、そうであっても、治すのは自分だと思います。「病気を予防する」ということに関しては、なおさら、自分が関わる部分が多くなります。このことは、頭のてっぺんから足のつま先まで、すべての部位について言えると思います。足腰が衰えないように、適度な運動をするとか、糖尿病が進まないように、低カロリーの食事をとることなどは、医者ではなく自分がやることでしょう。

特に歯については、「自分自身が予防をしている！」と捉えやすいのではないかと思います。歯の病気は、歯や歯茎についた汚れが原因となるため、日常的な歯の清掃（歯磨き）が重要になります。逆に言うと、日常的な歯磨きによって、歯周病などの病気に罹らないように、予防しているわけです。この歯磨きは、日常的な「維持・保守・管理」という行為であって、歯科医師がやるのではなく、やるのは自分です。歯磨きは、毎日、自分がやる行為だから、「自分が予防をしている！」と容易に分かるはずですが……。

情けない話ですが、それが分からなかったのです。どうしてか？ と自問してみましたが、それは、歯磨きの目的を「こすって、歯を白くする」と捉えていたためでした。この間違った理解が、歯に関して、私を無知な人間、無頓着な人間にしていたのだと思います。

歯の汚れは、「食べカス（汚れ）→ 歯垢 → 歯石」と進行しますが、歯垢までは、日常的な丁寧な歯磨きによって、ある程度は取り除くことが可能なようです。ところが、歯石まで進むと、歯科医院でなければ、取り除くことは、難しいと言われています。

歯垢や歯石を取り除くためには、歯科医に行かなければならない、ということは知っていました。それでも、歯科医院に行かなかったのは、「歯垢・歯石がたまった？ それがどうした！」という感覚でいたからです。つまり、「食べカス（汚れ）→ 歯垢 → 歯石」の進行が、歯の病気を引き起こす原因となるということが、分かっていなかったのです。これが分かっていないから、歯科医院に行くのは、歯の痛みなど歯に何かの異変が起きたときになってしまったのです。逆にいえば、病気の予防ということが分かっていれば、歯科医院に行ったと思います。

今回、山下歯科医院に行って、歯科衛生士の◎○さんから歯磨きの方法を教わりました。歯を磨く行為は、歯の汚れを落とすためだから、やさしく鉛筆を持つような感じで、力を入れないで磨くということでした。今までのように、力を入れて「こすって、歯を白くする」目的で磨くと、歯や歯茎を傷つけてしまうと注意されました。それと、歯と歯の間の食べカス（汚れ）を落とすために、歯間ブラシの使用を教わりました。今まで、歯間ブラシを使用したことがありませんでしたから。この光景は、まるで、園児か、小学生が「歯磨きの手ほどき」を受けているようだったと思います。

今回、歯科医院に行って、歯磨きの本来の目的を理解していなかったことを反省しました。この年になって、ようやく、その目的が、「こすって、歯を白くする」ことではなく、「①歯の汚れを落とすこと」であり、「②歯周病など、歯の病気を予防すること」であると理解しました。すでに失った２本の歯のことを想うと、もっと早く本来の歯磨きの目的を理解しなかったことが悔やまれます。しかし、ここで、せっかく、教わったわけですから、毎日の本来の歯磨きで、残りの歯が私より先に亡くならないように、大切にしていきたいと思います。

ところで、1990年代に入る頃から「説明責任（アカウンタビリティー accountability)」という言葉が、様ざまなところで使用され、叫ばれるようになりました。これは、「する者」と「される者」を、倫理観に基づいた公正な関係とするために必要とされています。そして、「する者」の側が、「される者」の側に、果たすべき責任として求められています。行政が住民に対して、製造業者が使用者（消費者）に対して、専門家が非専門家に対して、政治家が有権者に対して、納得がいく説明をする責任のことです。

これに対して、医療の分野では、「インフォームド・コンセント（informed consent)」という言葉があります。私は、これを、医療分野での「説明責任」、つまり、「医者（する者)」が、一方向的に「患者（される者)」に対して、納得がいく説明をする責任だと捉えていました。「インフォームド・コンセント」や「説明責任」という言葉が使われ始めたのは、ほとんど同じ頃でしたから、私が勝手に間違って同じ意味で捉えていました。

「CONSENT」を英和辞典で調べれば、「同意する、承諾する」という意味をもっているから、単なる一方向的な「説明責任」だけではないことは、容易に分かったはずですが……。しかし、英語が苦手であり、大嫌いだったから、何も調べようともせず、理解しようともしなかったのです。何しろ、フランス語でも、ドイツ語でも、とにかく、外国語は、私にとっては、すべて英語だと思っているくらいですから。

前述しましたが、病気の治療や予防については、自分が関わる部分が、多かれ少なかれ、あります。歯磨きは、歯の病気の予防であり、自分が関わる最たるものです。私が受けた「手ほどき」は、歯の磨き方（こすり方）ではなく、こうすれば、汚れを落とせるという、歯の汚れの落とし方です。「手ほどき」を受けたそのときには、私も「自分が歯の汚れを落とすことで､病気の予防に関わるんだ！」と思いました。当然ですが、「自分の身体については、医者にすべてを任せてはダメ！自らの関与が大切！」とは思っていました。

「自分も努力して病気の予防に関わるんだ！」ということを意識すると、医者の側から、「双方の合意のもとに、一緒に病気の予防に取り組みましょう！」と言われているように感じました。間違っているかも知れませんが、私にとっては、これこそが、「インフォームド・コンセント」ではないかと思いました。つまり、双方が合意して、双方で病気の治療や予防にあたるということです。これは､「する者（医者)」が、「される者（患者)」に対する、単なる一方向的な「説明責任」とは全然違います。

医者の十分な説明に、その後に自分が関わらなくても、理解して合意すれば、これも「インフォームド・コンセント」の範疇かも知れません。しかし、その後について、「あとは、すべてをお任せします」となれば、本来の「インフォームド・コンセント」とは違うような気がします。患者が「インフォームド・コンセント」を盾にとって、自助努力を放棄しているような気がします。

今回、山下歯科医院に行って、歯磨きの「手ほどき」を受け、「インフォームド・コンセントとは何か？」を考えることができました。そして、間違っているかも知れませんが、自分なりに一定の結論を見い出せたのは収穫です。何よりも、こうして、考える機会を与えて頂いたことに感謝します。

インフォームド・コンセントとの関連で、「説明責任」という言葉にふれました。これを少し書きとどめておくために、話を横ミチに逸(そ)らせます。私は、技術者の端くれ（一応専門家）として、平成29年6月まで、仕事をしてきました（今でも少し関わっていますが）。仕事で、何回か地元への説明会などに行って、実際に説明することがありました。その時には、非専門家（素人）にも分かるような説明を心掛けてきました。また、報告書などの文章にしても、できるだけ分かりやすいものにすることを心掛けてきました。専門家にありがちな「どうせ素人には、分からないから」という傲慢(ごうまん)な態度、また、専門用語を使いすぎて、難しくしている文章は、慎むようにしてきました。

現在の社会をみると、「説明責任」が果たされる社会には、ほど遠いと思います。これは、「される者」の側ではなく、「する者」の側の責任です。それが果たされる社会にするためには、何が不足しているのでしょうか？ 私は、「する者」の「謙虚さ、実直さ」が不足していると思います。それとも……？ これ以上書くと、終わらなくなるので止めます。

私を惑(まど)わしたこと

私は、歯磨きの本来の目的（①歯の汚れを落とすこと、②歯周病など、歯の病気を予防すること）を、この年になって初めて知るほど無知であり、無頓着な人間でした。ここまでの記述で、それが分かって頂けたと思います。ここからは、私をこれほどまでにした原因を考えてみることにします。

その原因には、「塩で歯を磨くと歯茎が強くなり、歯が白くなる」など、迷信じみたことを信じていたこと、また、歯に関しては無関心で、歯科医療の進歩に全くついて行けなかったことがあげられます。職場の中でも、昼食後（昼休み中です）に、歯を磨く社員が多くなってきました。そんな社員を見たら、「仕事の指揮に差し支える！ 歯磨きなんて家でやれ！」と文句を言いたくなるほど、歯科医療の進歩というか、歯磨きの目的が分からない遅れた人間でした。さすがに、それは言いませんでしたが……。いま、こんなことを言ったら、たとえ歯磨きと歯の病気との関係を知らなかったとしても、パワハラで大問題になりますよ。

こうしたことが、私を惑わした原因として考えられますが、何といっても最大の原因は、次の二つのことだと思います。

その二つの原因とは、半世紀以上にわたって、「歯磨剤（現在では、チューブ入りのペースト状のものがほとんどですが、最初は、粉状のものであったので、今でも「歯磨き粉」と呼ぶことが多い）の『宣伝』」と「磨くという『漢字』」に惑わされてきたことです。

まずは、一つ目の「歯磨剤の『宣伝』」の方です。歯磨剤に関しても疎いので、どんなものがあるか？ を見るために、近くのドラッグストアに行ってきました。ごく普通の規模のドラッグストアですが、そこには100種類程度の歯磨剤が置かれていました。それぞれの歯磨剤には、その製品を宣伝する謳い文句がケースに張り付けられています。

見たところ、その謳い文句には、「歯を白くする」「歯周病の予防」「口臭を防止する」「歯茎から出血予防」「虫歯予防」というようなものがあり、全体のイメージとしては、「歯を白くする」という謳い文句のものが多いように思います。製品名として、「ホワイト＆ホワイト」というものがあるほどですから。特殊なものとして、ケースにタバコの絵が張り付けてあって、「タバコのヤニを取り除く」というようなものもありました。私が知りたくて興味があった「汚れを落とす」という謳い文句のものは、ほとんどありませんでした。

どんなに良い歯磨剤でも、それを歯に塗るだけでは、歯の汚れは落ちません。と言うことは、ともともと、汚れを落とすことに関しては、歯磨剤より歯ブラシの方が重要だと思います。そう思うのですが、それにしては、なぜか、テレビなどでは、歯磨剤に比べて、歯ブラシの宣伝が少ないように思います。しかし、ドラックストアに行って見ると、歯ブラシの種類も歯磨剤のそれと負けず劣らずです。ビックリしました。

どちらにしても、歯磨剤に関しては、「歯を白くする」という謳い文句の宣伝が多く、製造業者（メーカー）は、本質的ではないところを競い合っているような気がします。「歯を白くする」って、デマ宣伝とまでは言いませんが、何か違和感を覚えざるを得ません。こんな宣伝が氾濫すれば、惑わされる人が出ても当然だと思います。

ドラッグストアに行って、いろいろな歯磨剤の宣伝文句を比べてみて、皆さんは「何を見て買うのかな！」と感じました。そう言うあなたはどうですか？って。私だって、塩では磨いていませんよ。特に何を見てということはありませんが、あえて言えば、歯磨剤の量は比較的に少なく、値段が比較的に高いものの中から、適当に選んで買っています。「どれも、そんなに変わらないだろう！」と勝手に決めているから、本当に適当です。「値段が高いものって！」どういうこと？　それは、金持ちだからではなく、値段が安いと製品が粗雑に感じるからです。量が多くて、値段が安かったら、「エッ！」と思うでしょ。

一つ目の「歯磨剤の『宣伝』」文句に関しては、それぞれのメーカーの問題ですから、これ以上、とやかく言うのは止めます。しかし、二つ目の「磨くという『漢字』」に関しては、言いたいことがあります。いったい、歯ブラシで、「歯の周辺の汚れを落とす」行為を、なぜ「磨く」という漢字で表現したのでしょうか？　漢字に関しては、これが私を惑わした元凶（げんきょう）中の元凶ですから、納得ができません。しかし、私が、ここで頑張っても、どうにもなりません。そこで、私からは、次の提案です。

「歯を磨く」行為を、動名詞として使うなら、「歯磨（しま）」「歯磨き（はみが）」を「歯掃（しそう）」に改め、動詞として使うなら、「歯を磨く」を「歯を掃除する」に改めたらどうでしょうか。また、「歯磨き粉、歯磨剤」を「歯掃剤」に改めたらどうでしょうか。これだったら、「磨く」ことより、「掃除」することの大切さが分かると思います。また、「①歯の汚れを落とすこと、②歯周病など歯の病気を予防すること」の重要性が理解できると思います。そして、私も惑わされなかったと思います。「歯掃剤コーナー」の看板を作って、ドラッグストアに行き、「歯磨き剤コーナー」の看板と掛け替えましょうか？

おわりに

「インフォームド・コンセント（informed consent）」のことを話しました。「医者の『説明』」と「患者の『同意（もちろん同意できないこともある）』」のことです。これからは、まずは病院に行って、医者の説明を受けて同意し、そして、予防、治療ために自助努力を傾注したいと思います。これは、歯に関することだけではなく、頭のてっぺんから足のつま先まで、すべての部位についてです。

私の父は、1917年（大正6年）生まれであり、満97歳になる10日前に、他界しました。父と同居していなかったので、正確な年代は分かりませんが、父が総入れ歯になったのは、80歳代の後半の頃だと思います。父が生きた時代は、貧しい時代で、医学の進歩も今と比べると、圧倒的に遅れていました。また、父も歯に関しては、比較的に無関心な方だったと思いますが、それでも、80歳代後半まで自分の歯で頑張りました。

他の人よりも少し遅かったと思いますが、今回の歯科医通いで、日常の「歯磨き（歯掃）」という自分の行為が、病気を予防し、歯の寿命を延ばしていることを知りました。そして、身体のことだけではなく、何に関しても、日常的な「維持・保守・管理」が、長寿命化につながっていることを学びました。こうして学んだことで、「私という個体の寿命」も「歯という部位の寿命」も、父を超えることができると思います。

歯の大切さを教えて頂いた山下巌歯科医師、歯磨きの方法を教えて頂いた歯科衛生士の◎○さん、そして、それから3年余り後に、私自身の丁寧な歯磨きを褒めて頂いた歯科衛生士の○◎さんに感謝致します。これだけでなく、この表題でエッセイを書くきっかけを作って頂いたことにも感謝です。ありがとうございました。

ツバメって、どういう鳥？

2019年（令和元年）6月頃記

はじめに

ツバメは、人が住む民家の軒（庇）下などに、巣をつくることで知られています。静岡県磐田市上野部の我が家では、ツバメが、毎年4月から5月頃にかけて、1、2個の巣をつくっていました。昨年までの我が家でつくった巣を見ると、ツバメは家の外壁から少し突き出た窓枠を土台にしてつくっていました。ところが、今年（2019年＝平成31年・令和元年）は、とんでもないところに巣をつくりました。

我が家の玄関には、60ワットの電球を使ったポーチ灯があり、このポーチ灯は、直径20㎝程度の半球形のガラス製のカバーで覆われています。とんでもないところとは、この半球形のポーチ灯カバーの上のことです。こんな場所に、通常は、あまり見かけない円柱形の巣をつくったことに驚きました。そして、もう一つ驚いたことは、実働わずか14時間ほどで、この円柱形の巣をつくり上げたことです。

これらがきっかけとなって、「ツバメの生態」、特に「ツバメの巣づくり」に興味をもちました。そして、いろいろと調べていくうちに、面白くなり、久しぶりに、エッセイにしてみようという気になりました。

それが、このエッセイです。この前のエッセイは、2018年10月ころの「人間って何者？　その2：道具をつくった生き物」（p.146参照）でしたので、もう半年以上も期間が開いていました。久しぶりに、エッセイを書くきっかけを与えてくれたツバメに感謝します。

ポーチ灯カバーに巣をつくるまでの経過

まず初めに、ツバメの巣づくりについて、簡単に説明します。ツバメの巣は、枯草（かれくさ）混じりの泥を、唾液（だえき）で固めることによってつくられます。ツバメが巣の土台にするのは、通常は、窓枠のように民家の外壁から少し突き出た部分です。ツバメは、枯草混じりの泥を、クチバシにくわえて運んできて、土台とするところに、最初に泥を置きます。次は、最初に置いた泥の上に止まって、運んできた泥を置きます。こうして、枯草混じりの泥を、段階的に積み上げることによって、巣を完成させます。

今住んでいる我が家は、1999年（平成11年）の春に建て替えたので、今年（2019年＝令和元年）でちょうど20年になります。建て替えた当初から、毎年、2階の窓枠を土台にして1、2個の巣をつくっていました。その当時から、ツバメは、2階の窓枠だけではなく、玄関にも巣をつくろうと挑戦しました。

ツバメが巣づくりに挑戦した場所は、玄関の扉枠の上です。扉枠は外壁から2.5cmほど突き出ていて、しかも、横方向には90cm程度の十分な長さがあるので、扉枠の突き出た部分を巣の土台とするには、問題がありません。しかし、問題となるのは、扉枠の上端から軒（庇）天井までの距離（縦方向の空間）が7～8㎝程度しかないことです。

縦方向の空間が７～８cmでは、巣をつくることが困難になります。

ツバメの背丈（せたけ）は、普通に止まった状態では６～７cmであり、脚の関節を曲げて前かがみの状態では３～４cm程度です。天井までの縦方向の空間が７～８cm程度あれば、最初は扉枠の上に止まって、枯草混じりの泥を、足もとに置くことができます。しかし、巣が少しできて、泥の壁が積み上がり、ある程度の高さになると、天井までの空間が狭くなるため、ツバメは、積み上げた巣（泥）の上に止まって、泥を置くことができません。

そのため、クチバシにくわえた泥を、パタパタと羽ばたきながら、空中に留まって、置くか、それとも、積み上げている巣（泥）の側面に、足でしがみ付いて置くか、のどちらかです。こうした困難な作業では、運んでくる泥のうち、その殆どを下にこぼしてしまいます。

ツバメは、巣をつくっても、使用しないで、放置しておくことが、シバシバあります。巣づくりを途中であきらめたのか、それとも、不良品だから使用しないのかは、当人（当のツバメ）に聞いてみないと、分かりません。我が家の玄関での巣づくりは、ツバメにとっては、困難な作業でしたので、その多くは不良品になり、使用しない巣になったと思います。使用しない巣づくりの作業は、ツバメにとっては大変なことかも知れませんが、住人にとってみれば、泥や枯草や糞で、ただ単に玄関を汚すだけの作業です。

まだ、私の父が生きているときのことでしたが、ツバメが玄関を汚さないように、そして、巣づくりが容易になるようにと、父は、玄関の上に、平らな木の板で、巣づくりの場所を提供したようです。しかし、ツバメは、父の好意を無視して、相変わらず７～８cm の空間に巣をつくろうとして、玄関を汚しました。こんなことがあってか、「玄関での巣づくりは無理だ！」ということを、ツバメに分かってもらうために、今度は、父は、扉枠と庇天井までの７～8㎝の空間に木の破片を詰めました。

このとき、完全に塞いだわけではなく、ツバメが止まるだけのチョットした隙間（2㎝程度）は残っていました。しかし、このことによって、玄関での巣づくりの困難性をツバメにも分かって頂いたようでした。その証拠に、ツバメは、このチョットした隙間への巣づくりの挑戦を、直ぐにあきらめていました。

今年も、また、ツバメの挑戦が始まりました。今年も例年通り、チョットした隙間に巣をつくろうとしたのですが、今年の挑戦は、かつて無かったほど執拗なものでした。そして、かつて無かったほど玄関を汚しました。私は、ツバメの執拗な玄関汚しに対抗するために、その2㎝程度の隙間も、塞いでしまって、ツバメが止まる余地をも無くしました。

すると、今度は、前述したように、玄関のポーチ灯カバーの上に、巣をつくり始めたのです。「どうせ、こんなところには、巣はつくれないだろう」と思って、３日間ほどは、ツバメの行為を黙認していました。しかし、３日間ほどが経過すると、巣（泥）の高さが２～３㎝となり、「巣づくりのツバメの本気度、玄関汚しのツバメの本気度」が見えてきました。

巣が完成してからでは、ツバメへの虐待になってしまうと思って、灯カバーをはずして、ツバメが積み上げた泥を、洗い落とすようにしました。水道水で洗い、布でふき取って、それを元に戻そうとしたところ、泥をくわえた２羽のツバメが少し怒ったような目で、ジッと私をにらんでいるのです。２羽のツバメと、灯カバーを持った私との距離は、3ｍ程度と異常な近さでしたので、ツバメの表情が、何となく見てとれました。

灯カバーを洗って元に戻したのは、5月8日の午前11時ころです。私はその日の午後から用事があり、自宅を留守にしました。夜遅くに帰宅しましたが、ツバメの巣のことなど、特に気にすることもなく、その日は過ぎました。次の日（5月9日）、朝起きてからも、特に気にすることなく、朝食を終え、洗濯を終えました。一段落してから、玄関を出て、灯カバーの上を見ました。時刻は午前10時でした。なんと、ツバメは、外径（外回りの直径）15cm弱、高さ8cm程度の円柱形の巣を完成させていたのです。この間は、23時間ですが、ツバメは、夜（19時頃～翌朝4時頃）は活動しませんので、実働は14時間ほどです。

短期間でつくったこの巣を見て、驚いたことは、巣の色が真っ黒であったことです。巣の材料となっている土は、水分や有機物を多く含んでいると黒色になります。有機物は相当ゆっくりですが、水分は日ごとに判るほどに減少し、巣の色は、次第に黒灰色～灰色に変わっていきます。真っ黒な色ということは、それだけ「新鮮」であることを表しています。「真っ黒」「灯カバーの上」「円柱形の巣」などを合わせて考えると、異様性を感じないわけにはいきませんでした。

それにしても、なぜ、ツバメは、巣づくりを急いだのでしょうか。ツバメは、最初の巣づくりでは3日間ほどで、巣の3分の1～4分の1程度しか、つくりませんでした。ツバメは、通常では1～2週間かけて一つの巣をつくるようですから、通常のペースです。それが、灯カバーを洗って、私が「ここに、巣をつくらないで！」と忠告してからは、実働14時間で完成させてしまったのです。

以上が、ツバメがポーチ灯カバーの上に巣をつくった経緯です。巣をつくってからは、ツバメを気づかう毎日が始まりました。それ以来、ポーチ灯はつけていません。また、家への出入りは、玄関からではなく、裏口からになりました。

ツバメの巣

まず初めに、ツバメにとっての「巣」とは何か、を考えてみます。ツバメだけではなく、地球上に、生存している、あらゆる生き物は、生存活動と生殖活動を行っています。これは、絶滅してしまった生き物も、これから生存するであろう新しい生き物も同じです。生存活動とは、自らが生き続ける活動のことであり、生殖活動とは、その種を絶滅させないように、次世代をつくり育てる活動のことです。

次世代をつくり育てる活動の内容は、ツバメの場合でいえば、「産卵」「抱卵」「ヒナが巣立つまでの養育（育雛（いくすう））」です。ツバメは一回に3～7個（平均5個）の卵を産み、主にメスが13～17日間程度抱卵し（オスも抱卵する）、その後の巣内での20～24日間程度の育雛を経て巣立っていきます。この次世代をつくり育てる「産卵」「抱卵」「育雛」の場所が「巣」ということです。

そもそも、ツバメは、どのようなところに、巣をつくるでしょうか。ツバメは、必ず、人間の身長よりは高い場所につくります。また、小さな体を活かして、チョットした隙間や空間などの狭い場所に巣をつくります。ツバメの最大の天敵はカラスですので、カラスの進入を許すような広い空間には巣をつくりません。そんなところで、ツバメが卵を産めば、すぐにカラスの餌食になってしまいます。広い空間とは、ツバメの巣の上端に、カラスが止まることができるような空間のことです。

エッセイを書き始めてから１ケ月間ほど、「健康のための早足の散歩」のついでに、意識してツバメの巣を見て回りましたが、巣の上端と軒（庇）天井までの距離（縦方向の空間）は、3、4㎝～10㎝が多く、最大でも20㎝程度でした。30㎝以上あるようなところには、巣をつくってはいませんでした。「よくも、あんな狭い空間に！」というのが、最初に見たツバメの巣の感想です。あらゆるツバメの個体は、「カラスが進入するような広い空間には巣をつくるな！」ということを、親からDNA（遺伝子情報）として引き継いでいるのだと思います。

「散歩」のついでに見たツバメの巣の数は100個以上ですが、巣の形状は、「半お椀形の巣」と「半逆円錐形の巣」の二つのタイプでした。「半お椀形の巣」とは、お椀を縦に半分に切って、家の外壁にはり付けたような形の巣です。また、「半逆円錐形の巣」とは、円錐形の帽子（三角帽子）を縦に半分にし、上下を反対にして外壁にはりつけたような形の巣です。この二つが外壁を利用した標準的なタイプの巣であり、我が家の玄関につくった「円柱形の巣」は、特殊なタイプであることが分かりました。

私が見た二つの標準タイプの巣に限って言えば、巣の上端部の半円の大きさは、外径（半円の巣の外回りの直径）が12、13㎝～17、18㎝程度であり、巣の高さ（地上からの高さではなく、巣の構造体の高さのこと）は5～17、18㎝程度でした。巣の半円の大きさについては、バラツキが少ないのに、巣の高さについては、バラツキが大きいことが分かりました。5～17、18㎝程度ですからバラツキは３倍以上です。

ツバメが巣の土台にするのは、外壁から突き出た部分ですが、この突き出た部分の大きさによって、巣の形状や巣の高さが決まります。

土台とするものが窓枠のようなものであれば、外壁から突き出た部分はわずかでも、横方向の長さが十分であるため、細長い面が土台となり、「お椀形の巣」をつくることができます。一方、打ち込んである釘(くぎ)の頭部や電気・アンテナの引き込み線などのように、突き出し部も、横方向の長さも十分でない、小さな点を土台とする場合には、「半逆円錐形の巣」となってしまいます。こうして、ツバメがつくる巣の形状は、土台とするものの違いによって決まっているのが分かりました。

巣の大きさ（広さ）はどうでしょうか。お椀形の巣になる場合には、泥の積み上げ高さ（巣の高さ）が10㎝未満でも、所定の円（半円）の外径（12、13㎝～17、18㎝）を確保できます。しかし、円錐形の巣になる場合には、泥を15cm以上積み上げないと、所定の円の外径にはなりません。つまり、ツバメは、所定の巣の大きさ（広さ）を確保しようとして、泥を積み上げるわけです。こうして、5～17、18㎝の巣の高さのバラツキも、結局は、土台とするものの違いであることが分かりました。

以上が、ツバメの巣を見て分かったことです。そこで、今度は、「ツバメの巣とは、どのようにあるべきか？」を、ツバメに代わって考えてみました。

「産卵」「抱卵」「育雛」の巣の役割からすると、「巣」の広さは、最大7個の卵が重なり合わない広さが必要です。そして、ヒナになっても7羽のヒナたちが重なり合わない広さでなければなりません。巣の深さ方向では、深すぎると、抱卵するとき、また、親鳥が巣の上に止まって、ヒナにエサを与えるときなどに不便になるでしょう。浅すぎると、親鳥の不注意による卵の落下、また、ヒナがひしめき合っての落下などが心配になります。

このように考えると、外から見る形状が、たとえお椀形の巣であっても、円錐形の巣であっても、巣の中は、相当浅いものになっていると想定できます。具体的には、巣の内部の広さについては、半円の直径は 10 ～ 15cm 程度になるでしょう。巣の内部の深さ（内高）は 3 ～ 4cm 程度になるでしょう。

ツバメに代わって、私が評価する「ツバメの理想的な巣」を示します。それは、構造的には、内部の半円の直径は 10 ～ 15cm 程度、深さ（内高）は 3 ～ 4cm 程度、そして、カラスの進入を防止し、巣の上端と軒（庇）天井までの距離（縦方向の空間）を 20cm 程度以下とした巣です。こうして、勝手に、ツバメの巣に関することを、いろいろと考えていると、ツバメの巣の中までが見えるようになってきました。

ツバメって、どういう鳥？

ツバメは、「動物界―脊椎動物門―鳥綱―スズメ目―ツバメ科―ツバメ属―ツバメ種」に分類され、スズメは、「動物界―脊椎動物門―鳥綱―スズメ目―スズメ科―スズメ属―スズメ種」に分類されています。「スズメ目」まで同じということは、ツバメは、スズメから進化したものと見ることができます。勘違いをしてもらっては困りますが、ツバメが進化して、スズメは進化しなかったということではありません。ツバメが分かれていく、そのときのスズメと、今のスズメとは同じではありません。地球上に現存する全ての生き物は、進化の最先端に立っています。

「ツバメとは、どういう鳥か？」を考える場合に、私自身が重視していることは、「スズメと、何が違うか？」を調べることです。人間（ホモ・

サピエンス種）の場合ですと、「サルやチンパンジーやゴリラと、何が違うか？」を調べることです。

前述しましたが、あらゆる生き物は、自らが生き続ける活動と、次世代をつくり育てる活動を行っています。これらの活動（生存競争）を有利にするために進化が起こります。鳥類の基本的な活動であり、しかも、進化の原因になっている「巣づくりの方法」「エサ取りの方法」「飛行の方法」に着目して、ツバメとスズメの違いを見ることにします。この三つを調べることによって、「なぜ、ツバメはスズメから別れたか？（進化したか？）」のなぞが解けると思います。

◇巣づくりの方法

ツバメもスズメも、小さな体を活かして、チョットした隙間などの非常に狭い場所に巣をつくります。スズメは、人目に付かない屋根の下やチョットした隙間、穴などの非常に狭い場所につくります。ツバメは、どちらかというと、人通りの多いところ、人目に付くところに巣をつくります。人通りの多いところ、人目に付くところは、人間にとっても快適な環境となるため、居心地の良い家であることを証明していると言えます。こうして、「ツバメが巣をつくると、縁起が良い」「ツバメが巣をつくると、その家は繁栄する」などの迷信がつくられたようです。迷信は別としても、人通りの多いところ、人の目につくところの巣は、天敵に襲われる可能性が低いと思います。

スズメは、主に狭くて平(ひら)たいところに、ワラや枯草や葉などを敷き詰めて、浅いお椀形の巣をつくります。ツバメは、枯草混じりの泥を積み上げることによって、多くは、民家の外壁を利用して巣をつくります。スズメは、平たいところでピョンピョンと跳ねながら巣をつくります。ツバメの巣づくりでは、パタパタと羽ばたきながら、空中に留まって、枯草混じりの泥を置かざるを得ない場合もあります。巣づくりの面からいうと、ツバメの巣づくりの方が、スズメの巣づくりより困難であると思います。

ツバメやスズメの天敵は、哺乳類のイタチや猫など、鳥類のモズ・カラス・猛禽類など、爬虫(はちゅう)類のヘビなどです。哺乳類や爬虫類などの動物が、あんなに高いところあるツバメの巣を襲うとは考えられません。ですから、天敵に襲われるリスクの面からいうと、スズメの巣の方がツバメの巣よりも大きいと思います。これらのことから、ツバメは、天敵に襲われるリスクを回避するために、困難な巣づくりに挑戦したと想定されます。それでは、なぜ、ツバメは、そのリスクを回避しようとしたのでしょうか。

ここで、ツバメとスズメの抱卵日数、育雛日数などの巣の利用状況を考えてみます。まず、抱卵日数をツバメとスズメについて比較すると、ツバメの方がスズメより1.2～1.3倍（ツバメの抱卵日数13～17日間、スズメの抱卵日数10～14日間）ほど長いことが分かります。また、育雛日数については、1.3～1.4倍（スズメの育雛日数14～18日間、ツバメの育雛日数20～24日間）ほど長いことが分かります。

ツバメの方が、スズメより、巣の利用期間が長いので、それだけ天敵に襲われる危険性が高いわけです。ですから、スズメと同じような巣をつくっていたら、ツバメは生存競争に負けて絶滅してしまいます。こうして、ツバメは、たとえ、巣づくりが困難でも、「天敵に襲われない巣づくり」に、特化させた活動を行うようになり、スズメから別れて進化したものと想定できます。

一方、スズメはどのように進化したのでしょうか。スズメの平均産卵数は６個（４～８個の平均）であり、ツバメの５個（３～７個）より多いことが分かっています。このことから、スズメは、多少は天敵に襲われても、個体数を多くして、生存競争を勝ち抜くために、巣づくりに労力をかけないように進化したのだと思います。

◇エサ取りの方法

ツバメの主食は、ハエ・ハチ・アブ・羽アリ・カゲロウなどの飛んでいる昆虫です。鳥類の多くは、枝の上や地面で歩きながらエサを探します。スズメの食性は雑食性で、イネ科を中心とした植物の種子や虫を食べます。また、都市部に生息するスズメは、パン屑・菓子屑や生ごみまで、何でも食料にします。これに対して、ツバメはほとんどの時間、空を飛びながら虫を追いかけて、それを食べます。ツバメは、滅多に地面に降りることすらしません。

今から、数千万年前の、まだ、スズメからツバメなどに別れる前のことです。その時代に、スズメの個体数が増えたとか、エサとなる植物の種子が不足したとか、食糧が相対的に不足する異変があったと思います。それが原因となって、当時のスズメは生き残るための工夫を余儀なくされました。そして、当時のスズメの中から、植物の種子をエサにするのを止めて、飛んでいる昆虫などに特化させた集団が現れました。その集団が、スズメから別れて、進化してツバメになったものと想定できます。飛行方法をスズメと比較して見ると、ツバメは、飛んでいる昆虫を採るために、急発進、急ブレーキ、急カーブが得意になったのが分かります。

◇飛行の方法

ツバメで、よく見かけるのは、パタパタと羽ばたきながら、空中の定位置に留まって、意図する行為をとることです。この「羽ばたきながら、空中の定位置に留まる」行為は、飛ぶことに特化しているツバメの得意技ではないかと思います。人間が一輪車に乗って定位置に留まることを、一輪車の「アイドリング」と言います。ですから、ツバメが「羽ばたきながら、空中の定位置に留まる行為」を、ツバメの「アイドリング」と呼ぶようにします。ツバメは「巣に向かって飛んできて、急ブレーキをかけ、狭い場所で、どこにも衝突しないで、羽ばたきながら、空中の定位置に留まる」飛び方をします。ツバメの「アイドリング」の光景を見ると、何とも言えない「親しみ」を感じます。

ツバメは、渡り鳥であり、日本で繁殖するツバメの主な越冬先は、台湾、フィリピン、ボルネオ島北部、マレー半島、ジャワ島などです。一方、スズメは、渡り鳥ではなく、留鳥(りゅうちょう)です。ツバメも最初は、留鳥でした。それが、なぜ、渡り鳥になったかというと、冬になると、日本では、ツバメのエサとなる昆虫が不足したため、冬のエサを求めて渡り鳥に進化したものと思います。

渡り鳥は、長期間の飛行が必要です。長期間、始終羽ばたいて飛べば、体力が消耗してしまいます。そこで、ツバメは、体力を節約するために、グライダーのように滑空して飛行することを覚えました。こうして、ツバメは「アイドリング」も得意ですが、グライダー飛行も得意になったのです。

ツバメがスズメと違う体形は、翼が長く大きいこと、そして、体全体がスリムであることです。ツバメは、長距離、短距離の如何を問わず、とにかく、飛行にピッタリした体系です。いま、我が家には、毎日 20、30 羽を超えるツバメやスズメがやってきます。彼ら、彼女らの体形や飛び方を見ていると、生存活動を有利にするために、ツバメは、飛ぶことに特化して、スズメから分かれて進化してきたものと考えます。

ここまで勝手に、「ツバメの進化のなぞ」を解いてきました。「本当か？」と問われても、「私は、このように思う！」としか答えられませんが……。確かなことは、「進化とは、種の保存のための工夫である＝種が絶滅しないための工夫である」ということです。

その後

ツバメが灯カバーの上に巣を完成させた５月９日（木）の午前 10 時以降、巣の中の様子が気になっていましたが、何の確認もできないままでいました。巣の中を、覗いたり、あれこれしたりで、ツバメにプレッシャーを掛けるわけにもいかなかったからです。私の家の玄関口は、宅地面より少し高くなっていますが、玄関口に上ることさえ控えていました。玄関口に上らなくとも、私の身長（1.60 m）であれば、3.0 m弱の水平距離で、目線を 1.0 mほど上げるだけで、ツバメの巣を斜め下から観察することができます。

ツバメが巣を完成させてから、27 日が経過し、6 月 5 日（水）になって、ようやく巣の中のヒナＡ（ヒナＡと名付けます）を確認することができました。4、5 日前から、親鳥が抱卵することが少なくなり、巣の上に止まって、中を覗くことが多くなってきたので、もしかしたら、「ヒナに孵ったのかな！」とは思っていました。そして、6 月 7 日にヒナＢを、さらに、6 月 9 日にヒナＣを確認することができました。孵ったばかりのヒナの成長は早いもので、ヒナＣを確認した頃には、ヒナＡとヒナＢの区別ができないほどになっていました。４～５羽のヒナを期待していたのですが、結局のところ、ヒナに孵ったのは、ヒナＡ、Ｂ、Ｃの３羽でした。

ヒナＡに孵った日を推定すると、確認した６月５日から４、５日間を遡り、５月31日、または、６月１日になります。さらに、ツバメの抱卵期間を13～17日間として遡ると、排卵日は５月14、15日～18、19日であったと推定されます。巣を完成させたのが５月９日であり、その後、ツバメは巣に寄り付かず、私に「この巣を本当に使う気があるのだろうか？」と思わせた時期が、１週間程度はありました。ですから、排卵日を５月14、15日～18、19日とすることは妥当だと思います。

最初にヒナを見た感想ですが、クチバシが大きく、顔の半分以上が黄色のクチバシであることが印象的でした。丸くて大きく、軟らかな黄色いクチバシは、鳥類のヒナの特徴ではないかと思います。このクチバシは、親鳥が運んでくるエサを、受け取りやすくしているのだと思います。親鳥が、エサを運んでくると、ヒナたちは、背伸びをして、一斉に口を開けてエサを受け取ろうとしますが、このときなどは、顔全体がクチバシになっています。

ヒナになってから、親子（親、ヒナ）そろって、玄関を汚す毎日が始まりました。巣づくりのときには、ほとんど玄関を汚さなかったので、安心していましたが……。しかし、不思議なもので、ヒナの成長を見ていると、いくら汚しても、気にならなくなりました。それよりも、ヒナたちに、無事に巣立って行ってもらうことを願うようになってきました。

数日が経過した６月19日（水）に、ヒナ（ヒナＡかな？）が、巣の中で、パタパタと「羽ばたき」の練習をしているのを見ました。ヒナたちを改めて見ると、あの軟らかな黄色いクチバシも、少し黄色味を残しながらも尖ったクチバシになって、羽の色も灰色から黒色に替わっていました。体格も親鳥と見分けがつかないほどになっており、親鳥と少し違っているのは、ヒナの胸の肌毛の色が、親鳥のように白色ではなく、ごく薄い灰色であったことでした。

次の日の6月20日（木）には、今度は、ヒナ（これもヒナAかな？）が、巣立ちの訓練をするのを見ました。いつものように、洗濯を終え、一段落してから、裏口を出て玄関の方に回ったところ、2羽の親鳥が、ポーチ灯の上の巣と玄関先の庭（このときに、庭＝地上に降りているツバメの姿を初めて見ました）を、何度も往復していました。親鳥が巣の方に向かうたびに、2羽のヒナ（多分、ヒナBとヒナC）は、大きく口を開けるのですが、ヒナAは口を開けません。「どうしたのだろう？」と思っていたところ、ヒナAが立ち上がって、巣の上に止まり、羽ばたきを始めました。それからも、2羽の親鳥が巣と庭を往復して、ヒナAの巣立ちを促していましたが、そのうちにヒナAは飛び立ちました。その後、1時間も経過しないうちに巣を見に行ったところ、巣の中にはヒナ3羽がそろっていました。やはり、ヒナAの巣立ちの訓練でした。

しかし、21日の朝には、巣の中には、ヒナB、ヒナCの2羽しか見られませんでした。ヒナAは、どうなったか？と言うと、日中はほとんど巣にいなくて、夕方に帰宅（帰巣）しました。もうヒナではなく、若鳥としての立派な巣立ちです。そして、22日にはヒナBが、23日にはヒナCが、ヒナAの後に続きました。こうして、玄関を汚したヒナたちは、全員、無事に若鳥となって巣立っていきました。

新たな疑問

このエッセイを書き始めたのは、ツバメが灯カバーの上に巣を完成させて（5月9日）から、1週間ほどが経過した5月中旬のころです。この間、我が家にてツバメの様子を観察したり、「散歩」のついでに、ツバメの巣を見て回ったりもしてきました。少しの期間でしたが、ツバメの飛び方やツバメの巣などをみて、「ツバメの生態」や「理想的な巣」が、おぼろげながら分かってきた気がします。しかし、その反面、二つの疑問が、新たに出てきました。

疑問の一つ目は、先に記述したように、我が家の玄関の灯カバーの上に、「実働わずか14時間ほどで、巣をつくり上げた」というなぞです。通常では、ツバメは1～2週間かけて巣をつくるのに……。当初は、巣づくりを急いだのは、「産卵が間近であったためではないか？」と思っていました。しかし、「産卵が間近であった」ことを理由にするには、納得ができません。5月9日に巣を完成させてから、排卵日（5月14、15日～18、19日）までには、5～9日の期間があるからです。とすると、いったい本当のところは、どうなのでしょうか。灯カバーを洗って、「ここに、巣をつくらないで！」とツバメに忠告したところ、ツバメが反発して、ムキになって巣をつくったと思います。とすると、「『忠告』→『反発』→『ムキになる』」という因果関係を示す図式が浮かびます。

二つ目の疑問は、私の父が、ツバメのためにと思って、つくった「人工物の木の板の上に、巣をつくらなかった」ということです。スズメのように、ツバメが、木の枝に止まったり、地面の上をピョンピョンと跳ねているのを見たことがありません。ツバメが止まるのは、ほとんどは電線、屋根、物干し竿の上など、人間がつくったもの（人工物）の上です。ツバメが巣をつくるのも同様であり、人工物の上です。とすると、私の父がツバメのためにと思ってつくった、人工物の木の板の上に、なぜ巣をつくらなかったのでしょうか。「ここに、巣をつくったらどうか！」とツバメに提案したところ、ツバメが反発して、意固地になって巣をつくらなかったと思います。とすると、「『提案』→『反発』→『意固地になる』」という因果関係を示す図式が浮かびます。因みに、スズメは、人間が巣箱を用意すれば、そこに巣をつくります。

ここで、二つの因果関係を示す図式を並べます。

一つ目の図式……『忠告』→『反発』→『ムキになる（巣をつくった）』
二つ目の図式……『提案』→『反発』→『意固地になる（巣をつくらなかった）』

この二つ因果関係を示す図式から、疑問を解けば、ツバメは「人間が言うこと、為すことに対して、反発する性質をもっている」ということになります。この「反発心」は、人間（ホモ・サピエンス種）の個性のように、ある特定の個人の性質ではなく、ツバメ種としての（類としての）性質、つまり、ツバメ全員がもっている性質だと思います。

おわりに

我が家の近辺ですが、半径100 mくらいの範囲に、だいたい20軒くらいの民家があります。全部を調べたわけではありませんが、1軒に2個程度のツバメの巣があります。すると、相当数のツバメが生息していることになります。朝夕は、ツバメは忙しく活動しますので、家の外に出て、視線を少し上げると、いつでも20～30羽くらいのツバメの飛んでいる姿が目に入ります。

先日、こんなことがありました。我が家の前の電線に2羽のツバメが止まっていて、そこに、1羽のカラスが現れ、2羽のツバメから3m程度離れたところの電線に止まりました。カラスは何をするために現れたのだろうかと思っていたら、直ぐに、20～30羽程度のツバメたちがカラスを囲むように集まって、電線に止まりました。その後、無言のまま2～3分が経過したでしょうか。すると、集まったツバメたちは、最初にいた2羽のツバメを連れて、40～50m離れたところの電線へ誘導しました。それから、しばらくして、カラスがどこかに飛び去ったのを確認し、ツバメたちは解散しました。ツバメの集団（ツバメ種）の結束力を感じた一瞬でした。そう言えば、コンゴの森からサバンナの草原に移るころのヒトの集団も、猛獣から身を守るために、結束力は強かったと思います。

最後に一言です。ツバメには、この「結束力」と、先に記述した「反発心」を活かして、数千万年後には、カラスを捕食するくらいの進化を遂げることを期待します。ここで、「ツバメって、どういう鳥？」のエッセイを終る予定でしたが、ヒナと巣のその後についてを記述して終わりにします。

ヒナCが巣立ってから、一週間ほどは、3羽とも、朝早くから巣を出て、夕方の遅くに巣に戻る毎日が続きました。つまり、一週間ほどは、この巣を棲み処にしていたわけです。しかし、それが過ぎると、ほとんど姿さえ見せなくなりました。別のどこかを棲み処にしているのでしょうが、少し寂しい気持ちになりました。

と言うことですが、私の方は、家への出入りも、裏口からではなく、玄関からに戻ることになり、ツバメを気づかうことのない、日常に戻ることになりました。そこで、7月6日（土）にポーチ灯カバーの掃除をすることにしました。来年もツバメにはこの巣を使ってもらうために、巣自体は残して……。つまり、ポーチ灯カバーの真上のツバメの巣はそのままにして、灯カバーの側面を清掃したということです。

ポーチ灯カバーを外して、巣の寸法を測りました。巣の外径は11.0cm、巣の外の高さ6.5cm、内径8.5cm、内部の深さ3.8cmで、予想していた通り、浅いお椀形の巣になっていました。巣の中は卵の殻や糞など、ゴミ一つ無くきれいな状態で、巣の下（底）には、ワラが敷き詰められており、親が「我が子を、愛育する」気持ちが伝わってきて感動しました。

残念なことでしたが、巣の中には、ヒナに孵らなかった卵（大きさは、外径[長]12mm、外径[短]7mm）が2つ残されていました。巣が少し小さ目であったので、十分な抱卵ができなかったのかも知れません。

ここ2ケ月ほど、「ツバメの生態」、特に「ツバメの巣づくり」について観察し、勉強もしました。その甲斐があって、私には、理想的なツバメの巣をつくる技術が身についたような気がします。ツバメに代わって、ツバメのために、もっと良い巣をつくってやるのは、おせっかいでしょうか。

あとがき

20歳前の若い頃から、哲学に興味をもつようになりました。大学に入学し、「哲学同好会」なるところに入ったのが、私が哲学をかじり始めるスタートでした。かじり始めのきっかけは、いくつかありますが、最大の理由は、「ものごとをもっと本質的な面から捉えたい」と思ったことだと記憶しています。

大学を卒業して、社会に出て、働くようになってからは、人間は何のために働くのだろうか？ なぜ働くのか？ 人間は何のために生きるのだろうか？ なぜ生きるのか？ 「何のために？」「なぜ？」を疑問詞にしながら、人間として真にあるべき生き方（本質・真理）を求めてきました。自然や社会のなかの様ざまなものごと（物や事）に対しても、なぜこんなことが起こるのだろうか？ 一体どのようになってしまうのだろうか？ 本来どうあるべきだろうか？など、ものごとのあるべき姿（本質・真理）を求めてきました。

このエッセイ集の表題を「ものごとの本質・真理を求めて」としましたが、エッセイを書き始める頃から決めていたのではなく、編集作業を行うなかで決めたことです。編集作業を行いながら、改めて社会に出てからの自分の人生を振り返ってみて、私の人生が、「『ものごとの本質・真理を求めて』の『旅』」であったような気がしたからです。

50歳代に入ったころに、おぼろげながらのことが、確信に変わっていったことがあります。それは、「本質」と「現象」の関係です。客観的に存在する自然や社会の様ざまなものごと（物や事）のなかには、「本質」と「現象」という二つの側面があります。全ての個々の様ざまなものごとは、多くの偶然（現象）を伴いながら、そのなかを必然（本質）が貫いています。少し遅すぎたかも知れませんが、私にとって、「『現象（偶然）』のなかに『本質（必然）』が潜んでいる」ことが解かり、それが確信に変わっていったときでした。目の曇りがとれて、パッと視界が開けた感じでした。

これとほぼ同時期に、人間が「働く」ことの本当の意義、つまり、「多くの人が求めている日常生活に必要なものをつくり出している」という本当の意義が解かってきました。「働く」ことに対しても、二つの側面があります。例えば、自動車会社の製造部の社員の人は、工場では新車を製造するために、ベルトコンベアに乗ってきた部品を組み立てています。また、農業に従事する人は、食料を生産するために農地を耕しています。こちらの方は、「働く」ことの現象的な側面です。

もう一つの側面は、たとえどのような姿で働いていても、「多くの人が求めている日常生活に必要なもの（例えば新車や食料など）をつくり出している」という共通した本質的な側面です。人間の労働には、二つの側面があって、「働く」ことの本当の意義は、現象的な側面に潜む本質的な側面にあることが解ってきました。

「本質」と「現象」の関係、そして、「働く」ことの本当の意義を理解したことは、本質・真理を求めての旅の途中での大きな拾い物であったと思います。

もう一つ大きな拾い物となったのは、人間の生存活動の本質が、「働く」ことと「生活する」ことの循環（繰り返し）であることを理解し、50歳代の後半のころに、「谷野の環」を創ることができたことです。これによって、左半分の「『働く』時間（領域）」を短縮し、右半分の「『生活する』時間（領域）」を拡張するという未来社会に向かっての重要性が説明できるようになりました。また、「何のために働くか？」「何のために生活するか？」が、だれもが簡単に説明ができるようになり、また、だれもが簡単に理解できるようになりました。

「谷野の環」を見れば、「何のために『働く』か？」と問われたときに、だれもが簡単に「生活に必要なものを生産するために働く」と答えることができます。また、「何のために『生活する』か？」と問われれば、「働くための体力を生産するために生活する」と答えることができます。自分自身では、「『人間の生存活動の説明板』を提供することができた」と誇りに思っているほどです。

「谷野の環」の詳細については、「人間って何もの？　その2：道具をつくった生き物（p146～p163）」のなかのp148～p152で記述しています。

二つの大きな拾い物ができたのは、特に、農家と身近な関係にある農業・農村整備に関する小さな仕事をしてきたからだと思います。ものごとの本質・真理を求めての旅を続けさせてくれた、たくさんの小さな仕事に感謝します。同時に、一緒に仕事をさせて頂いた良き先輩、良き同僚、良き後輩の方々に感謝いたします。

2011年（平成23年）から2021年（令和3年）まで約10年をかけて、二つの大きな拾い物を糧（かて）に、エッセイを書き続けてきました。エッセイを書き続けた過程は、ものごとの本質・真理の捉え方を磨く過程でもあり、自分自身の意識を高めることができました。そして、それらを整理編集し、エッセイ集として自費出版するまでにこぎ付けることができました。ものごとの本質・真理を求めての旅の節目として、また、自分自身の一つの到達点として満足しています。

これからもエッセイを書き続けるかは、分かりませんが、本質・真理を求める旅は続けると思います。哲学もかじり続けると思います。

いざエッセイ集として自費出版することになっても、私には分からないことばかりで不安の日々でした。最後になりますが、出版に際して、様ざまな面からご指導を頂いた「株式会社ウインかもがわ」の斉藤治さんにお礼を申し上げます。ありがとうございました。

2022年8月　　　　　　　　　　著　者

参考文献

◇『科学にときめく－ノーベル賞科学者の頭の中』益川敏英著、かもがわ出版、2009 年初版
◇『反デューリング論（1)』エンゲルス著、村田陽一訳、大月書店、1998 年第 36 刷
◇『反デューリング論（2)』エンゲルス著、村田陽一訳、大月書店、1997 年第 32 刷
◇『論理学－思考の法則と科学の方法』鰺坂真、有尾善繁、梅林誠爾著、世界思想社、2004 年第 14 刷
◇『弁証法とは何か』高村是懿著、広島労働者学習協議会編、一粒の麦社、2007 年初版
◇『ヘーゲル「小論理学」を読む〈1〉～〈4〉』 著者 高村是懿著、広島労働者学習協議会編、一粒の麦社、2009 年第 2 版
◇『論理学 哲学の集大成・要綱第一部』長谷川宏訳、作品社 2007 年第三刷
◇『弁証法の諸問題』武谷三男著、勁草書房、1969 年第 5 刷
◇『自然科学概論 第 2 巻 ―現代科学と科学論―』武谷三男編著、勁草書房、1969 年第 12 刷
◇『論理学 伝統的形式論理学』藤野登著、内田老鶴圃、2003 年第 17 版
◇『農地工学（上)』山崎不二夫著、東京大学出版会、1985 年第 7 刷
◇『囲碁の力』石井妙子著、洋泉社、2002 年初版
◇「『電力産業の新しい挑戦 激動の 10 年を乗り越えて』鈴木建著、日本工業新聞社、1983 年初版
◇『人口論』マルサス著、永井義雄訳、中央公論社、1984 年第三版
◇『考古学 万華鏡』石部正志著、新日本出版社、2004 年初版
◇『「科学の目」で原発災害を考える」不破哲三著、日本共産党中央委員会出版局、2011 年
◇「マルクス・コレクションⅠ」カール・マルクス著、中山元、三島憲一、徳永恂、村岡晋一訳、筑摩書房、2005 年初版
◇『ドイツ古典哲学の本質と展開』鰺坂真著、関西大学出版部、平成 2012 年
◇『ヒトの進化 700 万年史』河合信和著、筑摩書房、2010 年初版
◇『カント入門』石川文康著、筑摩書房、2011 年第 18 刷
◇『38 億年 生物進化の旅』池田清彦著、新潮社、2010 年第 3 刷
◇『いのちの起源への旅 137 億年』前田利夫著、新日本出版社、2011 年初版
◇『どこまで描ける生物進化』宇佐美正一郎著、新日本出版社、1997 年第 5 刷
◇『人類がたどってきた道』海部陽介著、NHK 出版、2005 年初版
◇『新版 書く技術』森脇逸男著、創元社、2004 年第 2 刷
◇『日本語基礎講座－三上文法入門』山崎紀美子著、筑摩書房、2003 年初版
◇『日本語の〈書き〉方』森山卓郎著、岩波書店、2013 年初版

◇『自民党改憲案を読み解く』長谷川一裕著、かもがわ出版、2013 年初版
◇『「新自由主義からの脱出」－グローバル化のなかの新自由主義 vs. 新福祉国家』
二宮厚美著、新日本出版社、2012 年初版
◇『いま憲法「改正」と人権を考える』小林武著、部落問題研究所、2005 年初版
◇「『家族･私有財産･国家の起源』エンゲルス著、土屋保男訳、新日本出版社、2011 年第 3 刷
◇「『日本国憲法は「押し付けられた」のか？』柴山敏雄編、学習の友社、2008 年初版
◇『あなたが世界を変える日』セヴァン・カリス＝スズキ著、ナマケモノ倶楽部編訳、学陽書房、2014 年第 26 刷
◇『眼の誕生　カンブリア紀大進化の謎を解く』アンドリュー・パーカー著、渡辺政隆・今西康子訳、草思社、2006 年初版
◇『自然人類学入門 - ヒトらしさの原点 -』真家和生著、技報堂出版、2007 年初版
◇『マルクス　資本論』第一巻、向坂逸郎訳、岩波書店、1967 年初版
◇『自然の弁証法（1)』エンゲルス著、菅原仰訳、大月書店、1996 年第 39 刷
◇『ゴリラからの警告　人間社会、ここがおかしい』山極寿一、毎日新聞出版、2018 年第 2 刷
◇『ものの見方・考え方、そして変え方』槙野理啓著、学習の友社、2019 年初版
◇『現代を生きる基礎理論』関西勤労者教育協会編、学習の友社、2016 年第 3 刷
◇『「役に立たない」科学が役に立つ』エイブラハム･フレクスナー、ロベルト･ダイクラーフ著、初田哲男監訳、野中香方子、西村美佐子訳、東京大学出版会、2021 年第 4 刷